Y0-BCG-844

Les Éditions du Boréal
4447, rue Saint-Denis
Montréal (Québec) H2J 2L2
www.editionsboreal.qc.ca

HISTOIRE DES JUIFS DU QUÉBEC

DU MÊME AUTEUR
EN LANGUE FRANÇAISE

Le Devoir, *Les Juifs et l'immigration. De Bourassa à Laurendeau*, Institut québécois de recherche sur la culture, 1988.

Le Rendez-vous manqué. Les Juifs de Montréal face au Québec de l'entre-deux-guerres, Institut québécois de recherche sur la culture, 1988.

Flâneries sur les cimes de l'histoire juive montréalaise (avec Tur Malka), Septentrion, 1997.

Saint-Laurent. La Main *de Montréal*, Septentrion, 2002.

« Fais ce que dois ». 60 éditoriaux pour comprendre Le Devoir *sous Henri Bourassa, 1910-1932*, Septentrion, 2010.

Trajectoires juives au Québec, Presses de l'Université Laval, 2010.

Jacob-Isaac Segal (1896-1956). Un poète yiddish de Montréal et son milieu, Presses de l'Université Laval, 2012.

« À chacun ses Juifs ». 60 éditoriaux pour comprendre la position du Devoir *à l'égard des Juifs, 1910-1947*, Septentrion, 2014.

« Soyons nos maîtres ». 60 éditoriaux pour comprendre Le Devoir *sous Georges Pelletier, 1932-1947*, Septentrion, 2015.

SOUS LA DIRECTION DE

Juifs et réalités juives au Québec (avec Gary Caldwell), Institut québécois de recherche sur la culture, 1984.

Un homme grand : Jack Kerouac at the Crossroads of Many Cultures / Jack Kerouac à la confluence des cultures (avec Louis Dupont, Rémi Ferland et Eric Waddell), Ottawa, Carleton University Press, 1990.

Juifs et Canadiens français dans la société québécoise (avec Ira Robinson et Gérard Bouchard), Septentrion, 2000.

Traduire le Montréal yiddish / New Readings of Yiddish Montreal / Taytshn un ibertaytshn yidish in Montreal (avec Sherry Simon et Norman Ravvin), Presses de l'Université d'Ottawa, 2007.

Les Communautés juives de Montréal. Histoire et enjeux contemporains (avec Ira Robinson), Septentrion, 2010.

Les Juifs de Québec. Quatre cents ans d'histoire (avec Simon Jacobs), Presses de l'Université du Québec, 2015.

Pierre Anctil

HISTOIRE DES JUIFS DU QUÉBEC

Boréal

Dépôt légal : 4e trimestre 2017
Bibliothèque et Archives nationales du Québec

Diffusion au Canada : Dimedia
Diffusion et distribution en Europe : Interforum

Catalogage avant publication de Bibliothèque et Archives nationales du Québec et de Bibliothèque et Archives Canada

Anctil, Pierre, 1952-

Histoire des juifs du Québec

Comprend des références bibliographiques et un index.

ISBN 978-2-7646-2511-8

1. Juifs – Québec (Province) – Histoire. I. Titre.

FC2950.J5A52 2017 305.892'40714 C2017-941932-3

ISBN PAPIER 978-2-7646-2511-8

ISBN PDF 978-2-7646-3511-7

ISBN EPUB 978-2-7646-4511-6

À Chantal, qui m'a inspiré l'écriture de ce livre.

Introduction

L'histoire des populations et des communautés juives du Québec est un sujet suffisamment nouveau pour qu'il vaille la peine d'établir dès le départ un certain nombre de points de repère fondamentaux et de balises méthodologiques qui guideront le lecteur tout au long de cet ouvrage. Il est important de se rappeler que les universitaires francophones n'ont commencé à s'intéresser au judaïsme dans son incarnation québécoise qu'à partir des années 1980 et souvent dans un contexte de forte découverte. Ce retard s'explique entre autres par un certain nombre de facteurs historiques que ce livre aborde directement. Après plus de trois décennies de questionnements et d'avancées, le temps est sans doute venu de réunir en un seul volume tous les constats auxquels différents chercheurs sont arrivés dans ce champ d'étude inédit. Un tel effort d'écriture devrait nous permettre de retracer le récit historique de la présence juive au Québec dans toute sa durée, c'est-à-dire depuis les débuts du Régime français jusqu'au tournant du XXIe siècle. Parfois, on note des convergences et des recoupements dans les interprétations qui ont été proposées par différents auteurs, mais il existe aussi dans ce champ d'étude de nombreux désaccords qui ont donné naissance à des débats souvent vigoureux et toujours d'actualité, dont celui touchant à la prévalence de l'antisémitisme dans les milieux francophones et catholiques.

Ce travail de synthèse est le premier à paraître en langue française au Canada. Sa publication survient dans le sillage de nombreuses études produites dans le milieu universitaire anglophone qui ont balisé le contexte dans lequel se déroule l'histoire juive canadienne en général et qui ont introduit des données de base sur lesquelles nous pouvons nous appuyer aujourd'hui. Cet ouvrage concentre toutefois son propos sur la société québécoise et sur la ville de Montréal comme espaces porteurs d'une identité juive distincte de celles qui se sont développées ailleurs au Canada. Il se démarque aussi par l'utilisation de sources en langue française et en langue yiddish qui sont abondantes pour ce qui est du judaïsme montréalais et qui offrent un éclairage inédit de la situation à l'échelle de la métropole québécoise. Une des caractéristiques de ce domaine de recherche est qu'il exige la maîtrise d'un grand nombre de langues et de dialectes et une compréhension fine de différentes traditions religieuses entrées en contact les unes avec les autres sur une longue période. L'histoire juive de Montréal met en lumière de manière éclatante le destin de la ville comme carrefour et point de convergence de plusieurs migrations successives. C'est une perspective à laquelle j'ai sans cesse tenté de me référer.

Les progrès de la recherche en études juives canadiennes et québécoises sont dus à deux facteurs bien précis. Les organisations communautaires juives ont commencé très tôt à recueillir de la documentation au sujet de leur histoire au pays et l'on retrouve pour cette raison dans leurs archives, sous diverses formes, une masse exceptionnelle de témoignages concernant l'immigration et l'établissement des Juifs au sein de la société québécoise. Deux grandes institutions du judaïsme québécois se sont particulièrement distinguées sous ce rapport, soit la Bibliothèque publique juive de Montréal (BPJ), établie en 1914, et le Congrès juif canadien (CJC), fondé à Montréal en 1919. Ces deux organisations, de concert avec différents milieux syndicaux, scolaires et culturels, ont préservé l'essentiel des témoignages sur lesquels repose ma démarche et celle de mes collègues qui s'intéressent à ce sujet. Un grand nombre de ces documents sont toutefois consignés en yiddish, une langue que les francophones n'ont commencé à apprendre que très récemment.

Composées souvent de personnes lettrées et valorisant l'éducation, les élites juives de Montréal ont aussi développé très tôt une conscience vive de leur histoire communautaire et de son importance pour les générations futures. Ces préoccupations ont été particulièrement marquées au sein des cohortes immigrantes de langue yiddish, qui ont produit le plus important corpus littéraire en langue non officielle au Canada au XXe siècle. Sur ce plan, la récolte est très abondante et ne cesse de permettre de nouvelles explorations qui orientent notre compréhension de l'histoire. La diversité et la profondeur de l'héritage juif se doublent d'un grand intérêt, au sein du réseau communautaire, pour la mise en valeur des traces du passé. De nombreux anniversaires et célébrations historiques ponctuent le calendrier institutionnel juif à Montréal, phénomène qui a beaucoup contribué à dynamiser la recherche et à diffuser ses résultats auprès d'un public considérable. Ces appuis soutenus ont aussi dégagé un espace de discussion fort animé où il est possible de recueillir des points de vue contrastés et de faire valoir des interprétations nouvelles. On doit à de tels soutiens le regroupement récent de fonds d'archives de première importance et le développement d'outils de recherche performants, dont le très apprécié site web animé par le Réseau canadien du patrimoine juif. Il convient aussi de mentionner dans cette veine la contribution de premier plan offerte par le Musée du Montréal juif. Ces discussions animées ont toutefois tardé à atteindre les Montréalais francophones, qui jusqu'à dernièrement se sentaient peu concernés par l'histoire des populations minoritaires dans leur ville.

Trois contextes nouveaux au XXe siècle ont par ailleurs ouvert la voie aux réflexions contenues dans cet ouvrage et permis l'éclosion au Québec d'un champ d'étude en humanités juives qui se distingue par son dynamisme et sa profondeur d'analyse. L'Église catholique a procédé au lendemain de la Shoah*[1] à une remise en question fondamentale de son rapport au judaïsme et proclamé, dans la déclaration *Nostra Ætate* de 1965, les bases d'une filiation positive avec une tradition spirituelle mosaïque beaucoup plus ancienne. Jusqu'à cette date, l'attitude de mépris et de rejet doctrinal qui caractérisait les rapports du Vatican avec l'héritage judaïque rendait très problématiques toute étude du sujet et à plus forte raison les relations avec des personnes d'origine juive. Considérant le rôle central joué par la tradition catholique dans la

1. Les termes répertoriés dans le glossaire (p. 457-459) sont suivis d'un astérisque à leur première mention.

société canadienne-française, cet obstacle était pratiquement insurmontable, même dans les milieux universitaires. Il fallait aussi, pour que les francophones s'approchent des humanités juives, que le champ de l'histoire du Québec cesse de se définir comme intéressé exclusivement par le devenir national canadien-français. Dans l'œuvre du chanoine Groulx, l'Amérique française était un espace d'appartenance et d'affirmation relatif à la seule identité catholique et française d'origine. Il n'y avait pas, dans cette approche, d'ouverture pour considérer le Québec comme le lieu privilégié d'une rencontre des cultures et de différentes trajectoires historiques. L'exclusivisme culturel canadien-français est devenu aujourd'hui une position intenable au regard de la complexité de la trame narrative historique montréalaise. De nos jours, il n'est tout simplement plus possible d'écrire une histoire du Québec sans tenir compte des grands phénomènes de la modernité que sont l'immigration de masse, la montée de la diversité culturelle, la mixité des parcours et la multiplicité des croyances religieuses.

Il n'était pas praticable par ailleurs, pour les chercheurs issus de l'univers de signification canadien-français, d'en arriver à une compréhension englobante de l'héritage juif québécois sans entrer en dialogue soutenu avec des spécialistes des études juives. L'apprentissage des langues juives et des contextes culturels propres à cette tradition, sans lequel toute démarche était condamnée à des constats superficiels et nécessairement inféconds, exigeait de surcroît le développement d'une sensibilité anthropologique d'observation participante. Cela imposait en somme de lire le déroulement de la trame historique québécoise dominante à partir d'un point de référence distancié. Pour cette raison, je suis redevable dans ma démarche à un grand nombre de personnes, insérées d'une manière ou d'une autre dans la structure communautaire juive de Montréal et qui m'ont soutenu dans un cheminement dont le point d'arrivée est longtemps resté incertain. C'est que l'aventure n'avait jamais été tentée en français et que la voie à suivre n'était pas toute tracée au sein d'un milieu universitaire et littéraire encore marqué par des réticences considérables envers l'altérité. En ce qui me concerne, je tiens à souligner en particulier l'apport de David Rome, archiviste du CJC de 1972 jusqu'à sa mort en 1996 et premier responsable de ma « conversion » à ce nouveau champ d'étude. Viennent ensuite, à diverses époques de ma carrière, les contributions généreuses d'universitaires spécialisés dans les études juives ou l'immigration, avec qui j'ai entretenu des rapports suivis. Je tiens à mentionner en particulier Richard Menkis, Ira Robinson, Robert F. Harney, Harold Troper, Gerald Tulchinsky, Joseph J. Lévy, Yolande Cohen, Morton Weinfeld, David Roskies, Frank Bialystok, Sherry Simon et Robert Schwartzwald.

* * *

Mais de quel judaïsme s'agit-il ? Cet ouvrage ne cherche pas à aborder la haute tradition religieuse juive dans le sens prescriptif du terme ou à décrire dans le détail ses rituels les plus courants. Il n'étudie pas non plus les grands textes paradigmatiques de la Bible et du Talmud*, qui forment encore aujourd'hui le fondement de la pensée et de l'imaginaire juifs. Plutôt que de tenter de produire une histoire de la tradition religieuse juive, ce livre s'intéresse à la présence de personnes d'origine juive dans la société québécoise en tant que porteurs d'une identité et d'une culture minoritaires. Il a donc comme point de départ une approche qui se rattache aux humanités juives, c'est-à-dire qui reflète une histoire comprise d'un point de vue séculier et scientifique. Vus sous cet angle, les Juifs forment au sein de la société québécoise un groupe possédant une histoire propre et des caractéristiques particulières, qui entrent en contact avec des forces plus vastes et englobantes. Parfois, les tenants du judaïsme se réclament de leur origine et cherchent à préserver les traces historiques de leur présence par l'intermédiaire d'organisations communautaires ; parfois, ils agissent comme tous les citoyens québécois, et il est difficile de les distinguer de la masse. C'est cette dialectique entre mise en retrait volontaire et pleine participation qui constitue l'assise de l'histoire juive québécoise telle que présentée dans cette étude. Le judaïsme par ailleurs se décline en de multiples interprétations doctrinales et il existe au sein de l'ensemble juif montréalais de nombreuses sous-communautés issues de vagues migratoires très différentes. Il faut donc éviter de suggérer au cours de l'analyse l'existence d'un type ou d'un modèle universel qui réunirait toutes les personnes issues de cette tradition. L'expression culturelle juive est un perpétuel chatoiement de formes qui se modifie au gré des déplacements de populations et des contextes sociaux, si bien qu'il est incorrect d'un point de vue historique de postuler qu'il existerait au Québec une seule communauté et une seule identité juives.

On peut déjà présenter dans cette introduction un certain nombre d'éléments qui établissent l'originalité de l'identité juive dans le mouvement général du devenir québécois. La grande majorité des personnes d'origine française ou britannique qui s'établirent dans la vallée du Saint-Laurent à la période coloniale avaient reçu une éducation pétrie des humanités gréco-latines, réinterprétées à la lumière des principes éthiques du christianisme. Sans être tout à fait étrangers à cette tradition jugée universelle à l'époque, les Juifs se réclamaient plutôt du récit biblique tel qu'établi dans les cinq livres de Moïse, mieux connus dans le judaïsme sous le nom de Torah*. Apparue à une période nettement antérieure à l'hellénisme, la tradition juive possédait des antécédents moyen-orientaux assortis d'une riche littérature tanach'ique*et mishna'ique*rédigée en grande partie en hébreu. Le judaïsme québécois s'est donc établi dès le départ sur un socle civilisationnel très différent et doté d'une grande autonomie historique par rapport à la pensée chrétienne. Bien qu'enracinés profondément dans le terroir du Québec, les Juifs ont continué de se référer en arrière-plan à une trajectoire plusieurs fois millénaire dont on trouve le récit dans le Tanakh et les commentaires produits par les différentes écoles rabbiniques au cours des siècles. Ce rattachement à une autre mouvance historique et religieuse a suffi à établir une distinction décisive qui singularisait au Québec l'identité juive, sans jamais toutefois la couper entièrement du courant dominant de la pensée occidentale.

Les Juifs québécois n'étaient cependant pas issus, dans un sens immédiat, de la terre d'Israël et des splendeurs de la Jérusalem royale au temps de David. Après la destruction finale du Temple en 70 de notre ère par l'empereur Titus, de complexes migrations s'étendant sur de longues périodes historiques ont conduit les adeptes du judaïsme vers de nouveaux territoires, dont l'ensemble du continent européen à partir du haut Moyen Âge. Les premiers Juifs qui ont atteint les rives du Québec venaient de la France, de l'Angleterre et de l'Allemagne. Ceux qui les ont suivis en grand nombre à partir du tournant du XXe siècle arrivaient de l'Empire russe et de l'Europe orientale. Si la période biblique constitue l'assise la plus ancrée historiquement du judaïsme québécois, le cycle mémoriel le plus récent des différentes communautés juives présentes à Montréal est nettement à saveur européenne. La trame historique la plus immédiate de ces populations porte de plus la trace des événements tragiques qui se sont produits sur le Vieux Continent et qui ont donné naissance à leur tour aux vagues migratoires juives les plus importantes vers le Québec. Nous pensons ici aux circonstances liées à la chute de l'Empire russe, aux deux guerres mondiales et à la destruction du judaïsme européen dans le cadre de la Shoah. Il s'est aussi présenté aux portes de notre société, à une période ultérieure, des Juifs qui étaient porteurs à plusieurs siècles de distance de la grande tradition sépharade espagnole et qui avaient subi les conséquences de la colonisation française de l'Afrique du Nord.

Il importe donc de concevoir l'histoire juive québécoise comme une succession de migrations venues d'Europe à différents moments de l'histoire récente et qui portent en elles l'expérience d'une minorisation souvent douloureuse, autant d'apports qui ont suscité l'apparition à Montréal d'identités juives divergentes et de réseaux institutionnels séparés. Plus près de nous, le Québec a ensuite accueilli des Nord-Africains, des Israéliens, des Sud-Américains et des Français qui se sont superposés aux premiers arrivants sans se fondre à eux complètement. L'historien se trouve donc, dans son analyse de l'histoire juive québécoise, en présence de deux mouvements distincts. Il y a d'une part l'obligation de comprendre la situation d'origine des immigrants juifs et les raisons de leur migration et, d'autre part, l'importance de se pencher sur leur processus d'intégration à la société québécoise et canadienne dominante. Cet effort d'interprétation plus global se double par ailleurs de l'étude de trajectoires nettement plus spécifiques sur le plan culturel et idéologique, par exemple celles des sionistes de gauche, des bundistes ou des anciens étudiants de l'Alliance israélite universelle. À ces vecteurs proprement juifs, l'historien doit ajouter dans ses considérations le potentiel d'accueil d'un Québec catholique de langue française, évoluant selon des paramètres qui lui sont propres et qui donne naissance à son tour à des perceptions très différenciées. Au milieu de ce télescopage d'héritages et d'influences diverses se trouve un espace de rencontre et d'échange constant qui est le Montréal de la modernité, à la fois façonné par des courants qui se manifestent à l'échelle mondiale et creuset de la québécitude. Tout le judaïsme québécois n'est pas montréalais, mais la métropole demeure sur une longue période le point cardinal de la transformation radicale et très soutenue qui fait passer les Juifs du statut d'immigrants récents à celui de citoyens de plein droit.

L'étude qui suit est basée en grande partie sur des archives conservées par la communauté juive elle-même et entre autres sur une littérature rédigée à Montréal en yiddish au cours du XXe siècle. Pour répondre aux questions fondamentales que soulève l'histoire juive québécoise, il paraissait essentiel de consulter d'abord les témoignages laissés par les premiers intéressés et d'explorer les impressions et représentations dont ils font état. Cela signifiait observer le regard que les premiers immigrants portèrent sur leur société d'accueil et parcourir le legs culturel qu'ils transmirent à leurs descendants. Autant que possible, j'ai tenté dans cet ouvrage de tenir compte des sensibilités juives face à différentes circonstances et à divers contextes historiques. J'ai aussi tenté de savoir comment avaient été reçus les nouveaux arrivants juifs et dans quel type de société ils avaient tenté de s'insérer. Selon les périodes et le stade d'évolution identitaire de la majorité francophone, la réaction à de tels enjeux a beaucoup varié et produit des points de vue très contrastés.

Malgré ce qui précède et la vive attention que j'ai accordée à l'évolution historique des communautés juives d'un point de vue interne, il reste que nous nous trouvons ici au cœur de la mouvance québécoise profonde. Les quatre siècles discutés dans cette étude ont produit une prise de conscience aiguë, chez les Juifs du Québec, qu'ils appartenaient à une société à nulle autre pareille. Les droits qu'ils ont systématiquement réclamés et leurs contributions soutenues aux multiples sphères d'activité ont aussi donné naissance à un Québec bien différent de celui qui aurait été échafaudé seulement à partir des valeurs traditionnelles du Canada français ou du Canada anglophone. Il y a un judaïsme québécois et montréalais distinct de tous les autres en Amérique du Nord, et cette originalité émerge avec force du récit historique lui-même.

Afin d'éviter que le judaïsme ne soit perçu qu'à travers le prisme de ceux qui ne pouvaient pas se réconcilier avec une présence juive au

Québec, je ne me suis pas attardé au-delà d'un certain point à décrire les mouvements antisémites apparus à divers moments de cette histoire. J'ai tenté en revanche de faire comprendre au lecteur que les Juifs formaient au sein de la société québécoise une minorité vulnérable, parfois durement atteinte par des discours outranciers et des attitudes xénophobes de la part des majorités francophone et anglophone. Peu nombreux en regard de l'ensemble de la population et souvent récemment immigrés, les Juifs du Québec ont néanmoins soulevé au cours de l'histoire des questions fondamentales qui sont communes à toutes les sociétés modernes : la prévalence de la liberté de conscience, l'ouverture à la diversité religieuse et le droit à l'expression individuelle. Les Juifs ont ainsi donné corps, par la différence radicale qu'ils incarnaient, à des enjeux d'une grande importance pour l'ensemble de la société québécoise. En ce sens, la vie juive québécoise a ouvert tout grand la voie à des débats qui ne cessent de se poser dans la vie sociale et politique contemporaine et qui concernent aujourd'hui tous les citoyens.

L'histoire juive de Montréal forme l'un des nombreux récits migratoires apparus dans la ville au XXe siècle et dont certains sont encore en processus de construction. Parce que ce récit est le plus ancien parmi ceux qui ne reposaient pas au départ sur une des deux langues officielles du Canada ni sur la religion chrétienne, la trajectoire juive a souvent été perçue comme un des paradigmes de la diversité dans la métropole québécoise. Si l'histoire des Juifs au sein de notre société est aujourd'hui mieux connue, il nous reste encore à entreprendre le même effort de translation et d'approfondissement pour la multitude de communautés culturelles présentes depuis moins longtemps sur le territoire montréalais et qui, plus tôt que tard, contribueront elles aussi à façonner le devenir québécois.

CHAPITRE 1

Précurseurs et fondateurs, 1627-1900

L'histoire des Juifs du Québec s'inscrit dans le cheminement plusieurs fois millénaire d'un peuple issu du Moyen-Orient et porteur d'une identité enracinée dans le récit biblique[1]. Vu sous cet angle, l'établissement du judaïsme en Amérique du Nord apparaît comme un phénomène tardif dans une longue succession d'errances dans plusieurs régions du globe, de surcroît soumises à des réalités culturelles et politiques très différentes. Tandis que les historiens du Québec ont eu tendance à percevoir les Juifs comme des citoyens nouveaux, venus se joindre à une société en émergence, les premiers intéressés étaient animés de la perception inverse. Héritiers d'une tradition spirituelle unique rattachée à la révélation d'Abraham et de Moïse, les tenants du judaïsme cherchèrent à négocier des modalités qui leur permettraient de perpétuer au Québec les grands paramètres de la judéité. Pour y parvenir, les Juifs ont cherché à cultiver une mémoire historique qui plongeait, grâce à une riche littérature rabbinique et talmudique, jusqu'aux périodes très anciennes de la fuite d'Égypte, de la conquête de Jérusalem par le roi David et de la destruction du Premier Temple. Ils avaient aussi à l'esprit les périodes plus récentes qui avaient vu naître,

---

1. Pour une histoire du judaïsme, voir Armand Abécassis, *La Pensée juive*; H. H. Ben-Sasson, *A History of the Jewish People*; et Fred Skolnik et Michael Berenbaum, *Encyclopaedia Judaica*. Voir aussi Yosef Haim Yerushalmi, *Zakhor. Histoire juive et mémoire collective*.

partout sur le pourtour de la Méditerranée, après la destruction du Deuxième Temple, un judaïsme diasporique tantôt adossé à l'Empire romain, tantôt associé aux puissances islamiques. Surtout, les Juifs qui se hasardèrent jusqu'aux terres boréales de l'Amérique se souvenaient du traitement qu'ils avaient subi au Moyen Âge et au début de l'époque moderne dans les pays en émergence de l'Europe septentrionale. De nombreux martyrologes faisaient en effet la nomenclature des exactions et des persécutions que les Juifs avaient essuyées périodiquement aux mains de l'Église ou de princes cupides[2]. Cela incluait l'expulsion du territoire national, comme en Angleterre en 1290, en France en 1394 ou en Espagne en 1492 ; la spoliation des biens, la ghettoïsation, comme à Venise à partir de 1516, et la commission de pogroms dont le plus tristement célèbre est celui perpétré par Khmelnytsky en Ukraine en 1648. Les Juifs qui émigrèrent au Québec avaient aussi fraîchement en mémoire les luttes qui avaient été menées, depuis le siècle des Lumières, pour assurer la perpétuation du judaïsme dans les différentes sociétés occidentales, notamment pour garantir la liberté du culte, la sécurité des personnes et les droits des minorités.

Les populations juives du Québec se percevaient de plus comme porteuses d'une histoire politique complexe, qui différait nettement de celle que les Européens d'origine française ou britannique avaient apportée en Amérique du Nord. Appartenant à une minorité bien identifiée et victime d'exactions systématiques dans l'Ancien Monde – même sans tenir compte de leur tradition spirituelle –, les Juifs aspiraient le plus souvent à maintenir leur identité en tant que collectivité dotée d'une expérience et d'une conscience spécifiques. Ils étaient soutenus en ce sens par un courant intellectuel nouveau apparu en Allemagne au début du XIXe siècle, appelé *Wissenschaft des Judentums*[3], qui cherchait à produire une analyse scientifique du judaïsme ne tenant aucun compte des croyances religieuses. Pour les tenants de ce mouve-

---

2. À ce sujet, voir Julien Bauer, *Les Juifs ashkénazes.*

3. Maurice-Ruben Hayoun, *La Science du judaïsme. Die Wissenschaft des Judentums.* Voir aussi Jacques Ehrenfreund, *Mémoire juive et nationalité allemande. Les juifs berlinois à la Belle Époque.*

ment scientifique surtout animé par des personnes d'origine juive, il importait de placer l'étude des Juifs sur un pied d'égalité avec celle de tous les autres peuples européens. C'est ainsi que sont apparues les premières études historiques savantes de l'histoire juive, produites selon une approche moderne et reposant sur des données archivistiques fiables. Parmi celles-ci se démarque celle rédigée par Heinrich Graetz, publiée en onze volumes entre 1853 et 1875 sous le titre de *Geschichte der Juden von der ältesten Zeiten bis auf die Gegenwart*[4] (l'histoire des Juifs depuis les temps les plus anciens jusqu'à aujourd'hui). Deux générations plus tard, Simon Dubnow allait reprendre la même idée sous une forme encore plus séculière dans un ouvrage intitulé *Weltgeschichte des Jüdischen Volkes* (l'histoire mondiale du peuple juif), publié à Berlin entre 1925 et 1929. L'idée maîtresse de ces travaux, très audacieux à l'époque, était de démontrer que la population juive des différents pays d'Europe était mue par une expérience historique à nulle autre pareille et formait partout sur le continent une communauté séparée. En somme, Juifs français, britanniques, allemands et russes avaient tous en commun certains traits de culture politique et subissaient un destin particulier du fait de leurs origines judaïques, même conçues comme un héritage lointain et atténué par l'effet de la modernité. Partis d'Europe à une époque où ces notions commençaient à prendre forme, les immigrants juifs qui se sont dirigés vers le Québec eurent ainsi le sentiment, même de manière diffuse, de posséder un patrimoine historique qui leur appartenait en propre et qui comptait déjà de grandes réalisations. Il y avait donc une histoire juive européenne, riche en péripéties souvent douloureuses, qui se déversait maintenant sur un monde « nouveau ». Ce récit fortement documenté prenait de plus appui sur une expérience collective de près de quarante siècles, consignée dans l'un des grands textes religieux de l'histoire de l'humanité et qui avait pour principal horizon, vers l'an 1200 avant notre ère, la conquête de la terre de Canaan par les douze tribus israélites échappées d'Égypte. Au

4. Connu en français sous le titre *Histoire des Juifs*, d'abord publié à Paris par A. Lévy en cinq volumes (1882-1897). Voir aussi dans la même veine l'œuvre ultérieure de l'historien Simon Dubnow, *Veltgeschichte des Jüdischen Volkes.*

bout de ce parcours historique exceptionnel, pratiquement en fin de course, se dressaient maintenant les rivages de l'Amérique septentrionale.

Prenant pied pour la première fois dans la vallée du Saint-Laurent, dans des contextes souvent fort différents, plusieurs immigrants juifs eurent ainsi l'occasion de s'interroger sur l'accueil qui leur serait réservé dans leur nouvelle patrie en tant qu'adeptes du judaïsme. Quel serait leur sort individuel et collectif dans cette société nouvelle ? Comment percevrait-on les membres d'une minorité religieuse généralement réprouvée en Europe ? Quels obstacles placerait-on devant eux en tant que Juifs pour limiter leur liberté de conscience et leur mobilité sociale ? Autant de questionnements nés de la condition que ces immigrants avaient connue en Europe et qu'ils devaient maintenant transposer sur un nouveau continent. Pour ces Juifs, l'arrivée en Amérique était l'aboutissement d'une longue quête identitaire et d'un cheminement diasporique exceptionnel qui s'étendait sur plusieurs siècles dans l'Ancien Monde. Au regard de cette poursuite incessante d'égalité et d'émancipation, la société canadienne dut leur apparaître au premier abord comme un espace privé de balises temporelles et sans contours précis sur le plan politique. Dans un établissement colonial séparé de l'Europe par une distance difficilement franchissable s'ouvraient de nouvelles avenues de mobilité et se manifestaient des ouvertures qui demeuraient impensables ailleurs. Surtout, les Juifs sur ce continent récemment découvert côtoyaient les fondateurs du pays et comptaient parmi les premiers habitants des villes. Au milieu de ces nouveaux peuplements et au sein des entreprises commerciales qui s'y développaient, rien vraiment ne venait rappeler une expérience de mise à l'écart radicale et de discrimination antijuive violente. Pour les fidèles de la tradition mosaïque, l'Amérique se présentait ainsi comme un lieu anhistorique sur le plan de la judéité, une terre inconnue où il était possible de bâtir un nouveau judaïsme capable d'affronter la modernité et de composer avec les avancées de la science. Pour les immigrants juifs, il y avait donc la possibilité sur ces nouvelles rives d'un double commencement, d'une part face à une société qui promettait de les traiter équitablement et, de l'autre, quant à leur propre tradition qu'ils avaient maintenant l'occasion d'asseoir sur de nouvelles bases.

Car il faut comprendre, avant d'entreprendre ce récit québécois, que l'enjeu déterminant de l'histoire juive européenne reste encore, au moment où s'ouvrent les portes de l'immigration vers le Nouveau Monde, la possibilité pour les Juifs de jouir d'une pleine émancipation civile et politique. Quand Champlain fonde Québec, aucun royaume d'Europe n'a encore accordé aux populations juives les mêmes droits et avantages qu'à tous les autres sujets. Nulle part sur le Vieux Continent les Juifs ne sont à l'abri de l'arbitraire des autorités ou de la vindicte populaire. En Grande-Bretagne, il faut même attendre le régime de Cromwell, au milieu du XVIIe siècle, pour que les personnes réputées d'origine juive soient seulement tolérées ou même admises à résider temporairement dans l'île. Ce n'est que dans le contexte de la déclaration de guerre de 1656 contre l'Espagne que Londres accorde finalement le droit aux marchands juifs d'Amsterdam – eux-mêmes issus de la grande expulsion ibérique de 1492 – de s'établir dans le pays. En France, ce n'est qu'au début du XVIIe siècle, près de deux cents ans après le bannissement de 1394 par Charles VI, que des Juifs commencent à réapparaître dans le royaume. Le tournant décisif vers une émancipation complète ne vient qu'à la fin du XVIIIe siècle, à la faveur des grands bouleversements sociaux et politiques apportés par la Révolution française. En 1791, adhérant à la pensée des philosophes du siècle des Lumières, l'Assemblée constituante accorde enfin la pleine citoyenneté aux Juifs de France, sans condition aucune[5]. Un pas décisif est franchi qui ne sera imité que très progressivement dans les autres pays d'Europe et le plus souvent seulement de manière partielle. Même en France, plusieurs ajustements juridiques et réaffirmations politiques seront nécessaires au XIXe siècle pour garantir une application intégrale du principe abstrait énoncé en 1791. Cela signifie que la plupart des Juifs qui seront accueillis au Québec comme immigrants – aussi tardivement qu'en 1917 dans le cas des Juifs issus de l'Empire russe – proviendront de sociétés où ils auront été privés de la plupart des droits fondamentaux. Parmi eux figurent des citoyens allemands frappés par les lois

5. David Feuerwerker, *L'Émancipation des Juifs en France. De l'Ancien Régime au Second Empire.* Voir aussi Esther Benbassa, *Histoire des Juifs de France.*

raciales promulguées à Nuremberg en 1935 et des Juifs qui se sont trouvés sous domination nazie entre 1939 et 1945. Pour un très grand nombre de Juifs européens, le Québec sera une terre d'accueil et un refuge contre l'injustice flagrante des régimes absolutistes ou totalitaires. C'est un aspect fondateur de l'histoire juive québécoise.

Ce contexte propre à l'émergence d'une présence juive au Québec situe résolument notre propos dans le sillage de l'histoire européenne. Lorsqu'ils se déplacent vers l'Amérique du Nord à l'occasion de plusieurs vagues migratoires successives, les populations juives sont porteuses d'une expérience politique et sociale qu'elles transposent sur un nouveau continent. La période au cours de laquelle a lieu le départ et les circonstances exactes qui le provoquent deviennent dans le Nouveau Monde un point de référence fondamental et le début d'un processus d'adaptation à long terme qui laisse des traces durables sur les différentes formes d'identité juive québécoise. Trop souvent, les auteurs intéressés à l'histoire juive québécoise ont négligé de considérer le poids de l'histoire européenne sur ces populations et se sont attachés à décrire leurs avancées au pays comme si elles survenaient *ex nihilo*[6]. Les formes linguistiques juives et non juives parlées par les immigrants à l'heure où ils quittent l'Ancien Monde, leurs expériences culturelles, les perceptions politiques qu'ils avaient développées et leur image d'eux-mêmes sont autant de facteurs décisifs dans la construction communautaire juive au Québec. Ces éléments déterminent pour une bonne part les choix socioéconomiques et les orientations qui se manifesteront au cours des années suivant l'installation dans le nouveau pays. Les bouleversements qui se produisent sur le continent européen, les guerres et les soulèvements populaires, les changements de régime politique et les crises économiques expliquent aussi pour une bonne part pourquoi et quand les Juifs prennent en si grand nombre le chemin de l'exil. Jusqu'à l'arrivée des Juifs sépharades marocains à la fin des années 1950 et jusqu'à la guerre des Six Jours au Proche-Orient, deux événements qui changent progressivement la donne, l'histoire juive du Québec – et d'Amérique – est largement tributaire du contexte européen.

---

6. Pierre Anctil, « "Nit ahin un nit aher": Yiddish Scholarship in Canada ».

Non seulement l'immigrant juif est issu de l'Europe, mais pendant plusieurs décennies il va demeurer au diapason de l'Ancien Continent, souvent dans l'espoir de se porter au secours des siens restés outre-Atlantique ou afin d'arracher à la mort ceux parmi ses coreligionnaires qui sont soumis à des persécutions violentes. Aucun groupe ne suivra avec autant d'attention à Montréal les péripéties de la révolution russe que les migrants juifs arrivés quelques années auparavant, et pendant une longue période cet événement sera célébré sur de nombreuses tribunes communautaires. De la même manière, les Juifs québécois feront tout en leur pouvoir pour discréditer le régime hitlérien et pour instituer un boycottage commercial canadien à son endroit. Dès 1933, d'importantes manifestations publiques auront lieu à l'instigation du Congrès juif canadien pour dénoncer la dictature allemande et son traitement des minorités religieuses[7]. Ces efforts se doubleront de nombreuses pétitions et représentations – souvent vaines – auprès du gouvernement canadien pour ouvrir les portes du pays aux réfugiés juifs, avant, pendant et après la Seconde Guerre mondiale[8]. Quand seront enfin connues dans les principales capitales occidentales les circonstances dans lesquelles des millions de Juifs ont péri aux mains des forces occupantes allemandes en France, en Italie et en Europe de l'Est, ce sera pour les Juifs canadiens le début d'une longue période de deuil et de commémoration collective. Fortement ébranlée par la Shoah, la population juive québécoise voudra accueillir une nouvelle immigration composée de survivants de cette catastrophe sans précédent dans l'histoire juive, réfugiés qui à leur tour prendront part d'une manière exemplaire à la construction identitaire juive en ce pays. Ces efforts se renouvelleront d'ailleurs à une échelle plus réduite quand des Juifs quitteront en toute hâte l'Europe à la faveur de l'insurrection hongroise de 1956, du Printemps de Prague en 1968 et du démantèlement du mur de Berlin en 1990, sans parler du mouvement de sympathie bien réel soulevé

---

7. Voir à ce sujet l'étude récente de Richard Menkis et Harold Troper, *More Than Just Games: Canada and the 1936 Olympics.*

8. Irving Abella et Harold Troper, *None Is Too Many: Canada and the Jews of Europe, 1933-1948.*

au sein des milieux juifs de Montréal, au cours des années 1970 et 1980, par le sort réservé aux refuzniks soviétiques, dont plusieurs avaient des racines judaïques déclarées.

La référence quasi universelle à l'Europe n'a pas empêché les nouveaux arrivants juifs de suivre un processus d'intégration rapide au Québec et au contexte nord-américain. Cette transformation identitaire et sociale profonde s'est toutefois produite sur la base d'une continuité historique de longue durée avec des modèles élaborés dans l'Ancien Monde. Les Juifs conçurent très tôt qu'ils quittaient un espace diasporique érigé depuis plusieurs siècles – surtout dans le cadre de l'Empire russe – pour pénétrer dans un nouveau lieu d'exil. Le départ de l'Europe s'accompagna donc d'une conscience, plus ou moins aiguë selon les périodes, qu'il s'agissait d'un déplacement de plus dans une longue séquence de départs successifs depuis le territoire de l'Allemagne médiévale, sinon depuis le pourtour de la Méditerranée. À travers ces phases d'errance étalées sur plusieurs siècles, les Juifs avaient réalisé une série d'adaptations qui furent reprises dans les grandes villes canadiennes, surtout Montréal. Une fois établis au-delà des mers, les migrants des XIXe et XXe siècles mirent tout de suite sur pied des organisations caritatives, des institutions culturelles et des synagogues à vocation communautaire. Ils cherchèrent aussi à renforcer le réseau des solidarités juives en créant une panoplie d'organismes philanthropiques destinés à appuyer les nouveaux venus et à attirer au Canada leurs proches restés outre-Atlantique. À ces sociétés et associations de type traditionnel s'ajoutèrent des innovations européennes plus récentes comme la presse juive, les bibliothèques publiques, le théâtre et le vaudeville, souvent de langue yiddish. Les immigrants descendaient à peine des paquebots qu'ils se joignaient à des cercles politiques et à des syndicats spécifiquement juifs ou se rendaient fréquenter des établissements d'enseignement destinés aux immigrants adultes et fondés à peine quelques années plus tôt. Montréal offrait déjà presque autant de complexité institutionnelle et de diversité interne au début du XXe siècle que Varsovie, Kiev et Vilnius, à la différence que les Juifs ne ressentaient pas en Amérique la nécessité de se défendre collectivement contre les pogroms et les exactions. À ce tableau, il convient d'ajouter l'impulsion artistique puissante ressentie par certains immigrants yiddishophones. Des mouvements littéraires et intellectuels juifs apparus dans plusieurs langues en Europe de l'Est furent ainsi repris par de jeunes talents montréalais qui donnèrent naissance à des œuvres majeures diffusées partout au sein de la diaspora est-européenne.

Cet activisme juif de tous les instants fut le fait avant tout des cohortes qui effectuèrent la traversée de l'Europe vers l'Amérique dans la première moitié du XXe siècle. Arrivés pour la plupart au début de l'âge adulte, ces immigrants connurent une période de transition intense soutenue par de fortes avancées institutionnelles, et ouvrirent ainsi la voie aux générations subséquentes. Cependant, le phénomène se produisit plusieurs fois dans l'histoire juive montréalaise, notamment à la faveur d'une succession de vagues migratoires toutes différentes et porteuses de forts contrastes culturels. Chacun de ces apports démographiques nouveaux ajouta sa contribution particulière à un édifice en cours de construction, qui s'élevait décennie après décennie dans un contexte de grande diversité linguistique et culturelle. En fin de compte, ce n'est pas un seul ensemble judaïque qui prendra place à Montréal à la fin du XXe siècle mais bien plusieurs sous-communautés reliées entre elles par leur appartenance à la grande tradition mosaïque.

Comme nous le verrons bientôt, l'histoire juive du Québec se conjugue au pluriel et se décline dans plusieurs langues. C'est aussi le cas du judaïsme en tant que croyance religieuse, qui trouve à s'exprimer à travers de multiples interprétations et pratiques rituelles. Au moment d'entreprendre le récit de cette complexité à plusieurs niveaux, il faut se rappeler que l'identité juive québécoise se trouve en redéfinition constante au cours de l'histoire et échappe aux simplifications hâtives. Le plus souvent, les Juifs québécois se situent à la convergence de nombreuses influences venues de l'étranger, avec lesquelles ils doivent composer à long terme. Ces réconciliations se produisent alors que la communauté cherche son point d'équilibre au sein d'une société québécoise encore en formation, où se manifeste la présence concurrente d'une forme particulière de catholicisme francophone et de protestantisme britannique. Faut-il se surprendre que cette trajectoire à nulle autre pareille, s'étendant sur près de quatre siècles, se pare au Québec d'une originalité et d'une complexité qui défient l'imagination ? Cela tient pour beaucoup à ce que nulle part ailleurs en Amérique les Juifs n'ont rencontré pareille combinaison de facteurs historiques et culturels, au point où il est maintenant possible d'esquisser une histoire cohérente et raisonnée des Juifs québécois en tant que tradition distincte du judaïsme canadien et états-unien.

Commencements sépharades

L'histoire juive québécoise a cette particularité qu'on ne peut pas en fixer le commencement de façon précise. C'est un récit qui ne s'ouvre ni sur la découverte d'un nouveau monde ni sur la prise de possession d'un territoire considéré jusque-là inoccupé. On ne trouve pas dans cette narration de père fondateur ou d'explorateurs de renom à la solde d'une grande puissance européenne et dont on aurait voulu retenir les exploits. Laconique, Jacob Rader Marcus se contente d'écrire à ce sujet : « Sans cesse à la recherche d'une marge inoccupée si l'on pouvait y trouver des avantages économiques, quelques Juifs à l'esprit aventureux remontèrent le Saint-Laurent[9]. » Le plus souvent, les premiers Juifs qui foulent le sol de l'Amérique du Nord ne laissent aucun témoignage particulier et leur mémoire s'est perdue faute de documents probants. Cela tient en grande partie à la difficulté, au début de l'ère moderne, de définir clairement qui est juif et ce qu'est un Juif. Souvent, à cette époque, les intéressés se gardent bien de révéler leurs origines par peur des représailles et fuient les occasions de pratiquer leur religion en public[10]. Pour échapper à l'opprobre et aux dénonciations, plusieurs ont même accepté de se convertir et sont considérés comme des chrétiens dans les documents officiels, sinon au moment de l'embarque-

9. « *Seeking as ever the fringe of possibility, if it promised opportunity, individual Jews of an adventurous nature did sail up the St. Lawrence.* » Jacob Rader Marcus, *Early American Jewry*, vol. 1 : *The Jews of New York, New England, and Canada, 1649-1794*, p. 199. Notre traduction.

10. Pour une perspective plus vaste sur la présence juive dans les Amériques à cette époque, voir l'ouvrage de Jacob Rader Marcus, *The Colonial American Jew, 1492-1776*.

ment vers le Nouveau Monde. D'autres, des crypto-Juifs, restent secrètement fidèles à la tradition mosaïque sans laisser paraître le moindre signe extérieur de leurs croyances judaïques. Forcés par les circonstances de cacher leur identité, ils évoluent dans des cercles fermés et ne recherchent pas la compagnie de leurs semblables par crainte de se trahir. Il est pratiquement impossible de retrouver des traces de leur passage dans les relations et les descriptions de l'époque. Leurs appréhensions, profondément ancrées, sont nourries par les expulsions de l'Espagne et du Portugal, survenues respectivement en 1492 et 1496, qui rendirent très aléatoire toute velléité de perpétuation du judaïsme dans la péninsule ibérique. Les Juifs de ces royaumes, longtemps associés par les chrétiens aux anciens occupants musulmans, sont forcés par les autorités catholiques de se convertir sur place. Ceux qui refusent se dispersent sur tout le pourtour de la Méditerranée, puis aussi loin que sur les côtes françaises, britanniques et hollandaises. Un petit nombre de ces exilés ibériques aboutit dans les Amériques.

C'est ainsi que naît au début du XVIe siècle une nouvelle identité judaïque issue de la grande diaspora espagnole, qui aura des retombées décisives dans plusieurs régions d'Afrique du Nord et du Moyen-Orient. Dans ces contrées, où il existait des peuplements juifs plus anciens, les déplacés donneront naissance à un judaïsme inspiré de la grande période du Moyen Âge espagnol et dissémineront partout un rite judaïque spécifique dit de forme sépharade[11] et une judéo-langue, le ladino[12]. La mémoire de l'âge d'or hispanique, marqué par de grandes avancées scientifiques et littéraires, se diffusera aussi jusqu'à Bordeaux, Londres et Amsterdam, villes où seront accueillies de petites colonies d'exilés espagnols et portugais. Après les persécutions systématiques de la fin de la période médiévale, les Sépharades seront souvent les premiers Juifs autorisés à s'établir officiellement dans des pays d'Europe occidentale, où règne un esprit plus libéral sur le plan politique et où ils seront à l'origine d'une renaissance de la pratique judaïque. Il n'est pas

11. De *Sfarad*, terme désignant l'Espagne en langue hébraïque.

12. Voir à ce sujet Bernard Spolsky, *The Languages of the Jews: A Sociolinguistic History*.

interdit de penser qu'une très petite partie de cette diaspora considérable – quelque 160 000 Juifs quittent l'Espagne à la fin du XVe siècle – aboutit dans les nouveaux établissements de l'Amérique septentrionale *via* des ports de mer français et anglais. Chassés d'une terre où le judaïsme était implanté depuis plusieurs siècles et souvent soumis à une persécution religieuse systématique, ces *conversos* ont été peu empressés de révéler leurs origines, même dans le Nouveau Monde. Poussés à la mer par les autorités catholiques espagnoles et spoliés de leurs biens, les Marranos seront d'autant plus disposés à risquer la grande traversée que c'était s'éloigner des centres de pouvoir européens, où leur présence n'était guère tolérée. L'Amérique offrait de plus la possibilité aux nouveaux arrivants juifs de se fondre sans trop de mal à une masse de colons de différentes provenances. Ce contexte et la glorification ultérieure du rôle de la France dans l'histoire de la colonie peuvent servir à expliquer que les migrations juives sépharades n'aient guère laissé de traces écrites dans la mémoire collective québécoise.

La timide ouverture des premières années du Régime français au Canada se termine toutefois avec la décision du cardinal de Richelieu, au moment de la création de la Compagnie des Cent-Associés en 1627, d'exclure les protestants et les Juifs du territoire de la Nouvelle-France. Cette interdiction coïncide avec la volonté des autorités de susciter l'apparition dans la vallée du Saint-Laurent d'une colonie de peuplement entièrement catholique qui serait encadrée par un clergé au service de la politique d'État. Les intentions du principal ministre de Louis XIII sont d'ailleurs évoquées de manière claire dans l'acte visant à l'établissement de la compagnie, sans toutefois que les Juifs soient mentionnés expressément :

> Monseigneur le cardinal de Richelieu [...] avait jugé que le seul moyen de disposer ces peuples [autochtones] à la connaissance du vrai Dieu était de peupler le dit pays de naturels français catholiques pour, par leur exemple, disposer ces nations à la religion chrétienne, à la vie civile, et même y établissant l'autorité royale, tirer des dites terres nouvellement découvertes quelque avantageux commerce pour l'utilité des sujets du roi. [...] Sans toutefois qu'il soit loisible aux dits associés et autres [de] faire passer aucun étranger ès dits lieux, ains [mais] peupler la dite colo-

> nie de naturels français catholiques ; et sera enjoint à ceux qui commanderont en la Nouvelle-France de tenir la main à ce qu'exactement le présent article soit exécuté selon sa forme et teneur, ne souffrant qu'il y soit contrevenu pour quelque cause ou occasion que ce soit, à peine d'en répondre en leur propre et privé nom[13].

Cette décision relève surtout, dans le cas des protestants français, d'une tentative d'écarter des concurrents bien organisés et capables d'empêcher les investisseurs réunis autour de Richelieu d'arriver à leurs fins, c'est-à-dire de réaliser des profits importants en peu de temps. Elle vient d'ailleurs dans le sillage en France d'une persécution violente des disciples de Calvin que l'édit de Nantes, promulgué en 1598, freine pendant quelques années. L'accès aux richesses naturelles de la Nouvelle-France – essentiellement à cette époque la fourrure – est en effet perçu comme un monopole relevant de la personne du roi et que celui-ci est libre de céder à des intermédiaires entreprenants contre divers avantages. La mesure d'exclusion antiprotestante vise aussi à contenir les ambitions territoriales des colons anglais et hollandais installés sur la côte atlantique et qui lorgnent du côté des territoires plus à l'ouest, habités à cette époque par les seuls autochtones. Les Juifs quant à eux figurent indirectement dans cette proclamation comme les tenants d'une religion non chrétienne ne possédant aucun droit coutumier ni de résidence permanente dans le royaume. Il est difficile de croire en effet que des marchands d'origine juive aient figuré au premier plan parmi ceux qui s'apprêtaient à consentir des investissements importants en Nouvelle-France ou qu'il se soit trouvé un grand nombre de Juifs déclarés parmi les colons que la France tentait d'établir dans le Nouveau Monde. L'interdiction, surtout liée à la doctrine catholique, ne concerne guère non plus les quelque trois cents sujets français qui ont pris pied à cette date à Québec ou le long du Saint-Laurent, dont aucun ne s'est déclaré ouvertement à son arrivée en tant qu'adepte convaincu de la loi de Moïse. L'acte de fondation de la Compagnie des Cent-Associés

---

13. Voir le texte au complet dans Marcel Trudel, *La Nouvelle-France par les textes. Les cadres de vie*, p. 23-30.

est par ailleurs présenté par Marcel Trudel comme possédant une valeur fondamentale dans l'histoire québécoise, puisqu'il oriente culturellement le peuplement de la Nouvelle-France et assure la prépondérance légale de la foi catholique jusqu'à la fin du Régime français et même au-delà. Les clauses de 1627 interdisant la présence des tenants d'autres religions sont d'ailleurs reconduites lors de la création de la Compagnie des Indes occidentales en 1664. Elles seront aussi reprises en 1685 dans le *Code noir* préparé par Colbert, un document qui cette fois-ci concerne essentiellement la vie des esclaves dans les Antilles françaises et ne s'applique pas à la Nouvelle-France[14].

L'histoire juive du Québec s'ouvre donc sur un silence que les persécutions antérieures en Europe rendent très difficile à lever. Aux risques physiques d'une traversée transatlantique s'ajoute pour les adeptes du judaïsme la menace d'être démasqués et chassés illico des colonies françaises. Devant ces dangers qui pèsent sur d'éventuels candidats à l'émigration, la meilleure hypothèse consiste sans doute à faire débuter notre récit avec la proclamation d'exclusion de 1627, qui offre au moins l'avantage de formuler clairement la logique dans laquelle les autorités royales auraient accueilli la présence juive en Nouvelle-France. Dans ce document, les Juifs sont présentés pour la première fois en filigrane comme des résidents potentiels des établissements français en Amérique et comme possédant une identité distincte en vertu de leurs croyances religieuses. Quelques années auparavant, dans son *Histoire de la Nouvelle-France,* publiée à Paris en 1609, Marc Lescarbot avait conjecturé sur l'origine hébraïque des autochtones – selon un mythe tenace en Occident concernant les dix tribus perdues d'Israël[15] –, mais le propos tient davantage du fantasme[16]. Dans ces passages, Lescarbot

14. Voir à ce sujet Louis Sala-Molins, *Le Code noir ou le calvaire de Canaan.*

15. Lors de la conquête du royaume d'Israël par les armées assyriennes en 722 av. J.-C., une partie des Israélites avaient été emportés en esclavage en Mésopotamie. De là vient le récit aujourd'hui jugé légendaire selon lequel dix tribus, parmi les douze que comptait alors le peuple juif, auraient été dispersées aux quatre coins du globe.

16. Voir Pierre Anctil, « Une présence juive en Nouvelle-France ? ».

ne fait aucune mention de la présence des Juifs en France ou de la situation du judaïsme français au moment où le Nouveau Monde est colonisé par les Européens. Mentionnés en creux par Richelieu en 1627, les adeptes du judaïsme qui habitent le royaume, ou encore ceux d'entre eux qui auraient été tentés d'effectuer la traversée vers Québec, prennent enfin une forme plus réelle. Les Juifs que l'on interdit de séjour doivent forcément exister si l'on prend la peine de les chasser des lieux et déjà il devient possible de les inscrire dans la durée d'une histoire. C'est toutefois un début qui n'augure pas d'un avenir brillant dans l'immédiat ou d'une contribution vivement souhaitée. Pendant près d'un siècle et demi, il s'agira plutôt de tenir les Juifs et tous les autres non-catholiques éloignés des côtes du Canada, colonie destinée par la Couronne française à soutenir un peuplement exclusivement catholique. Dans ce contexte, l'apport juif se fera au mieux à la dérobée et sous le couvert du non-dit.

Les territoires de l'Amérique ne manquent pas d'être présentés dès le moment de leur exploration comme un espace résolument ouvert au peuplement européen. L'affirmation vaut aussi pour les Juifs qui se dirigent vers le Nouveau Monde. Il n'y a pas de précédent historique à cette immigration juive qui débute sans doute au XVIe siècle et atteint quelques décennies plus tard la Nouvelle-France. Sur ces terres, tout n'est que recommencement pour le judaïsme. L'affirmation est capitale, car elle signale l'obligation pour les tenants de la loi de Moïse de se référer constamment à l'Europe pour soutenir une vie juive naissante outre-Atlantique. Pour prier, pour transmettre la tradition écrite et pour s'abreuver à l'érudition rabbinique, les Juifs de l'Amérique doivent compter pendant des décennies, sinon des siècles, sur les grands centres de rayonnement judaïques situés dans l'Ancien Monde.

Pour se faire une idée claire du peuplement juif qui était théoriquement susceptible de survenir en Nouvelle-France, et cela en dépit de l'interdit de 1627, il faut aussi diriger nos regards vers le potentiel démographique que constituait aux XVIe et XVIIe siècles le judaïsme français. Or, au moment où l'on tente les premiers peuplements à Port-Royal et à Québec, la situation des Juifs ne cesse de se dégrader dans le royaume et leur nombre est en diminution constante. En 1615, Louis XIII proclame leur expulsion définitive du territoire français et renouvelle l'interdiction proclamée par Charles VI en 1394. Après cette décision prise par la régente Marie de Médicis, le judaïsme sur le territoire de ce qui deviendra la France moderne se limite légalement aux États sous autorité papale situés dans la région d'Avignon[17]. Difficile de croire, dans ces circonstances, que des masses juives françaises aient pu affluer vers les colonies lointaines de l'Amérique.

Les persécutions dont sont victimes les protestants en France pèsent beaucoup sur le sort réservé au judaïsme dans le royaume et vont s'aggravant au début du XVIIe siècle. Le procès de déloyauté politique et de résistance passive fait aux adeptes de Calvin crée un climat d'intolérance religieuse qui affecte à plus forte raison les tenants d'une religion non chrétienne. À cette conjoncture, il faut ajouter l'attitude doctrinaire de l'Église catholique vis-à-vis des Juifs au cours des siècles, résumée en ces termes par l'historienne Rita Hermon-Belot :

> La position de l'Église ne consistait certes pas à les détruire, mais à les conserver comme les témoins du sort pitoyable réservé à ceux qui avaient refusé de recevoir l'Évangile. Un tel projet supposait non seulement de les séparer de la société chrétienne pour éviter une contagion encore possible dans les premiers siècles du Moyen Âge [...] mais aussi de les réduire à une condition qui constitue elle-même le plus évident témoignage de leur flétrissure. La pression exercée par l'Église sur le pouvoir temporel aboutit donc à la multiplication des restrictions pesant sur les Juifs[18].

Le mouvement de mise à l'écart et de rejet des minorités religieuses atteindra son paroxysme en 1685 au moment de la révocation de l'édit de Nantes par Louis XIV, dont l'une des conséquences juridiques sera l'interdiction pure et simple du protestantisme dans le royaume. Beaucoup plus nombreux que les Juifs et fortement intégrés à la vie socio-économique française, les huguenots seront à leur tour contraints à la conversion, poussés à la clandestinité ou forcés à l'exil. Près de 200 000

---

17. Rita Hermon-Belot, *L'Émancipation des juifs en France.*
18. *Ibid.*, p. 8.

d'entre eux quitteront le pays au bout de quelques années, soit tout près du quart de la population protestante. La situation en France à la fin du XVIIe siècle poussera une fois de plus les Juifs à la plus grande discrétion et renouvellera les précautions dont ils devront s'entourer, surtout en ce qui concerne les pratiques religieuses, l'enseignement rabbinique et l'entretien de lieux de culte. Au moment de la signature de l'édit de Nantes en 1598, le nombre de Juifs qu'abritait Paris ne devait pas dépasser quelques centaines de personnes, le plus souvent des individus soumis à un régime de surveillance étroite de la part des autorités et tolérés sur la base de permis temporaires[19]. Au même moment, la région bordelaise abritait un autre noyau juif composé de près de 1 500 individus, presque tous des rescapés de la grande expulsion espagnole de 1492.

C'est, comme on peut le constater, une base démographique très limitée à partir de laquelle envisager une présence juive en Nouvelle-France. Par ailleurs, en 1648, la signature du traité de Westphalie, qui met fin à la guerre de Trente Ans, rattache à la France une population juive de tradition culturelle ashkénaze – ou appartenant à la zone d'influence germanique – de près de 2 000 personnes. Ces tenants de la loi de Moïse, associés aux premiers établissements juifs de la vallée du Rhin, vont conserver dans le royaume les privilèges de gestion communautaire autonome qui leur avaient été concédés plusieurs siècles auparavant. Leur nombre s'accroît en 1766 lors de l'annexion de la Lorraine par la France. Toutefois, le statut des Juifs français dépend beaucoup à cette époque des pouvoirs locaux et des autorités régionales. À Bordeaux, un statut particulier est accordé, dès le milieu du XIVe siècle, aux étrangers qui désirent contribuer à l'accroissement du commerce océanique, ce qui inclut les familles d'origine sépharade qui vont être accueillies par les autorités comme de « nouveaux chrétiens ». Dans cette ville et dans une moindre mesure à Bayonne apparaît ainsi à partir de 1680 une communauté judaïque assez libre de s'épanouir dans le cadre de la monarchie française d'ancien régime. Deux modèles juifs fortement différenciés apparaissent ainsi à la fin du XVIIe siècle : l'un à

19. Ethel Groffier, *Le Statut juridique des minorités dans l'Ancien Régime.*

l'est, de souche ashkénaze, l'autre, situé sur la façade atlantique, d'origine sépharade. Cette division du judaïsme français et européen en deux grands ensembles distincts va bientôt se transporter, au milieu du XVIIIe siècle, dans la vallée du Saint-Laurent. La situation est résumée par Rita Hermon-Belot de la manière suivante :

> Pendant des générations aussi, ces juifs [sépharades] ont vécu en France sous l'apparence de chrétiens, renonçant à toute espère de particularisme visible, adoptant la langue du pays et poursuivant les usages, apportés de la péninsule ibérique, de relations constantes avec les populations locales. Pour les populations de l'est [de la France], en revanche, la vie des juifs, radicalement séparée de celle des chrétiens, se déroulait dans un scrupuleux attachement aux traditions telles qu'elles s'étaient développées dans l'aire ashkénaze d'Europe centrale et orientale. Tous les domaines de la vie quotidienne étaient réglementés par la Loi juive, sans aucune séparation entre vie religieuse et vie profane, et la communauté prétendait contrôler l'observance de chacun[20].

On le conçoit assez aisément, pendant la période du Régime français, c'est de la communauté sépharade bordelaise qu'est venue l'évanescente présence juive en Amérique septentrionale. Située sur le front de mer et déjà rompue au commerce transatlantique depuis plusieurs siècles, Bordeaux offrait un contexte propice à des déplacements transocéaniques de la part de Juifs ayant appris à ne pas exprimer leurs origines ouvertement. Cette hypothèse se vérifie en quelque sorte le 15 septembre 1738 quand un jeune homme débarqué dans le port de Québec, Jacques La Fargue, se révèle en réalité de sexe féminin. Une enquête amène l'individu en question devant l'intendant Gilles Hocquart. L'interrogatoire fait découvrir que les autorités se trouvent en fait en présence d'une jeune femme juive du nom d'Esther Brandeau[21]. C'est la première mention dans un document d'une présence juive en Nouvelle-France :

---

20. Rita Hermon-Belot, *L'Émancipation des juifs en France*, p. 21.

21. Gaston Tisdel, « Brandeau, Esther ».

> Aujourd'hui quinzième septembre mil sept cent trente-huit, par devant nous commissaire de la marine chargé à Québec de la police des gens de mer, est comparue Esther Brandeau, âgée d'environ vingt ans, laquelle s'est embarquée à Larochelle en qualité de passager en habit de garçon sous le nom de Jacques La Fargue sur le batteau [*sic*] *le St-Michel* commandé par le Sr Salaberry, et nous a déclaré se nommer Esther Brandeau, fille de David Brandeau, Juif de nation, négociant au St-Esprit, diocèse de Daxe, après Bayonne, et être juive de religion[22].

L'affaire trouble suffisamment la conscience de l'intendant pour qu'il juge bon de soumettre pendant plusieurs mois l'intruse à un processus de conversion religieuse aux mains de personnes qualifiées, ce à quoi elle a l'audace de résister. Sans doute affublée d'un nom d'emprunt, la jeune femme ne révèle rien aux autorités de ses projets en Amérique ou de ses motivations à entreprendre seule la traversée. Captive, elle ne peut pas non plus se mettre à la recherche de coreligionnaires éventuellement établis dans la colonie. De guerre lasse, décidé à faire valoir l'interdiction de séjour imposée aux Juifs, Hocquart la renvoie l'année suivante en France aux frais du roi : « Elle a tant de légèreté qu'elle est restée en différents temps aussi docile que revêche aux instructions que des ecclésiastiques zélés ont voulu lui donner ; je n'ai d'autre parti à prendre que de la renvoyer[23]. » Le travestissement de la jeune Juive et son comportement insondable montrent bien à quels stratagèmes les immigrants juifs devaient recourir, pendant la période de la Nouvelle-France, pour échapper à la surveillance des représentants du roi. Combien d'individus d'origine juive avaient précédé Esther Brandeau dans les ports de la colonie et avaient pu se glisser sans être détectés ? C'est une question à laquelle il est très difficile de répondre.

---

22. Correspondance reçue entre le secrétaire d'État (ministre) de la Marine et des Colonies (France) en provenance du Canada, Bibliothèque et Archives Canada, fonds des colonies (série C 11-A), nº MIKAN 3067208. D'autres mentions de la présence d'Esther Brandeau à Québec se trouvent dans la même correspondance aux dates suivantes : le 26 octobre 1738, le 27 septembre 1739 et le 25 janvier 1740.

23. *Ibid.*, 27 septembre 1739, nº MIKAN 3067299.

Les documents officiels sont muets sur l'existence de lieux de culte ou de sépulture juifs en Amérique française – qui de toute façon auraient été interdits – et ne mentionnent pas non plus la présence de rabbins ou d'édifices destinés à l'éducation de la jeunesse. Cette absence quasi totale de vie judaïque en Nouvelle-France pointe aussi en direction d'une identité sépharade pratiquant une extrême discrétion en toutes circonstances.

La forte contribution de la ville de Bordeaux au ravitaillement en vivres et en armes de la colonie française fréquemment menacée d'invasion suggère aussi une présence sépharade, et non pas ashkénaze, dans la vallée du Saint-Laurent. Le dernier intendant de la Nouvelle-France, François Bigot, à Québec de 1748 à 1760, était lui-même bordelais de naissance. Chargé jusqu'à la capitulation de gérer les affaires commerciales et financières de la colonie, il avait aussi la responsabilité d'assurer le ravitaillement des militaires. Pour y arriver – sans oublier de faire avancer ses propres intérêts –, l'intendant forma dès 1748 une compagnie avec une société d'expéditeurs et d'armateurs juifs de Bordeaux, David Gradis et fils. Cette entente commerciale allait avoir des retombées significatives sur le sort de la Nouvelle-France, bientôt impliquée dans une nouvelle guerre contre la Grande-Bretagne : « Chaque année par la suite [à partir de 1749], Gradis envoya au moins un navire [au Canada], et ordinairement plus, chargé de marchandises appartenant à la société [...]. Il assurait ainsi pour le compte du roi le transport de cargaisons de nourriture et d'équipements, de même que de passagers ; pendant les années de guerre, il faisait aussi des livraisons destinées au munitionnaire général Cadet[24]. » Si elle a pu avoir des retombées non négligeables sur la forme que prit la présence juive en Amérique française, l'entente scellée entre l'intendant et Abraham Gradis, le fils de David, ne réussit toutefois pas à briser le silence et l'opprobre dont elle était entourée[25].

24. J. F. Bosher et J.-C. Dubé, « Bigot, François (mort en 1778) ».

25. Voir à ce sujet Richard Menkis, « Patriarchs and Patricians: The Gradis Family of Eighteenth Century Bordeaux ».

Apports britanniques

Le judaïsme se fraye donc un chemin dans la colonie française à l'abri des regards indiscrets, dans la clandestinité. Au cours de cette période, les établissements anglais et néerlandais accueillent aussi des immigrants d'origine juive, mais sans les contraindre au repli sur eux-mêmes. À Nieuw Amsterdam, futur New York, les autorités tolèrent la fondation en 1654 d'une congrégation[26] de rite sépharade sous le nom de Shearith Israel [les vestiges d'Israël]. C'est la première à apparaître sur le continent nord-américain et elle est composée à l'origine de Juifs brésiliens fuyant la persécution dans les colonies portugaises. Elle est bientôt suivie au milieu du XVIIe siècle d'une nouvelle fondation dans la colonie anglaise du Rhode Island, celle de la congrégation de Touro, elle aussi organisée par des descendants du judaïsme ibérique. Plus au sud, dans l'île antillaise de Curaçao, des Juifs d'origine portugaise avaient formé en 1651 une communauté appelée Mikvé Israel-Emanuel, la première dans l'hémisphère. Pendant plusieurs décennies, ces congrégations ne comptent qu'une poignée d'adhérents. Elles nous donnent cependant une idée de la forme qu'aurait pu prendre un lieu de culte d'inspiration sépharade en Nouvelle-France s'il avait été agréé par les autorités.

La conquête de 1763 et le traité de Paris mettent fin à ces velléités et une ère nouvelle s'ouvre qui verra un apport judaïque très différent : celui de Juifs d'origine britannique. Le changement de métropole et l'établissement de liens commerciaux significatifs avec Londres créent un effet de basculement complet dans l'histoire juive du Québec. Pour la première fois en près de cent cinquante ans d'occupation européenne, des individus se présentent dans la colonie qui ne craignent pas d'afficher publiquement leur attachement à la judéité. Tolérés depuis Crom-

---

26. Une congrégation juive est constituée d'un groupe d'hommes qui se réunissent pour faire la prière en commun. Un quorum de dix, appelé *minyan*, est requis pour que les services religieux aient lieu dans un endroit désigné à cette fin. La congrégation peut aussi gérer d'autres activités à caractère judaïque, dont l'éducation des enfants, le soutien aux démunis et l'inhumation des morts. Ces occupations à caractère pieux peuvent avoir lieu sans l'existence d'une synagogue ou d'un lieu de culte désigné.

well, les Juifs ont pu s'établir librement et prospérer en Angleterre, entre autres en s'appuyant sur la communauté plus ancienne et plus fortunée d'Amsterdam. Cela tenait non seulement à une tradition de libéralisme économique et politique plus avancée qu'ailleurs en Europe mais aussi à l'espoir manifesté par les autorités que les Juifs participent par leurs activités économiques traditionnelles à la création de richesse. Vers 1750, ils sont tout près de 8 000 dans la grande région de Londres et entament une période de croissance et d'émancipation civile qui va les conduire près d'un siècle plus tard à l'égalité quasi complète sur les plans civil et institutionnel. Au moment où le Canada devient britannique, les Juifs anglais ne jouissent toutefois d'aucune protection juridique et leurs activités sont en général strictement restreintes au commerce et à la finance. Il faut en fait attendre le milieu du XIXe siècle pour que des Juifs se hissent jusqu'au niveau des classes privilégiées au Royaume-Uni et que certains d'entre eux soient élus au Parlement de Westminster ou à des fonctions politiques importantes. Ce mouvement ascendant sera facilité en 1858 par une émancipation légale complète – après celles des catholiques en 1829 – et par l'anoblissement de certains individus appartenant aux familles juives parmi les plus en vue.

Le judaïsme britannique possédait toutefois, par rapport à celui du continent, une originalité qui aura des répercussions à long terme sur le peuplement juif au Québec. La réadmission des Juifs en Grande-Bretagne avait surtout été, dans un premier temps, celle de Marranes espagnols attirés au XVIe siècle dans les provinces hollandaises par un climat d'ouverture politique. Il leur avait par la suite suffi de traverser un étroit bras de mer pour se retrouver vers 1660 installés dans la City. Le courant religieux orthodoxe avait vite prévalu dans ce milieu, tempéré dans son comportement extérieur par la promesse d'une tolérance sociale, sinon d'une indifférence à la présence avérée dans certains milieux de fidèles du judaïsme. Il était donc parfaitement possible dans le monde britannique d'être un pratiquant strict derrière des portes closes tout en étant accepté par ailleurs dans la vie sociale et économique générale du pays. Il suffisait pour y parvenir de conserver une certaine discrétion, d'ajuster au contexte ambiant l'observation des préceptes judaïques les plus « singularisants » et d'afficher une loyauté sans faille envers les valeurs séculières de la société d'accueil.

Contrairement aux Juifs allemands qui tentèrent sous l'influence de Moses Mendelssohn (1727-1786) l'aventure inverse, c'est-à-dire modifier de fond en comble les rituels du judaïsme en espérant les rendre acceptables à leurs compatriotes, les Juifs londoniens purent rester liés de très près à leurs origines religieuses sans compromettre pour autant l'espoir de réaliser des avancées sociales importantes. C'était dans les faits une reprise du point de vue historique sépharade, né au début de l'ère moderne à l'occasion d'une intense persécution catholique mais maintenant redéfini dans le cadre d'une grande nation protestante plus ouverte à la tolérance religieuse. Comme le fait remarquer Saskia Coenen Snyder dans son étude récente sur l'architecture des synagogues en Europe de l'Ouest, l'adaptation britannique fut souvent perçue au XIXe siècle par les Juifs du continent comme un modèle d'équilibre :

> Une fois de plus, Londres allait servir d'exemple. Dans cette « reine des villes juives de la diaspora », comme l'éditeur de *L'Univers israélite* désignait la capitale britannique, les réformes étaient restées minimes et à caractère surtout esthétique. À Londres, il était possible d'harmoniser la pratique du judaïsme traditionnel avec une participation à la société moderne ; le judaïsme n'avait pas à compromettre ses préceptes religieux pour être accueilli. [...] La communauté juive de Londres avait réussi à accorder la fidélité à ses origines religieuses avec le patriotisme britannique[27].

Quand le Canada s'ouvre enfin au milieu du XVIIIe siècle à un modeste peuplement judaïque à visage découvert, c'est le modèle britannique qui l'emporte. Rester juif à part entière tout en aspirant à participer loyalement à la vie politique et économique de la colonie : tel est le pari que font les premiers fils et filles d'Israël à leur arrivée. Dans leur esprit, entamer un mouvement vers une pleine citoyenneté et préserver l'intégrité de leurs croyances religieuses peuvent aller de pair. C'est reprendre dans une région éloignée du monde un mode d'appro-

27. Saskia Coenen Snyder, *Building a Public Judaism: Synagogue and Jewish Identity in Nineteenth Century Europe*, p. 350. Notre traduction.

priation du judaïsme qui s'était imposé dans la métropole et qui rayonne dans tous les territoires rattachés à l'empire. On en veut pour preuve le contexte dans lequel fut instaurée la première congrégation juive au Canada, Shearith Israel, fondée à Montréal en 1768 et aussi connue sous le nom hautement symbolique de Spanish Portuguese. Cherchant à créer une institution qui soit à la hauteur des aspirations religieuses et sociales de ses premiers adhérents, les fondateurs de Shearith Israel s'inspirèrent dans leur élan des pratiques mises en place à la première synagogue érigée à Londres.

S'établissant dans une colonie lointaine, les premiers Juifs du Canada voulurent reproduire intégralement dans leur nouveau pays les éléments de culte et le décorum qui faisaient la gloire de la synagogue Bevis Marks dans le judaïsme britannique et londonien. Construite en 1701 par la génération venue d'Amsterdam dans la seconde moitié du XVIIe siècle, Bevis Marks reprenait intégralement le rite sépharade dans la prière, appliquait strictement l'orthodoxie rabbinique et était décorée sobrement dans le style méditerranéen. Parmi ses premiers rabbins et fidèles se trouvaient des figures influentes du judaïsme britannique, dont Jacob Sasportas et David Nieto, tous deux de souche ibérique. Plus tard, au XIXe siècle, l'institution accueillerait comme membres des personnalités reconnues, dont le philanthrope Sir Moses Montefiore et Isaac Disraeli – plus tard converti il est vrai –, le père de Benjamin, futur premier ministre de Grande-Bretagne. Par son antériorité et son rattachement à la grande tradition sépharade, Bevis Marks était aussi un haut lieu de respectabilité sociale dans la vie juive londonienne. Pendant longtemps, tous les résidents juifs fortunés de Montréal et de Québec ou qui aspireront à se démarquer sur le plan social, peu importe leur origine familiale ou culturelle, auront le réflexe d'imiter la congrégation londonienne. Signe que les Sépharades de la période de la Nouvelle-France n'ont laissé aucune trace palpable à la fin du Régime français, aucun ne vient au-devant de ses coreligionnaires anglophones lorsque la première congrégation canadienne est fondée en 1768.

Les premières arrivées ouvertement juives au Canada se sont produites dans le climat très particulier de la guerre de Sept Ans. Pendant que la famille Gradis de Bordeaux s'affaire – contre profits faramineux –

à préserver la présence française en Amérique, d'autres Juifs mettent leurs talents au service des envahisseurs. Plusieurs pourvoyeurs et vivandiers accompagnent et soutiennent la progression des forces britanniques en rase campagne, dont un certain nombre de Juifs. À cette époque, armer et nourrir les soldats de Sa Gracieuse Majesté est devenu une entreprise complexe. Il faut, pour réussir dans ce créneau, pouvoir compter sur des réseaux très étendus de fournisseurs, savoir financer à long terme des opérations commerciales complexes et pouvoir mesurer le risque que constitue l'entrée de marchandises convoitées dans une zone de guerre. C'est une tâche qui requiert aussi, dans le cas des armes plus sophistiquées fabriquées en Europe, d'établir des contacts fiables avec des navigateurs au long cours. Pour bien des raisons, les compétences requises sont souvent détenues par des personnes d'origine juive, engagées depuis longtemps dans les échanges intercontinentaux et ayant leurs entrées dans des maisons de commerce importantes à Londres, New York et Boston. Presque tous les premiers Juifs du Bas-Canada correspondront à ce profil de départ, à commencer par Samuel Jacobs, qui arrive en vue de Québec à l'été 1759 dans le sillage de la flotte d'invasion. La même chose vaut pour Aaron Hart, qui entre à Montréal en 1760 à la suite de l'armée triomphante du général Amherst.

Les origines exactes des Juifs arrivés au moment de la Conquête sont souvent difficiles à retracer. Leur appartenance au judaïsme ne fait cependant aucun doute, non plus que leur loyauté à la Couronne britannique. Samuel Jacobs[28], par exemple, a laissé de nombreux documents écrits avec l'alphabet hébraïque, dont sa signature personnelle[29]. Hart, probablement installé à Trois-Rivières dès 1761, utilise dans la correspondance qu'il adresse en anglais à ses enfants des expressions rédigées avec des caractères hébraïques et référant à l'observance de lois de Moïse, comme Rosh Hashana*, Pesakh*, *khamets** et *matsa**. Quand il est question en 1799 que Moses Hart, le fils d'Aaron, se marie à Sally

28. Denis Vaugeois, « Jacobs, Samuel ».

29. Probablement de l'anglais rédigé avec l'alphabet hébraïque et avec une phonétique yiddish. Jacobs visait ainsi à soustraire ses documents à une enquête possible de la part des autorités.

Judah, qui vit à Verchères, le père de la future épouse insiste pour que la cérémonie soit conforme à la tradition judaïque. Pour s'en assurer, Uriah Judah écrit à Aaron Hart une lettre en anglais contenant un passage rédigé en alphabet hébraïque : « *kedasmo'yshe-veyisro'el* », ce qui désigne une cérémonie nuptiale « selon la loi de Moïse et d'Israël[30] ». Lors du mariage en 1794 d'un autre des fils d'Aaron Hart, Ezekiel, la liste des cadeaux offerts au couple désigne la fiancée par l'appellation « *the cala** », ce qui indique que la cérémonie a eu lieu sous sa forme judaïque traditionnelle[31].

Grâce aux entrées qu'ils ont dans la nouvelle administration britannique du pays, la plupart des immigrants d'origine juive se lancent, une fois la paix établie, dans le commerce et prospèrent rapidement. Ils se déplacent sur tout le territoire de la vallée du Saint-Laurent et entrent en contact étroit avec les populations francophones (les « Canadiens ») qui ont survécu au désastre de la guerre de Sept Ans. On les voit écouler des biens manufacturés obtenus sur les marchés de New York ou de Londres puis acheter des produits du pays, notamment du blé et des fourrures. Certains établissent des magasins tandis que d'autres vont d'une localité à l'autre pour mener leurs affaires. Quelques-uns, dont Aaron Hart à Trois-Rivières, reprennent une activité associée traditionnellement aux Juifs en Europe et se lancent dans la production d'alcool, surtout de la bière. Bientôt pourvus de capital, ils prêtent des sommes importantes à des emprunteurs à court de liquidités et font l'acquisition de biens fonciers. Samuel Jacobs, décédé à Saint-Denis-sur-Richelieu en 1786, était peut-être d'origine alsacienne puisqu'il a laissé à la postérité son nom au bas de documents commerciaux rédigés en français[32]. Jacobs, toutefois, avait épousé une francophone, et de ce fait aucun de ses descendants ne put être considéré comme juif sur le plan halachique*[33].

---

30. Denis Vaugeois, *Les Premiers Juifs d'Amérique, 1760-1860. L'extraordinaire histoire de la famille Hart*, p. 97.

31. *Ibid.*, p. 104.

32. Denis Vaugeois, *Les Juifs et la Nouvelle-France.*

33. Selon la *halakha*, ou loi de Moïse, la filiation judaïque se transmet par la mère.

Le cas d'Aaron Hart[34] est plus difficile à trancher, car il n'existe aucune preuve historique nous permettant de fixer avec certitude son lieu de naissance, un fait qui a encouragé certains de ses descendants à faire circuler les légendes les plus farfelues à son sujet. Son patronyme et sa méconnaissance relative de la grammaire écrite anglaise pointent toutefois en direction d'une origine ashkénaze allemande. Cela suggérerait de plus que Hart ait possédé, comme beaucoup de primo-arrivants d'origine juive, une bonne connaissance de la langue yiddish[35]. Doté d'une éducation judaïque complète et attaché à la pratique religieuse, Hart conçoit le projet de fonder à Trois-Rivières un foyer juif au sens orthodoxe du terme. En 1767, plusieurs années après son établissement au Canada, il se rend à Londres expressément dans le but d'y trouver une épouse qui puisse élever ses enfants dans la tradition de Moïse. Son mariage à Dorothea Judah en 1768 le place au cœur d'un important réseau familial et l'associe du coup à des entreprises commerciales qui prospèrent dans la métropole britannique et dans la grande région de New York.

Son alliance matrimoniale met aussi Hart en contact avec des individus prêts à le suivre dans le Nouveau Monde et qui voudront comme lui tirer profit des occasions d'affaires qui s'offrent au Canada à la suite de la conquête anglaise. C'est ainsi que les Hart, Judah et Joseph, accompagnés de quelques individus venus par d'autres moyens, formeront à la fin du XVIIIe siècle un premier noyau juif permanent dans la vallée du Saint-Laurent[36]. Ils ne sont que quelques dizaines de personnes à cette époque, mais les Juifs du Québec découvrent dans la nouvelle colonie britannique un espace propice aux affaires et promis à un développement économique intéressant. Un climat politique empreint de libéralisme, garanti par le rattachement à la Grande-Bretagne, préside de plus aux destinées du pays, ce qui éloigne d'autant dans l'immédiat le spectre

34. Denis Vaugeois, « Hart, Aaron ».

35. Voir à ce sujet les réflexions de Jacob Rader Marcus, *The Colonial American Jew*, vol. 3, p. 1183-1187.

36. Anne Joseph, *Heritage of a Patriarch: Canada's First Jewish Settlers and the Continuing Story of these Families in Canada.*

de persécutions antijuives arbitraires. Il n'en fallait pas plus pour convaincre des personnes jusque-là sans attaches particulières de se fixer dans les villes et campagnes majoritairement habitées par des Canadiens. Concernant par exemple Aaron Hart, Denis Vaugeois écrit :

> Aaron Hart comprend le sens véritable des événements qui lui ont ouvert, à lui et aux siens, les portes de la vallée du Saint-Laurent : le petit nombre d'anglophones établis dans la province incite le conquérant à compter avec les marchands juifs. Ceux-ci se sentent britanniques à part entière. Ils joignent leurs noms aux nombreuses pétitions des anciens sujets de Sa Majesté. Ils s'installent un peu partout dans la nouvelle colonie britannique[37].

L'apport économique juif est encore bien discret au Québec (devenu Bas-Canada) en cette fin de XVIIIe siècle, et les avancées sociales de la communauté sont tout aussi modestes, mais un modèle d'intégration se met en place qui va dominer pendant près de cent ans, c'est-à-dire jusqu'à l'immigration massive des Juifs issus de l'Empire russe. Parmi les premiers Juifs déclarés à s'installer dans la nouvelle colonie britannique, Aaron Hart personnifie par ses réalisations et ses choix de vie le point de vue qu'adopteront presque invariablement les fils et les filles d'Israël au cours du siècle suivant. Premier élément, Hart adhère à l'orthodoxie et se croit justifié d'imposer les préceptes du judaïsme à ses enfants et à ses proches. Cela signifie se plier dans toutes les sphères d'activité à un grand nombre de règles religieuses et à un code de conduite strictement défini, dont l'obligation d'épouser un Juif, d'éduquer ses enfants dans la tradition mosaïque et d'obtenir une sépulture dans une terre déclarée juive. L'engagement que Hart transmet à ses descendants, peu nombreux et isolés au milieu d'une population chrétienne, exige des efforts et une constance auxquels ils ne sauront pas toujours s'astreindre. Il fonde cependant l'identité juive canadienne sur des bases strictement religieuses et assure par un moyen éprouvé – le maintien intégral des pratiques mosaïques – sa perpétuation à travers

---

37. Denis Vaugeois, « Hart, Aaron ».

les vicissitudes de l'histoire. Le 8 mars 1786, Hart écrit depuis Trois-Rivières à son fils Moses : « Nous venons de recevoir tes lettres datées du 2 et du 5 de ce mois. Je suis désolé d'apprendre que tu as manqué de vêtements chauds et que le passage sur les lacs est difficile. J'espère que tu ne prendras aucun risque si tu crois que tu ne peux pas venir ici à temps pour Pesakh. Suis mes instructions et va à New York pour observer la Pâque juive[38]. » Cette orthodoxie agissante s'inspire de l'équilibre auquel sont parvenus depuis Cromwell les Juifs britanniques dans leur quête identitaire et religieuse. Elle reflète une perception de ce qu'il est possible d'obtenir et de préserver sur le plan politique sous la protection de la Couronne d'Angleterre. Hart est aussi un marchand et un banquier, comme le seront à un titre ou à un autre presque tous les Juifs du Canada jusqu'à la fin du XIXe siècle. Il se représente la liberté des marchés et l'inviolabilité des biens comme des vertus civiques de première importance. Commerçant, Hart souhaite participer pleinement en tant que citoyen à la société qui l'entoure et il espère bénéficier du même traitement devant la loi que ses compatriotes chrétiens.

S'il lègue un héritage matériel enviable à ses enfants, Hart leur indique surtout la voie à suivre pour assurer au judaïsme une place respectable, c'est-à-dire la possibilité que cet héritage religieux puisse se développer sans entraves. Car, pense-t-il – et c'est une certitude que partageront les Juifs québécois tout au long de l'histoire –, il n'est pas exclu que d'autres Juifs, poussés à l'exil par la persécution, viennent un jour s'établir dans ces contrées nordiques. Pour cette raison, il importait au plus haut point pour Hart de jeter les bases religieuses judaïques qui permettraient aux futurs immigrants d'être accueillis dignement et de prospérer à leur tour. Deux siècles plus tard, en 1959, à l'occasion des célébrations entourant le « bicentenaire national de la judéité cana-

38. « *We rec'd* [*received*] *your letters of 2d and 5 ins*[*tant*]. *Am sorry to find that you had not warm cloths enofe with you and that the lakes are bad. Thear for I hope you will not risk in any danger if you find that you cane not be hear Pesah. You should acarding to my instruktions go to New Yark and keep Pesah.* » Lettre d'Aaron Hart à son fils Moses, Trois-Rivières, 8 mars 1786, reproduite dans « National Bicentenary of Canadian Jewry », *Canadian Jewish Archives*, Montréal, Congrès juif canadien, vol. 1, n° 4, mars 1959, p. 28-29. Notre traduction.

Figure 1. Population juive du Canada et de Montréal selon le recensement canadien, 1831-1891*

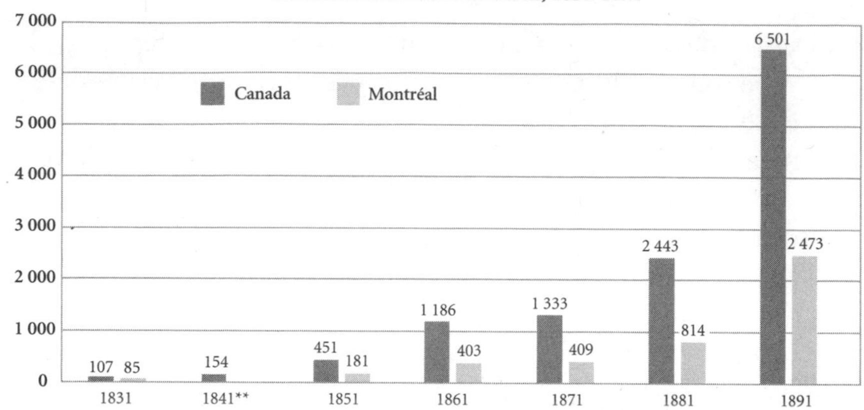

*Ces données concernent les personnes s'identifiant comme étant juives sur le plan religieux.
**Les données portant sur Montréal cette année-là ne sont pas disponibles.

dienne », le Congrès juif canadien fera remonter à l'arrivée de Hart le début du peuplement juif au pays. Cette affirmation a une grande valeur symbolique. C'est attribuer à un simple pourvoyeur de l'armée britannique, arrivé à Montréal en 1760, l'honneur d'avoir le premier jeté les fondations sur lesquelles s'élèverait plus tard un vaste édifice : « L'établissement permanent de Juifs au Canada ne devint toutefois possible pour la première fois qu'en 1759, c'est-à-dire quand Québec a capitulé devant les forces militaires britanniques dirigées par le général Wolfe. Les premiers Juifs qui se sont établis sur ce qui est aujourd'hui le territoire de la province de Québec étaient des officiers, des commissaires et des soldats de l'armée britannique[39]. » Cela fait de Hart une figure digne du patriarche Abraham, à qui Dieu avait promis une descendance aussi innombrable que les étoiles dans le firmament[40].

Cet hommage posthume se voulait aussi une reconnaissance du caractère pionnier de la communauté juive canadienne, née pratiquement *ex nihilo* dans une des marches éloignées de l'Empire britannique et redevable de la tolérance religieuse instituée par les autorités civiles de cette époque. Il restait toutefois encore beaucoup d'étapes à franchir,

---

39. Louis Rosenberg, « Editorial Notes », *Canada's Jews: A Social and Economic Study of the Jews in Canada*, p. i. Notre traduction.

40. Référence à la Genèse, chapitre 15, versets 1-7.

à la fin du XVIIIe siècle, pour permettre à cette population récemment arrivée de bénéficier de tous les avantages qu'offrirait bientôt la société québécoise à ses citoyens. Entre-temps, grâce aux dons de nombreux souscripteurs, une synagogue commence à offrir dès 1777 ses premiers services sur la rue Notre-Dame à Montréal. Parmi les généreux donateurs se trouvent des gens nommés Judah, Solomons, Michaels, Levy, Pines, Hays, Franks, Lyon, Cohen, Myers et David[41]. À cette date, un *parna** et un *gabay** ont été élus et un conseil de cinq membres s'est attelé à la tâche redoutable de guider les premiers pas de l'institution. Signe des liens indéfectibles qui rattachent la congrégation au judaïsme britannique, deux *sefer torot** sont envoyés au Canada en septembre 1779 par les administrateurs de la Spanish Portuguese de Londres, la première congrégation fondée dans cette ville en 1657 sous le nom de Shaar Hashamayim [la porte des cieux].

L'émancipation de 1832

Tandis qu'un vent de libéralisme souffle à la fin du XVIIIe siècle sur la colonie du Bas-Canada, ses habitants se mettent à exercer des pressions politiques sur Londres afin d'obtenir un droit de regard sur l'administration du pays. Des pétitions circulent dès les années 1770 à cet effet, signées par des marchands et des professionnels d'origine britannique et canadienne auxquels se joignent à l'occasion des Juifs qui partagent leurs préoccupations. Lors de la création de l'Assemblée législative du Bas-Canada, conformément à l'Acte constitutionnel de 1791, se présente enfin la possibilité pour des citoyens de se faire élire à une instance parlementaire. Cela soulève immédiatement un questionnement quant aux droits accordés aux catholiques et quant à la place du français dans les délibérations. Rapidement, les Canadiens obtiennent la majorité des sièges à la Chambre basse du Parlement. Cela est sans grand effet de

41. « Minutes of the Shearith Israel Congregation in Montréal, 1778 to 1780 », *Canadian Jewish Archives*, Montréal, Congrès juif canadien, vol. 1, nº 4, mars 1959, p. 10-22.

prime abord, car seuls les membres du Conseil législatif et du Conseil exécutif – en plus du gouverneur général, qui les nomme – détiennent ultimement les clés du pouvoir. Le chef non élu du gouvernement bas-canadien fixe la date des élections et peut dissoudre la Chambre basse sans préavis s'il juge qu'elle prend des positions contraires aux intérêts de l'Empire et de l'oligarchie britanniques. Cette première participation des Canadiens au gouvernement de la colonie est d'autant plus aléatoire et incertaine que les catholiques n'ont été admis à des charges officielles et dispensés de prêter allégeance au protestantisme que depuis l'Acte de Québec de 1774. Appelés à occuper des postes électifs après 1791, ils doivent donc compter en grande partie, pour ce qui est de leur droit de siéger, sur le libéralisme politique des conquérants. La situation des Juifs est encore plus précaire puisqu'aucune discussion les concernant n'a encore eu lieu en Grande-Bretagne sur le plan juridique ou au sein de l'Empire britannique.

C'est dans ce climat d'incertitude et de compromis inachevé que les fils d'Aaron Hart, tous nés au pays, décident d'entrer sur la scène politique et de réclamer de ce fait un traitement égal à celui de tous les autres sujets. C'est le principe même de l'émancipation à laquelle aspirent les Juifs de tous les pays. Quelques années à peine après la promulgation de l'Acte constitutionnel de 1791, Ezekiel Hart se présente à une élection partielle dans la circonscription de Trois-Rivières et l'emporte contre trois autres candidats. Nous sommes en 1807 et la majorité des électeurs conquis par Hart sont des francophones catholiques. L'homme est très bien connu dans la région et se trouve doté d'une certaine fortune. Il a été copropriétaire avec ses frères d'une brasserie et d'une malterie, puis s'est engagé dans diverses entreprises commerciales. À ce propos, l'historien Vaugeois écrit : « Par la suite, Hart s'engage plutôt dans les traces de son père qui, à tous égards, lui sert de modèle. Il importe et exporte, tient un magasin général, ne rate pas une bonne affaire et, outre la seigneurie de Bécancour, reçue en héritage, il acquiert d'importants biens fonciers, principalement à Trois-Rivières et à Cap-de-la-Madeleine[42]. » On le voit, les Juifs du Bas-Canada ne

42. Denis Vaugeois, « Hart, Ezekiel ».

s'étaient vu refuser jusque-là aucun avantage de la part des autorités. Hart et les siens possédaient des propriétés importantes, commerçaient librement et étaient généralement acceptés dans la bonne société, ce qui ne signifie pas nécessairement que toute résistance à une présence juive était levée pour autant. À Trois-Rivières, où ils résidaient, il avait été possible pour les Hart de pratiquer le judaïsme de manière orthodoxe et d'établir un cimetière juif. Ezekiel était même entré en 1803 dans la milice locale, où il avait obtenu le titre d'officier. Une communauté plus nombreuse à Montréal avait pu ériger un lieu de culte judaïque et retenir les services occasionnels d'un rabbin sans soulever de tempête. Aucun Juif n'avait toutefois encore tenté, au tournant du XVIIIe siècle, de siéger dans un Parlement d'inspiration britannique, pas même dans la mère patrie, où ce genre d'ambition se serait heurté à une opposition soutenue de la part des factions conservatrices[43].

Forcer une décision des parlementaires bas-canadiens plutôt qu'attendre un signal juridique positif en provenance de Londres : telle est la stratégie d'Ezekiel Hart en 1807. Parmi tous les droits dont bénéficient les Juifs dans la colonie, aucun n'a encore été balisé ou confirmé par la Couronne ou les cours de justice. Reste le droit d'éligibilité, dont pas une personne d'origine juive ne s'est encore prévalue en Amérique du Nord britannique. Si le pari de Hart est risqué dans l'immédiat, il a au moins le mérite de lancer un débat fondamental dans l'histoire canadienne relativement à l'exercice de la démocratie. En se présentant devant ses concitoyens et en gagnant une première joute électorale, Hart ouvre en fait la voie à une émancipation totale et sans réserve des Juifs au pays. Mieux encore, il oblige les parlementaires bas-canadiens à s'interroger pour la première fois sur l'importance qu'il convient d'accorder aux origines religieuses des élus. Hart vient prêter serment en janvier 1808 à Québec et se voit confronté à la réalité politique de son temps : la Chambre basse est divisée en deux clans qui s'affrontent avec force pour imposer leur vision du Bas-Canada. Craignant que les deux députés nouvellement élus à Trois-Rivières, Ezekiel Hart et le juge

43. Voir Richard Menkis, « Antisemitism and Anti-Judaism in Pre-Confederation Canada ».

Louis-Charles Foucher, ne soient favorables au Parti des bureaucrates et n'appuient les autorités britanniques – l'un parce qu'il est anglophone de langue maternelle et l'autre parce qu'il a des sympathies du côté du pouvoir –, l'Assemblée majoritairement francophone remet en question leur éligibilité. Hart se fait refuser de siéger sous prétexte qu'il n'a pas pu prêter le serment d'allégeance à la manière chrétienne et Foucher parce qu'il appartient à la magistrature, nommée par l'exécutif. Dans le premier cas, il s'agit de présenter l'adhésion au judaïsme du nouveau député comme incompatible avec ses fonctions de membre de l'Assemblée législative. En fait, il faut sans doute y voir l'expression de réticences plus profondes qui ne se manifestaient pas nécessairement au grand jour. Disqualifié par sa confession, Hart obtient de nouveau la faveur des électeurs de Trois-Rivières aux élections générales de l'été 1808 et vient prêter serment une deuxième fois au parlement au début de l'année suivante. En avril 1809, une résolution de l'Assemblée législative rend toutefois les Juifs inaptes à siéger ou à voter à la Chambre basse. Hart est expulsé une nouvelle fois par ses pairs et est privé de tout recours juridique immédiat, même en Grande-Bretagne, pour renverser le verdict de l'Assemblée. Londres en effet n'est guère pressé d'accorder à des Bas-Canadiens d'origine juive un droit qu'il refuse à ses propres sujets de confession judaïque[44].

L'affaire Hart soulevait toutefois une question fondamentale à laquelle des fidèles d'une autre confession menacée pouvaient s'avérer sensibles dans le contexte parlementaire britannique. Conscients que les droits des Juifs au Bas-Canada formaient un édifice affaibli par l'absence d'éligibilité au Parlement et soucieux de préparer la voie à de nouvelles avancées concrètes, plusieurs éminents citoyens juifs cherchèrent au cours des années suivantes à renverser la décision arbitraire de 1809. Pour y arriver, il convenait de s'adresser à la même assemblée qui avait refusé de reconnaître Hart et où les francophones catholiques formaient la majorité. Cela signifiait nouer des liens avec les chefs du Parti canadien et surtout envisager une alliance stratégique entre les

44. Julius Price, « Proceedings Relating to the Expulsion of Ezekiel Hart from the House of Assembly of Lower Canada ».

deux groupes, placés en situation de vulnérabilité par leur adhésion à une religion non reconnue officiellement au Parlement de Londres. La négociation offrait aussi de meilleures chances de succès à court terme qu'un long et coûteux recours juridique devant des tribunaux britanniques qui risquaient fort de se montrer peu favorables en dernière analyse aux demandes des Juifs bas-canadiens.

En décembre 1828, une requête formulée plusieurs années auparavant par des membres de la synagogue montréalaise Shearith Israel, relativement à la tenue de registres civils spécifiquement juifs, est présentée à l'Assemblée législative du Bas-Canada. Déposé en mars 1829, un projet de loi en ce sens est adopté en novembre 1830 puis promulgué au début de 1831 par les deux Chambres. Une démarche est alors aussitôt entreprise pour accorder légalement aux Juifs les pleins droits politiques, décision sanctionnée en avril 1832 par le gouverneur Aylmer et entrée en vigueur en juin de la même année[45]. C'est une victoire décisive obtenue grâce à l'appui de Louis-Joseph Papineau, orateur (président) de l'Assemblée législative et l'un des chefs les plus en vue du réformisme nationaliste canadien. Le texte de la loi ne laisse aucun doute quant à la portée de la décision :

> Vu qu'il s'est élevé des doutes si par la Loi les personnes qui professent le Judaïsme ont le droit à plusieurs des privilèges dont jouissent les autres sujets de Sa Majesté en cette Province [...] il est par le présent déclaré et statué par la dite autorité, que toutes personnes professant le Judaïsme, et qui sont nées sujets Britanniques, et qui habitent et résident en cette Province, ont droit, et seront censées, considérées et regardées comme ayant droit à tous les droits et privilèges des autres sujets de Sa Majesté, Ses Héritiers et Successeurs, à toutes intentions, interprétations et fins quelconques, et sont habiles à pouvoir posséder, avoir ou jouir d'aucun office ou charge de confiance quelconque en cette Province[46].

45. Denis Vaugeois, *Les Premiers Juifs d'Amérique*, p. 173-181.

46. *Ibid.*, p. 180.

En soi, ce n'était pas une mesure susceptible de modifier profondément la vie des Juifs canadiens, puisqu'un grand nombre d'entre eux se prévalaient déjà dans la vie courante des mêmes droits que l'ensemble des résidents du Bas-Canada. De fait, il faut attendre le début du XXe siècle, soit un intervalle de près de cent ans, avant que des personnes d'origine juive se présentent à nouveau devant l'électorat québécois[47]. Le même délai s'observe pour le Parlement fédéral[48] et le conseil municipal de la Ville de Montréal[49], deux instances qui n'existaient pas en 1809. La loi de 1832 a toutefois permis aux Juifs bas-canadiens de franchir un cap décisif sur le plan juridique longtemps avant leurs coreligionnaires britanniques. Cet honneur reviendra à Lionel de Rothschild, qui sera le premier Juif officiellement autorisé à siéger au Parlement de Westminster, et cela ne se produira qu'en 1858.

Au moment où le gouvernement de Sa Majesté au Bas-Canada accordait à ses sujets de confession juive les avantages de la pleine participation civique, dans l'Ancien Monde seuls les Juifs français avaient été entièrement affranchis dans le sillage de la prise de la Bastille. L'émancipation avait aussi été offerte durant la période napoléonienne aux populations juives résidant dans la Confédération du Rhin, notamment dans le grand-duché de Hesse, en Westphalie et en Prusse. Ces avancées étaient toutefois fragiles et furent en bonne partie neutralisées après le congrès de Vienne par la montée de la réaction monarchiste dans les grandes capitales européennes. Seuls les Juifs grecs en 1830 et belges en 1832 purent obtenir l'égalité complète, dans le contexte d'une indépendance nationale nouvellement acquise qui signifiait une rupture nette avec le passé. Il ne suffisait pas cependant de décréter l'émancipation des populations juives pour que s'atténuent dans l'opinion publique les perceptions antisémites ou que disparaissent les formes plus subtiles de discrimination et de mise à l'écart. Comme les Juifs

---

47. Il s'agit de Peter Bercovitch, de Joseph Cohen et de Louis Fitch, élus respectivement pour la première fois à Québec en 1916, en 1927 et en 1938.

48. Le premier député d'origine juive élu à Ottawa est Samuel-W. Jacobs en 1917.

49. Le premier conseiller municipal d'origine juive élu à Montréal est Abraham Blumenthal en 1912.

canadiens ne tarderaient pas à le découvrir, il restait encore beaucoup à faire au pays avant que se réalisent entièrement les promesses de la loi libératrice de 1832.

Faut-il conclure que l'affront fait à Ezekiel Hart en 1808 et en 1809 constituait déjà, après le renvoi d'Esther Brandeau, l'une des premières manifestations publiques d'antisémitisme dans l'histoire québécoise ? Chassé deux fois de l'Assemblée législative sous prétexte de son incapacité à prêter serment à la manière chrétienne, Hart reçoit certainement le jugement de ses pairs comme une attaque dirigée contre ses origines mosaïques. Si l'affaire n'avait reposé que sur des inimitiés personnelles ou sur la vive concurrence des factions politiques au Parlement, les Juifs du Bas-Canada ne se seraient pas battus pour obtenir réparation jusqu'à la promulgation de la loi de 1832. Évoquer des distinctions de religion et ne le faire que dans le cas des personnes réputées d'origine juive, c'était déjà la marque d'un traitement différentiel. L'interdiction de siéger, il est vrai, était aussi en vigueur à Londres et, dans le cas de Hart, elle n'avait été accompagnée d'aucune mesure vexatoire extraparlementaire. Qui plus est, il ne se trouvait au moment de l'expulsion que quelques familles juives au pays. Pour cette raison, il a pu sembler aux députés de la majorité francophone que leur sort ne méritait guère une discussion approfondie. Un recensement réalisé en 1831 ne relevait en effet la présence que de 107 Juifs dans tout le territoire du Bas-Canada, dont 85 à Montréal[50].

Il reste que le choix d'évoquer une origine juive pour pénaliser ou singulariser un individu, même en cette période où la démocratie québécoise n'en était qu'à ses premiers pas, représentait une faute éthique et morale grave que rien ne permettait d'excuser. Commis par une assemblée composée de catholiques et de protestants, ce geste ouvrit la voie à des abus contre lesquels les Juifs canadiens voulurent s'élever au plus tôt. Le redressement semblait d'autant plus réalisable que la faute de jugement venait d'un Parlement récemment institué par les autorités coloniales, composé de personnalités encore peu rompues aux prin-

50. Denis Vaugeois, *Les Premiers Juifs d'Amérique*, p. 176-177. Pour la démographie juive au XIXe siècle, voir Louis Rosenberg, *Canada's Jews*, tableau 5, p. 10.

cipes du parlementarisme et qui vivaient essentiellement en harmonie avec leurs voisins juifs. La loi émancipatrice de 1832 serait plus tard perçue par les dirigeants de la communauté juive comme le fondement sur lequel reposait partout au Canada le traitement équitable des minorités religieuses. C'était en effet la première fois au pays qu'une population vulnérable et souvent, dans le passé, victime de discrimination systémique était dégagée de toute entrave juridique. Le texte de 1832 sera d'ailleurs maintes fois évoqué au cours de l'histoire québécoise, parfois en des heures difficiles, quand s'élèveront des voix hostiles à la diversité culturelle et à la liberté dont jouissaient au pays les citoyens d'origine juive. En 1932, les députés Peter Bercovitch et Joseph Cohen le citèrent au Salon vert pour demander à leurs collègues de s'opposer par voie législative à la campagne antisémite menée par le journaliste Adrien Arcand :

> En 1832, il y a exactement cent ans, cette assemblée a voté une loi qui garantissait des droits égaux à tous les citoyens de confession juive. Elle avait été introduite par l'inoubliable patriote Louis-Joseph Papineau, que son attachement à son peuple n'avait pas rendu aveugle aux injustices subies par d'autres groupes [...]. Son amour de la liberté avait même effacé en lui tous les préjugés et minimisé toutes les différences dues à la religion, dont s'était nourrie pendant des centaines d'années la pensée antisémite.
>
> Cent ans plus tard, en 1932, les Juifs du Québec se présentent devant la même assemblée afin de demander aux héritiers de Louis-Joseph Papineau de les protéger, selon l'esprit des droits qui leur avaient été accordés il y a un siècle, contre un courant d'idées qui se propose de dresser une partie de notre population contre une autre et qui cherche à détruire les libertés dont jouissent les minorités[51].

---

51. Ce discours est cité dans Israël Medresh, *Le Montréal juif entre les deux guerres*, p. 131-132. Au sujet d'Adrien Arcand, voir Jean-François Nadeau, *Adrien Arcand, führer canadien*, et Hugues Théorêt, *Les Chemises bleues. Adrien Arcand, journaliste antisémite canadien-français.*

Premières vagues migratoires

La supplique de Bercovitch et Cohen appartient toutefois à une autre période de l'histoire juive québécoise. Lorsque la Chambre d'assemblée du Bas-Canada avait consenti à accorder aux Juifs les mêmes droits qu'à tous les autres citoyens, il était sans doute difficile d'obtenir un *minyan** pour la prière dans l'unique synagogue de Montréal. De là vient le fait qu'au début, en l'absence d'un rabbin désigné, plusieurs individus devaient se partager la responsabilité d'assurer le maintien des rituels au sein de la congrégation Shearith Israel. Le nombre de Juifs commence toutefois à croître peu à peu et, en 1851, il y a 451 personnes de confession mosaïque au Canada, dont 181 dans la municipalité de Montréal[52]. Dispersés sur un vaste territoire, les Juifs forment tout de même un noyau dans la principale ville du pays, là où se concentrent les principales activités commerciales et financières. Un niveau de richesse devenu plus élevé avec les années et le développement d'un sentiment d'appartenance à Montréal poussent la communauté à recruter un rabbin qui assurerait la permanence du judaïsme. En 1846, les dirigeants de Shearith Israel arrêtent leur choix sur un jeune homme né à Londres en 1825 et héritier – comme son patronyme l'indique – des premières familles sépharades de Grande-Bretagne. Abraham de Sola est doté d'une solide éducation religieuse et possède en outre d'excellentes connaissances scientifiques. Son grand-père, Raphaël Mendola, avait été le dirigeant *(haham)* de la synagogue Bevis Marks et son père, David Aaron, possédait le titre de *hazan** au sein de la même institution. Arrivé au Canada en 1847, de Sola incarnera pendant plusieurs décennies le croisement de deux courants fondamentaux dans la construction du judaïsme québécois au XIXe siècle : une impeccable loyauté envers la Couronne britannique et une orthodoxie religieuse sans faille sur le plan judaïque. Le rabbin attitré de la congrégation Shearith Israel est de plus un fervent adepte du rituel sépharade, tel que pratiqué dans sa

52. Louis Rosenberg, *A Gazetteer of Jewish Communities in Canada Showing the Jewish Population in Each of the Cities, Towns & Villages in Canada in the Census Years 1851-1951*, p. 1.

congrégation d'origine, et il en défendra l'application intégrale tout au long de sa carrière. De Sola est aussi à l'origine de plusieurs des premières organisations philanthropiques et maisons d'éducation juives à Montréal. Cet élan caritatif marque l'apparition dans la ville d'une première structure communautaire destinée d'une part à soutenir les démunis parmi les fils et les filles d'Israël et d'autre part à transmettre à la nouvelle génération les notions de base du judaïsme.

De langue maternelle anglaise et issu des couches éduquées de la société londonienne, de Sola se fait l'avocat d'une cohabitation civile entre les Canadiens d'origine britannique et les Juifs de Montréal. Respecté par ses coreligionnaires pour son érudition religieuse, il s'attire aussi l'estime des milieux savants, à tel point que les dirigeants du McGill College[53] retiennent ses services en 1853 pour enseigner la littérature hébraïque et la philologie des langues orientales. À une époque où l'institution n'accueille pratiquement aucun étudiant juif, cela signifie que de Sola est appelé régulièrement à contribuer à la formation théologique des ministres du culte protestants, pour lesquels la Bible hébraïque est une référence de premier plan. Le rabbin de Sola devient ainsi le premier savant de confession juive à faire carrière dans une université canadienne. Il se gagne d'ailleurs l'estime de plusieurs grandes figures anglo-protestantes, dont John William Dawson, principal de l'Université McGill de 1855 à 1893, et le renommé géologue William Edmond Logan. Par la qualité de ses connaissances scientifiques et la force de sa personnalité, de Sola contribuera à fixer les orientations politiques, sociales et culturelles de la première génération de Juifs québécois qui accédera, au milieu du XIXe siècle, aux classes aisées montréalaises.

Il est donc possible à Montréal de se sentir d'un seul trait parfaitement britannique et tout à fait juif. C'est un profil identitaire qui relègue dans la sphère privée la pratique soutenue du judaïsme pour mieux projeter vers l'extérieur une image de dignité victorienne. Grâce à de Sola, la voie est tracée pour l'entrée discrète dans la société huppée montréalaise d'une petite cohorte de Juifs dévoués à l'Empire britan-

53. L'institution ne devient officiellement une université qu'en 1885.

nique et à ses principales institutions politiques. Peu nombreux et parfaitement assimilés sur le plan culturel, ces adeptes du judaïsme donnent peu de prise à l'antisémitisme des classes dirigeantes anglophones – même si on ne peut mettre en doute l'existence de sentiments antijuifs dans ce milieu – et n'en ressentent probablement pas directement les effets. Ils bénéficient de surcroît du même libéralisme politique qui a permis aux Juifs de Londres de s'élever rapidement dans l'échelle sociale à la même époque, au point de devenir au sein du monde victorien, selon l'expression de l'historienne Saskia Coenen Snyder, « une communauté prospère, hautement acculturée, tout à fait respectable et autonome sur tous les plans[54] ».

Le prestige rattaché au rituel sépharade au sein du judaïsme britannique, confirmé au milieu du XIXe siècle par l'arrivée à Montréal d'un rabbin porteur de cette grande tradition, ne signifie pas pour autant que la majorité des membres de la synagogue Shearith Israel soient eux-mêmes d'origine espagnole ou portugaise. Comme à Londres, une immigration juive en provenance d'Europe centrale imprime à partir de 1830 un nouvel élan au judaïsme canadien et modifie profondément le profil de la communauté montréalaise. Ces arrivants de culture et de langue germaniques n'en ont pas moins souvent transité par la City, où ils se sont imprégnés pendant une ou deux générations – comme Aaron Hart – de l'importance et de la grandeur liées à l'identité judaïque sépharade. Une fois au Canada, convaincus que cela ajoute beaucoup de profondeur à leur respectabilité, les Ashkénazes britannisés s'empressent de rejoindre une congrégation qui tire ses origines de la haute tradition hispanique et d'en adopter les manières. En 1832, la liste des membres de la synagogue Shearith Israel contient surtout des noms ashkénazes tels Hart, Joseph, Hays, Solomon, Davis, Jacobs et David[55].

---

54. Saskia Coenen Snyder, *Building a Public Judaism*, p. 105.

55. « Names and Occupations of the Members of the Shearith Israel Congregation, 1832 », *Canadian Jewish Archives*, vol. 1, nº 1, Montréal, Canadian Jewish Congress, Bureau of Social and Economic Research, août 1955, p. 3. Preuve additionnelle de la loyauté des premiers Juifs dits sépharades à la Couronne britannique, tous les documents appartenant aux archives séculières de la congrégation Shearith Israel ont été rédigés en anglais.

La même remarque vaut pour un plan décrivant en 1838-1839 les places réservées à chacun dans cette synagogue, où l'on ne trouve qu'un seul nom sépharade avéré, celui de Valentine[56].

Certains des membres de la famille Hart, dont l'origine germanique est indéniable, feront même front commun en 1838, au moment de la construction d'un nouveau lieu de culte, contre l'admission d'immigrants allemands d'arrivée plus récente[57]. Ces derniers sont en effet accusés d'édulcorer par leur seule présence le prestige et le décorum de la tradition sépharade. En 1833, Benjamin Hart, un des fils d'Aaron, écrit : « Aucun Juif allemand ne pourra se prévaloir de notre shool[58] [la synagogue Shearith Israel]. S'ils s'y rendent aujourd'hui, c'est qu'ils ont honte de leurs propres cérémonies[59]. » Hart reprend l'argument en 1849 auprès des membre de sa congrégation : « Au même moment, vous admettez un groupe d'étrangers [des Ashkénazes] qui ne sont pas des nôtres, qui détruiront notre congrégation[60]. » Comme ailleurs dans le monde britannique où ce genre de division existait, l'adhésion à la filiation judaïque espagnole et portugaise a finalement plus à voir avec la classe sociale qu'avec les origines culturelles et géographiques véritables. À cette époque, plusieurs parmi les Sépharades autoproclamés de

56. *Ibid.*, p. 7-8. Certains noms de famille mentionnés sur ce plan, comme Cohen ou Levy, pouvaient appartenir aux deux traditions.

57. À ce moment, la synagogue Shearith Israel était située dans la rue Chenneville, près de l'actuel Palais des congrès.

58. Mot d'origine germanique désignant une synagogue et qui était couramment utilisé en yiddish. L'ironie ici est de constater que Benjamin Hart barre la route aux Juifs originaires d'Europe centrale en utilisant lui-même une terminologie germanique.

59. « No Dutch [Deutsch] will ever have our Shool for their own, they are themselves ashamed of their Ceremonies », lettre de Benjamin Hart, fils d'Aaron Hart, 14 octobre 1833, *Canadian Jewish Archives,* vol. 1, n° 1, 1955, p. 6-8. Cité dans Vaugeois, *Les Premiers Juifs d'Amérique,* p. 298. Notre traduction.

60. « At the same time you will admit a set of Strangers, who don't belong to us – to destroy our Congregation », *Canadian Jewish Archives,* vol. 1, n° 3, 1955, p. 9-10. Cité dans Vaugeois, *Les Premiers Juifs d'Amérique,* p. 308. Notre traduction.

Montréal auraient sans doute été bien embarrassés de devoir admettre qu'ils étaient issus d'un peuplement juif apparu au Moyen Âge dans la vallée du Rhin plutôt que de la péninsule ibérique.

L'affaire se conclut en 1846 par la fondation à Montréal, dans un intense climat de récrimination, d'une première congrégation judaïque de rite ashkénaze appelée Shaar Hashomayim. Avec le passage du temps, cette institution, surtout composée de membres d'origine allemande, polonaise et russe, deviendra aussi honorable que celle fondée par les Sépharades britanniques en 1768. Sur le coup, toutefois, l'arrivée d'une institution concurrente est vécue comme un véritable schisme à l'intérieur du judaïsme montréalais et creuse un abysse entre deux mondes, celui des nouveaux arrivants et celui des Juifs établis. Partout où un flot d'immigration juive se manifeste de manière intense, les populations judaïques mieux adaptées répugnent à être associées de trop près à la masse des immigrants fraîchement installés, y compris dans les lieux de culte. Un tel schème produira à Montréal, au tournant du XXe siècle, la distinction bien connue entre l'Uptown et le Downtown, véritable barrière sociale et culturelle longtemps infranchissable entre deux univers juifs montréalais séparés, celui des Juifs canadianisés et celui des Juifs arrivés d'Europe de l'Est. C'est le constat auquel en est aussi arrivé l'historien Gerald Tulchinsky dans *Canada's Jews* (2008) : « Des distinctions assez fortes sur les plans économique, ethnique et religieux existaient déjà, au cours des années 1880, au sein de la communauté juive de Montréal, c'est-à-dire au moins une décennie avant le début de la migration de masse composée de Juifs démunis venus de Russie[61]. » Les populations juives de Montréal ont commencé, après 1850, à s'insérer dans la structure économique montréalaise, mais selon un modèle bien précis. Au cours de cette période, les Juifs pénètrent principalement le secteur commercial à petite échelle et ne sont pas vraiment présents dans les entreprises industrielles et financières les plus dynamiques, c'est-à-dire les banques, les compagnies d'assurances, les chemins de fer et les grandes compagnies de transport maritime. On ne les trouve pas non plus dans les investissements liés à la production de métal, de textile

61. Gerald Tulchinsky, *Canada's Jews: A People's Journey*, p. 71. Notre traduction.

ou de boissons alcoolisées, ni dans l'exportation vers l'Angleterre de céréales, de farine ou de bois équarri.

En somme, à quelques exceptions près, les marchands juifs du Régime britannique occupent à Montréal des secteurs marginaux liés à la distribution de biens de consommation ou à la mise en marché. Ce sont pour la plupart des primo-arrivants issus avant tout du monde ashkénaze germanique, souvent jeunes et sans famille, cherchant fortune dans un espace économique nord-américain en pleine émergence. Beaucoup d'entre eux sont demeurés quelques années aux États-Unis pour ensuite se diriger vers les colonies britanniques situées plus au nord, là où la concurrence est réputée moins vive et la population juive moins nombreuse. Dans la société montréalaise, tout comme leurs concitoyens d'origine chrétienne récemment arrivés d'Europe, la plupart occupent une frange précaire et sans frontières précises. Les difficultés qui sont le lot des nouveaux venus sont toutefois atténuées, dans le cas des Juifs, par certaines formes de solidarité communautaire qui rendent plus faciles l'obtention de crédit, l'accès à des marchandises pour fins de revente ou le recrutement de partenaires en affaires. On trouve donc, au sein de cette économie montréalaise fortement compartimentée sur le plan ethnique et linguistique[62], des secteurs spécialisés à forte dominante juive où un immigrant sans ressources peut prendre pied. C'est particulièrement vrai dans les domaines de la confection et de la mise en marché d'objets de consommation courante. Les données du recensement révèlent par exemple qu'en 1861, 55 % des chefs de famille juifs montréalais tirent leurs revenus d'activités commerciales de petite envergure, soit deux fois et demie la proportion au sein de la population en général. En 1871, ce chiffre a grimpé à 63 %[63].

Le plus souvent, les marchands juifs peuvent compter sur des réseaux familiaux s'étendant sur plusieurs continents ou sur des appuis trouvés sur place auprès d'individus issus de la même région dans l'Ancien Monde. Les synagogues, les maisons de prière et les petites organi-

---

62. Au sujet de la compartimentation ethnique de la société montréalaise, voir Paul-André Linteau, « La montée du cosmopolitisme montréalais ».

63. Gerald Tulchinsky, *Canada's Jews*, p. 70.

sations culturelles ou politiques offrent aussi des perspectives intéressantes dans ce sens, qui permettent de contourner ou d'atténuer des facteurs économiques structuraux dont les immigrants sont souvent victimes. Il ne semble toutefois pas, d'après Tulchinsky, que les Juifs de cette période aient fait l'objet de préjugés antisémites prononcés ou de campagnes tonitruantes de mise à l'écart. Dans ce contexte historique, et bien que les élites protestantes et catholiques aient eu toutes deux à leur disposition un arsenal bien développé de perceptions antijudaïques, on peut penser que les Juifs ont pu vaquer à leurs affaires sans contraintes sérieuses liées à leur identité religieuse. Cela tient entre autres au fait que l'immigration juive est plutôt limitée et que les activités économiques de Montréal n'ont pas encore atteint un degré de spécialisation très avancé :

> Les données historiques montrent qu'au milieu du XIXe siècle, dans un contexte commercial très concurrentiel (sinon carrément impitoyable), un Juif était aussi bien reçu comme débiteur ou comme client que n'importe qui d'autre – à condition bien sûr qu'il mène ses affaires ouvertement et s'en tienne à ses engagements. Les non-Juifs entretenaient des liens commerciaux avec des Juifs malgré l'existence, souvent très répandue, d'attitudes antisémites méprisantes et hostiles[64].

Tout de même, il se trouve parmi les entrepreneurs d'origine juive quelques individus qui se démarquent par l'ampleur de leurs talents commerciaux et qui impriment une dynamique particulière à la vie économique montréalaise. C'est le cas notamment des frères Jacob Henry Joseph et Jesse Joseph, neveux d'Aaron Hart, nés à Berthier respectivement en 1814 et 1817. Jacob Henry Joseph se taille une place à Montréal dans des secteurs d'activité alors en plein essor, dont le télégraphe, la construction des premiers chemins de fer et le secteur bancaire naissant. Il est un des fondateurs de la Union Bank of Lower Canada puis compte parmi les investisseurs principaux au moment de la création de la Bank of British North America. Jacob Henry joue aussi

64. *Ibid.*, p. 52.

au milieu du XIXe siècle un rôle considérable dans le développement du port de Montréal et devient l'un des administrateurs du Montreal Board of Trade[65]. A. D. Hart note dans *The Jew in Canada* (1926) que Jacob Henry Joseph « détient un important portefeuille de biens immobiliers[66] ». Il participe de plus activement à la vie sociale de son temps, entre autres en soutenant des institutions comme l'Hôpital général, la Mercantile Library, l'Art Association, le Mechanics Institute et la Natural History Society. Son frère Jesse Joseph est décrit par A. D. Hart comme « un des hommes les plus en vue du Canada[67] ». D'après ce biographe, il ne se trouve guère d'entreprise commerciale à Montréal qui ait échappé à son attention. On le retrouve en 1864 à la tête de la Montreal Gas Company, puis quelques années plus tard à la direction de la Street Railway Company. Il est un des fondateurs de la Montreal Telegraph Company et compte parmi les administrateurs de la Banque nationale du Canada, une banque canadienne-française. En 1857, il fait ériger de vastes entrepôts dans le port de Montréal et prend une part active au développement du transport maritime et de la compagnie Saint Lawrence Railroad. Jesse Joseph a aussi la distinction d'avoir été pendant une très longue période, à partir de 1850, le consul de Belgique à Montréal.

De nouvelles occasions d'affaires se présentent au milieu du XIXe siècle quand apparaît à Montréal un florissant secteur manufacturier consacré aux biens de consommation courante, soit le vêtement, la bière, les cigarettes et certains produits alimentaires. Samuel Davis, un immigrant britannique d'origine juive, figure parmi les premiers à saisir l'occasion de faire fortune dans ce domaine. En 1861, dès son arrivée au Canada, il se lance dans l'industrie du tabac. Au fil des ans, il érige une des plus grandes entreprises de confection de cigares et de cigarettes en Amérique du Nord, l'Imperial Tobacco Company, éta-

---

65. Aujourd'hui la Chambre de commerce du Montréal métropolitain.

66. Arthur Daniel Hart, *The Jew in Canada: A Complete Record of Canadian Jewry from the Days of the French Regime to the Present Time*, p. 330. Notre traduction.

67. *Ibid.*, p. 331.

blie dans le quartier Saint-Henri en 1908. Dans sa biographie de cet entrepreneur, A.D. Hart écrit : « [Il] fut l'un des plus illustres citoyens de Montréal et aucune personnalité n'en a autant fait que Samuel Davis pour redorer le blason des Juifs[68]. » Son fils, Sir Mortimer B. Davis, né en 1866, reprend les entreprises fondées par son père et devient au tournant du siècle le premier grand philanthrope d'origine juive au Canada. À lui seul, il contribue à financer certaines des plus importantes institutions juives de Montréal, dont l'édifice du Young Men's Hebrew Association, ouvert en 1929 sur l'avenue du Mont-Royal, en face du parc Jeanne-Mance. Cet organisme, conçu sur le modèle des associations sportives britanniques, entend inspirer aux jeunes issus de l'immigration est-européenne un sens du fair-play et hâter leur intégration à la société canadienne. On doit aussi à Davis le financement du premier hôpital général juif érigé à Montréal (1934), qui portera d'ailleurs son nom. Construit dans le but de contourner les obstacles qui se dressent devant les médecins juifs dans les hôpitaux catholiques et protestants, l'établissement devient rapidement l'une des plus importantes institutions du réseau communautaire juif montréalais.

Montréal accueille aussi à la fin du XIXe siècle un petit groupe de Juifs d'origine française, dont un certain nombre jouera un rôle non négligeable dans la vie économique et culturelle du Canada français. Quelques-uns parmi eux font toutefois peu de cas dans leur vie professionnelle de leur appartenance au judaïsme, préférant plutôt s'associer à des organismes défendant les couleurs de la France républicaine. C'est le cas de Jules Helbronner, né à Paris en 1844 et arrivé à Montréal en 1874, où il connaîtra une brillante carrière de journaliste et de défenseur de la classe ouvrière[69]. Sous le nom de Jean-Baptiste Gagnepetit, Helbronner inaugure en 1884 dans le journal *La Presse* une chronique qui s'étendra sur près de dix ans et qui lui vaudra une réputation de militant des causes syndicales[70]. On le retrouve d'ailleurs à cette époque

68. *Ibid.*, p. 123.

69. Au sujet de Helbronner, voir David Rome, *On Jules Helbronner.*

70. Jean de Bonville, *Jean-Baptiste Gagnepetit. Les travailleurs montréalais à la fin du* XIXe *siècle*, p. 253.

chez les Chevaliers du travail et à la direction du Conseil des métiers et du travail de Montréal, un ancêtre de la Fédération des travailleurs du Québec. En 1892, il devient rédacteur en chef de *La Presse*, un des grands journaux libéraux canadiens-français de la fin du XIXe siècle, poste qu'il occupe jusqu'en 1908. Ces réalisations lui valent en 1906 la Légion d'honneur et plusieurs éloges dans sa patrie d'adoption[71].

À l'opposé de Helbronner, on trouve Moïse Schwob, un Juif fortuné d'origine alsacienne immigré au Canada en 1866. Importateur de montres suisses et bijoutier, Schwob s'engage ouvertement dans la communauté juive et participe à la construction du réseau caritatif destiné à secourir les immigrants venus d'Europe orientale, notamment en plaidant auprès du baron de Hirsch, un grand philanthrope juif européen, pour l'obtention d'un important soutien financier en faveur de la population juive montréalaise[72]. L'engagement de Schwob auprès de ses coreligionnaires ne l'empêche pas d'occuper pendant quelques années le poste de vice-consul de France à Montréal. Le contraste entre sa position et celle de son compatriote est parfaitement résumé dans une entrevue que Schwob donne en 1888 à Alexander Harkavy[73] pour *Ha-Tsefira* [l'aube], un journal hébreu progressiste publié à Varsovie. Concernant Helbronner, Schwob raconte :

> C'est un des contributeurs principaux à *La Presse*, le journal de langue française publié dans cette ville. Il s'intéresse beaucoup aux affaires de l'État et a récemment été choisi pour siéger à une commission d'enquête sur le travail. Assurément, ses activités ne concernent pas spécifiquement les Juifs. Je sais toutefois qu'il est juif. M. Hellbruenner est d'origine française[74].

71. Jean de Bonville, « Helbronner, Jules ».

72. Arthur Daniel Hart, *The Jew in Canada*, p. 207.

73. Alexander Harkavy est plus tard devenu l'auteur d'un dictionnaire yiddish-anglais publié aux États-Unis et qui lui a valu une célébrité mondiale.

74. Voir Jonathan Sarna, « "Our Distant Brethren", Alexander Harkavy on Montreal Jews 1888 ». Notre traduction.

C'est aussi durant cette période que se présente aux portes du Canada une première « vague » d'immigration juive issue de l'Empire russe, un phénomène encore modeste sur le plan démographique et qui se mesure par le fait que la population juive de Montréal passe de 409 personnes en 1871 à 814 en 1881. Il s'agit en fait d'un mouvement à peine perceptible, car plusieurs parmi les nouveaux venus se dirigent vers de petites villes en périphérie de la métropole, où il est plus facile de prime abord de se lancer en affaires. C'est un phénomène sur lequel insiste beaucoup Simon Belkin dans son ouvrage de 1966 intitulé *Through Narrow Gates* :

> À quelques exceptions près, les immigrants juifs d'origine lituanienne se sont d'abord établis dans des régions rurales. Plusieurs parmi ceux qui ont plus tard tenu des positions de responsabilité au sein de la communauté montréalaise avaient vécu pendant un certain temps dans des endroits comme Lancaster, Lanark, Cornwall, Kingston ou Sudbury dans la province de l'Ontario et dans la ville de Sherbrooke au Québec[75].

Contributions est-européennes

La répression politique qui suit l'assassinat en 1881 du tsar Alexandre II atteint une population juive encore privée des droits politiques les plus élémentaires et qui subit le poids de campagnes antisémites violentes. Plusieurs membres de l'aristocratie reportent en effet sur les Juifs l'origine des mouvements politiques qui visent une libéralisation de la société russe. Ces événements déclenchent dans un premier temps une émigration qui se dirige surtout vers les États-Unis, composée de personnes qui quittent leur pays dans le plus grand dénuement. La Russie est encore en cette fin de siècle un ensemble largement en retrait des progrès scientifiques et économiques réalisés en Europe occidentale

---

75. Simon Belkin, *Through Narrow Gates: A Review of Jewish Immigration, Colonization and Immigration Aid Work in Canada (1840-1940)*, p. 25. Notre traduction.

depuis la Révolution française. Près de cinq millions de Juifs (en 1897) vivent sous le joug des Romanov et forment la plus importante population de tradition judaïque dans l'Ancien Monde, regroupée avant tout en Pologne, dans les pays baltes et en Ukraine. Pour la plupart, ces communautés vivent dans une situation d'isolement géographique prononcé et n'ont pas encore eu accès aux avantages d'une éducation moderne. Elles se distinguent tout particulièrement des populations juives allemandes, beaucoup moins nombreuses mais partiellement émancipées tôt au XIXe siècle.

Les premiers Juifs russes qui entrent au Canada après 1870 joueront un rôle clé dans la construction identitaire et communautaire à Montréal. Ils serviront notamment de modèles à leurs coreligionnaires est-européens – qui arrivent massivement à partir de 1900 – en leur indiquant la voie à suivre sur le plan de l'adaptation culturelle et en leur servant d'intermédiaires dans leurs rapports avec la société d'accueil. Les Juifs russes déjà canadianisés feront aussi le pont entre les immigrants yiddishophones aux prises dans leur pays d'origine avec l'insurrection russe de 1905 et les adeptes du sépharadisme traditionnel installés depuis longtemps dans le Golden Square Mile, c'est-à-dire les membres de la synagogue Shearith Israel. Sans l'intervention de cette première génération est-européenne à la fin du XIXe siècle, il aurait fallu beaucoup plus de temps avant qu'une structure institutionnelle juive unifiée n'apparaisse à Montréal. C'est le point de vue que défend Simon Belkin :

> Quoi qu'il en soit, l'élection de S.-W. Jacobs [au Parlement fédéral en 1917] allait amener un changement profond au sein de la vie communautaire juive de Montréal. À partir de ce moment, le rayonnement d'individus comme [Clarence] de Sola et de quelques autres familles « aristocratiques » (meyukheses) de l'Uptown juif se mit à décliner. Les descendants des immigrants lituaniens des années 1880, nés au Canada ou arrivés depuis leur plus jeune âge et qui formaient un leadership récemment apparu, eurent le sentiment qu'il était de leur devoir de commencer à se mettre à l'écoute des masses populaires[76].

---

76. Simon Belkin, *Le Mouvement ouvrier juif au Canada, 1904-1920*, p. 285. Notre traduction.

Parmi ces premiers Ashkénazes de culture est-européenne et souvent de langue maternelle yiddish, il faut donc signaler ce S.-W. Jacobs, né au Canada en 1871 au sein d'une famille lituanienne qui s'est établie quelques années auparavant à Lancaster, en Ontario. Jacobs, avocat de formation et diplômé des universités McGill et Laval, deviendra en 1917 le premier député d'origine juive à être élu au Parlement d'Ottawa. Jusqu'à sa mort en 1938, il représentera ses concitoyens de la circonscription montréalaise de Cartier, dont une bonne partie sont des Juifs récemment émigrés de l'Empire des tsars. C'est en grande partie grâce à Jacobs que la voix des couches populaires immigrantes de toutes origines se rendra jusqu'à la Chambre des communes au cours de l'entre-deux-guerres, notamment pendant la crise des réfugiés allemands de la fin des années 1930[77]. Parmi les primo-arrivants est-européens, il faut aussi compter Lyon Cohen, né en Pologne en 1868 et immigré à Montréal en 1871 avec sa famille. Cohen sera élu en 1919 au poste honorifique de premier président du Congrès juif canadien. Avocat de formation, il est le fils de Lazarus Cohen, un homme d'affaires prospère, et le neveu de Hirsch Cohen, le plus influent rabbin de tradition misnagdique* à Montréal pendant la première moitié du XXe siècle.

Lyon Cohen et S.-W. Jacobs ont eu ensemble l'insigne honneur de fonder en 1897 le premier périodique juif au pays, *The Jewish Times*. À la fois organe de l'Uptown et porte-parole des classes juives aisées, ce journal bimensuel s'est aussi donné pour mission d'indiquer – en anglais – aux masses nouvellement admises au pays la marche à suivre pour se gagner l'estime des Canadiens. Cohen devient aussi propriétaire de l'une des plus importantes manufactures de vêtement à Montréal, la Freedman Company, et de ce fait un grand employeur de main-d'œuvre immigrante juive. Comme beaucoup de gens qui appartiennent à ce groupe arrivé précocement au pays, il symbolise pour les nouveaux arrivants l'espoir d'une vie meilleure et la possibilité pour les Juifs de bénéficier au Canada d'une forte mobilité sociale. Il est en même temps, pour les travailleurs de la confection et les activistes syndicaux de langue

77. Bernard Figler, *Biography of Sam Jacobs*. Voir aussi H.-M. Caiserman, *Two Canadian Personalities: Lyon Cohen – A. J. Freiman.*

yiddish, le type même de l'exploiteur capitaliste auquel la classe ouvrière est soumise dans les usines du boulevard Saint-Laurent.

En 1916, les résidents de la circonscription électorale de Montréal–Saint-Louis, dont beaucoup sont des citoyens naturalisés, élisent à l'Assemblée législative un jeune avocat libéral du nom de Peter Bercovitch[78]. Né à Montréal en 1879 d'un père d'origine polonaise pratiquant le métier de tailleur dans le bas de la ville, Bercovitch est la première personne juive à siéger au Parlement provincial. Depuis la controverse créée par l'élection d'Ezekiel Hart au début du XIXe siècle, plus aucun membre de la communauté n'a brigué les suffrages à Québec. Souvent réélu sans opposition, Bercovitch représentera ses électeurs jusqu'à sa démission en 1938, date à laquelle il sera remplacé brièvement par Louis Fitch[79], le seul député d'origine juive à avoir porté les couleurs de l'Union nationale de Maurice Duplessis[80]. C'est notamment Bercovitch qui prendra au cours des années 1930 la défense des parents d'origine juive dans la cause les opposant à la Commission scolaire protestante de Montréal, cause qui se rendra en appel jusqu'au Conseil privé de Londres. Bercovitch se fera aussi le promoteur en 1932 – mais sans résultats concrets – d'un projet de loi visant à mettre fin à la diffamation dont les Juifs sont victimes dans les publications antisémites distribuées par le journaliste pamphlétaire Adrien Arcand. Ni Jacobs à Ottawa ni Bercovitch à Québec – malgré de longs états de service – ne feront toutefois partie des cabinets libéraux dirigés à Ottawa par le premier ministre Mackenzie King et à Québec par les premiers ministres Taschereau et Godbout.

Nous l'avons vu, l'infime migration est-européenne des années 1870 et 1880 entraîne la création à Montréal d'un embryon de structure

---

78. Geneviève Richer, « Le défenseur des Juifs au Québec : la lutte de Peter Bercovitch pour le respect et la reconnaissance des droits de la minorité juive durant l'entre-deux-guerres ». Voir aussi du même auteur, « Intervenir en faveur de la justice sociale et des droits de la minorité juive. La carrière politique de Peter Bercovitch à l'Assemblée législative du Québec, 1916-1938 ».

79. Né Louis Feiczerwicz en Roumanie et arrivé au Canada en 1891.

80. Fitch connut la défaite aux élections générales de 1939, soit au même moment que le premier gouvernement unioniste de Maurice Duplessis.

communautaire, surtout des organismes caritatifs chargés de soutenir les plus démunis et d'accueillir les nouveaux venus arrivés d'Europe. Presque tous les immigrants russes que reçoit la communauté juive au cours de cette période souffrent d'un grave déficit d'adaptation et doivent recourir d'urgence aux services de secours mis en place par leurs coreligionnaires plus fortunés. Il n'a pas fallu beaucoup de temps aux dirigeants des synagogues et des œuvres de charité pour comprendre que ces cohortes sont à la fin du XIXe siècle le signe avant coureur d'un mouvement migratoire beaucoup plus vaste qui ne manquera pas de débarquer sur les rivages du Canada au cours des décennies suivantes. Rien en effet ne permet d'espérer que la situation des Juifs russes s'améliorera suffisamment, sous Alexandre II et encore moins sous Alexandre III, pour que l'inévitable soit retardé plus longtemps, c'est-à-dire l'émergence d'un mouvement migratoire de masse vers l'Amérique. C'est dans cet esprit que quelques jeunes hommes avaient fondé en 1863, à Montréal, la Young Men's Hebrew Benevolent Society (YMHBS), organisme formellement constitué en 1870 par le notaire Alexander Hart et dont la mission était « d'accueillir et de soutenir sur une courte période les personnes de religion hébraïque dans le besoin ou acculées à la pauvreté[81] ». L'initiative, comme beaucoup d'autres qui suivront, était motivée par l'obligation imposée aux adeptes du judaïsme de partager la richesse (*tsdaka**) et de faire des actions méritoires (*mitsvot**) à l'avantage de leurs coreligionnaires. Elle avait été précédée en 1847 par la création à Montréal de la Hebrew Philanthropic Society dont la responsabilité première était, là aussi, « de secourir les pauvres et les gens sans ressources, surtout parmi les immigrants récemment arrivés[82] ».

---

81. « *To assist and grant temporary relief to needy and indigent persons of the Hebrew Religion.* » Notre traduction. Voir le programme détaillé de cet organisme dans *The Young Men's Hebrew Benevolent Society*, Montréal, L. Perrault & Co., 1872, p. 7. Voir aussi Gerald Tulchinsky, « Immigration and Charity in the Montreal Jewish Community before 1890 », et Shelley Tenenbaum, *A Credit to Their Community: Jewish Loan Societies in the United States, 1880-1945*.

82. « *To provide assistance for the poor and needy, especially among the new immigrants.* » Simon Belkin, *Through Narrow Gates*, p. 24. Notre traduction.

Les pressions migratoires qui se font sentir aux frontières du Canada ne cessent toutefois de s'accentuer et, au cours des années 1880, la population juive de Montréal se multiplie par trois, au point d'atteindre tout près de 2 500 individus en 1891. Incapables de faire face à des obligations aussi onéreuses, les leaders communautaires juifs cherchent à obtenir de l'aide de sociétés philanthropiques européennes déjà constituées. Il s'agit d'une première tentative, vaine comme toutes les suivantes, de réguler le flot désordonné d'immigrants juifs est-européens qui se dirige vers les grands ports de mer de la côte atlantique. Comme le souligne Gerald Tulchinsky dans *Canada's Jews*, au tournant du siècle la situation des Juifs canadiens s'apprêtait à prendre un tour dramatique, tant la croissance démographique due à l'immigration s'accélérait : « Cette arrivée d'immigrants a soumis les communautés de Montréal et de Toronto à d'énormes pressions financières. Les problèmes en fait étaient si importants que les dirigeants communautaires ont dû en appeler à des organisations juives ouest-européennes et britanniques pour contrôler le flot des immigrants et pour les aider à soutenir ceux qui étaient déjà sur place[83] ». En 1890, Harris Vineberg, S. Kellert et Jacob Goldstein, trois hommes d'affaires fortunés associés à la YMHBS et eux-mêmes natifs d'Europe de l'Est, s'adressent au baron Maurice de Hirsch pour obtenir un soutien financier destiné à l'établissement des Juifs russes au Canada. On peut se faire une idée de leur désarroi et de l'ampleur du flot migratoire qui s'abat sur Montréal en lisant un télégramme qu'ils font parvenir à Hirsch l'année suivante à Paris :

> Plus de onze cents immigrants sont arrivés et ont été secourus cette saison. Des centaines de plus sont attendus. Tous nos fonds sont épuisés. Sans une aide immédiate, nous allons devoir cesser notre travail. À moins que nous puissions aider ces gens sur le plan matériel, le gouvernement menace de mettre en œuvre une loi interdisant l'immigration des indigents. Que devons-nous faire ? Communiquez avec nous[84].

---

83. Gerald Tulchinsky, *Canada's Jews*, p. 90.

84. « *Over eleven hundred emigrants arrived and relieved this season and still coming by hundreds, money all exhausted. Without further immediate help our work*

Riche philanthrope d'origine bavaroise, le baron de Hirsch finançait déjà des activités destinées à fixer des immigrants juifs sur des terres agricoles aux États-Unis par le truchement d'une organisation connue sous le nom de Jewish Colonization Association (JCA) et administrée depuis Paris. Le but avoué de ces efforts pré-sionistes était de se porter au secours des Juifs russes soumis à de terribles pressions sociales et politiques et de les diriger vers des régions peu occupées où ils pourraient s'adonner à du travail agricole productif. La réponse du baron, transmise en septembre 1891 par l'Alliance israélite universelle, prend la forme suivante :

> Le 9 septembre, nous avons reçu par l'intermédiaire de M. le Baron de Hirsch le télégramme que vous lui avez adressé et nous y avons répondu le 14 septembre par le télégramme suivant : « Vous enverrons en attendant cinq mille francs pour réfugiés russes recevrez autres secours de Londres ». Vous trouverez cette somme de fr. 5,000 ci-joint un chèque de $955,06, no. 500, de la maison Lazard Frères et cie, de Paris, sur la Canadian Bank of Commerce de votre ville.
> Nos amis de Londres auront dans quelques jours une séance dans laquelle votre demande de secours sera également examinée et nous avons la conviction qu'ils vous enverront des subsides, probablement plus considérables que les nôtres, parce que jusqu'à présent ils ont eu moins de dépenses pour les Israélites russes[85].

La somme substantielle accordée par Hirsch aux administrateurs de la YMHBS servira d'une part à consolider la structure communautaire juive à Montréal et d'autre part à lancer un programme de coloni-

---

must cease ; danger government enforcing law prohibiting pauper immigration unless we provide for them. What are we to do. Please cable us. » Télégramme de la Young Men's Hebrew Benevolent Society, Montréal, au baron de Hirsch, reçu à Paris le 10 septembre 1891, archives de l'Alliance israélite universelle, Paris. Notre traduction.

85. Lettre de l'Alliance israélite universelle, Paris, à la Young Men's Hebrew Benevolent Society, Montréal, 17 septembre 1891, archives de l'Alliance israélite universelle, Paris.

sation agricole juive dans l'ouest du Canada. Ces débours se poursuivront avec encore plus d'intensité au cours des années suivantes, au point où la YMHBS, renommée en 1891 Baron de Hirsch Institute en hommage à son principal bienfaiteur, pourra faire construire en 1901 un édifice important à Montréal et ouvrir à l'intérieur de ses murs une école destinée aux immigrants juifs de tous les âges. Sis sur la rue de Bleury, près de la rue Ontario, l'organisme devient au cours des deux ou trois décennies suivantes la plaque tournante de l'immigration est-européenne au Canada. Le journaliste Israël Medresh, arrivé au pays en 1911, rappelle dans ses mémoires le rôle primordial que l'Institut a joué auprès des nouveaux venus d'origine russe. Grâce à ce soutien, décisif dans les circonstances, les yiddishophones ont pu prendre pied dans la ville et parer au plus urgent sur le plan matériel. Surtout, l'Institut sert de point de passage à une population migrante privée de repères et arrivée sans connaissances précises à propos de l'Amérique. Appuyées par l'œuvre du baron, les masses immigrantes peuvent ainsi absorber plus facilement la culture ambiante et s'adapter aux attentes de leur pays d'accueil :

> Les jeunes ont perdu leur allure fruste plus rapidement grâce à l'école du soir de l'Institut Baron de Hirsch, où ils ont vite appris l'anglais. Ceux qui se sont inscrits à cette institution se sont en effet orientés plus facilement dans leur nouvelle vie au sein de ce nouveau pays. Se rendant plusieurs fois par semaine à leurs cours d'anglais, ils sont devenus plus à l'aise au sein de l'Institut. C'est ainsi qu'ils se sont enquis de ce qui s'y passait, faisant connaissance avec de nouvelles personnes, prenant conscience de l'existence de diverses activités communautaires juives dans la ville[86].

La JCA quant à elle sera surtout active lors de deux vagues migratoires[87] : celle composée en 1899 et en 1901-1906 d'immigrants rou-

86. Israël Medresh, *Le Montréal juif d'autrefois* [*Montreal fun nekhtn*], p. 47-48. Notre traduction.

87. Simon Belkin, *Through Narrow Gates*, chapitre 7.

mains et une autre beaucoup plus importante en provenance de Russie, qui suit les graves pogroms de 1903 et 1905 à Kichinev, en Moldavie, et le déclenchement de la guerre russo-japonaise de 1904-1905. Ces tentatives non sionistes d'ouvrir des fronts pionniers juifs, surtout en Saskatchewan et en Alberta, connaissent toutefois peu de succès et ne durent le plus souvent qu'une génération, tout comme de semblables tentatives en Argentine, au Brésil et en Turquie. Pour l'essentiel, les immigrants juifs venus de Russie se dirigent d'eux-mêmes vers les grandes villes canadiennes, c'est-à-dire là où l'on peut rapidement trouver des occasions d'affaires et dénicher un emploi. En 1901, Montréal compte déjà presque 7 000 résidents d'origine juive, dont un grand nombre arrivés tout récemment depuis l'empire des tsars. Dans l'ensemble du Canada, la population juive a bondi de 6 500 en 1891 à 16 100 en 1901. Une nouvelle ère pointe qui sera en rupture totale avec les décennies précédentes.

Pendant que les Juifs d'origine et de sentiment britanniques voient leur monde submergé à Montréal par un grand nombre de nouveaux arrivants, un nouveau pôle de croissance juive prend forme plus au sud, à l'embouchure du fleuve Hudson. L'immigration est-européenne, qui gonfle les rangs du judaïsme canadien au-delà de ce qu'il avait été possible d'imaginer, déferle dans la république voisine pour créer « la plus grande métropole juive de tous les temps[88] ». Grâce à un pouvoir d'attraction inouï et à un développement économique vertigineux, la ville de New York attire entre 1881 et 1924 deux millions d'immigrants juifs en grande partie issus de l'Empire russe, c'est-à-dire au moins vingt fois plus que n'en reçoit le Canada au même moment. Le déversement démographique qui se concentre sur Ellis Island, dans le port de New York, ne tarde pas à avoir des répercussions jusqu'à Montréal. Britannique de fondation, orthodoxe d'esprit et pendant près d'un siècle et demi l'apanage d'un petit nombre de marchands loyaux à la Couronne, le judaïsme canadien va basculer irrémédiablement à la fin du XIXe siècle dans l'orbite de la vie juive américaine.

88. Annie Polland et Daniel Soyer, *Emerging Metropolis: New York Jews in the Age of Immigration 1840-1920*, p. 245. Notre traduction.

Ce changement de cap fondamental se devine dès 1882 quand une troisième congrégation apparaît à Montréal, le Temple Emanu-El. D'obédience réformée et inspirée des principes du judaïsme allemand tel qu'implanté aux États-Unis cinquante ans plus tôt, elle témoigne de l'émergence dans la ville d'une interprétation plutôt négligée jusque-là. Pour ces adeptes des orientations proposées un siècle plus tôt par Moses Mendelssohn (1729-1786), le plus grand défi des Juifs consiste à entrer de plain-pied dans la modernité et à participer sans réserve à la construction d'une société égalitaire pour tous. À leur première réunion, les fondateurs du Temple Emanu-El déclarent : « Nous, citoyens israélites de cette ville et signataires de ce document, reconnaissant la nécessité de préserver le judaïsme dans sa gloire originelle et de le transmettre à la génération suivante, sommes unis dans notre volonté d'organiser une congrégation progressiste et prêts à discuter du meilleur moyen d'atteindre cet objectif[89]. » La brèche pratiquée par le Temple Emanu-El dans l'orthodoxie jusque-là dominante préfigure aussi l'arrivée dans la ville de courants juifs anarchistes, sionistes et socialistes, soit issus d'un judaïsme plus radical. Bientôt, les descendants des Hart, Joseph et de Sola, qui avaient eu les yeux tournés vers Londres, seront aux prises avec une population juive est-européenne pour qui New York est le centre du monde. Ce ne sera que le début d'une réorientation qui touchera l'ensemble du judaïsme mondial et entraînera des répercussions incalculables partout dans le monde juif :

> Quand les Juifs de New York avaient réagi en 1840 à l'accusation de meurtre rituel proférée à Damas, ils ne constituaient qu'une petite communauté sans importance, privée des moyens organisationnels de voler au secours de leurs coreligionnaires à l'étranger. Déjà, toutefois, ils se distinguaient des autres populations juives à travers le monde par le fait qu'ils vivaient dans une société relativement stable, qui offrait aux Juifs l'assurance d'une certaine sécurité et d'une égalité de fait. Au cours des huit décennies suivantes, tandis que leur nombre explosait littéralement,

89. À ce sujet, voir le site de la synagogue Temple Emanu-El-Beth Sholom : www.templemontreal.ca/about/our-history. Notre traduction.

> les Juifs de New York ont tiré avantage de cette stabilité, de cette sécurité et de cette égalité pour créer un nombre quasi infini d'organisations de toutes sortes, dont certaines étaient de grande taille et d'autres très petites, certaines vouées au bien-être de leurs membres et d'autres préoccupées de la situation du judaïsme dans le monde entier. [...] De cette manière, New York est devenu la capitale juive non seulement des États-Unis mais du monde entier[90].

Vers 1900, dans le brouhaha incessant provoqué par l'immigration de masse en provenance de l'Empire russe s'ouvre à Montréal, et dans la judéité québécoise en général, une nouvelle époque qui ne ressemblera en rien aux précédentes. Pour la première fois, un apport démographique venu de l'Ancien Monde fait apparaître une communauté juive visible et audible dans le bas de la ville, c'est-à-dire près du port et bientôt dans les quartiers populaires sis sur le Plateau Mont-Royal. Tandis que les Juifs britanniques avaient prôné pendant un siècle et demi une attitude de retenue prudente face à la société d'accueil, les nouveaux venus occupent maintenant des quartiers entiers, affichent leur judaïsme et militent ouvertement pour des causes révolutionnaires. Pressés de s'intégrer et de participer pleinement à l'élan de leur pays d'accueil, les yiddishophones n'en désirent pas moins préserver leur identité culturelle et conserver un espace d'affirmation nationale. Ces populations juives russes, à la fois très attachées à leur continent d'origine et fortement attirées par une Amérique remplie de promesses, sont appelées à jouer un grand rôle à Montréal au XXe siècle. Par l'action concertée d'un grand nombre d'organisations communautaires et grâce à leur conception avancée de la justice sociale, les Juifs est-européens exerceront de plus une influence décisive dans plusieurs sphères économiques de première importance, notamment dans l'industrie de la confection à Montréal. Ils introduiront aussi dans la ville des formes nouvelles d'expression artistiques tournées vers l'urbanité et feront naître des courants littéraires inédits.

---

90. Annie Polland et Daniel Soyer, *Emerging Metropolis*, p. 171. Notre traduction.

Tandis que les Juifs venus de Grande-Bretagne avaient cherché à se gagner les faveurs de l'élite protestante, les immigrants de langue yiddish, d'abord situés au bas de l'échelle sociale, entreront surtout en contact avec le Québec francophone. Ce sera l'occasion d'une rencontre d'une grande signification sur le plan culturel et politique, dont les multiples retombées se mesurent jusqu'à aujourd'hui. Les Canadiens français, que rien n'avait préparés à ce face à face historique avec une tierce communauté venue des confins de l'Empire russe, découvriront dans leurs rapports avec le judaïsme des raisons nouvelles d'avancer vers la modernité et de s'engager dans un processus de transformation sociale intense.

CHAPITRE 2

La grande migration, 1900-1919

Il faut attendre le début du XXe siècle pour qu'une vague migratoire juive de grande ampleur atteigne Montréal. Jusque-là, les arrivées étaient restées assez limitées sur le plan numérique et les nouveaux venus s'étaient intégrés à la population déjà en place sans attirer beaucoup d'attention sur leurs origines. Au nombre de quelques dizaines puis de quelques centaines, les Juifs est-européens que le Québec avait commencé à accueillir peu après 1867 avaient trouvé autour d'eux les ressources pour progresser dans l'échelle sociale et pour se gagner une place au sein du réseau communautaire. Cette époque prend fin abruptement au tournant du siècle à la faveur d'une conjoncture historique exceptionnelle. D'une part, le développement économique accéléré du Canada et de Montréal sous le gouvernement de Wilfrid Laurier (1896-1911) mise sur une politique d'immigration à grande échelle ; d'autre part, l'intensification de la répression politique au sein l'Empire russe provoque un exode juif massif vers le Nouveau Monde. Règnent par ailleurs en Europe de l'Est des conditions générales de pauvreté et d'isolement économique qui poussent un grand nombre de personnes à l'exode. L'ouverture du Canada aux flux internationaux, alors que s'aggrave brusquement la situation des Juifs est-européens, crée à partir de 1904 un contexte hautement favorable à des arrivées massives en provenance de l'empire des tsars. Au même moment, un essor extraordinaire de la navigation transatlantique et des transports ferroviaires favorise des déplacements peu coûteux sur de très grandes distances. Doté depuis peu d'un chemin de fer transcontinental et d'importants ports de mer en eau profonde, le Canada devient pour la première fois à cette période une destination à l'échelle mondiale.

Pratiquement du jour au lendemain, un flot soutenu d'immigrants juifs, affectés par les soubresauts révolutionnaires qui se manifestent dans les principales villes russes, se dirigent en flux constant vers Montréal et occupent une zone résidentielle près du port. Le mouvement est d'une telle intensité qu'il prend de court les organisations caritatives juives et non juives qui s'étaient occupées jusque-là, pendant quelques semaines ou quelques mois, de prendre en charge les nouveaux venus et de leur trouver des emplois. Des échos de cette situation inédite atteignent la presse de langue française :

> Une mesure importante a été prise, hier, pour mettre à l'abri les immigrants juifs russes qui sont maintenant au nombre de huit cents à Montréal. Le comité de secours de l'Institut du Baron de Hirsch a loué un édifice spacieux au 950 boul. St-Laurent, capable de loger 400 personnes. [...] D'un autre côté il est arrivé quarante nouveaux immigrants à Montréal pendant la journée. Il est difficile d'estimer le nombre de ceux qui arriveront encore, mais on en attend 100 ou 150 cette semaine. Le comité de secours serait heureux de recevoir des offres d'emploi des grandes corporations, des contracteurs, etc., pour du travail à la journée ou à la semaine. C'est le seul appel que l'on fait au public. Jusqu'à ce que de l'ouvrage soit trouvé pour tous les immigrants, l'Institut du Baron de Hirsch se charge de les nourrir et de les loger[1].

Plusieurs raisons expliquent la concentration à Montréal de l'immigration juive à destination du Canada, dont le fait que la ville est le point d'aboutissement principal des lignes maritimes et ferroviaires qui pénètrent à l'intérieur du pays. À cette époque, l'ensemble du flux migratoire en provenance d'Europe transite d'une manière ou d'une autre par la métropole, et les Juifs ne font pas exception.

1. « Les Juifs russes », *La Patrie*, 13 janvier 1905 ; albums Édouard-Zotique Massicotte, Bibliothèque et Archives nationales du Québec, Montréal [collections.banq.qc.ca/bitstream/52327/2084360/1/2734354.jpg].

Avec 267 000 habitants en 1901, Montréal est aussi la principale ville du pays et celle où le processus d'industrialisation est le plus avancé. La forte poussée migratoire des années 1904-1914 se répercute donc plus intensément à Montréal que partout ailleurs au pays, d'autant plus qu'un grand nombre d'emplois non qualifiés y sont disponibles.

Pour la première fois, une masse de Juifs est-européens prend pied dans la ville et occupe une place bien définie dans le tissu urbain. Au cours d'une période de seulement dix ans (de 1901 à 1911), la population juive de Montréal passe de 7 000 à 28 000 personnes ; c'est la plus forte progression démographique de toute l'histoire juive au Canada. En très peu de temps, la situation change du tout au tout et les Montréalais peuvent observer des phénomènes inédits, telle l'apparition dans le bas de la ville d'un quartier imprégné d'une forte présence juive, l'ouverture de synagogues de grande taille et la création d'organisations qui reflètent l'identité culturelle des nouveaux arrivants. Des affiches en caractères hébraïques apparaissent sur la façade de certains édifices, tandis qu'un important prolétariat d'origine est-européenne se constitue dans les secteurs de la confection et de la production de biens de consommation courante. Dans certains quartiers populaires de Montréal, de petits commerces surgissent, tenus par des Juifs fraîchement débarqués et offrant des marchandises alléchantes à bon marché. Partout dans l'axe du boulevard Saint-Laurent, le yiddish prend une place prépondérante : dans les entreprises commerciales, dans les espaces publics et jusque sur la scène du Monument-National, où l'on joue des pièces dans cette langue presque chaque jour de la semaine à partir de 1905. La tendance est si marquée que la ville attire des troupes new-yorkaises de différents calibres dès le début du siècle, jusqu'à ce que l'impresario Louis Mitnik lance en 1912 une compagnie de théâtre yiddish montréalaise destinée à satisfaire l'appétit des Juifs ashkénazes pour des productions dans cette langue[2]. Des immigrants d'autres origines s'installent aussi à la même époque au Québec, dont des Italiens,

---

2. Jean-Marc Larrue, *Le Monument inattendu. Le Monument-National 1893-1993.* Voir aussi Israël Medresh, *Le Montréal juif d'autrefois*, p. 139-146 ; et Pierre Anctil, « 1912, une troupe de théâtre yiddish permanente à Montréal ».

des Allemands et des Slaves, mais en moins grand nombre. Une ère nouvelle de pluralisme culturel s'ouvre dans l'histoire du Québec, dont les répercussions se feront sentir pendant des décennies.

Premier élément de cette conjoncture tout à fait unique, l'ouverture du Canada à une immigration de masse commence à prendre forme quelques années seulement après l'entrée en vigueur, en 1867, de l'Acte de l'Amérique du Nord britannique. Le projet d'accueillir une importante population d'origine européenne tient à ce que le pays qui émerge, à la fin du XIXe siècle, est constitué en bonne partie de vastes espaces qui avaient été concédés par la Couronne britannique à la Compagnie de la Baie d'Hudson et qui ne possédaient pas de gouvernement civil constitué. Dans les grandes plaines situées à l'ouest de l'Ontario, dont le Canada fédéral se voit confier la responsabilité par Londres, il n'existe toujours pas d'activités économiques structurées ou de grands centres de population. En 1876, pour pallier cette situation de sous-développement, le Parti conservateur de John A. Macdonald propose à l'électorat une « politique nationale » comportant trois volets : des tarifs douaniers élevés pour soutenir l'industrie manufacturière canadienne, la construction d'un chemin de fer d'un bout à l'autre du pays pour désenclaver les régions éloignées et une vaste immigration européenne pour peupler l'Ouest.

Doté d'un territoire surdimensionné par rapport à sa population de quatre millions de personnes (en 1880), le Canada ne pouvait se permettre d'attendre pendant des décennies que l'accroissement naturel vienne combler ses besoins pressants en matière de main-d'œuvre. Une seule option s'offrait à Macdonald pour créer un marché intérieur digne de ce nom et pour augmenter le nombre des contribuables : faire venir d'ailleurs un grand nombre de personnes susceptibles de contribuer puissamment à l'avancement du pays. Avant d'y arriver, il fallait achever de construire un chemin de fer transcontinental qui pourrait acheminer les nouveaux résidents vers l'intérieur du continent, en plus de bâtir sur la façade atlantique du Canada une infrastructure destinée à recevoir et à traiter l'immigration en provenance de l'étranger. Trop d'obstacles se dressaient encore face à cette politique pour qu'elle puisse se réaliser à court terme. Ce n'est que vingt ans plus tard que seront réunies les conditions économiques permettant la réalisation de ce grand dessein national : attirer et fixer au pays, en peu de temps, des centaines de milliers de nouveaux citoyens. De fait, il faudra attendre l'élection en 1896 du libéral Wilfrid Laurier à la tête du gouvernement canadien pour que sonne enfin l'heure d'une immigration de masse au Canada[3].

En 1901, l'immigration dépasse pour la première fois depuis 1892 le chiffre de 50 000 personnes par année, et à partir de 1906 les entrées annuelles franchissent le cap des 200 000 migrants. Le sommet est atteint en 1913, année où un peu plus de 400 000 nouveaux venus franchissent les frontières du Canada pour s'y installer à demeure. N'eût été le déclenchement de la Première Guerre mondiale, l'année suivante, ce mouvement se serait probablement poursuivi à ce rythme pendant quelques années. C'est le plus important apport migratoire de toute l'histoire canadienne. Entre 1901 et 1910, 1,64 million d'immigrants entrent au pays, et encore 1,29 million de 1911 à 1915. Quand cette période de grand accueil migratoire s'ouvre en 1896, la population totale du Canada est de 5 millions d'habitants ; quand elle se clôt, en 1915, elle frôle les 8 millions. Malgré des départs massifs vers les États-Unis, la proportion de résidents nés à l'étranger atteint à la fin des années 1910 tout près de 22 % de la population canadienne, soit plus d'une personne sur cinq. Il s'agit d'un sommet inégalé jusque-là dans l'histoire du pays.

Pour réaliser ce dessein de grande envergure, le gouvernement Laurier a financé la construction d'une nouvelle ligne ferroviaire transcontinentale, s'est engagé à subdiviser les terres agricoles disponibles en lots peu coûteux propices à l'exploitation commerciale et a fait connaître à l'étranger les occasions d'avancement que le Canada offrait aux immigrants audacieux. Nommé ministre de l'Intérieur en 1896, Clifford Sifton réorganise aussitôt les services canadiens de l'immigration, lance en Europe une campagne de recrutement efficace et donne la priorité aux agriculteurs dans les critères d'admission au pays. Des avantages importants sont consentis aux nouveaux venus qui se destinent à

3. Voir à ce sujet Valerie Knowles, *Strangers at Our Gates: Canadian Immigration and Immigration Policy, 1540-2007* ; Ninette Kelly et Michael Trebilcock, *The Making of the Mosaic: A History of Canadian Immigration Policy.*

l'Ouest canadien, sous forme de subventions aux compagnies maritimes et ferroviaires chargées d'amener les nouveaux citoyens au pays. Le gouvernement offre de plus des conditions particulièrement favorables pour l'achat de terres jamais cultivées et pour les premières récoltes. Mis en application pendant plusieurs années, le plan Sifton donne des résultats éclatants en ce qui concerne le nombre de personnes qui s'établissent au pays. Mais malgré les objectifs déclarés de cette politique, il reste qu'une proportion considérable des immigrants se fixe aussitôt dans les grandes villes du centre du pays, ignorant l'injonction gouvernementale d'aller peupler l'Ouest canadien :

> Bien que l'objectif officiel de la politique d'immigration consiste à encourager l'établissement d'agriculteurs dans les Prairies, moins de la moitié des nouveaux venus se rendent cultiver des terres à l'ouest. Nombre d'entre eux trouvent du travail dans les villes, dans les mines ou dans la construction ferroviaire. Pour certains immigrants, le travail rémunéré fournit l'argent nécessaire à l'achat des équipements requis pour devenir fermier. D'autres envisagent leur séjour au Canada comme étant temporaire et cherchent à économiser le plus d'argent possible avant de retourner dans leur pays d'origine[4].

Mis à part les habitants des îles Britanniques, qui constituent la masse des nouveaux venus au Canada entre 1896 et 1914, un pourcentage élevé des personnes qui se dirigent vers les Prairies, soit près du tiers du total, sont d'origine centre et est-européenne[5]. Victimes de conditions économiques particulièrement difficiles et soumis à des régimes autoritaires, de nombreux paysans ukrainiens, russes, polonais, allemands et austro-hongrois saisissent l'occasion qui leur est offerte d'acquérir des terres agricoles à bas prix dans des régions abondamment pourvues en ressources naturelles. Parmi ces nouveaux venus se trouvent des mennonites, des huttérites et des doukhobors qui subissaient en tant que minorités chrétiennes des formes particulières de

---

4. R. Cole Harris et Geoffrey J. Mathews (dir.), *Atlas historique du Canada*, vol. 3, p. 67.

5. *Ibid.*, planche 27.

répression et dont beaucoup avaient délibérément adopté, du fait de leurs croyances, un mode de vie rural. Sifton, qui est à la recherche de candidats habitués à un climat difficile et à des travaux exténuants, fait beaucoup pour favoriser l'établissement au pays de personnes issues des communautés rurales est-européennes. Le Canada attire aussi des immigrants originaires du sud de l'Europe, surtout des Italiens, dont la plupart servent de main-d'œuvre à bon marché dans les villes et travaillent à la mise en place d'infrastructures de transport. Il en va de même des Chinois recrutés aux seules fins de parachever les vastes projets de construction ferroviaire et que des idéologies nativistes confinent aux marges de la société canadienne ou rejettent carrément.

Au milieu de ce vaste mouvement de population depuis l'Europe jusqu'aux marges de l'Amérique du Nord britannique, les Juifs est-européens ne tiennent qu'un rôle très mineur. Pendant qu'au Canada tous les yeux sont tournés vers une immigration composée de fermiers et de ruraux, un nombre relativement limité de personnes d'origine juive met les pieds au pays, soit environ 68 000 entre 1901 et 1911 et environ 74 000 entre 1911 et 1921. Traduits en pourcentages, ces chiffres représentent respectivement 4 et 4,3 % du total pour les périodes concernées[6]. À l'échelle du Canada, il est difficile de décrire le phénomène de l'immigration juive comme un événement démographique hautement significatif. De fait, à cette période, il passe à peu près inaperçu des fonctionnaires fédéraux chargés de gérer l'immigration internationale et laisse peu de traces dans les journaux du pays.

Contextes juifs, contextes urbains

Contrairement à nombre d'immigrants originaires d'Europe orientale, les Juifs arrivés lors de la grande vague migratoire du tournant du siècle se dirigent en bonne partie vers les centres urbains les plus importants.

6. Louis Rosenberg, *Canada's Jews: A Social and Economic Study of the Jews in Canada*, Montréal, tableau 92, p. 136.

En 1911, Montréal compte 28 000 Juifs, Toronto 18 300 et Winnipeg 9 000. À elles seules, ces trois villes concentrent 73 % de la population d'origine juive au Canada[7]. Vingt ans plus tard, en 1931, la proportion de Juifs vivant dans de grandes agglomérations canadiennes atteindra 78 %. Cette année-là, il n'y avait que 2 188 personnes d'origine juive sur 155 600 qui vivaient sur une ferme, ou 1,4 % du total. Seuls 784 agriculteurs juifs exploitaient leur propre ferme (477 exploitations), la plupart au Manitoba et en Saskatchewan[8]. Il est difficile de croire dans ces circonstances que les immigrants d'origine judaïque aient eu un fort penchant pour la vie rurale ou que les efforts substantiels consentis par le baron de Hirsch aient porté fruit à long terme. Pour la plupart, toujours en 1931, les Juifs qui ne se sont pas établis dans un centre urbain important vivent dans des villes de taille moyenne comme Ottawa, Hamilton, Windsor, Vancouver, Calgary, Edmonton et Regina. Ceux qui se sont dirigés vers les zones agricoles du pays manquaient souvent de capital de départ pour lancer une entreprise fermière et ont dû avoir recours, avant d'engranger les premières récoltes, à des organismes philanthropiques spécialisés comme la Jewish Colonisation Association. Plusieurs de ces pionniers ne possédaient pas non plus les connaissances agronomiques et l'expérience requises pour ouvrir de nouveaux fronts agricoles et ont dû battre en retraite au bout de quelques années vers les villes des Prairies[9]. Dans l'Empire russe, historiquement, les Juifs n'avaient en général pas reçu les autorisations ou l'appui politique nécessaires pour cultiver le sol et devenir producteurs agricoles.

Dans le Grand Montréal, où ils forment une population de près de 30 000 personnes en 1911 – en très grande majorité récemment arrivés d'Europe orientale –, les Juifs représentent 5,3 % de la population totale de la ville. Vingt ans plus tard, en 1931, ils sont le double et forment un bloc de 5,8 %. C'est, après Winnipeg, où ce chiffre atteint

---

7. *Ibid.*, tableau 197, p. 308. Voir aussi Paul-André Linteau, « La montée du cosmopolitisme montréalais ».

8. Louis Rosenberg, *Canada's Jews*, tableau 135, p. 226.

9. Voir à ce sujet Simon Belkin, *Through Narrow Gates: A Review of Jewish Immigration, Colonization and Immigration Aid Work in Canada (1840-1940).*

Figure 2. Nombre d'immigrants juifs au Canada, 1901-1960

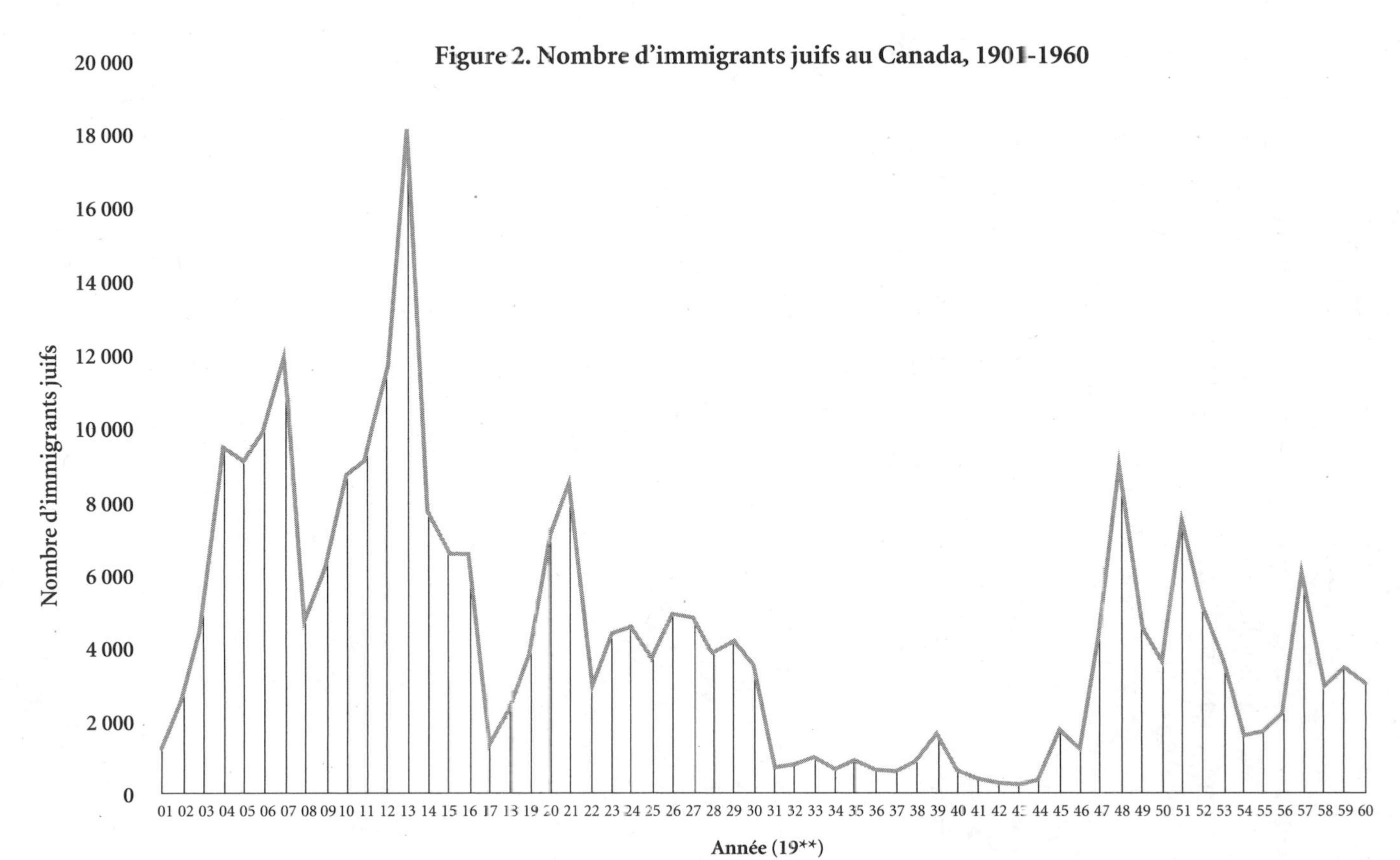

Source : Joseph Kage, *With Faith and Thanksgiving: The Story of Hundred Years of Jewish Immigration and Immigrant Aid Effort in Canada (1760-1960)*, p. 259-260.

presque 6 %, la plus forte proportion de personnes d'origine juive établies au sein d'une ville canadienne[10]. Ailleurs au Québec, même dans des centres régionaux d'une certaine importance comme Trois-Rivières, Sherbrooke et Joliette, les immigrants de confession juive ne représentent que de petits noyaux de moins de 250 personnes. Dans ces villes, ils gravitent surtout autour du commerce de détail et occupent une position d'intermédiaires assez semblable à celle qu'ils avaient connue dans les bourgades de l'Empire russe. Même à Québec, capitale provinciale et siège d'un évêché de stature assez considérable, la population d'origine juive ne dépasse pas 500 personnes, concentrées au départ dans la basse-ville près de la gare du Palais[11]. Pour l'essentiel, les milieux urbains de taille moyenne au Québec n'offrent pas la densité démographique et la forte activité industrielle qui favorisent comme à Montréal l'établissement de Juifs est-européens. Ils n'accueillent pas non plus une diversité culturelle suffisamment affirmée pour attirer des personnes habituées en Europe au pluralisme linguistique et qui savent tirer avantage de situations où se côtoient des gens de diverses origines.

Dans la métropole canadienne, par contre, les Juifs forment au début du XXe siècle la plus grosse communauté immigrante non britannique, suivis de loin par les personnes d'origine italienne. Mieux encore, le yiddish est depuis le début de la grande vague migratoire la troisième langue la plus parlée à Montréal après le français et l'anglais. Ces données reflètent le fait que les Juifs manifestent une tendance opposée à celle de la plupart des immigrants est-européens d'autres origines en s'établissant dès le départ en ville, là où se trouvent concentrés emplois et occasions d'affaires. Tandis qu'une masse d'immigrants s'enfonçait vers l'intérieur du continent pour tenter de cultiver le sol ou pour fonder de nouveaux établissements, les Juifs russes, ukrainiens, polonais et lituaniens descendaient dans les grandes gares du pays pour tenter une aventure avant tout urbaine. Pour au moins la moitié de ces nouveaux venus, cela signifiait prendre pied à Montréal. La métropole québécoise

---

10. Louis Rosenberg, *Canada's Jews*, tableau 197, p. 308.

11. Voir Pierre Anctil et Simon Jacobs, *Les Juifs de Québec. Quatre cents ans d'histoire.*

sera donc dès le départ le point de mire et le cœur vibrant de la vie juive est-européenne au Canada. C'est la conclusion à laquelle en vient Simon Belkin dans sa pénétrante étude historique de 1956, *Di Poale-Zion bavegung in Kanade (1904-1920)* :

> Jusqu'à la Première Guerre mondiale, le Canada ouvrit toutes grandes ses portes à l'immigration juive. [...] Les Juifs est-européens, et surtout les Juifs lituaniens qui étaient arrivés directement au Canada depuis leur région d'origine, firent circuler un vent de fraîcheur au sein de la vie juive canadienne. Ils se regroupèrent principalement à Montréal et dans les localités environnantes. Très peu d'entre eux se dirigèrent, au cours des premières années de leur installation, vers Toronto ou l'Ouest canadien[12].

Les Juifs est-européens qui commencent à arriver massivement à Montréal à partir de 1904 possèdent un profil socioéconomique bien particulier qui les distingue des autres immigrants dans la ville. Pour la plupart, ils proviennent de petites villes de l'Empire russe où les Juifs ont traditionnellement tenu une position d'intermédiaires entre les populations rurales et les classes dominantes. Ce sont pour l'essentiel des urbains installés depuis plusieurs siècles dans la Russie des tsars et qui occupent un créneau spécialisé dans l'économie globale de ce pays[13]. Dans le *shtetl**[14], les Juifs exercent de petits métiers artisanaux, achètent les produits des fermes environnantes, revendent des marchandises manufacturées dans des centres industriels lointains et parfois administrent de grandes fermes pour des propriétaires absentéistes. Ils sont

12. Simon Belkin, *Le Mouvement ouvrier juif au Canada, 1904-1920*, p. 83.

13. À ce sujet, voir Benjamin Nathans, *Beyond the Pale: The Jewish Encounter with Late Imperial Russia.*

14. Voir Rachel Ertel, *Le Shtetl. La bourgade juive de Pologne, de la tradition à la modernité.* Pour une discussion de ce concept appliqué à Montréal, voir Ignace Olazabal, *Khaverim. Les Juifs ashkénazes de Montréal au début du XXe siècle, entre le* shtetl *et l'identité citoyenne*; Pierre Anctil, « Un shtetl dans la ville : la zone de résidence juive à Montréal avant 1945 ».

aussi soumis sous le régime tsariste à des lois d'exception très contraignantes et à l'obligation de résider dans une zone bien précise correspondant en gros aux frontières de la Pologne démembrée de la fin du XVIIIe siècle. Ces Juifs ont de plus un taux de littératie nettement supérieur à la moyenne et parlent couramment plusieurs langues.

Ces éléments d'identité culturelle très profondément ancrés ne vont pas tarder à devenir des caractéristiques déterminantes dans l'évolution future du judaïsme canadien. Dans son ouvrage intitulé *Canada's Jews* (1939), Louis Rosenberg calculait que la population juive canadienne avait en 1921 un taux d'analphabétisme de 7,4 %, comparé à des moyennes de plus de 20 % pour les autres communautés immigrantes est-européennes. En 1931, ce chiffre avait chuté à 3,8 %[15]. Surtout, les Juifs est-européens qui arrivent à Montréal au début du XXe siècle viennent de traverser dans leur contrée d'origine un processus intense et déstabilisant d'entrée dans la modernité. Ils sont pour la plupart très jeunes et appartiennent à une génération qui est la première en Europe orientale à avoir eu un accès à une éducation séculière. Détachés en partie de l'enseignement judaïque traditionnel et de la pratique religieuse orthodoxe, les nouveaux venus brûlent du désir de s'ouvrir aux avantages du libéralisme nord-américain. À Montréal, prolétaires pour la plupart ou commerçants aux moyens modestes, ils souhaitent s'intégrer rapidement et progresser dans l'échelle sociale. Inspirés par des idées de gauche ou par des interprétations politiques radicales, les yiddishophones vont d'ailleurs participer activement au Québec aux grandes luttes en faveur de la dignité humaine et de l'égalité de traitement pour tous. Souvent, ils emploient leurs premières énergies à bâtir au pays une structure communautaire juive à l'image de leurs aspirations, qui leur servira de tremplin en vue d'une forte progression sociale. Comme le rappelle Belkin, lui-même militant sioniste de gauche arrivé à Montréal en 1911, les années 1910 représentent sur ce plan un moment tout à fait unique dans l'évolution de la vie juive canadienne :

15. Louis Rosenberg, *Canada's Jews*, tableau 168, p. 261.

> [...] le flot de l'immigration juive a amené des transformations profondes quant aux aspects visibles et quant à la structure interne de la communauté juive canadienne. En fait, c'est une toute nouvelle collectivité qui se profilait au pays au début du XXe siècle, très peu influencée par le leadership institutionnel composé des personnes arrivées depuis plus longtemps. Essentiellement issue des couches populaires juives, cette vague migratoire était, d'une part, puissamment enracinée dans la vie traditionnelle est-européenne, et d'autre part très marquée par l'emprise sur elle du comportement religieux sous sa forme orthodoxe. Malgré cela, ces Juifs avaient aussi été imprégnés des nouvelles idées révolutionnaires, nationalistes et socialistes prônant la liberté, et qui avaient fait surface dans les territoires habités par des populations juives en Europe[16].

Cela signifie que les immigrants de la grande vague migratoire sont habités par l'enthousiasme des commencements et arrivent sur le territoire canadien empreints du sentiment de vivre une expérience inédite dans l'histoire juive. Traverser les mers, s'ouvrir au monde, découvrir une ville en pleine expansion et participer au libéralisme ambiant : voilà autant de circonstances qui convainquent les yiddishophones d'aborder leur nouvelle vie avec un grand optimisme. La plupart de ces jeunes, qui souvent ont été formés dans des académies talmudiques et ont reçu une éducation strictement religieuse, voient leurs espoirs d'émancipation personnelle et d'avancement social enfin réalisés. Beaucoup d'entre eux d'ailleurs étaient déjà entrés en contact avec les idées modernes avant même de quitter l'Ancien Monde et se sentaient depuis longtemps dépérir au sein d'un milieu judaïque est-européen empreint de traditionalisme. Cette superposition chez les mêmes individus de croyances judaïques profondément ancrées et d'une pulsion révolutionnaire intense peut être difficile à saisir d'un point de vue extérieur à l'expérience juive contemporaine. La coexistence de notions politiques et religieuses très contradictoires constitue un des moteurs principaux de la judéité est-européenne à cette époque de transformations rapides et de grandes migrations. Voici comment Hirsch Hershman décrit les

16. Simon Belkin, *Le Mouvement ouvrier juif au Canada*, p. 86.

délibérations des anarchistes juifs à Montréal au moment de son arrivée dans la ville en 1902 :

> La plupart par exemple présentaient leurs idées comme le font les talmudistes et défendaient le socialisme et l'anarchisme avec ce rythme de la voix *(nigun)* qu'affectent ceux qui étudient la *Gémara**. Certains d'entre eux avaient même étudié à l'académie talmudique (*yeshiva**) de Volozhin et gesticulaient des doigts et des mains pendant les assemblées à la manière de leurs maîtres. Ces *bokherim* (jeunes étudiants talmudiques) étaient encore animés, lorsqu'ils prenaient la parole, d'un élan religieux, et pour eux le combat en faveur des masses populaires revêtait dans leur vie un caractère sacré[17].

Franchir l'Atlantique leur permet de réaliser un désir longtemps réprimé : embrasser enfin les avantages du libéralisme politique. Quitter la vie du *shtetl,* c'est se situer dans un monde en progrès constant et connaître enfin les bienfaits des grandes villes. Quant aux femmes juives qui prennent le chemin de l'Amérique, le plus souvent elles sont à la recherche d'une indépendance financière et d'un destin qui leur appartienne en propre. Plusieurs d'entre elles cherchent aussi une société où elles seront traitées en égales et où il leur sera possible de faire carrière dans des professions ou des métiers valorisants. Dans l'Empire russe, les Juifs subissent le poids d'une répression féroce et sont soumis à une censure constante de la part de l'État. Fuir le pays d'origine, c'est entrer de plain-pied dans un monde en pleine transformation et où tout semble possible, même si le sort qui attend les immigrants à Montréal n'est pas toujours au départ très valorisant. C'est le sens du témoignage que livre Hershl Novak à propos de son arrivée dans la ville en 1909 :

---

17. Hirsch Hershman, « 25 yor yidish arbeter bavegung in Montreal », *Unzer Vort* [notre parole], Montréal, du 23 décembre 1927 au 2 mars 1928 ; publié sous le titre « À l'occasion des vingt-cinq ans du mouvement ouvrier juif à Montréal », traduction de Pierre Anctil, dans *Bulletin du Regroupement des chercheurs en histoire des travailleurs du Québec*, printemps 2000, vol. 26, n° 1, p. 54.

> Comme tous les immigrants récents, j'ai passé mes premiers jours à Montréal traversé de sentiments contradictoires et rempli de confusion. D'un côté, je me réjouissais de me trouver enfin dans ma ville d'adoption. Par intuition, je ressentais la nouveauté et le caractère de liberté sans bornes du continent américain, où tant de Juifs fuyant les pays tyranniques et pauvres d'Europe avaient poussé un soupir de soulagement puis, sans empêchements particuliers, s'étaient mis à tirer parti de leurs nouvelles circonstances. D'autre part, je perçus en moi et autour de moi les difficultés soulevées du fait d'être un étranger, les souffrances nées de l'éloignement ainsi que les peurs associées à l'inédit et à l'inconnu[18].

L'insurrection russe de 1905

Pendant que débarque dans les ports canadiens une masse jamais vue d'immigrants de toutes origines et que le gouvernement adopte des mesures favorables à leur établissement dans l'ouest du pays, à l'autre bout du monde des événements dramatiques se déroulent au sein de l'Empire russe qui vont fortement ébranler le régime des tsars. À la fin du XIXe siècle, la Russie est le dernier grand espace européen où règne encore l'absolutisme politique. Dans ce pays, l'autocratie domine sans partage et il n'existe aucune forme de représentation parlementaire qui permette aux forces du libéralisme d'obtenir des réformes progressistes. Plus encore, la Russie impériale est formellement divisée, selon une logique rigide et immuable, en sphères sociales étanches dont il est pratiquement impossible pour un individu de s'extraire. Au sommet de cet immense édifice se trouvent les couches privilégiées de l'aristocratie, de l'épiscopat orthodoxe et des grands propriétaires terriens, qui possèdent tous les droits et incarnent à elles seules la légitimité du pouvoir. La Russie regroupe de plus des territoires très vastes où vivent côte à côte un grand nombre de peuples minorisés placés sous le contrôle direct de l'empereur et qui sont soumis aux caprices des autorités centrales.

18. Hershl Novak, *La Première École yiddish de Montréal, 1911-1914*, p. 154.

Parmi cette constellation de populations d'origines différentes se trouvent près de cinq millions de Juifs répartis dans plusieurs régions distinctes parfois fort éloignées les unes des autres.

Au tournant du XXe siècle, un processus d'industrialisation et d'urbanisation accéléré bouscule les structures traditionnelles de l'empire et crée de nouveaux groupes d'intérêt, dont une bourgeoisie qui aspire au libéralisme politique et un prolétariat soumis à de dures conditions de vie. Des notions nouvelles, venues de l'Occident, séduisent les esprits, dont le droit des peuples à disposer d'eux-mêmes, la démocratie participative et le libre arbitre. Alors que les régimes absolutistes présents au sein d'autres régions d'Europe se sont adaptés au grand souffle de la révolution et ont cédé du terrain aux classes sociales en émergence, l'Empire russe s'enfonce dans l'immobilisme et repousse les revendications politiques et les idéaux des classes montantes.

Les événements se précipitent toutefois à partir de 1904 quand des mouvements politiques organisés réclament que le régime s'ouvre et évolue vers une monarchie constitutionnelle. Plusieurs courants se manifestent au sein de l'opposition qui demandent l'établissement d'une législature élective, la liberté de la presse et la proclamation de droits fondamentaux. D'autres mouvements politiques apparaissent au même moment qui se réclament du socialisme révolutionnaire, du marxisme et du radicalisme politique. La lutte prend une couleur de plus en plus violente, surtout au sein des couches ouvrières nouvellement créées. Au cours de l'année 1904, une série de grèves ont lieu dans les secteurs de la métallurgie et des chemins de fer, bientôt suivies de révoltes paysannes et de mutineries. Le climat se dégrade encore quand la milice ouvre le feu en janvier 1905 sur des protestataires assemblés devant le palais d'hiver à Saint-Pétersbourg. L'événement, connu sous le nom de « dimanche rouge », soulève un mouvement d'indignation spontané qui mène bientôt au déclenchement d'une grève générale dans tous les secteurs industriels du pays. L'agitation dure plusieurs mois et plonge la société dans le chaos[19].

Une vague de violence s'abat sur plusieurs villes de Russie alors que

---

19. Voir à ce sujet Abraham Asher, « Interpreting 1905 », p. 21.

partisans et adversaires de la révolution s'affrontent dans les rues. Au même moment, en janvier 1905, la flotte russe dépêchée en mer de Chine pour protéger les intérêts de l'empire en Extrême-Orient subit une défaite humiliante aux mains du Japon. Ce désastre militaire ajoute aux tensions politiques et pousse à la révolte de nombreux conscrits. Pendant plusieurs mois, le régime tsariste vacille et assiste impuissant à l'expression d'un mécontentement profond. Voyant qu'aucune résolution n'est en vue, le tsar publie en octobre 1905 un manifeste qui proclame les droits civils fondamentaux, autorise les partis politiques et annonce la création d'une douma[20] élue au suffrage universel. Les concessions de la fin de 1905, malgré la poursuite pendant quelques semaines encore de troubles graves, sauvent le régime d'une dissolution certaine. En avril 1906, une nouvelle constitution permet la création, quelques jours plus tard, d'un premier Parlement russe. Les changements politiques obtenus par les réformateurs de cette génération ne sont toutefois que les prémices de changements encore plus radicaux, dont ceux imposés par la révolution bolchevique de 1917.

L'insurrection de 1905 prend des formes très différentes selon le contexte propre à chaque région de Russie et selon l'identité culturelle et religieuse des opposants au régime. Dans le cas des Juifs, le soulèvement contre le tsar revêt un aspect particulièrement menaçant, car les membres de cette minorité – la cinquième en importance dans l'empire – subissent déjà l'hostilité soutenue du gouvernement et sont périodiquement victimes de violences. Plus que toutes les autres populations soupçonnées de déloyauté, les Juifs sont l'objet d'une attention constante de la part de mouvements réactionnaires et racistes, telles l'Union du peuple russe et les Centuries noires. Cela tient non seulement à des convictions antisémites très ancrées mais aussi au fait que l'opposition juive au tsarisme est fort bien organisée et s'incarne dans de nombreux mouvements politiques très efficaces, tant au sein de la mouvance libérale que dans les groupes plus radicalisés. Plus instruits, davantage en contact avec l'extérieur et héritiers d'une longue tradition d'engagement social, les Juifs sont souvent perçus par les autorités

20. Nom donné au Parlement ou aux conseils consultatifs dans la tradition russe.

comme le fer de lance du changement organisé. Cette situation a poussé de nombreux activistes d'origine juive à mettre sur pied en Russie des partis politiques spécifiquement destinés à mobiliser les masses juives, jugées plus aptes à s'élever contre les conditions objectives qui leur sont imposées par le régime autocratique de Nicolas II. En 1897, à Vilnius, un groupe de militants a fondé un parti appelé *Der Algemayner Yidisher Arbeter Bund in Lite, Poyln un Rusland* [l'Union générale des travailleurs juifs de Lituanie, de Pologne et de Russie], mieux connu sous le nom de Bund. L'objectif principal de cette organisation politique est de répondre aux attentes spécifiques des travailleurs juifs dans l'empire, de propager le socialisme parmi eux et de défendre leur autonomie culturelle. Cela signifie valoriser la langue yiddish, créer des unités d'autodéfense armées et consolider le réseau communautaire progressiste juif en Russie. Pour le Bund, le destin des ouvriers juifs ne peut être confondu avec celui de la masse des classes opprimées russes :

> Dès sa fondation, le Bund s'était fixé une mission : mener une campagne de tous les instants en faveur de la révolution socialiste, qui relierait la lutte particulière des Juifs russes au combat général des travailleurs à travers toute la Russie. Les bundistes disséminèrent leurs idéaux à travers la communauté juive en organisant des syndicats de travailleurs juifs et en mettant en place des groupes d'étude où les penseurs marxistes étaient lus en traduction yiddish[21].

Les idées du Bund traversent l'Atlantique à l'occasion de la grande vague migratoire. À Montréal, les sympathisants du Bund se regroupent tôt au XXe siècle autour de l'*Arbeter Ring* [le Cercle des travailleurs], une organisation socialiste de secours mutuel où, selon le journaliste Israël Medresh, « ils entonnaient les mêmes chants révolutionnaires, autant en yiddish qu'en russe, qui avaient retenti lors de la révolution de 1905[22] ». Les Juifs russes se joignent aussi massivement, lors de l'in-

21. Leo Greenbaum et Marek Web, *The Story of the Jewish Labor Bund, 1897-1997: A Centennial Exhibition*. Notre traduction.

22. Israël Medresh, *Le Montréal juif d'autrefois*, p. 73.

surrection de 1905, à d'autres mouvements de contestation radicaux, dont celui des partisans des Internationales communiste et socialiste, qui promettent l'émancipation à toutes les minorités nationales au sein de l'empire.

À ce cheminement révolutionnaire classique s'oppose l'action d'une autre tendance idéologique, celle des sionistes de gauche représentés par la figure emblématique de Ber Borochov (1881-1917). Pour les adeptes du parti Poale-Zion [les travailleurs de Sion], il ne suffit pas, pour libérer les Juifs de leurs entraves séculières, de renverser l'ordre établi en Russie tsariste, par la violence si nécessaire. Il faut aussi permettre au peuple juif d'ériger en Palestine un foyer national qui soit le garant de sa survie en tant que collectivité dotée de caractéristiques culturelles et religieuses uniques. Entièrement dévoués à l'idéal de la révolution russe à court terme, les travaillistes sionistes mobilisent les masses juives en faveur du grand projet de construction d'un État hébreu au Proche-Orient.

C'est à cet intense bouillonnement de militantisme radical juif que viennent mettre fin la répression de 1906-1907 et le retour à un régime autocratique. En quelques mois s'étaient mobilisées des forces qui vont maintenant prendre le chemin de l'exil et se répandre dans la diaspora juive à travers le monde. L'historien Jonathan Frankel compare ce phénomène de diffusion des idées révolutionnaires juives au déversement subit d'une lave dans les terres lointaines de la Palestine, de l'Europe occidentale et de l'Amérique[23]. Incapables de jeter à bas le régime tsariste, une masse de jeunes Juifs marqués au fer rouge par l'idéal révolutionnaire portent maintenant le regard au loin. Entre 1881 et 1914, deux millions de Juifs russes quittent l'empire des tsars, dont près d'un million au cours de la seule année 1905. Presque tous apportent avec eux à l'étranger une conscience militante du grand changement qui est venu très proche d'engloutir le tsarisme :

23. Voir à ce sujet Jonathan Frankel, *Prophecy and Politics: Socialism, Nationalism and the Russian Jews, 1862-1917.*

> La faillite de la révolution, les conditions économiques détériorées et la montée concurrente d'une violence antijuive convainquent les Juifs de concevoir autrement leur engagement face à l'empire russe, mettant en branle une révolution d'ampleur monumentale sous la forme de la grande migration juive[24].

D'après les données du recensement canadien interprétées par Louis Rosenberg, tout près de 45 000 immigrants juifs est-européens sont admis au Canada pour la période qui va de 1904-1905 à 1908-1909, c'est-à-dire pendant les années au cours desquelles se déploie à son maximum l'énergie révolutionnaire en Russie. Plus impressionniste, Israël Medresh affirme dans ses mémoires : « C'est au cours des années 1905-1906 que commença la grande vague migratoire vers le Canada. Chaque paquebot qui arrivait en provenance d'Europe amenait un grand nombre de Juifs, jeunes ou vieux[25]. » On peut se faire une idée assez précise de l'effet de ces nouveaux venus si l'on considère que la population juive canadienne n'était que de 25 000 personnes en 1903-1904 et qu'elle atteint 64 500 habitants cinq ans plus tard. Clairement, à la fin de cette décennie, la majorité des Juifs canadiens et québécois ont été des témoins directs de l'insurrection de 1905 ou à tout le moins ont été profondément influencés par le cours des événements en Russie impériale. C'est sans doute aussi le cas des 60 000 immigrants suplémentaires qui arrivent entre 1910 et 1915.

À Montréal en particulier, le contraste entre les immigrants d'allégeance politique radicale et ceux intégrés depuis plus longtemps au pays sera une source constante de tensions à l'intérieur du réseau communautaire. Selon Simon Belkin, un premier noyau de travaillistes sionistes apparaît dans la métropole dès le printemps de 1905 et ne cesse de croître, au point de dépasser en influence les militants du socialisme démocratique et ceux de l'anarchisme, tous Juifs yiddishophones issus

---

24. Rebecca Kobrin, « The 1905 Revolution Abroad: Mass Migration, Russian Jewish Liberalism, and American Jewry, 1903-1914 », p. 227-228. Notre traduction.

25. Israël Medresh, *Le Montréal juif d'autrefois*, p. 112.

des mêmes régions de l'Empire russe[26]. En octobre 1910, les militants montréalais du Poale-Zion sont devenus suffisamment confiants pour être les hôtes du congrès nord-américain de leur parti. Lors de cet événement, les travaillistes sionistes décident qu'ils feront plus facilement avancer leur cause, autant en Russie impériale que dans le Nouveau Monde, en investissant leurs énergies au sein des communautés juives locales, notamment en fondant des organisations vouées à la préservation de la langue yiddish. Belkin décrit la situation de la manière suivante après 1905 à Montréal :

> La viande se faisait-elle rare ou encore le prix du pain avait-il augmenté, que le Poale-Zion se devait de prendre position et de réunir une assemblée à cet effet ? Était-il question d'aide aux immigrants, que le parti devait s'y intéresser ? Aussitôt surgie l'affaire du procès Beilis[27], c'est le Poale-Zion qui prenait l'initiative d'organiser un rassemblement de protestation. En fait, tous les enjeux qui soulevaient l'intérêt des masses populaires finissaient par constituer un des secteurs d'intérêt du Poale-Zion. Les associations du parti sont ainsi devenues des lieux où il était possible de mettre en valeur et d'approfondir la vie culturelle juive, et où l'on encourageait l'éducation des masses[28].

Dans ces circonstances, l'insurrection de 1905 en Russie impériale prend valeur d'acte de naissance de la communauté juive montréalaise d'origine est-européenne. C'est sous l'angle de ce combat intense en vue de l'émancipation des masses juives en Europe orientale que se sont d'abord manifestées dans la métropole les premières tentatives d'ériger un réseau organisationnel yiddishophone. Certes, il existait avant cette date des synagogues et des institutions caritatives juives dignes de ce nom, mais pour l'essentiel, elles avaient fonctionné dans le cadre du

---

26. Simon Belkin, *Le Mouvement ouvrier juif au Canada*, p. 96.

27. Menahem Mendel Beilis est un Juif russe faussement accusé en 1911 à Kiev d'être responsable d'un meurtre rituel sur la personne d'un jeune chrétien. Son procès retentissant a lieu en 1913.

28. Simon Belkin, *Le Mouvement ouvrier juif au Canada*, p. 103-104.

judaïsme britannique et avec beaucoup de discrétion. Avec la venue des immigrants issus de l'Empire russe, un nouvel esprit d'affirmation idéologique et culturelle déborde dans l'espace public, au point où d'autres couches de la société s'en trouvent affectées. À partir du milieu des années 1910, l'élan révolutionnaire juif est devenu partie intégrante à Montréal du discours ouvrier et colore les aspirations des masses laborieuses au point où, comme le rapporte Medresh dans ses mémoires, on ne se gêne pas pour rappeler à tout instant le combat contre le tsar :

> Il était prenant pour un immigrant d'assister à une assemblée publique où étaient réunis beaucoup de yiddishophones et dont il se dégageait une atmosphère de familiarité conviviale. [...] Dans ces manifestations, l'immigrant portait une oreille attentive à tous les tribuns. [...] Un conférencier commençait son discours en parlant de la question du pain à Montréal, puis passait à la lutte révolutionnaire en Russie contre le tsar. Il décrivait comment les insurgés russes luttaient sur les barricades de Saint-Pétersbourg et d'Odessa, de Riga et de Vilnius, puis liait ce combat à celui mené contre les boulangers de Montréal. Finalement, il citait Karl Marx et Karl Kautsky pour convaincre ses auditeurs qu'il fallait résister à une hausse du prix du pain[29].

Avec le temps et une fois jeté à bas le régime tsariste, ces appels pressants à la lutte politique s'émousseront. Il reste que les grands idéaux de la révolution russe se sont répercutés sur une longue période dans le Montréal juif et qu'ils ont été repris en sourdine pendant des décennies au sein de la population yiddishophone dont les origines se trouvaient en Europe de l'Est. Même au sein des institutions strictement religieuses ou celles dont les objectifs étaient avant tout pragmatiques, l'idéal de justice sociale et de promotion de la dignité humaine trouverait essentiellement ses racines dans les événements de 1905 en Russie. Les Juifs montréalais se sont ainsi longtemps distingués des autres groupes immigrants arrivés en même temps qu'eux dans la métropole en ce qu'ils avaient pris pied sur le sol canadien animés d'une

29. Israël Medresh, *Le Montréal juif d'autrefois*, p. 109.

ferveur révolutionnaire intense et par le désir inassouvissable d'améliorer la société au sein de laquelle ils aspiraient à prendre une place. Ils répondaient ainsi à une double exhortation : celle de nature plus religieuse qui leur venait de la Mishnah, consignée sous la forme du *tikkun olam* [l'action de réparer le monde], et celle de nature plus politique qui leur venait des penseurs radicaux européens du XIXe siècle – dont plusieurs d'ailleurs étaient d'origine juive. Sur ce plan, Belkin est formel :

> C'est ainsi que le judaïsme canadien est devenu une terre fertile pour l'activisme débordant des masses populaires et des sympathisants du socialisme et du sionisme. Animé d'un enthousiasme ardent, le peuple juif répondit sans hésitation à l'appel visant un engagement de tous les instants en faveur de l'édification d'une société nouvelle et en faveur d'un changement fondamental au sein du monde juif canadien et du Canada en général, ainsi que sur la planète tout entière[30].

L'irruption de l'univers est-européen à Montréal

L'immigration juive en provenance d'Europe de l'Est s'est produite au début du XXe siècle dans le désordre et au gré de départs organisés dans différents ports de mer par les grandes compagnies de transport maritime. Partis de différentes localités de l'Empire russe, les Juifs qui convergent au Canada ignorent tout de leur pays d'accueil et n'ont pas une idée très claire du genre de vie qui les attend outre-Atlantique. Quand ce mouvement prend forme, il y a déjà au moins trois décennies que des Juifs est-européens se sont installés en très grand nombre dans la république voisine, surtout à New York. Dans ce pays, la population juive atteint plus de 2,3 millions de personnes en 1911 et le sort qui leur est réservé a fait le tour de la planète grâce à la presse yiddish américaine et à certains publicistes bien connus[31]. Au début du siècle, les États-Unis

30. Simon Belkin, *Le Mouvement ouvrier juif au Canada*, p. 86-87.

31. Voir par exemple le reportage fait dans la presse est-européenne de langue hébraïque par Y. E. Bernstein et traduit par Ira Robinson sous le titre *The Jews in*

exercent un attrait irrésistible sur l'ensemble du monde juif européen et bien au-delà sur tous les continents où il existe des immigrants d'origine est-européenne.

On ne peut pas en dire autant du Canada, qui ne figure pas dans l'idée que les immigrants à la veille de leur départ se font du Nouveau Monde. Souvent, comme chez beaucoup d'autres groupes immigrants, la décision d'opter pour le Canada est prise en fonction de critères immédiats, comme le fait d'avoir déjà dans ce pays des parents ou des amis proches. Un premier arrivé en attire un autre, puis bientôt suivent des familles entières. Une épouse vient rejoindre son mari, des parents leurs enfants et de jeunes adultes leur frère ou leur sœur installés quelques années plus tôt. Dans bien des cas, des liens se tissent en Amérique autour d'un noyau de population arrivé d'une même localité d'origine, auquel cas on parle de *landslayt**, c'est-à-dire de compatriotes dans le sens très local du terme. Un même dialecte du yiddish, le fait d'avoir été à la même école de village ou d'avoir prié à la même synagogue dans l'Ancien Monde, crée des solidarités très fortes qui perdurent pendant des décennies. Le plus souvent, les premiers lieux de culte d'inspiration est-européenne à Montréal et les premières organisations de secours mutuel se sont bâtis autour de personnes qui étaient d'un même patelin, d'une même région, ou qui avaient été disciples d'un même rabbin. Cette immigration en chaîne a ainsi donné naissance à des regroupements spontanés connus sous le nom de *landsmanshaften**, où se réunissent des Juifs issus d'une bourgade ou d'une contrée particulière. De telles solidarités régionales vont bientôt former l'épine dorsale du réseau communautaire juif dans la ville.

Très tôt, les nouveaux venus ouvrent des institutions religieuses dans le bas de la ville qui reflètent les coutumes en usage en Europe de l'Est. Il en va de même d'une série d'organisations mutualistes qui encouragent l'épargne et veillent au mieux-être de leurs membres en cas de maladie ou de décès. Il s'est ainsi développé rapidement à Montréal un réseau très dense de sociétés fraternelles, d'institutions carita-

---

Canada (in North America): An Eastern European View of the Montreal Jewish Community in 1884.

tives à petite échelle et de lieux d'entraide où le yiddish est la langue principale[32]. Nous l'avons vu, il en va de même des principaux partis politiques juifs est-européens qui luttent pour une libéralisation de la société russe et qui ont aussi des sympathisants récemment installés au Canada. Sionistes de gauche, socialistes, anarchistes et tenants du communisme peuvent facilement trouver à Montréal des cercles d'étude et des librairies où l'on partage leurs idées politiques[33]. Un même élan porte les hébraïstes, les adeptes du yiddish et ceux qui désiraient défendre l'idéal de la révolution sous une forme ou une autre. Un mouvement de recomposition et de restructuration de la communauté se met ainsi en branle dès la première décennie du siècle dernier, qui aboutit à la création des premières institutions culturelles et politiques de taille au sein du Montréal yiddishophone. Le rythme de ces fondations s'accélère à mesure que les arrivées dans le port se font plus nombreuses. On constate le même phénomène de concentration en ce qui concerne les commerces tenus par des immigrants récents, qui forment une partie intégrante du milieu communautaire par les occasions d'avancement économique qu'ils offrent et les marchandises qui y sont disponibles. Vers 1905, nous informe Medresh, le cœur de la vie juive montréalaise se trouve à l'intersection des rues Dorchester[34] et Saint-Urbain[35]. Dix ans plus tard, les immigrants yiddishophones ont déjà franchi la barrière de la rue Sherbrooke et commencent à s'installer dans le Mile End et aux alentours, alors en pleine urbanisation.

Cette avancée irrésistible des masses immigrantes de langue yiddish n'est pas sans heurter les sensibilités des quelques Juifs arrivés au Canada une génération plus tôt ou qui appartiennent aux premières synagogues de Montréal. Une vive tension se manifeste entre les deux groupes, qui tient surtout à la façon d'envisager le judaïsme au pays et à la volonté

32. Sylvie Taschereau, « Les sociétés de prêt juives à Montréal, 1911-1945 » ; et « Nouveau regard sur les relations judéo-québécoises : le commerce comme terrain d'échanges ».

33. À ce sujet, voir Simon Belkin, *Le Mouvement ouvrier juif au Canada.*

34. Aujourd'hui le boulevard René-Lévesque.

35. Israël Medresh, *Le Montréal juif d'autrefois*, p. 40.

des yiddishophones de résister à l'assimilation culturelle au sein de leur propre monde. Pendant un demi-siècle, la vie juive à Montréal sera ainsi caractérisée par un affrontement larvé entre *uptowners* et *downtowners*, termes désignant respectivement les résidents juifs surtout anglophones du Golden Square Mile et les immigrants vivant près du port. Belkin décrit le phénomène de la manière suivante : « Comme le nombre des résidents juifs était très petit, ces derniers, les Yahoudim [de l']Uptown, craignirent d'être submergés au moment où apparut dans toute son ampleur la vague migratoire est-européenne. Ils donnaient ainsi parfois l'impression de lutter pour leur survie, pour ne pas sombrer face à la montée des nouveaux immigrants[36]. » C'est le point de vue élaboré par les nouveaux arrivants qui, comme Belkin, doivent se frayer un chemin à travers un monde juif déjà bien établi dans la métropole et peu ouvert aux yiddishophones. Le choc entre les deux groupes sera particulièrement intense au cours des années 1920 et 1930, lors du débat sur la place des Juifs dans le système éducatif québécois.

Au tout début du XXe siècle, cependant, Juifs canadianisés et Juifs est-européens ne se rencontrent qu'à l'occasion, et il n'existe pas encore d'organismes susceptibles de regrouper l'ensemble de la mouvance juive au pays. Qui plus est, le caractère de plus en plus ouvert et parfois strident à Montréal des manifestations culturelles de langue yiddish inquiète les *uptowners* et les pousse à tenter de convaincre leurs coreligionnaires est-européens de faire preuve de plus de retenue en public. C'est particulièrement vrai lors des manifestations ouvrières ou des grèves qui réunissent des milliers de personnes décidées à défendre bruyamment leurs droits. À ces occasions, les radicaux juifs ne se font guère de scrupules d'afficher leurs origines est-européennes en brandissant des banderoles en yiddish et en entonnant des chants révolutionnaires dans cette langue, comme le rapporte avec consternation le *Jewish Times* à propos de la première manifestation du 1er mai à Montréal, en 1906 :

> Pour la première fois dans l'histoire de ce pays, une célébration socialiste du 1er mai a eu lieu ce jeudi. Elle a pris la forme d'une procession à travers

36. Simon Belkin, *Le Mouvement ouvrier juif au Canada*, p. 85.

> les rues de la ville au cours de laquelle les participants ont arboré des drapeaux rouges et entonné des chants révolutionnaires. À quelques exceptions près, les hommes et les femmes qui ont défilé de cette manière étaient des Juifs russes et roumains récemment arrivés [...][37].

Qu'une foule puisse manifester ouvertement son appartenance à la fois au socialisme et à la culture yiddish est une source de stupéfaction pour les *uptowners*, qui craignent les conséquences de ces débordements pour l'ensemble du judaïsme canadien. Dans ses mémoires, Medresh note avec humour qu'à l'inverse, les militants radicaux de la première heure désespéraient de voir apparaître dans ces manifestations ouvrières un véritable esprit international, car « on n'y rencontrait que des Juifs[38] ». Il en allait de même des concerts, fêtes populaires et rassemblements de toutes sortes qui avaient lieu dans les parcs publics du bas de la ville à l'occasion d'élections, où le yiddish occupait une place de choix dans les discours et les exhortations des candidats.

L'afflux incessant à Montréal d'immigrants yiddishophones a toutefois fini par créer dans la ville un lectorat intéressé à se procurer des ouvrages et des journaux dans cette langue. Pour la même raison, il devient aussi envisageable à partir des années 1900 d'offrir des productions théâtrales et des concerts destinés à un public juif est-européen que tenaille la nostalgie de ses origines. Plus encore, un vaste auditoire se constitue qui bientôt réclamera la création d'institutions culturelles et d'écoles faisant la promotion du yiddish et des valeurs juives est-européennes, sans compter la constitution, au sein des milieux ouvriers, d'organisations syndicales et politiques destinées à défendre un prolétariat fraîchement constitué et qui chercheront à mettre à profit l'expérience révolutionnaire acquise par certains de leurs membres à l'occa-

---

37. « *For the first time in the history of this country a Socialist May Day celebration, which took the form of a procession through the streets of the city, was held on Thursday, the participants carrying red flags and singing revolutionary hymns. With a few exceptions the men and women in the ranks consisted of recently arrived Russian and Romanian Jews* [...]. » « Socialism among Jews in Montreal », *The Jewish Times,* 4 mai 1906, p. 192. Notre traduction.

38. Israël Medresh, *Le Montréal juif d'autrefois,* p. 85.

sion de l'insurrection russe de 1905. Une ère de fondations s'ouvre qui verra apparaître à Montréal, sous une forme encore modeste, de grandes institutions juives vouées à un avenir brillant et dont l'originalité dans le contexte québécois ne manquera pas de s'affirmer.

Ce mouvement connaît ses humbles commencements quand un jeune immigrant roumain, Hirsch Hershman, ouvrier des ateliers de confection féminine, décide d'ouvrir en 1902 une librairie juive sur le boulevard Saint-Laurent, près de la rue Ontario. L'idée de départ est de rendre disponibles au public montréalais des journaux socialistes publiés en langue yiddish à New York, dont le fameux *Forverts* [En avant], quotidien fondé en 1897 par Abe Cahan. Hershman offre aussi à sa clientèle des ouvrages en traduction yiddish de Léon Tolstoï, Émile Zola et Paul Lafargue. Il place dans ses vitrines les œuvres des grands écrivains d'origine est-européenne vivant à New York, comme Morris Winchevsky, Zalman Libin, Jacob Gordin, Morris Rosenfeld, Leon Kobrin et David Edelstadt. Hershman fait tant et si bien qu'il lance à lui seul ce qui équivaut à une première institution politique d'allégeance socialiste. C'est le début d'un processus d'affirmation culturelle qui ne cessera de prendre de l'ampleur et que Medresh souligne avec force dans ses mémoires :

> En ouvrant un commerce sur la *Main* en 1902, pour vendre des copies du *Forverts*, les socialistes créèrent en quelque sorte un centre culturel, le premier centre culturel juif de Montréal. [...] La librairie Hershman devint le point de mire des intellectuels. Ils y venaient pour acheter des journaux, pour débattre de questions de politique mondiale ou de politique partisane. Cette librairie ajouta beaucoup aux yeux des immigrants juifs à l'attrait et au prestige de la *Main*. Pour eux, le boulevard Saint-Laurent, entre Ontario et Craig[39], était la plus belle et la plus intéressante des artères de Montréal[40].

39. Aujourd'hui la rue Viger.
40. Israël Medresh, *Le Montréal juif d'autrefois*, p. 90.

La presse de langue yiddish

D'autres librairies juives suivent bientôt celle que l'anarchiste Hershman a ouverte en 1902, dont certaines, encore plus radicales, diffusent de la littérature athée en yiddish. Des hébraïstes tentent aussi l'aventure à la même époque, mais sans grand succès[41]. Au tournant du siècle, tous les livres et tous les périodiques que vendent ces modestes commerces sont importés soit d'Europe, soit de New York. Il y a bien quelques tentatives de mettre sur pied un journal de langue yiddish en cette époque de grande migration, mais une telle entreprise exige des moyens financiers et techniques considérables qui sont hors de la portée du premier venu. En 1905, par exemple, Hershman met en circulation un journal appelé *Der Telegraf* [le télégraphe], mais on peut présumer qu'il s'est vite épuisé à la tâche puisque, d'après Haim-Leib Fuks, il rédige lui-même presque tous les textes[42]. Il en va de même du *Yidisher Shtern* [l'étoile juive], qui voit le jour au début de 1907 sous la direction de M. Hyman et du rabbin Joshua Glazer, avec une vocation surtout religieuse[43].

L'honneur de concevoir et réaliser le premier quotidien montréalais de langue yiddish revient à un jeune immigrant polonais, Hirsch Wolofsky, qui caressait ce projet depuis le premier jour de son arrivée au Canada en 1900. Né dans un *shtetl* de l'Empire russe, Wolofsky a reçu une éducation hassidique stricte puis s'est en quelque sorte émancipé par lui-même en entreprenant vers l'âge de quinze ans une nouvelle vie dans la capitale de la Pologne. C'est là qu'il entre en contact avec des idées politiques révolutionnaires et qu'il s'éveille à la modernité. En cela, Wolofsky a suivi, tel qu'il le relate lui-même dans ses mémoires, une trajectoire tout à fait typique de sa génération :

> Le monde environnant toutefois se transformait peu à peu, et même notre *shtetl* en était affecté. De nouveaux modes de pensée prenaient

41. *Ibid.*, p. 99-103.

42. Haim-Leib Fuks, *Cent ans de littérature yiddish et hébraïque au Canada*, p. 144-145.

43. B. G. Sack, *Canadian Jews Early in this Century.*

> forme dans l'esprit de la jeunesse, et elle était saisie d'émotion pour une idée qui se trouvait toute résumée dans ce mot : « liberté ». Les jeunes gens de la région partaient pour de grandes villes comme Varsovie ou Lodz, d'autres encore échafaudaient des plans pour se rendre en Angleterre ou en Amérique. Ceux qui étaient partis envoyaient de temps à autre quelques roubles à leurs parents. Ils revenaient parfois au *shtetl* à l'occasion d'une fête religieuse, revêtus de vêtements chics, et se mettaient à tenir conversation avec des mots inconnus comme « socialisme » ou « liberté [44] ».

Un jour qu'il étudiait encore dans une *beys-medresh** polonaise, Wolofsky met la main sur un exemplaire du *Ha-Tsefirah* [l'aube], un journal progressiste de langue hébraïque fondé par Chaim-Selig Slonimsky et publié à Varsovie à partir de 1875. Devenu quotidien en 1886, *Ha-Tsefirah* incarnait dans le monde juif traditionnel l'attrait en grande partie interdit des connaissances scientifiques et de la vie dans les métropoles : « À cette époque, avoue Wolofsky dans ses mémoires, nous ne voyions que très rarement au *shtetl* un journal quelconque[45]. » Déménagé à Varsovie vers 1895 pour y faire le commerce du vin, Wolofsky se met à fréquenter Slonimsky et son assistant Nachum Sokolow. La rencontre est déterminante pour le jeune homme qui se prend du désir, comme ses mentors, de contribuer à disséminer les idées modernes et les conceptions rationnelles au sein de la population juive est-européenne, encore profondément attachée à la tradition religieuse. Rien ne semble plus noble et plus méritoire au jeune Wolofsky que de parfaire l'éducation de ses coreligionnaires et de les ouvrir aux avancées de leur temps. L'ancien étudiant des académies talmudiques n'a pas encore quitté l'Empire russe qu'il est déjà de son propre aveu « fortement attiré par le métier d'éditeur de journal[46] ».

44. Hirsch Wolofsky, *Mayn Lebns Rayze. Un demi-siècle de vie yiddish à Montréal et ailleurs dans le monde*, p. 67.

45. *Ibid.*, p. 61.

46. *Ibid.*, p. 84.

L'occasion de réaliser ses aspirations de la première heure ne se présente à Wolofsky que plusieurs années plus tard, après son installation à Montréal. C'est que la grande vague migratoire de 1905-1906 libérait des énergies inédites et suscitait des espoirs inimaginables quelques années plus tôt, dont celle de faire paraître un journal yiddish dans une grande ville canadienne et de voir s'y développer une littérature typiquement juive. Plusieurs parmi les immigrants fraîchement débarqués sont en effet à la recherche d'un accès rapide à de l'information pratique dans leur langue maternelle concernant leur nouvelle patrie. Ils veulent aussi garder le contact avec l'Ancien Monde, où tant des leurs vivent encore et où se déroulent des événements de première importance sur le plan politique. Surtout, il est devenu urgent d'établir un organe de presse vers lequel puissent converger toutes les organisations et tous les partis politiques qui visent à ériger un réseau communautaire. Dans les mots mêmes de Wolofsky, « le besoin commençait à se faire sentir à Montréal d'un journal qui susciterait l'apparition d'une communauté dynamique et agissante, servie par une multitude d'institutions, d'organismes et d'œuvres philanthropiques[47] ».

Signe de son attachement au Nouveau Monde, Wolofsky donne à son quotidien le nom peu usité de *Keneder Odler* [l'aigle canadien] et fait trôner au sommet de la première page une image de l'oiseau qui symbolisait la république américaine. C'est dans un élan d'idéalisme et animé par la volonté de donner naissance au Canada à un judaïsme plus éclairé que Wolofsky lance son journal en août 1907. Une étape décisive vient d'être franchie qui aura des répercussions très importantes sur l'évolution de l'histoire juive canadienne. Comme le mentionne Medresh, pendant une longue période, les immigrants est-européens n'eurent pas d'autres moyens pour s'adapter au pays qui devenait peu à peu le leur que de parcourir les pages de l'*Odler*. Ils y découvraient des faits et des contextes qu'il ne leur était pas possible d'explorer à partir de leur seule expérience du quartier du bas de la ville à Montréal ou en fréquentant les usines de confection du boulevard Saint-Laurent :

47. *Ibid.*, p. 122.

> Le *Keneder Odler,* pour les nouveaux venus, était comme une fenêtre ouverte qui leur donnait accès à une vue d'ensemble sur le Canada et sa population. [...] Une fois le *Keneder Odler* lancé, les nouveaux arrivants juifs, grâce à ce journal, ont commencé à se sentir plus à l'aise au sein de la ville. [...] Avant, ils ne pouvaient tout simplement pas lire les journaux de langue anglaise publiés à Montréal et n'avaient donc pas accès à l'actualité. La ville était pour eux comme un livre fermé que le *Keneder Odler* leur ouvrit[48].

Ce journal sert aussi de plateforme de lancement à des institutions caritatives, scolaires et politiques à la recherche d'appuis concrets et n'ayant pas d'autres outils pour atteindre rapidement des donateurs, des bénévoles et des sympathisants. Un événement marquant susceptible d'intéresser la communauté juive se produit-il qu'il est aussitôt repris dans les pages de l'*Odler,* tels une grève dans le secteur de la confection ou un boycottage des boucheries cachères. C'est aussi le cas lorsqu'une crise économique de courte durée fait tourner au ralenti les usines de vêtements et qu'il faut ouvrir des cuisines populaires pour nourrir les familles prises au dépourvu. Les rabbins attachés à des synagogues et les syndicats communiquent avec leurs membres par l'entremise des pages de l'*Odler,* tout comme les petits commerçants et les activistes de tout acabit. Il en va de même des imprésarios qui désirent trouver un public pour une pièce de théâtre yiddish ou des sociétés qui souhaitent faire connaître la venue à Montréal d'une importante figure de la vie culturelle new-yorkaise. Quand une grande cause se présente aux Juifs de la ville, comme ériger un établissement scolaire ou fonder une clinique médicale, c'est à la presse yiddish que les fondateurs s'adressent pour obtenir des appuis et recueillir des fonds. H.-M. Caiserman, un militant syndical montréalais de la première heure, décrit la situation de la manière suivante : « Dès sa parution, le *Keneder Odler* est devenu le porte-parole des aspirations communautaires, une école pour les écrivains en devenir et un véhicule pour les idées des dirigeants de la communauté juive canadienne. La population juive [...] a décou-

---

48. Israël Medresh, *Le Montréal juif d'autrefois,* p. 116-120.

vert dans le *Keneder Odler* un guide, une source d'information culturelle, un soutien dans le processus d'adaptation à la vie économique, culturelle et sociale de la communauté [49]. »

Souvent, au cours des premières années de son existence, le journal s'efforcera d'expliquer à ses lecteurs le système politique canadien et les mécanismes de la vie démocratique. Le but visé la plupart du temps est d'encourager les immigrants à se faire naturaliser et à exercer leurs droits. De même, un candidat à une élection locale s'empressera de placer des annonces dans l'*Odler* pour atteindre ses électeurs et donner un aperçu de ses convictions. Le même phénomène se produit pour ce qui est des mouvements politiques juifs, surtout à l'occasion d'événements particulièrement marquants, comme au moment de la déclaration Balfour de 1917, lors de la révolution russe ou quand des pogroms ont lieu en Europe de l'Est. C'est ce qui explique qu'à certaines occasions l'*Odler* soit littéralement pris d'assaut par des lecteurs avides d'information. Dans ses mémoires, par exemple, Wolofsky rappelle dans quel contexte le journal fit pour la première fois son entrée dans les kiosques :

> Quand nous avons ramené à la rédaction les exemplaires imprimés du journal, déjà une foule de gens attendaient de pouvoir s'en procurer un. On s'arracha littéralement ce numéro, et l'entrain avec lequel le public s'empara du premier journal yiddish à paraître au Canada nous encouragea à prévoir d'autres étapes dans la vie de cette publication[50].

À ses débuts, l'*Odler* est d'ailleurs bien plus qu'un journal. Contrairement au *Jewish Times*, apparu quelques années auparavant et rédigé en anglais pour un milieu juif plus établi, le journal fondé par Wolofsky cible un lectorat plus vulnérable et fraîchement arrivé au pays.

---

49. H.-M. Caiserman, « Wolofsky, a Biography », manuscrit non daté, fonds Caiserman, boîte 7, Service des archives juives canadiennes Alex Dworkin [anciennement les archives du Congrès juif canadien], Montréal. Notre traduction.

50. Hirsch Wolofsky, *Mayn Lebens Rayze*, p. 125. Voir aussi Pierre Anctil, « 1907, un quotidien yiddish à Montréal, le *Keneder Odler* » ; David Rome et Pierre Anctil, *Through the Eyes of the Eagle: The Early Montreal Yiddish Press 1907-1916*.

Sans cesse, les immigrants font irruption dans la salle de rédaction ou dans les bureaux de la direction, qui pour y réclamer des conseils, qui pour une traduction en yiddish de documents officiels, qui pour obtenir l'adresse à Montréal de proches parents. La plupart du temps, l'*Odler* est perçu comme un organisme philanthropique susceptible de résoudre les conflits personnels au sein des familles ou de soutenir l'immigration de personnes restées dans l'Ancien Monde. Dans ses mémoires, Wolofsky note que lui et ses collaborateurs étaient sans cesse distraits dans leur travail par les demandes des uns et des autres ou plongés dans des dilemmes cornéliens touchant la réunion de familles éloignées par la distance ou affectées par la désertion de maris adultères.

Placé par son journal au cœur des aspirations de la communauté juive, Wolofsky va jouer un rôle central au cours de l'entre-deux-guerres dans la construction du réseau institutionnel de langue yiddish, notamment lors de la création du Va'ad Ha'ir d'Montreal[51] en 1923, de la réactivation du Congrès juif canadien en 1933-1934 et de la création de l'Hôpital général juif en 1935. Le fondateur du *Keneder Odler* s'engage aussi au sein du mouvement sioniste canadien et prend une part active à la mise sur pied dans la ville d'un Talmud Torah uni, d'un hospice pour vieillards et d'un orphelinat. Du haut de la tribune que lui procure son quotidien, Wolofsky fouette l'ardeur de ses coreligionnaires à se doter d'organisations scolaires juives, à soutenir les plus démunis et à accueillir les nouveaux immigrants. Il les encourage aussi à participer aux élections municipales, provinciales et fédérales, à combattre l'antisémitisme et à s'affirmer comme citoyens canadiens à part entière. L'*Odler* devient ainsi pendant plusieurs décennies à la fois un outil de consolidation à Montréal de la culture juive est-européenne et un organe de presse visant à faciliter la transition graduelle des yiddishophones vers une pleine participation au sein de leur société d'accueil. Peu apparente pour les immigrants de la période de la grande migra-

---

51. Aujourd'hui le Conseil de la communauté juive de Montréal, un organisme chargé de la certification des produits alimentaires cachers et de l'administration d'une cour de justice religieuse judaïque.

tion, cette contradiction dans le discours fait en sorte que le journal n'est lu en fin de compte que par des immigrants est-européens en quête d'un espace de transition entre deux pôles identitaires. Pour les Juifs nés et éduqués à Montréal et dont l'anglais est la langue maternelle, l'*Odler* paraît déjà plus près de l'Ancien Monde que du Nouveau.

Pendant les années qu'il demeure à la tête de son journal, soit près de quarante ans, Wolofsky se soucie d'ouvrir les pages de l'*Odler* à toutes les tendances idéologiques qui se manifestent au sein de la population juive de Montréal et du Canada. Ardent sioniste et adepte d'une orthodoxie religieuse ouverte à la modernité, Wolofsky publie aussi des sionistes de gauche, des tenants du nationalisme diasporique et des socialistes laïques. Lu surtout entre les deux guerres par des ouvriers et de petits commerçants, le *Keneder Odler* prend à tout coup le parti des grévistes, des contestataires de l'ordre établi et de ceux qui revendiquent plus de justice sociale. C'est la condition de sa survie au sein d'une communauté composée en grande partie de travailleurs industriels et de modestes entrepreneurs. Le journal lutte aussi pour le triomphe de la révolution en Russie tsariste, pour l'établissement d'un foyer national juif en Palestine et pour l'instauration d'un régime politique libéral en Pologne.

En plus de devenir pendant les premières années de son existence le principal point d'appui en vue de la création de nouvelles organisations communautaires, le *Keneder Odler* sert aussi de berceau à la littérature yiddish canadienne. Parmi les immigrants est-européens de la première heure se trouvent en effet nombre de jeunes hommes lettrés ayant été formés outre-Atlantique dans les institutions religieuses traditionnelles les plus réputées. On y trouve aussi beaucoup d'individus qui se sont cultivés à la lecture des grands esprits de leur temps. Il ne manque pas à Montréal de littérateurs, de scribouilleurs et de gratte-papier qui aiment publier leurs réflexions dans la presse locale ou qui se croient dignes de produire une grande œuvre poétique. Plusieurs individus en effet ont le goût d'écrire et de se faire connaître au sein de la communauté comme de fins penseurs, si bien qu'une nuée d'auteurs en herbe s'abat sur l'*Odler* dès que le journal se met à circuler. De là émergent les premiers talents véritables qui donneront naissance au cours de l'entre-deux-guerres à un courant littéraire assez remarquable en langue yiddish[52], signe que la communauté montréalaise s'enrichit sans cesse de nouvelles contributions culturelles. Medresh est très explicite à ce sujet dans ses mémoires :

> Presque tous les écrivains juifs de cette période avaient appris leur métier en autodidactes, c'est-à-dire en parcourant de façon intelligente les œuvres des grands auteurs. [...] Des *yeshiva bokherim,* une fois sortis des académies talmudiques, se sont mis à rédiger des feuilletons, qui ont captivé les lecteurs des journaux yiddish. D'autres, des talmudistes autrefois rattachés au *yeshivot* de Volozhin, Telz, Slobodka et Mir, et qui étaient devenus des experts de la *gémara* et du *pilpul**, se sont mis à écrire des articles très savants sur les théories socialistes et la philosophie[53].

Premiers courants culturels et littéraires de masse

C'est dans cette lancée que paraît en 1910 à Montréal un premier ouvrage rédigé en langue yiddish : *Kinder ertsyung ba Yidn, a historishe nakhforshung* [l'éducation des enfants chez les Juifs, une recherche historique]. Il s'agit d'une discussion savante portant sur le thème de la scolarisation des jeunes garçons dans un contexte d'orthodoxie religieuse ajustée à la modernité. La fondation de l'*Odler* et l'accélération de l'immigration en provenance d'Europe de l'Est ont créé dans la ville un premier milieu favorable à l'éclosion, avant la Première Guerre mondiale, d'une culture yiddish ancrée dans la mouvance nord-américaine. La tendance se confirme en 1912 quand l'une des grandes sommités de la littérature hébraïque mondiale devient, à la demande de Wolofsky, le rédacteur en chef du *Keneder Odler.* Lorsque Reuben Brainin s'installe à Montréal, il est auréolé du titre d'hébraïste émérite et s'est de plus fait une réputation enviable à Varsovie en tant que défenseur de la presse de

52. À ce sujet, lire Pierre Anctil, *Jacob-Isaac Segal (1896-1954). Un poète yiddish de Montréal et son milieu,* chapitre 2.

53. Israël Medresh, *Le Montréal juif d'autrefois,* p. 128-129.

langue yiddish. L'homme, qui frise la cinquantaine, rêve d'arrimer les lettres juives canadiennes naissantes à tous les grands débats intellectuels et artistiques qui agitent les capitales européennes. Avec son arrivée, le Montréal yiddish, surtout composé de jeunes immigrants sans expérience véritable de la littérature ou de la réflexion intellectuelle, gagne en profondeur et en maturité. Pour la première fois peut-être, il semble que les énergies vives qui s'agitent et s'entrechoquent dans les quartiers du bas de la ville vont pouvoir être canalisées sous une forme concrète.

Avec Brainin à l'avant-plan, plusieurs projets culturels yiddish peuvent prendre leur envol à Montréal pour la première fois. Aussitôt placé à la tête de l'*Odler* et ainsi doté d'une tribune communautaire exceptionnelle, Brainin conçoit par exemple l'idée de bâtir à Montréal une bibliothèque et un centre de diffusion culturelle qui serait à la disposition des masses immigrantes de langue yiddish. On y trouverait toutes les grandes œuvres de la tradition juive depuis l'époque biblique jusqu'à la période contemporaine et, dans un souci d'universalisme, les principales réalisations culturelles des autres peuples de l'univers. L'institution, pense Brainin, pourrait aussi servir d'espace pour des conférences, des concerts et des récitals de poésie. Elle serait aussi susceptible d'accueillir une université populaire destinée à éduquer les nouveaux arrivants et les ouvriers de la confection. Propulsée par Brainin et par un regroupement d'organisations ouvrières de gauche, la Yidishe Folks Biblyotek [la bibliothèque du peuple juif] ouvre ses portes en mai 1914 rue Saint-Urbain, près de la rue Sherbrooke[54]. Dans le premier rapport annuel, qui date de juillet 1915, Brainin écrit que la bibliothèque vise à servir avant tout les couches populaires juives et que tous sont conviés à y découvrir les grandes réalisations culturelles de tous les temps :

> À travers les livres nous parlent les plus grands, les plus nobles et les plus savants parmi les hommes de tous les temps et de tous les peuples. Voilà

---

54. Voir à ce sujet Pierre Anctil, « "Créée par le peuple et pour le peuple" : réflexions sur les origines historiques de la Bibliothèque publique juive de Montréal ».

> pourquoi la Bibliothèque populaire s'est donné pour objectif de permettre à chacun d'avoir pleinement accès aux trésors intellectuels et culturels de notre peuple et à ceux des autres peuples. La fierté de notre Bibliothèque populaire réside dans le fait qu'elle a été créée par le peuple et pour le peuple, et qu'elle n'a pas d'autre but que de disséminer les Lumières et le savoir au sein du peuple[55].

L'effervescence propre à la période de la grande migration et l'élan vital incarné par les nouveaux arrivants poussent la jeune institution culturelle à relever les énormes défis de logistique et d'organisation qui se posent dès sa fondation. Au terme d'une année d'activité, la Yidishe Folks Biblyotek compte déjà 1 500 livres en plusieurs langues, plus de 400 membres et un budget de près de 3 000 dollars. Signe que l'entreprise jouit d'un appui très vaste, Shalom Aleichem, sans doute le plus grand écrivain yiddish de son époque, vient de New York en juin 1915 soutenir ses premiers pas. Au cours des décennies suivantes, la Yidishe Folks Biblyotek sera le porte-flambeau reconnu de la culture juive d'origine est-européenne. Dans ses salles, au début très modestes, se presseront jour après jour des publics avides de savoir, de débats et de littérature, au point où l'institution deviendra un espace investi aux yeux des Juifs montréalais d'une vocation identitaire de premier plan. Sous son toit seront invités à s'exprimer la plupart des talents artistiques et littéraires émergeant à un moment ou l'autre dans la ville, dont certains deviendront des figures connues bien au-delà du Montréal juif. Parmi ces talents exceptionnels, il y aurait entre autres les écrivains A. M. Klein, Irving Layton, Mordecai Richler et Leonard Cohen. Grâce à la bibliothèque, la communauté pourra aussi entendre de vive voix des écrivains

---

55. « *Durkh di bikher reden tsu undz di greste, di aydelste fun di gaystrakhste mentshn fun ale tsaytn un fun ale felker. Darum betsvekt di folksbiblyotek tsu geben di fule meglikhkayt tsu yedn aynem tsu benutsn zikh tsu yeder tsayt mit di gaystige, mit kulturele oytsres fun undzer folk vi oykh fun andere felker. Der shtolts fun unzer biblyotek bashtet in dem dos zi iz geshafn gevorn funem folk far'n folk, dos zi hot kayne andere tsvekn vi tsu fershprayten in'm folk likht un visn.* » *Premier rapport annuel de la Bibliothèque publique juive et de l'Université populaire, ouverte à Montréal le 1er mai 1914*, p. 7. Notre traduction.

et des intellectuels venus d'ailleurs dans la diaspora yiddishophone et dont les œuvres avaient été disponibles dès le premier jour sur ses étagères.

Se tisseront ainsi au fil des ans des liens très durables et significatifs entre les Juifs de Montréal et d'autres populations elles aussi d'origine est-européenne mais vivant des destins différents à New York, Paris et Buenos Aires. Par ce moyen, le Montréal juif s'inscrira dans les vastes et complexes réseaux d'échange en langue yiddish qui couvrent la surface du globe et qui font de cette culture une mouvance de dimension vraiment planétaire. Jusqu'à la destruction du judaïsme européen par les forces nazies, la communauté montréalaise vibrera aussi intensément au rythme de la production culturelle émanant des importantes communautés juives de Pologne, d'Ukraine, de Lituanie et de Russie proprement dite. Point de chute des immigrants nouveaux, forteresse de la vie yiddish et lieu d'intense créativité artistique, la bibliothèque mise sur pied par Brainin et ses compagnons d'armes était promise en 1914 à un fabuleux parcours culturel.

Pendant que s'érige la Yidishe Folks Biblyotek, d'autres activistes du Montréal juif songent à créer une école de langue yiddish destinée aux enfants des immigrants. Tous comprennent que l'apprentissage des savoirs séculiers et des langues officielles se fera en terre canadienne au sein de maisons d'enseignement financées par le gouvernement, c'est-à-dire le plus souvent dans des écoles anglophones du réseau confessionnel public protestant. Plusieurs cependant pensent que la communauté juive conserve la responsabilité d'inculquer à la nouvelle génération une idée conséquente de l'identité juive et une connaissance pratique de la langue yiddish. Cela pourrait se faire sans trop de mal, croit-on, dans des écoles privées ouvertes en fin d'après-midi ou pendant les journées libres du samedi et du dimanche. Au début de 1911, quelques militants du Poale-Zion ouvrent une première « maison d'éducation » yiddishophone sur la rue Mozart, tout près de l'actuel marché Jean-Talon, appelée Maylender Shul*, du nom du quartier où elle se trouve[56]. Cela tient à ce qu'en octobre de l'année précédente, les

---

56. Les enseignants par exemple, rapporte Belkin, rencontraient les enfants dans

travaillistes sionistes nord-américains, réunis à Montréal, ont lancé l'idée de fonder partout sur le continent des établissements scolaires destinés à préserver l'héritage est-européen au sein de la nouvelle génération. À l'automne 1913, des activistes du Poale-Zion ouvrent une nouvelle « école » sur la rue Guilbault, près de l'avenue des Pins. À la fin de l'année, près de 150 enfants s'y rendent trois après-midi par semaine pour suivre des cours de yiddish et d'hébreu, pour entendre parler de littérature et d'histoire juives puis pour pratiquer le chant[57]. Croyant que l'école doit refléter leurs convictions politiques profondes, les fondateurs lui donnent le nom de Natsyonal Radikale Shule [l'école nationale-radicale] puis, quelques années plus tard, celui du grand écrivain yiddish est-européen I.-L. Peretz.

Au départ, l'aventure repose entièrement sur l'ardeur idéologique et le bénévolat de jeunes ouvriers de la confection, souvent arrivés à Montréal à peine quelques années plus tôt. Convaincus que l'éducation des jeunes est une tâche de première importance pour l'avenir de leur mouvement politique, les militants de l'école nationale-radicale ont pris la décision de se lancer dans cette aventure sans aucune formation pédagogique préalable et sans manuels scolaires. Simplement, ils sont persuadés que la nouvelle génération née à Montréal doit entrer en contact avec les valeurs de la gauche radicale est-européenne et de la révolution russe tout en préservant son identité juive. Pour eux, cela vaut tous les sacrifices. Dans une publication anniversaire parue en 1938, le militant W. Chaitman décrit ainsi le petit groupe à l'origine de cette initiative :

> Tous sans exception pratiquaient le métier de tailleur. Toute la journée, ils travaillaient à la *shoppe*, mais leur attention était ailleurs : ils pensaient à l'école. L'atelier représentait pour eux la grisaille du quotidien, tandis que l'école était comme une fête, un sursaut de l'âme. En soirée, ils se précipitaient avec joie à l'école. Ils s'y rendaient avec une ferveur toute religieuse. [...] Une fois sur le seuil de l'institution, ils oubliaient le

---

les classes sans couvre-chef, ce qui était un indice clair d'une distance idéologique face au comportement religieux traditionnel adopté en Europe de l'Est.

57. Simon Belkin, *Le Mouvement ouvrier juif au Canada*, p. 309.

travail et leurs préoccupations personnelles. Une seule chose comptait : l'école ! les enfants[58] !

Comme à la Yidishe Folks Biblyotek, il se crée à l'école Peretz un contexte idéologique où les aspirations du peuple juif sont promues comme devant s'harmoniser avec le progrès de la société tout entière. Certes, les Juifs sont dépositaires d'un héritage culturel et linguistique particulier, qu'il convient de mettre en valeur, mais leur émancipation ne peut advenir que de concert avec celle des autres peuples opprimés ou marginalisés. Il y a donc un lien nécessaire au sein de l'édifice social entre toutes les classes exploitées, qui empêche les Juifs de lutter seuls ou de s'isoler dans un particularisme réducteur. Déjà, c'est ouvrir des perspectives qui approfondiront l'engagement des activistes yiddishophones envers leur société d'accueil et leur volonté d'intégration. Les animateurs de l'école Peretz croient aussi fermement que la notion de religion est dépassée et ils s'empressent de rejeter les pratiques du judaïsme traditionnel. Ils pensent plutôt que l'enseignement spirituel de la Bible et des prophètes fait partie intégrante du cheminement historique du peuple juif et qu'il faut en tirer des conclusions d'ordre strictement éthique. Il incombe donc aux jeunes de connaître l'héritage judaïque des siècles passés, mais uniquement dans le but de s'en inspirer en vue du combat commun à toutes les populations victimes de discrimination, d'où le qualificatif de « nationale-radicale » donné à l'institution. Ce dualisme identitaire, un des éléments fondateurs de la démarche qu'emprunteront au XXe siècle de vastes segments de la population juive montréalaise, se trouve très bien résumé dans le programme scolaire dévoilé en 1918 au moment de l'inauguration du nouveau local de l'école Peretz :

Tous les nationalistes, dans le sens progressiste et démocratique du terme, souhaiteront donner à nos enfants une éducation qui les rattache

58. W. Chaitman dans le *Peretz Shul Bukh, 25 yoriker yubiley* [le livre de l'école Peretz, à l'occasion de son 25e anniversaire], Montréal, s.é., 1938, p. 23, cité dans Simon Belkin, *Le Mouvement ouvrier juif au Canada*, p. 312.

> formellement au peuple juif, à sa langue, à sa littérature, à son histoire et à toutes ses réalisations.
> Tous les adeptes du radicalisme voudront offrir à nos enfants une éducation qui soit en harmonie avec le progrès, le savoir et la libre pensée. Ils souhaiteront aussi leur inculquer la vision la plus avancée qui soit de la justice sociale, et l'attachement aux peuples et aux classes opprimés[59].

La petite communauté juive montréalaise n'est toutefois pas à l'abri des tensions internes qui secouent le mouvement sioniste à l'échelle internationale, et une scission apparaît très tôt au sein du groupe de militants qui s'étaient dévoués pour permettre à une école nationale-radicale d'ouvrir ses portes. L'objet du litige a à voir avec le programme d'enseignement, en particulier avec le temps alloué respectivement au yiddish et à l'hébreu dans les classes, conflit que Simon Belkin décrit comme « une lutte féroce au sein de l'école[60] ». C'est qu'un débat très intense s'est engagé pour déterminer quelle sera la langue « officielle » du futur foyer national juif que les sionistes souhaitent ériger au Moyen-Orient[61]. Optera-t-on pour le yiddish comme langue courante des nouveaux établissements agricoles de Palestine ou pour l'hébreu ? La difficulté ici tient à ce que le yiddish est une langue vernaculaire juive établie depuis des siècles en Europe centrale et orientale, tandis que l'hébreu sous sa forme moderne est encore en processus d'émergence. L'affrontement a des retombées à Montréal, comme partout ailleurs dans le monde juif, puis finit par diviser les travaillistes sionistes dans la ville.

En septembre 1914, une faction dissidente menée par Reuben Brainin et Yehuda Kaufman fonde la Folks Shule [l'école du peuple] et promet d'accorder une place plus grande à l'hébreu comme langue vivante.

---

59. *Khanouka habeys, souvenir bukh, Natsyonal Radikale Shul* [inauguration de l'institution, livre-souvenir, école nationale-radicale], Montréal, 1918, cité dans Simon Belkin, *Le Mouvement ouvrier juif au Canada,* p. 314.

60. Simon Belkin, *Le Mouvement ouvrier juif au Canada,* p. 315.

61. À ce sujet, voir Bernard Spolsky, *The Languages of the Jews: A Sociolinguistic History.* Voir aussi Jonathan Frankel, *Prophecy and Politics.*

Elle abandonne ainsi l'école nationale-radicale à ceux qui se soucient plus du yiddish que de l'hébreu et davantage de la révolution prolétarienne que du futur foyer national juif en Palestine. Pour tout le reste, les convictions des uns et des autres sont plutôt similaires et l'intensité de leurs convictions à peu près égale. Il reste que la rupture de 1914 aura des répercussions importantes à long terme sur l'évolution du milieu culturel juif de Montréal en divisant les forces progressistes en deux factions bien distinctes. Chacune à sa façon, la Peretz Shule et la Folks Shule formeront entre les deux guerres des pôles opposés de la mouvance yiddish, servant des personnalités et des publics aux sensibilités différentes. Les deux institutions deviendront aussi, tout comme la Yidishe Folks Biblyotek, des bastions de la culture yiddish, attirant à elles – souvent comme enseignants et administrateurs – des intellectuels et des écrivains de premier ordre.

Avancées et militances syndicales

Pendant qu'apparaissent des centres culturels juifs d'envergure, la ville voit naître un réseau de syndicats de langue yiddish voués à la défense des ouvriers industriels récemment arrivés au pays. De fait, c'est au cours des années 1900 à 1910 qu'apparaît pour la première fois à Montréal un prolétariat juif composé essentiellement de travailleurs de la confection. Il s'agit d'un phénomène entièrement nouveau au sein d'une population est-européenne surtout engagée jusque-là dans le commerce de proximité et l'entrepreneuriat à petite échelle. La croissance vertigineuse à Montréal des emplois dans le secteur manufacturier, particulièrement pour ce qui est des biens de consommation courante, a en effet ouvert de nouvelles perspectives à ceux qui quittaient l'Ancien Monde et possèdent des habiletés pour les métiers manuels. Entre 1890 et 1920, le secteur manufacturier se taille la première place à Montréal parmi les différents types d'activité économique, dépassant le commerce, les services, les transports et la construction. C'est notamment attribuable à l'industrie du vêtement, de la chapellerie et de la fourrure, où l'introduction de la machine à coudre électrique et la standardisation des procédés de fabrication ont permis l'apparition de très grandes unités de production.

En 1921, la confection domine le secteur manufacturier à Montréal, devançant les industries du métal, du cuir et de la transformation des produits agricoles[62]. Cette année-là, l'industrie du vêtement emploie près de 25 % des travailleurs œuvrant dans des manufactures à Montréal, dont 65 % des femmes actives sur le marché du travail. Or, les Juifs est-européens ont souvent pratiqué les métiers de l'aiguille avant leur départ pour l'Amérique, et il leur suffit dans la plupart des cas d'adapter des connaissances techniques déjà acquises à des méthodes de travail plus spécialisées. En Europe, un artisan tailleur se chargeait lui-même de toutes les étapes de production d'un vêtement, tandis que dans une usine de confection nord-américaine chaque ouvrier se concentre inlassablement sur une seule étape du processus. Cela tient en partie à la complexité des machines employées ainsi qu'au volume industriel de la production et aux attentes très précises d'une clientèle influencée par des modes souvent éphémères[63].

Les prédispositions culturelles des Juifs est-européens pour la confection, et le fait que la plupart des propriétaires des moyens de production dans cette industrie soient de même origine, poussent un grand nombre de yiddishophones à se diriger vers ce secteur au cours de leurs premières années au pays. Là, un ouvrier peut travailler entouré de personnes issues du même milieu culturel que lui et parler partout sa langue maternelle. Il est aussi possible, pour ceux qui sont plus près de leurs racines religieuses, de suivre sans trop de mal le calendrier judaïque ou de chômer le jour du *shabbat*. La nature saisonnière

62. R. Cole Harris et Geoffrey J. Mathews, *Atlas historique du Canada*, vol. 3, planche 14, « Les transformations économiques de Montréal ».

63. Voir Jacques Rouillard, *Le Syndicalisme québécois. Deux siècles d'histoire*; Bernard Dansereau, « Le mouvement ouvrier montréalais, 1918-1929 : structure et conjoncture » ; et Miriam Judith Leyton, « The Struggle for a Working-Class Consciousness: Jewish Garment Workers in Montreal, 1880-1920 ». Voir aussi Julie A. Podmore, « St. Lawrence Blvd. as "Third City": Place, Gender and Difference Along Montreal's "Main" ».

des commandes et le peu de capital requis pour lancer un atelier encouragent par ailleurs des individus plus entreprenants à tenter leur chance comme manufacturier ou comme sous-traitant. Ce transfert est d'autant plus facile à réaliser que les grandes usines de confection se trouvent le long du boulevard Saint-Laurent[64], un quartier habité par les Juifs immigrants, et qu'entre le travail et la maison il n'y a souvent qu'une courte distance.

La concentration des moyens de production dans une zone de la ville en particulier, l'origine juive de la majorité des travailleurs et la montée des mouvements révolutionnaires en Russie favorisent l'apparition de syndicats radicaux dans cette industrie au début du XXe siècle. Dès qu'elles sont formées, ces associations mènent un combat de tous les instants pour améliorer les conditions de travail, réduire les heures passées en atelier et doter leurs membres d'une direction centrale unifiée. Grâce à ces efforts soutenus émerge très tôt à Montréal un fort courant travailliste de langue yiddish, dont les origines sont tout à fait uniques dans les annales ouvrières québécoises et qui ne compte à ses débuts que très peu de francophones[65]. D'après Hirsch Hershman, témoin direct de ces revendications à leurs débuts, l'on doit aux ouvriers qualifiés du vêtement féminin d'avoir mis sur pied au tournant du XXe siècle les premières organisations de travailleurs dans cette industrie. C'était un départ fulgurant qui allait se répercuter sur l'ensemble du milieu ouvrier québécois :

> Apparurent ainsi dans ce milieu des jeunes hommes qui avaient des critiques très fermes à adresser aux pouvoirs publics et aux possédants, qui parlaient de renverser le système capitaliste et qui proposaient la mise en place d'une société nouvelle reposant sur la liberté. Le premier regroupement animé par des personnes de cette tendance vit le jour en 1903 à Montréal. Des anarchistes originaires de Londres se sont unis cette année-là à des sociaux-démocrates new-yorkais et ont fondé un

---

64. Pierre Anctil, *Saint-Laurent. La* Main *de Montréal.*

65. Bernard Dansereau, « La contribution juive à la sphère économique et syndicale jusqu'à la Deuxième Guerre mondiale ».

cercle qui avait pour objectif d'appuyer le Bund et d'amasser des fonds pour ce parti[66].

Dans son étude sur le mouvement travailliste sioniste, Simon Belkin affirme que sitôt installés à Montréal, les premiers militants de ce parti concentrent leurs efforts sur la syndicalisation des ouvriers du vêtement. Cela tient à ce que le sort réservé aux travailleurs juifs de la confection pèse lourd sur les conditions matérielles faites à l'ensemble de la population juive de la ville. Les adeptes du Poale-Zion ont fait l'apprentissage lors de l'insurrection russe de 1905 de méthodes particulièrement efficaces de mobilisation et maîtrisent très bien les partis pris idéologiques de la gauche européenne. Comme il existe déjà du côté américain des syndicats bien établis dans ce genre d'industrie – souvent issus eux aussi de la militance ouvrière juive –, les premiers activistes montréalais cherchent avant tout à faire venir au Canada des organisations fortement présentes à New York. À partir de 1910, l'International Ladies' Garment Workers' Union (ILGWU) commence à pénétrer le secteur du vêtement féminin montréalais, et une grève de plusieurs mois, au printemps 1917, contribue à fixer dans cette industrie la pratique de l'arbitrage permanent entre les syndicats et les patrons. La situation est plus chaotique dans le domaine du vêtement masculin et le combat pour de meilleures conditions de travail plus féroce. Ouverte en 1906 par l'arrivée à Montréal des United Garment Workers of America (UGWA), la lutte s'intensifie pour déboucher finalement en juin 1912 sur une grève générale de plusieurs semaines mettant aux prises 5 000 ouvriers et une vingtaine d'entreprises. À cette époque, affirme Belkin, 90 % des travailleurs de la confection féminine sont juifs est-européens et la langue principale de mobilisation est le yiddish. Dans un tel contexte, c'est l'ensemble du Downtown juif qui se soulève pour résister aux conditions des propriétaires – dont beaucoup appartiennent à l'Uptown juif –, incluant les synagogues et les mouvements culturels créés par les immigrants. Se jettent aussi dans la bataille le

66. Hirsch Hershman, « À l'occasion des vingt-cinq ans du mouvement ouvrier juif à Montréal », p. 50.

Keneder Odler, les organismes caritatifs séculiers et l'ensemble des mouvements de la gauche juive. À cette occasion paraissent en outre des périodiques destinés uniquement à soutenir les grévistes, dont en 1912 le *Folkstsaytung* [le journal du peuple], publié durant quelques mois sous l'égide du syndicat. Pendant des semaines et des semaines, des levées de fonds s'organisent dans tous les secteurs de la communauté pour venir en aide aux travailleurs de la confection. Un vent de révolte souffle dans le quartier juif, où Israël Medresh est témoin de grandes manifestations de soutien :

> Afin d'encourager les grévistes, on organisa une importante marche de protestation à travers la ville, qui prit l'allure d'un véritable défilé, avec même la participation de fanfares. [...] Voilà jusqu'à quel point les tailleurs pouvaient être agressifs. Les propriétaires n'en étaient pas moins déterminés. Ils firent même l'effort de recruter des briseurs de grève dans d'autres villes[67].

Après une longue lutte, les travailleurs ont gain de cause et arrachent la promesse d'une semaine de travail de 52 heures, réduite à 49 heures à la fin de l'année 1912. L'affaire ne s'arrête toutefois pas là et une nouvelle grève générale éclate à Montréal dans la confection féminine en 1917, en pleine guerre mondiale. Placé sous le leadership des Amalgamated Clothing Workers of America (ACWA), ce débrayage constitue une occasion de plus pour les militants de la gauche sioniste de marquer des points au sein de la population affectée par le conflit. S'agissant du Poale-Zion, Belkin rappelle : « Nos militants prirent la parole à des assemblées de grévistes, se joignirent à tous les comités qui dirigeaient l'arrêt de travail, cédèrent leurs locaux aux travailleurs touchés et réunirent auprès des camarades et de leurs amis la somme de 1 100 $ pour le fonds de grève[68]. » Ces luttes aboutissent en 1919 à l'établissement d'une semaine de 44 heures et à la reconnaissance officielle du syndicat.

---

67. Israël Medresh, *Le Montréal juif d'autrefois*, p. 205. Voir aussi Ruth A. Frager et Carmela Patrias, *Discounted Labour: Women Workers in Canada, 1870-1939.*

68. Simon Belkin, *Le Mouvement ouvrier juif au Canada*, p. 180.

L'effet d'entraînement est d'autant plus important que les syndicats luttent souvent sur plusieurs tableaux et cherchent du même coup à enrichir la vie culturelle au sein de la communauté juive. Pendant que la mobilisation progresse au sein du prolétariat, les activistes syndicaux du Poale Zion appuient la fondation de la bibliothèque juive et des écoles de langue yiddish, recueillent des fonds pour les établissements agricoles juifs en Palestine et soutiennent les organisations de secours mutuel. Dans les syndicats animés par la gauche juive, ces avancées simultanées de la condition ouvrière et de la structure communautaire sont souvent perçues comme la manifestation d'un seul élan vital, à telle enseigne qu'il est parfois difficile de bien distinguer ces deux formes de mobilisation.

Factions et courants politiques

Cet engagement de tous les instants en faveur d'une amélioration de la situation des Juifs au pays est porté à son paroxysme lors de la fondation en mars 1919 du Congrès juif canadien (CJC), organisme chargé de représenter l'ensemble de la judéité auprès des gouvernements et des pouvoirs publics. Au cours de la Première Guerre mondiale, les Juifs du bas de la ville et ceux plus nantis du Golden Square Mile se sont suffisamment rapprochés sur le plan communautaire pour qu'une action concertée devienne possible, englobant toutes les composantes du judaïsme canadien. Le conflit en Europe a en effet soulevé des enjeux cruciaux qu'il n'est plus possible de traiter isolément. En 1917, la révolution bolchevique a balayé le régime du tsar et, presque simultanément, Lord Balfour a publié une déclaration offrant l'appui de la Grande-Bretagne en vue de la création d'un foyer national juif en Palestine[69]. Les combats sur le front russe ont aussi touché de vastes segments de la population juive dans ce pays, qui ont été déplacés et connaissent de

69. Jonathan Schneer, *The Balfour Declaration: The Origins of the Arab-Israeli Conflict.*

graves difficultés. Le désir de voler au secours de leurs coreligionnaires restés dans l'Ancien Monde et le règlement encore à venir de la Grande Guerre poussent enfin les différentes mouvances juives au Canada à s'unir.

Sur ces entrefaites, les électeurs de la circonscription de Montréal–Saint-Louis (au provincial) et ceux de Montréal-Cartier (au fédéral) ont élu respectivement Peter Bercovitch en 1916 et S.-W. Jacobs en 1917. Tous deux nés au Canada et issus d'un mouvement migratoire antérieur, Bercovitch et Jacobs représentent une nouvelle élite d'origine est-européenne capable de s'imposer sur la scène politique. Ces deux hommes et quelques autres de leur trempe seront désormais en mesure de faire le pont entre les masses immigrantes récemment installées au pays et les grandes institutions démocratiques du Canada, sans passer par les tenants de la tradition britannique juive. Surtout, plusieurs sentent que le monde entre dans une ère nouvelle et que de nouveaux défis se poseront bientôt aux Juifs canadiens. La communauté doit par exemple se soucier de l'éducation des Juifs qui grandissaient au pays et qui bientôt chercheront à occuper une place digne de leurs talents dans la société canadienne. Il faudra de plus lutter contre l'antisémitisme, les préjugés racistes et l'exclusion sous toutes ses formes. Il ne fait plus aucun doute non plus qu'une nouvelle vague migratoire s'apprête à atteindre les rives du Canada et que des réfugiés juifs européens demanderont bientôt l'admission au pays, souvent dans des conditions tragiques. Face à cette situation nouvelle, les Juifs canadiens ne pouvaient pas se permettre plus longtemps de rester divisés et d'éparpiller leurs énergies.

En janvier 1919, à Montréal, les travaillistes sionistes et les socialistes forment un groupe de pression commun afin de faire avancer la cause du CJC qui sera créé deux mois plus tard. Au même moment, A.-J. Freiman, d'Ottawa, prend la tête de l'Organisation sioniste canadienne (OSC), en remplacement de Clarence de Sola, le fils du rabbin du même nom. Freiman est un commerçant yiddishophone né dans un milieu modeste en Lituanie, tandis que son prédécesseur était le descendant d'une éminente famille sépharade britannisée de Montréal. Avec l'arrivée de Freiman, le projet hautement stratégique de travailler à la création d'un foyer national juif en Palestine passe entre les mains d'un immigrant récent[70]. Cela indique bien la force de mobilisation que représentait l'arrivée à Montréal d'une importante population de langue yiddish. La décision de confier les rênes de l'OSC à Freiman est aussi le signe que le sionisme jouit d'un large auditoire au sein des couches populaires d'origine est-européennes et qu'il convenait de mobiliser au plus tôt ce potentiel militant. Le même genre de transfert de pouvoir a lieu quand Lyon Cohen est élu président du comité directeur national chargé de créer le CJC. Tout comme S.-W. Jacobs avec qui il a fondé le *Jewish Times* en 1897, Cohen appartient à une génération de Juifs est-européens installés au pays à la fin du XIXe siècle. Propriétaire d'importantes manufactures de vêtements à Montréal, il emploie dans ses usines une masse importante d'immigrants juifs. Qui mieux que lui pouvait réunir tous les segments de la vie juive canadienne ? L'ensemble du judaïsme canadien était dorénavant convié à un rendez-vous historique de première importance. Soucieux d'attirer au CJC toutes les tendances idéologiques présentes au Canada, les premiers organisateurs du mouvement décident d'élire les délégués au congrès de fondation au suffrage universel. Au début du mois de mars 1919, plus de 24 000 Juifs canadiens, hommes et femmes, votent pour le représentant de leur choix. En clair, cela signifie que les courants révolutionnaires ouvriers ne peuvent manquer de peser dans la balance pour ce qui est du futur CJC. Alliés aux socialistes de la tendance social-démocrate, les sionistes de gauche mènent une campagne de tous les instants pour gagner de l'influence au sein du CJC. Belkin résume de cette manière le point de vue du Poale-Zion canadien en 1919 :

> La campagne électorale en vue d'élire les délégués au Congrès fut animée d'un enthousiasme indescriptible. Le Poale-Zion mena une vive agitation en faveur de ses candidats, sur la base du programme qui avait été arrêté lors de l'assemblée qui avait donné naissance à la coalition ouvrière, et qui se résumait à ces quelques éléments :

70. A.-J. Freiman était un riche marchand établi sur la rue Rideau à Ottawa. À ce sujet, voir Anna Bilsky, *A Common Thread: A History of the Jews of Ottawa.*

> 1) un foyer national autonome en Palestine, neutre par rapport aux grandes puissances, protégé par des garanties internationales, doté d'un gouvernement interne juif et fidèle aux idéaux socialistes ; 2) le droit pour tous les Juifs partout dans le monde de s'épanouir en tant que Juifs ; 3) le droit pour les Juifs canadiens de rester fidèles à leurs origines ; 4) un appui tangible aux victimes de la guerre ; 5) une offre de soutien matériel et de sécurité physique aux masses juives qui émigreront au Canada ; 6) la fondation d'un Congrès juif mondial[71].

Quand s'ouvrent en mars 1919, au Monument-National à Montréal, les premières assises du CJC, le bloc ouvrier contrôle le tiers des quelque deux cents délégués présents pour procéder à la fondation de l'organisme. Cela suffit pour que les idées défendues par les sionistes de gauche et les partis voués à la défense des travailleurs deviennent à peu de chose près celles du leadership communautaire unifié. Au cours des trois journées que dure l'événement, on adopte une proposition déclarant que les Juifs canadiens forment sur le plan culturel « une communauté autonome[72] » au pays. Yehuda Kaufman, un des fondateurs de la Folks Shule, déclare souhaiter que le Canada devienne « un nouveau centre de culture et de savoir judaïque[73] ». Belkin, pour sa part, formule le projet – mais sans susciter l'adhésion – de faire du yiddish une langue officielle au Canada et celui de travailler à établir un réseau scolaire privé juif partout au pays. Des secrétaires produisent des comptes rendus détaillés des discussions dans les trois langues jugées importantes pour l'avenir du judaïsme canadien : l'hébreu, le yiddish et l'anglais. Au poste clé de secrétaire général de l'organisation, les représentants élisent H.-M. Caiserman, un syndicaliste qui a été actif dans le secteur de la confection et un travailliste sioniste convaincu. Caiserman a aussi contribué en 1913-1914 à fonder le réseau des écoles yiddishophones de Montréal et à mettre sur pied la Yidishe Folks Biblyotek. Immigrant roumain arrivé à Montréal en 1910 et doté d'un sens très aigu de la

---

71. Simon Belkin, *Le Mouvement ouvrier juif au Canada*, p. 292.

72. *Ibid.*, p. 298.

73. *Ibid.*, p. 299.

culture de langue yiddish, l'homme jouera au cours des trente années suivantes un rôle clé dans l'évolution du judaïsme canadien. Plusieurs intellectuels reconnus mondialement participent également au congrès de fondation du CJC à Montréal, dont Chaim Zhitlowsky, grand penseur du nationalisme diasporique est-européen et figure de proue du mouvement yiddishiste aux États-Unis. Reuben Brainin et Hirsch Hershman se mettent aussi à la disposition des Juifs canadiens au cours de ces journées, au sujet desquelles Simon Belkin écrira plusieurs décennies plus tard :

> Pour tous ceux qui y participèrent, l'assemblée de fondation du Congrès juif canadien fut une expérience mémorable. Ce geste collectif contribua à solidifier et à donner une forme nouvelle à la collectivité juive dans un pays alors en émergence. Avec l'apparition du Congrès s'ouvrait une époque décisive dans l'histoire de la judéité canadienne[74].

Après deux décennies d'immigration massive en provenance d'Europe de l'Est, les Juifs canadiens ont marqué une pause au moment de la signature du traité de Versailles afin de mieux se resituer à l'intérieur de leur pays d'adoption. La communauté qui émerge en 1919 ne ressemble en rien à celle qui était apparue pour la première fois vingt ans plus tôt. À la fin des années 1910, les Juifs sont plus de 120 000 au Canada et tout près de 45 000 au Québec. Ce qui paraissait encore en 1900 comme une communauté plutôt simple à décrire est devenu à l'aube des années 1920 un ensemble d'une grande complexité culturelle et religieuse. À Montréal, la population juive est désormais divisée en quatre grands pôles identitaires et idéologiques s'appuyant sur des conceptions fortement divergentes du judaïsme ou de l'expérience historique juive. Au sommet de l'édifice trônent les familles de plus vieille installation, toutes anglophones de langue maternelle et adaptées depuis plus longtemps au contexte canadien. Divisé entre des individus d'origine sépharade britannique et d'autres arrivés d'Europe de l'Est à la fin du XIXe siècle, ce groupe compte tout au plus quelques familles toutes

74. *Ibid.*, p. 300.

fortunées et plutôt traditionalistes dans leur façon de comprendre le judaïsme. Malgré un parti pris élitiste et un sens prononcé de leur intérêt de classe, ces *Yahoudim* se sont tout de même portés au secours de leurs coreligionnaires chassés de Russie après l'insurrection de 1905. Ils ont par exemple mis sur pied et financé d'importantes organisations caritatives destinées à empêcher les nouveaux venus de sombrer dans la pauvreté la plus abjecte ou de demeurer isolés au bas de l'échelle sociale.

Au nombre de ces institutions, on trouve une organisation sportive, la Young Men's Hebrew Association, fondée en 1908 et appuyée par Mortimer B. Davis, la Hebrew Free Loan Association of Montreal[75], apparue en 1911 et patronnée par Zigmond Fineberg, et la Federation of Jewish Philanthropies (FJP), créée en 1916 sous la présidence de Maxwell Goldstein. Tous ces organismes répondent à l'injonction religieuse hébraïque : *Kol Israel arevim ze laze*[76] et tentent d'améliorer le sort de l'univers selon le précepte talmudique bien connu de *tikkun olam*. La FJP en particulier, fondée au lendemain de la grande vague migratoire, est promise à un grand avenir, car elle ne tarde pas à réunir sous son aile toutes les organisations caritatives importantes de Montréal. Les *uptowners* ont aussi sans cesse prôné une assimilation rapide des yiddishophones à la langue anglaise et aux valeurs de l'Empire britannique. Cet élan de solidarité venu de haut n'a toutefois pas été sans heurts. Pendant au moins un demi-siècle, c'est-à-dire jusqu'à ce que les Juifs du bas de la ville quittent les rangs du prolétariat et entament à leur tour un processus d'ascension sociale, un sourd ressentiment a marqué les rapports entre les immigrants récents et les nantis au sein de la communauté juive montréalaise.

Montréal a aussi attiré en deuxième lieu un certain nombre de Juifs qui, bien que plus ou moins désintéressés de la pratique orthodoxe stricte, continuent de professer un attachement sincère et constant à la

75. À ce sujet, lire Sylvie Taschereau, « Échapper à Shylock : la Montreal Hebrew Free Loan Association entre xénophobie et intégration, 1911-12 ».

76. Passage tiré d'une discussion talmudique valorisant la responsabilité collective au sein du judaïsme : « Tous les Israélites sont solidaires les uns des autres. »

tradition religieuse. Ce sont pour la plupart des immigrants récents que les circonstances de la vie montréalaise et de la modernité ont obligés à s'éloigner des coutumes est-européennes mais qui ne dédaignent pas de se rendre à la synagogue ou à diverses cérémonies judaïques. Les personnes qui gravitent autour de ce groupe estiment les rabbins, consomment de la nourriture cachère à la maison et connaissent bien l'orthodoxie pour l'avoir étudiée dans des *yeshivot* ou des *bote-medroshim** au cours de leur jeunesse en Europe de l'Est. Le plus souvent, ils appartiennent à une classe modeste formée de petits commerçants et d'entrepreneurs situés aux échelons inférieurs de l'industrie du vêtement. Ils se distinguent aussi par une forte adhésion au projet sioniste, parfois sous la forme du mouvement religieux Mizrachi ou encore tel que représenté par le révisionnisme de Zeev Jabotinsky ou par la faction dominante de Theodor Herzl. On les voit aussi prendre une part active à la vie communautaire, mais d'une façon plus individuelle et moins idéologique. Parmi ces gens se trouvent de nombreux lecteurs du *Keneder Odler* et des membres assidus du réseau institutionnel juif. Ils fréquentent par exemple les caisses d'épargne et les sociétés de prêt sans intérêt, appuient les organisations de secours mutuel et réagissent aux événements qui ponctuent la vie juive à travers le monde. Une fois au Canada, ils se sont intéressés à la vie politique du pays, ont ressenti une attirance pour le Parti libéral et ont accordé foi à la démocratie d'inspiration britannique. Parmi les figures les plus connues de cette tendance se trouvent Hirsch Wolofsky, Reuben Brainin et le rabbin Hirsch-Zvi Cohen. Les députés S.-W. Jacobs et Peter Bercovitch font aussi partie de cette tendance plus modérée qui a su se rapprocher du système politique canadien en général.

À l'autre extrémité de ce spectre, on trouve en troisième lieu les militants des grands mouvements révolutionnaires ; les social-démocrates, les communistes, les anarchistes et les syndicalistes associés aux grandes organisations ouvrières internationales. Pour ces activistes, presque tous originaires des couches les plus traditionnelles de la vie juive est-européenne, la nécessité de faire la révolution exige de valoriser avant tout les solidarités de classe, peu importe l'origine des travailleurs. Plusieurs de ces individus se sont d'ailleurs affiliés en priorité à des organisations qui ont assez peu à voir avec la vie juive et qui luttent simplement pour l'amélioration de la condition ouvrière, comme le Parti socialiste du Canada, l'International Workers of the World (IWW) ou les syndicats de métier. À l'inverse du Bund, qui se voue à la défense simultanée du prolétariat et de la culture yiddish, il leur suffit de s'investir dans des organisations favorables aux classes opprimées – sans distinction de culture – pour sentir qu'ils font avancer la cause des plus démunis. Tant que le régime tsariste dominait en Russie et que l'issue de la lutte révolutionnaire y semblait incertaine, la plupart de ces yiddishophones avaient eu les yeux rivés sur les mouvements de toute nature qui combattaient l'autocratie en Europe de l'Est. Par la suite, sauf pour les bundistes et les membres montréalais de l'Arbeter Ring qui seront plus tard très préoccupés du sort de la culture yiddish à l'intérieur du monde soviétique, ils se sont plutôt rapprochés des organisations syndicales nord-américaines. Ils ont aussi en commun d'avoir rejeté le sionisme, vu comme une nouvelle incarnation du nationalisme bourgeois. Dans ce courant, on croit fermement que l'émancipation se réalisera par la victoire des forces ouvrières contre le capitalisme et non en accordant une attention particulière à la situation des Juifs. L'anarchiste Hirsch Hershman, le socialiste Joseph Schubert et le communiste Michael Buhay sont les principaux défenseurs de ce mouvement à Montréal.

Pendant qu'une partie de la classe ouvrière juive va grossir les rangs des organisations internationales, un quatrième groupe tout aussi nombreux milite plutôt au sein du mouvement travailliste sioniste. Il semble en effet à une partie importante du prolétariat juif montréalais qu'il faille lutter à la fois en faveur de la révolution et pour la création d'un foyer national juif. Fer de lance de ce courant, le Poale-Zion répète inlassablement que les Juifs forment un peuple en soi et que leur émancipation passe par la création d'établissements agricoles juifs au Proche-Orient. Pressés de réaliser leur programme national mais empêchés par la situation politique et économique d'immigrer massivement en Palestine, les travaillistes sionistes investissent dès le départ leurs énergies au sein de la structure communautaire montréalaise. Dans l'attente du grand départ vers le futur État juif, soucieux de conserver vivante la flamme du sionisme au sein des générations montantes, le Poale-Zion mise par une série de moyens pratiques sur la préservation des langues et des cultures juives. Une fois les bolcheviques au pouvoir, ses militants se désintéressent assez vite de la Russie pour se concentrer sur les progrès agricoles accomplis dans les plaines de Jezreel et dans la vallée de Hefer. À la différence toutefois des sionistes du courant prôné par Herzl, les travaillistes sionistes envisagent un futur État hébreu modelé à l'image de leurs convictions idéologiques, c'est-à-dire socialiste et égalitaire. Ils entrent ainsi en conflit ouvert avec les sionistes dits « bourgeois », qui se contentaient le plus souvent à Montréal de recueillir des fonds pour de lointains projets. Parmi les plus grands promoteurs du Poale-Zion à cette époque, on trouve H.-M. Caiserman, Hershl Novak, Yehuda Kaufman et Simon Belkin.

Au moment où la situation économique des immigrants de la grande vague migratoire commence à se stabiliser et que s'ouvrent à eux des perspectives nouvelles, une période d'intense bouillonnement idéologique et culturel débute à Montréal au sein de la communauté juive. Des visions parfois diamétralement opposées de l'avenir se manifestent qui mettront dans certains cas plusieurs décennies à se réconcilier. Cet éclatement des voix tient à ce que les nouveaux arrivants est-européens ne partageaient déjà pas au moment de leur départ une vision commune du judaïsme, de la modernité ou de leur culture séculière. Certains se sont en quelque sorte convertis, lors de l'insurrection russe de 1905, aux grands courants révolutionnaires et universalistes de l'Europe, tandis que d'autres se sentent plutôt appelés à bâtir une maison spécifiquement juive au Proche-Orient. D'autres encore, dont plusieurs adeptes de l'orthodoxie religieuse, croient qu'une patiente assimilation aux modes de vie nord-américains représente la meilleure option pour une intégration réussie au Nouveau Monde.

Presque tous les Juifs montréalais, néanmoins, espèrent ardemment que le Canada les libérera du joug qu'ils ont porté pendant plusieurs siècles au sein de l'Empire russe en tant que minorité jugée inassimilable. Le plus souvent situés au bas de l'échelle sociale et économique, ils pensent aussi unanimement, malgré des divergences par ailleurs criantes, qu'ils se doivent à tout prix de construire dans leur pays d'adoption un espace politique et communautaire partagé. En effet, de longues luttes sont encore à venir pour l'obtention au Québec et à Montréal d'une égalité de traitement. Sur ce plan, le projet de créer un

CJC était d'ailleurs porteur d'une certaine volonté de coopération entre l'Uptown et le Downtown montréalais qui conditionnerait tout progrès dans les années à venir. Néanmoins, au sortir de la Grande Guerre, la masse des Juifs vit encore en Europe orientale, et rien ne laisse croire que cette situation est à la veille de changer radicalement. Le retour de la paix dans l'Ancien Monde et la stabilisation de la situation politique en URSS minent au Canada l'intérêt généré au départ par la création du CJC. L'enthousiasme envers l'organisme fédérateur du judaïsme canadien ne tarde pas en effet à s'émousser et, dès le début des années 1920, ses principales instances cessent de fonctionner sur une base régulière. En mars 1922, un Wolofsky dépité écrit à Caiserman, maintenant établi en Palestine : « La rencontre prévue du Congrès a été un échec. Très peu de gens se sont rendus sur les lieux et seul l'exécutif s'est réuni. La seule résolution adoptée a été celle concernant l'immigration, un enjeu au sujet duquel nous avons des attentes élevées[77]. » Le déclin du CJC dans l'après-guerre démontre d'une façon éloquente que le judaïsme canadien ne peut présenter un visage uni qu'en temps de crise, c'est-à-dire quand des menaces sérieuses pèsent sur les populations juives au pays ou à l'étranger. En d'autres circonstances, l'urgence d'agir en commun se fait moins sentir et la solidarité a tendance à s'estomper. C'est une dure leçon à absorber pour certains militants convaincus de la nécessité d'une unité communautaire indéfectible.

---

77. Lettre d'Hirsch Wolofsky à H.-M. Caiserman, Montréal, 6 mars 1922, fonds Caiserman, Service des archives juives canadiennes Alex Dworkin, Montréal. Notre traduction.

CHAPITRE 3

Entre deux guerres, 1919-1939

L'armistice de novembre 1918 signale le début d'une époque nouvelle partout dans le monde. Après quatre années de combats acharnés et de destructions à une échelle jusque-là inconnue, la fin des hostilités entraîne dans son sillage de profonds changements politiques en Europe et au Moyen-Orient. Pour les Juifs de Montréal, les événements qui se précipitent outre-mer modifient du tout au tout la conjoncture qu'ils avaient connue quelques années auparavant au moment de quitter l'Ancien Monde. L'Empire russe tant honni, qui avait été la cause principale de leur départ vers l'Amérique, a cessé d'exister en 1917 à la faveur d'une double révolution, d'abord libérale puis, quelques mois plus tard, bolchevique. En mars 1918, dans la ville de Brest-Litovsk, la jeune république russe et les puissances centrales, toujours en guerre contre les Alliés, ont signé un traité de paix séparé qui consacre le démembrement de l'immense territoire détenu en Europe par les tsars. Quelques mois plus tard, avec le traité de Versailles, une Pologne indépendante et trois républiques baltes indépendantes se joignent au concert des nations européennes. En Ukraine, dont la partie non russe se détache à son tour de l'empire, débute une guerre civile entre les forces réactionnaires et l'Armée rouge. Habituées à s'insurger contre le régime des Romanov et ses décrets antisémites, les populations juives du Canada découvrent en 1918 non seulement que le tsar a été déposé mais que la majorité de la population juive de l'ancienne Russie impériale se trouve maintenant sous l'autorité de la nouvelle République de Pologne.

C'est un retournement de situation qui modifie entièrement le climat politique qui règne au sein des communautés juives montréalaises. Idéal de progrès pour certains et modèle à suivre pour d'autres, le communisme s'est finalement imposé par la force dans le pays le moins démocratique d'Europe, libérant les Juifs russes du joug qui pesait sur eux depuis des siècles. Les factions juives de gauche à Montréal y voient un encouragement à poursuivre leur mobilisation et, dans certains cas, à attendre de Moscou aide et directives. Une sympathie bien sentie pour l'Union soviétique se développe dans certains milieux juifs canadiens, qui va durer jusqu'aux révélations de Khrouchtchev en 1956 concernant le traitement brutal réservé par Staline à l'intelligentsia juive de langue yiddish entre 1948 et 1953. La situation apparaît bien différente en Pologne, où un régime autoritaire et fortement nationaliste ne tarde pas à apparaître après 1919, notamment sous l'impulsion du général Pilsudski. Après avoir échappé à l'arbitraire des Romanov, une forte proportion des Juifs russes passe sous la coupe d'un régime droitiste autoritaire et peu respectueux des minorités. Malgré l'abolition des lois antijuives, comme celles qui réglaient la zone de résidence et l'entrée dans les professions, la Pologne perpétue dans l'entre-deux-guerres un grand nombre de mesures vexatoires destinées à limiter l'influence des Juifs dans le commerce et la vie publique[1]. Il s'ensuit un appauvrissement marqué de la population juive polonaise et son isolement croissant des centres du pouvoir. Abritant la plus grande population juive d'Europe (3,5 millions de personnes en 1931), la Pologne remplace après 1918 la Russie impériale comme source principale d'immigrants juifs au Canada. Ce sera particulièrement le cas des militants de la gauche radicale polonaise, qui cherchent à quitter un régime inspiré de la droite catholique et fortement anticommuniste. Durant l'entre-deux-guerres, la Pologne reste une des dernières régions d'Europe de l'Est qui laissent s'échapper une émigration juive considérable vers le Nouveau Monde.

---

1. À ce sujet, voir l'autobiographie de Hirsch Wolofsky, *Mayn Lebns Rayze. Un demi-siècle de vie yiddish à Montréal et ailleurs dans le monde*. Voir aussi Celia S. Heller, *On the Edge of Destruction: Jews of Poland between the Two World Wars*; Antony Polonsky, *The Jews of Poland and Russia: A Short History*.

Figure 3. Population juive de Montréal selon le recensement canadien, 1871-2011*

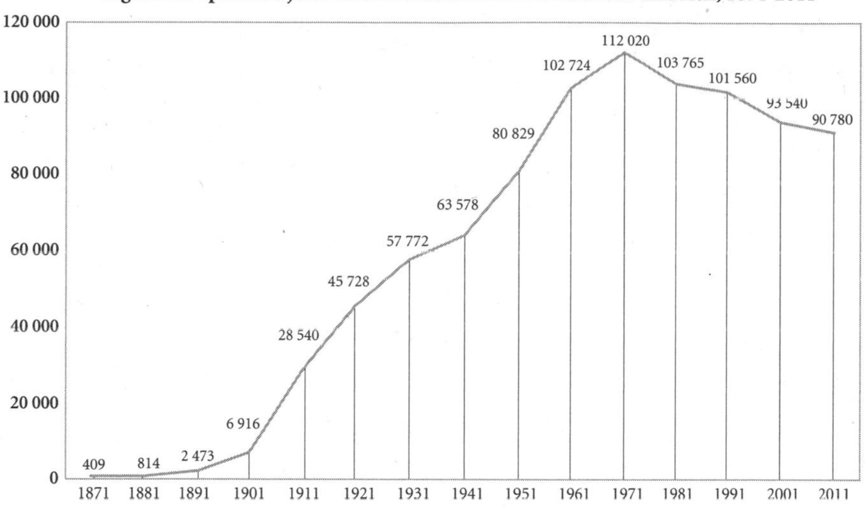

*Ces données concernent les personnes s'identifiant comme étant juives sur le plan tant religieux que culturel.

En URSS, les Juifs sont rapidement intégrés au tissu social et économique de la nouvelle république en tant que citoyens soviétiques et les autorités bloquent légalement tout déplacement permanent vers les pays capitalistes[2]. Si le judaïsme et l'idée de religion sont vivement combattus sous Lénine, en revanche le sort des Juifs dans ce pays ne soulève plus les mêmes inquiétudes dans le monde qu'avant la Première Guerre mondiale. De nombreuses personnes d'origine juive gravissent d'ailleurs rapidement les échelons du Parti communiste russe après la révolution de 1917 et plusieurs s'illustrent dans la mobilisation politique et la construction du socialisme soviétique. C'est le cas notamment du plus célèbre parmi les Juifs d'URSS, Léon Trotski, de son vrai nom Lev Davidovitch Bronstein, premier dirigeant de l'Armée rouge et commissaire du peuple aux Affaires étrangères puis à la Guerre jusqu'en 1924. Ces faits d'armes des Juifs russes ne passent pas inaperçus à Montréal, comme l'atteste cet extrait d'une dépêche parue dans le *Keneder Odler* au début de la révolution, le 11 novembre 1917 :

---

2. Zvi Y. Gitelman, *A Century of Ambivalence: the Jews of Russia and the Soviet Union, 1881 to the Present.* Notre traduction.

Figure 4. Population juive du Canada selon le recensement canadien, 1871-2001*

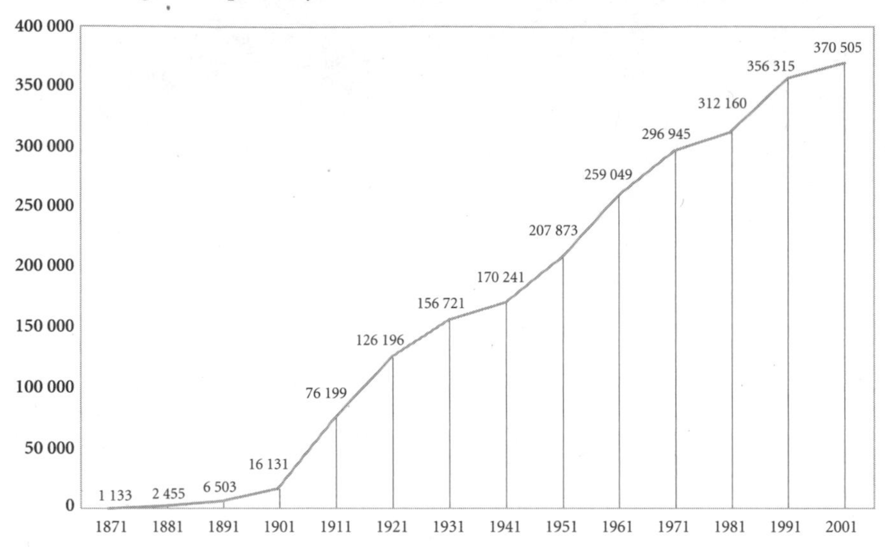

*Ces données concernent les personnes s'identifiant comme étant juives sur le plan tant religieux que culturel.

Tous les ministres sont des bolcheviques. Parmi eux, il y a un marin et un travailleur manuel. – Trotski décrète que les ministres socialistes qui ont été arrêtés vont être libérés, tandis que les autres vont demeurer en prison. – Le gouvernement confisque la terre qui appartient à l'Église et propose de la remettre aux paysans. – Il y a des rumeurs selon lesquelles Kerenski, Kalédine et Kornilov sont à la tête de vastes armées qui marchent contre les bolcheviques. – La flotte allemande a pénétré dans les eaux russes pour aider Lénine. – Les Allemands souhaitent un cessez-le-feu de trois mois. – Moscou est du côté des bolcheviques. – Des pogroms ont eu lieu dans des villes russes[3].

---

3. « *Lenin premyer un Trotsky oyser minister* » [Lénine est premier ministre et Trotski ministre des Affaires étrangères], titre principal du *Keneder Odler*, 11 novembre 1917. « *Ale ministeren boshevikes, tsvishn ze ayner a matroz, a tvayter a leyborer – Trotski meldet az di arestirte sotsyalistishe ministoren velen befrayt veren, di iberike velen blayben arestirt. – Regyerung konfiskirt di erd fun di kloysters un tsutayln dos tsvishn di poyerim. – Meldung az Kerensky, Kaledin un Kornilov firen groyse armayen kegen di bolshevikes. – Daytshe flote gekumen in di Rusishe vaseren helfen Leninen – Vilen a vafenshtilshtand oyf dray khadoshim – Moskve oyf der zayt fun di bolshevikes. – Progromen in Rusishe shtedt.* »

Figure 5. Population juive au Canada pour certaines villes canadiennes, recensements de 1931 et de 2001

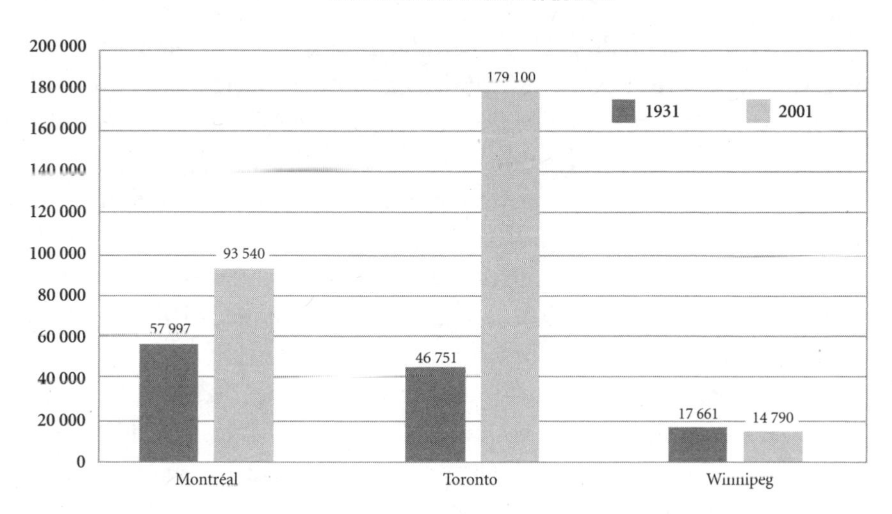

Le traité de Versailles ne fait pas que démembrer les empires russe et austro-hongrois. Les Alliés décident aussi de jeter à bas l'Empire allemand du kaiser Guillaume II. Clemenceau (France), Lloyd George (Royaume-Uni) et Wilson (États-Unis) prennent aussi le parti d'imposer de sévères pénalités financières à ce pays à titre de réparations de guerre. Un régime parlementaire prend forme pour la première fois en Allemagne et une nouvelle constitution est promulguée en août 1919 par le président Ebert. C'est la création d'un nouveau régime politique appelé la république de Weimar. Ce changement de garde préconise l'exercice de la démocratie sous une forme libérale et place de nouvelles élites à la tête du gouvernement. Le pays toutefois demeure longtemps instable sur le plan politique et subit au début des années 1920 de nombreuses révoltes et tentatives de coup d'État, de la part tant de la gauche radicale que de l'extrême droite. Les conditions imposées par les traités de paix et l'établissement de nouvelles frontières orientales avec la Pologne créent aussi en Allemagne un climat de récriminations constantes, encore aggravé par l'hyperinflation de 1923. Divisé quant à la manière d'expliquer la défaite de 1918 et aux prises avec un mécontentement persistant, le pays connaît cependant une renaissance intellectuelle et artistique remarquable au milieu des années 1920, mais celle-ci ne dure pas.

À partir de la fin de 1929, l'Allemagne est frappée de plein fouet par la crise financière et par le retrait des capitaux américains avancés à la faveur du plan Dawes. Le désarroi social et économique dans lequel s'enfonce le pays balaie les nouvelles élites politiques de la république de Weimar et encourage la montée d'idéologies plus autoritaires. Au début des années 1930, un demi-million de Juifs allemands doivent subir une clameur antisémite de plus en plus insistante et un mouvement de masse qui propulse sur le devant de la scène le Parti national-socialiste des travailleurs allemands (NSDAP) d'Adolf Hitler. Nommé en janvier 1933 chancelier de l'État (c'est-à-dire chef du gouvernement) par le président Hindenburg, Hitler abolit aussitôt les libertés fondamentales et intensifie l'exclusion des Juifs de vastes pans de la vie publique, dont les universités, la fonction publique et certaines professions[4].

C'est le début d'une période extrêmement éprouvante pour les Juifs allemands, dont les répercussions ne manquent pas de se faire sentir à Montréal au sein de la population juive d'origine est-européenne. Durement affectés par la persécution systématique dont sont victimes leurs coreligionnaires sous Hitler, les Juifs canadiens constatent que l'Europe n'offre plus les mêmes garanties de sécurité et de respect des minorités qu'au lendemain du traité de Versailles. Les Juifs font figure en Allemagne – à tort, bien sûr – de principaux responsables de la défaite de 1918. On associe aussi cette population aux progrès du libéralisme politique sous la république de Weimar, régime dont se dissocient de plus en plus les Allemands, écrasés par un taux de chômage effarant après 1931. Pis encore, les Juifs sont souvent associés dans l'esprit de la droite à la montée de l'opposition communiste et à l'influence bolchevique venue de l'Est. Ces circonstances créent les conditions propices à une persécution de plus en plus violente qui va culminer en 1935 avec la promulgation des lois de Nuremberg, mesure législative qui, notamment, prive tous les Juifs de la citoyenneté allemande. Un nouveau sommet est atteint en novembre 1938 quand éclate le pogrom de Kristallnacht (la nuit de Cristal), au cours duquel quelque deux cents

4. Voir à ce sujet Ian Kershaw, *Hitler, 1889-1945*.

synagogues sont incendiées et plusieurs dizaines de personnes assassinées dans différentes villes du pays.

Témoins à distance de ces événements, les Juifs canadiens ressentent tout au long des années 1930 de vives inquiétudes qu'ils peuvent difficilement partager avec leurs compatriotes, comme le montre le peu d'empressement des gouvernements fédéral et provinciaux à faciliter la venue au pays de réfugiés juifs allemands. Dix ans après Versailles se met ainsi en branle en Europe centrale un processus de délégitimisation politique accéléré de la population juive dont sont pleinement conscients les Juifs montréalais. Le phénomène fait craindre le pire aux immigrants arrivés au Canada avant la Première Guerre mondiale, qui se questionnent fortement sur la capacité de leurs concitoyens de résister à une tendance politique partout visible sur le Vieux Continent. Ce sentiment est d'autant plus prononcé que la population juive du Canada compte une forte proportion de personnes naturalisées depuis peu et que la scène locale fournit des exemples stridents d'adhésion aux thèses antisémites hitlériennes, dont il est encore difficile de mesurer la portée véritable au milieu des années 1930.

Le triomphe de la révolution en Russie et l'aggravation brutale de la situation en Allemagne ne sont pas les seules circonstances qui influencent les perceptions des Juifs montréalais au lendemain de la Première Guerre mondiale. De nouveaux développements se produisent aussi sur un autre front tout aussi stratégique : les établissements sionistes au Proche-Orient. En novembre 1917, croyant pouvoir rallier par ce geste les Juifs aux Alliés, le gouvernement britannique avait déclaré par la voix de son secrétaire d'État aux Affaires étrangères : « Le gouvernement de Sa Majesté envisage favorablement l'établissement en Palestine d'un foyer national pour le peuple juif et emploiera tous ses efforts pour faciliter la réalisation de cet objectif[5]. » Ces paroles de Lord Balfour avaient été suivies en décembre de la même année de la prise de Jérusalem par le général Allenby. L'occupation britannique de la Pales-

5. À ce sujet, voir Jonathan Schneer, *The Balfour Declaration: The Origins of the Arab-Israeli Conflict.* Voir aussi David Fromkin, *A Peace To End All Peace: The Fall of the Ottoman Empire and the Creation of the Modern Middle East.*

tine allait se trouver consolidée au lendemain de l'armistice par l'effondrement de l'Empire ottoman et par l'obtention en juin 1922, par le gouvernement de Sa Très Gracieuse Majesté, d'un mandat de la Société des nations sur la région. Ce qui semblait quasi impensable sous le règne du sultan est soudainement à portée de main grâce à la complicité de Londres et des Alliés : l'acheminement planifié d'une importante migration juive européenne en direction du Proche-Orient. De fait, entre 1919 et 1929, dans ce qui constitue la troisième et la quatrième *aliyah**, près de 125 000 Juifs surtout est-européens se dirigent vers la Palestine pour s'y installer définitivement. Les résultats de la cinquième *aliyah,* qui s'étend de 1929 à 1939, sont encore plus spectaculaires : 250 000 nouveaux résidents juifs sont alors admis dans le territoire sous mandat britannique. De 11 % qu'elle était en 1922, la proportion de la population juive en Palestine passera à 30 % en 1941. C'est en quelques années une modification complète des perspectives sionistes.

L'ouverture inattendue de perspectives favorables aux ambitions sionistes rallie la plupart des facettes du judaïsme canadien, d'autant plus que la puissance tutélaire de la Palestine est maintenant la même que celle du dominion du Canada. La situation comble d'aise en particulier les *uptowners* montréalais, qui n'ont jamais caché leur admiration pour la Grande-Bretagne et qui voient dans ces développements une nouvelle preuve de la convergence d'intérêts entre Londres et les projets sionistes. Pendant longtemps, en effet, l'établissement d'immigrants juifs en Palestine avait semblé une utopie, et plusieurs entreprises agricoles collectives n'avaient survécu que grâce au soutien financier de riches mécènes, dont le baron Edmond de Rothschild à Paris. C'est que les conditions matérielles et économiques très difficiles qui régnaient dans la région constituaient un obstacle insurmontable à l'établissement de Juifs européens en grand nombre. À cela s'ajoutait la réticence du pouvoir ottoman à s'ouvrir à des influences occidentales, dont les sionistes étaient souvent perçus comme le fer de lance.

Pour ces raisons, et malgré que les Britanniques n'aient posé initialement que peu d'objections à une immigration juive soutenue en Palestine, un nombre très restreint de Juifs canadiens consentent à faire *aliyah* en Palestine avant 1939. Même les activistes canadiens du Poale-Zion, pourtant disposés à militer activement pour l'avènement d'un foyer national juif au Proche-Orient, ne fournissent que des contingents très limités. Sur les quelque 76 300 Juifs qui quittent le Canada entre 1901-1902 et 1937-1938, la très grande majorité se dirige vers les États-Unis[6], où les attendent des conditions sociales et économiques nettement supérieures à celles des établissements agricoles en terre d'Israël. Cela n'empêche pas les sionistes canadiens de toute allégeance de ressentir un attachement viscéral envers la Palestine juive, comme en témoigne ce texte du travailliste sioniste H.-M. Caiserman décrivant son arrivée par train à Jérusalem en 1921 :

> Tous sentaient maintenant qu'ils approchaient de la ville sainte, Jérusalem, et chacun des passagers se préparait pour l'occasion.
> Des personnes de différentes nationalités prient et entonnent leurs chants religieux, les Haluzim reprennent des chansons nationalistes en hébreu, des Juifs âgés prient et chantent des hymnes associés à la synagogue. Quand le train arrive enfin dans la ville et qu'il s'approche de la station, une puissante et mélodieuse interprétation de *Hatikvah* est sur toutes les lèvres. Lorsque finalement le train s'arrête, des Juifs, dans leurs plus beaux vêtements, tombent sur le sol et embrassent le sol de leur cher pays.
> Je n'avais jamais été témoin, de toute ma vie – et jamais je n'aurais pensé être témoin –, d'une aussi magnifique manifestation de patriotisme juif et d'attachement au pays que ce que j'ai pu observer lors de ce jour mémorable quand je suis arrivé à Jérusalem[7].

La fin des hostilités en Europe en 1918 crée aussi un contexte politique et économique nouveau qui sonne le glas de la migration de masse vers le Canada. Le triomphe du mouvement insurrectionnel en Russie

---

6. Louis Rosenberg, *Canada's Jews: A Social and Economic Study of the Jews in Canada*, p. 100-101, tableau 92, p. 136, 147 et 150.

7. « A trip to Palestine », par H.-M. Caiserman-Wittal, août 1925, 8 pages, manuscrit déposé au Service des archives juives canadiennes Alex Dworkin [anciennement les archives du Congrès juif canadien], Montréal. Notre traduction.

et le déclin précipité des anciennes élites tsaristes donnent un nouvel élan aux populations juives qui vivent maintenant sous le régime soviétique. Même le climat généralement antisémite qui règne au sein de la jeune république polonaise semble préférable aux formes de répression violente que les tsars avaient imposées aux Juifs quelques années auparavant. Nettement moins nombreux que leurs coreligionnaires est-européens, les Juifs allemands hésiteront aussi longtemps à prendre le chemin de l'exil, malgré les exactions commises contre eux avec de plus en plus d'impunité à partir de 1933. Contrairement aux Juifs de Pologne, les Allemands d'origine juive partagent le niveau de vie des classes moyennes – l'un des plus élevés en Europe – et se sentent depuis longtemps parfaitement intégrés à la vie culturelle, économique et politique de leur pays. Pour la plupart, le départ vers l'étranger apparaît comme une solution de dernier recours, une fois toutes les autres formes de résistance politique épuisées. Par ailleurs, contrairement à la situation d'avant-guerre, la Palestine offre maintenant un modeste débouché aux immigrants européens animés de sentiments sionistes. L'émigration vers le Proche-Orient aussi deviendra bientôt un possible débouché pour les Juifs allemands persécutés par Hitler. C'est un fait que ne manquent pas de noter les autorités nazies et les nationalistes polonais, qui encouragent parfois en sous-main les Juifs vivant sur leur territoire à se prévaloir de cette option. Les Allemands d'origine juive ne chercheront toutefois à quitter leur pays massivement qu'à la toute fin des années 1930, littéralement à la veille du déclenchement de la Seconde Guerre mondiale, et contribueront assez peu au flux qui se dirige vers le Canada. Entre 1926 et 1938, ils ne forment que 0,6 % du total des immigrants juifs admis dans les ports canadiens[8].

Pendant que la situation des Juifs semble moins urgente en Europe de l'Est et ne devient dramatique en Allemagne qu'à partir de 1933, le Canada réduit considérablement le nombre des personnes qui entrent sur son territoire pour y réclamer le statut de résident permanent. Les compressions surviennent dès le début des années 1920 ; les autorités

8. Louis Rosenberg, *Canada's Jews*, tableau 99, p. 146.

de l'immigration limitent alors les entrées à la main-d'œuvre agricole et aux domestiques féminins. La tendance s'accentue au cours des années 1930 alors que sévit un taux de chômage élevé au pays et qu'un ralentissement généralisé de l'activité économique se fait sentir. Dans ces circonstances, l'opinion publique canadienne résiste de plus en plus à l'idée d'ouvrir les portes du pays à une immigration importante et non sélectionnée. C'est particulièrement le cas dans les milieux syndicaux, où la crainte d'une concurrence venue de l'étranger pousse au repli et à l'isolationnisme.

Le Québec francophone se révèle aussi très perméable aux campagnes de rejet de l'immigration et aux arguments xénophobes que lui sert la presse nationaliste depuis plusieurs décennies. Depuis 1910, par exemple, *Le Devoir* martèle que l'arrivée de nouveaux citoyens entraîne des coûts élevés pour le pays et que leur intégration au monde anglophone réduit l'influence des Canadiens français dans la vie politique. Après 1933, ces propos sont parfois émaillés de références au caractère réputé inassimilable des populations juives. On trouve une illustration parfaite de cette rhétorique dans un éditorial que fait paraître Georges Pelletier dans *Le Devoir* en octobre 1930, un an après le krach de la Bourse à Wall Street et bien avant que la question de l'immigration des réfugiés juifs allemands ne se pose. Les textes de Pelletier, qui dirigera *Le Devoir* de 1932 à 1947, reflètent la perception de larges pans de la société québécoise.

> L'on peut rigoureusement affirmer aujourd'hui, en se fondant sur les faits et la statistique les mieux contrôlés, que si nous eussions employé à combattre, depuis 1900, d'une part, la mortalité infantile et, de l'autre, à garder au pays nos citoyens d'origine canadienne, les millions et les millions de dollars que nos gouvernants dépensèrent pour aider et activer l'immigration de millions de nouveaux venus, nous aurions à peu de choses près le total de population que nous avons dans l'ensemble du pays. Elle serait plus homogène, l'hygiène publique et privée serait meilleure, la population offrirait à l'État un moindre nombre de problèmes quasi insolubles qu'en fait surgir la présente, mixte et cosmopolite ; nous aurions dans nos maisons de santé moins de miséreux, de gens abandonnés ou détraqués, et dans nos prisons moins de crimi-

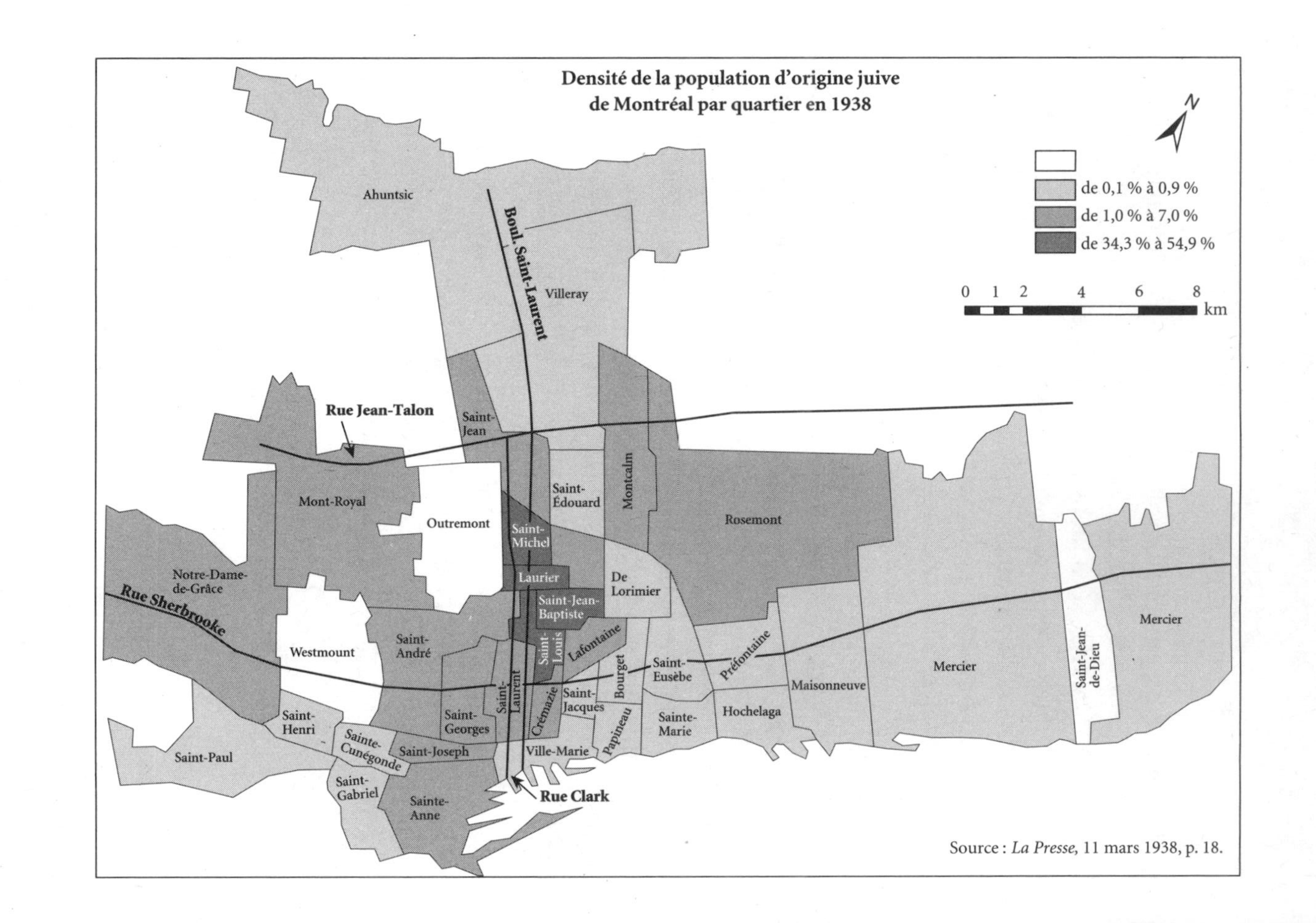

Source : *La Presse*, 11 mars 1938, p. 18.

nels et moins de récidivistes. De toute façon, notre société et notre pays s'en trouveraient mieux, nos finances aussi[9].

Au cours de cette décennie, le gouvernement fédéral a aussi tendance à appliquer de manière de plus en plus restrictive les règlements de l'immigration, ce qui équivaut à donner la priorité dans la sélection aux Britanniques et aux personnes qui déclarent vouloir contribuer au développement de la production céréalière dans l'Ouest canadien. Les Juifs, qui ont des origines généralement urbaines et se rattachent aux classes instruites de la société, sont de surcroît relégués aux catégories d'immigrants auxquelles le gouvernement n'accorde pas la priorité *(non-preferred group)* et qui ne reçoivent pas une attention particulière de la bureaucratie. Ces choix sont confirmés en 1923 par un arrêté en conseil rendant très difficile l'entrée au pays des personnes qui ne viennent pas du Royaume-Uni et qui ne se destinent pas à la culture du sol, sauf pour les immigrants originaires des pays scandinaves, de l'Allemagne, de la France, des Pays-Bas, de la Belgique, du Luxembourg et de la Suisse[10]. Les Juifs appartiennent maintenant à une troisième classe d'immigrants requérant un permis spécial pour entrer au Canada, au même titre que les Grecs, les Italiens, les Bulgares et les Arméniens. Sont exclus de cette classification les seuls Juifs nés dans l'Empire britannique, aux États-Unis ou dans un des pays considérés comme prioritaires. Ces catégories sont fondées sur l'idée selon laquelle les immigrants les plus désirables sont ceux qui possèdent des traits se rapprochant le plus des traits physiologiques et culturels jugés caractéristiques des Britanniques. De telles perceptions pousseront Louis Rosenberg à émettre en 1939 le jugement suivant au sujet de la politique d'immigration canadienne :

---

9. Georges Pelletier, « L'on y pense enfin, et si tard… », *Le Devoir,* 23 octobre 1930, p. 1. L'éditorial au complet est cité dans Pierre Anctil, *« À chacun ses Juifs ». 60 éditoriaux pour comprendre la position du* Devoir *à l'égard des Juifs, 1910-1947,* p. 122-125.

10. Voir Louis Rosenberg, « Regulation of Canadian Immigration », dans *Canada's Jews,* p. 123-130.

> Ces règles administratives sont basées sur des théories « raciales » semblables à bien des égards à celles adoptées subséquemment par Hitler et son parti nazi [...], ce qui a fait du Canada au XXe siècle le premier pays à l'intérieur de l'Empire britannique à adopter une législation ou à mettre en place des « mesures administratives » résultant en une discrimination à l'encontre des personnes d'origine juive et attachées au judaïsme[11].

Une deuxième vague migratoire est-européenne

Un chapitre de l'histoire juive canadienne s'est clos au début de la Première Guerre mondiale quand a pris fin la grande migration est-européenne. Fruits d'une conjoncture historique exceptionnelle, les départs massifs vers l'Amérique avaient transformé en quelques années le visage du judaïsme au pays. Quand les hostilités se terminent en 1918, les Juifs de Montréal forment une population jeune, encore fraîchement arrivée au pays et remplie d'optimisme quant à son avenir. Dans la ville, ils découvrent le fonctionnement de la démocratie, participent à la fondation de puissants syndicats et recueillent les premiers bénéfices d'une économie de type libéral. Encore à demi adaptés à leur nouvel environnement, ils mettent en branle une presse de langue yiddish et contribuent à la fondation d'institutions communautaires nettement portées à gauche, dont des écoles, des bibliothèques et des centres culturels. Malgré des divergences idéologiques très nettement exprimées, les Juifs est-européens installés depuis peu à Montréal ont conscience de partager une culture commune. Ils ont aussi le sentiment de former une communauté en cours de construction dans une région assez éloignée du centre géographique du monde ashkénaze européen dont ils sont issus. Les arrivées massives en provenance du Vieux Continent n'ont cessé de gonfler leur nombre et leur présence dans la ville. Au cours de ces années, un public et un lectorat de langue yiddish se sont constitués

11. Louis Rosenberg, *Canada's Jews*, p. 128-129. Notre traduction.

à Montréal qui propulsent vers l'avant un réseau de synagogues, de sociétés mutuelles et de milieux artistiques. Pour tout dire, un vent d'euphorie avait soufflé dans les quartiers à dominante juive avant 1914, auquel viennent mettre fin quatre années de guerre en Europe.

Le tarissement des arrivées transatlantiques rompt un rythme de développement extrêmement soutenu qui n'aura duré que quelques années au début du XXe siècle. Un moment passe qui ne reviendra plus. Jamais plus la population juive de Montréal ne sera composée en grande partie d'immigrants récents. L'inévitable processus d'adaptation qui débute en 1919 va pousser les Juifs montréalais à se canadianiser et à adopter de nouveaux critères de référence. Et pour les premières générations nées au pays, le contexte russe et l'antisémitisme du tsar deviennent un écho plus lointain[12].

Tout de même, une modeste immigration est-européenne se produit au début des années 1920. Malgré les restrictions imposées par le gouvernement, près de 22 000 Juifs est-européens sont admis au Canada entre 1919 et 1925 et encore autant entre 1925 et 1931. D'après le recensement fédéral, ces nouveaux venus représentent respectivement 4,5 % et 3,3 % de l'immigration au Canada[13]. En gros, pour ces années, les arrivées se situent autour de 3 000 à 4 000 personnes annuellement, dont la moitié environ s'installe à Montréal. Comparé aux entrées annuelles moyennes de 10 000 personnes entre 1904 et 1914, c'est un ralentissement assez net. Au cours de la période qui va de 1926 à 1931, les Juifs polonais forment approximativement 55 % du contingent juif admis au Canada, les Juifs russes 20 % et les Juifs en provenance des États-Unis 7 %, dont beaucoup sont en fait des Juifs est-européens arrivés dans la république voisine quelques années plus tôt[14]. Ce sera pendant une longue période la dernière poussée démographique juive en

12. Sylvie Taschereau, « Habiter, prendre pied, s'établir : les commerçants et manufacturiers juifs de Montréal, 1918-1930 » ; et J.-Ignace Olazabal, « Entre les rues Coloniale et Saint-Urbain : les Juifs ashkénazes dans les années 1930 », p. 84-96.

13. Louis Rosenberg, *Canada's Jews*, tableau 90, p. 131.

14. *Ibid.*, tableau 99, p. 146.

provenance de l'Ancien Monde, soit jusqu'à l'arrivée des survivants de l'Holocauste à la fin des années 1940.

Quand la rupture dans le flux migratoire survient, au tournant des années 1930, Montréal compte 58 000 résidents d'origine juive, dont la presque totalité est venue de l'Europe de l'Est[15]. Cela se mesure à différents indices, dont le fait que 99 % des Juifs québécois âgés de plus de 10 ans déclarent en 1931 avoir le yiddish comme langue maternelle. C'est le plus haut pourcentage au pays, à l'exception du Manitoba, plus précisément de Winnipeg, où le taux de yiddishophones dans la communauté juive atteint 99,4 %[16]. Parmi les Juifs québécois nés à l'étranger en 1931, 49 % proviennent de Russie, 19 % de Pologne et 13 % de Roumanie[17]. Cette année-là, toujours d'après le recensement fédéral, 4,7 % des Juifs canadiens déclarent avoir des ancêtres au pays depuis deux générations ou plus, contrairement à 96,5 % des Canadiens français et 58,9 % des Canadiens d'origine britannique. Dans le cas des Juifs, il s'agit du plus bas pourcentage parmi les différentes minorités ethniques, à l'exception des individus d'origine hongroise, finlandaise, chinoise et japonaise[18]. Il reste encore un long chemin à parcourir avant que les yiddishophones et leurs descendants trouvent leurs repères au pays.

Arrivés au cours des années 1920, les immigrants de la deuxième vague est-européenne se joignent aux milieux et institutions communautaires qui ont été mis en place avant 1914. Suffisamment de ressources et de moyens existent déjà au sein du Montréal juif pour que la transition s'opère sans trop de mal, d'autant plus que le flot des arrivants est nettement moins important qu'avant. Des écoles, des syndicats et des organisations culturelles fondés dix ans auparavant avec des budgets dérisoires et dans la fièvre des commencements trouvent maintenant, grâce aux nouveaux apports de l'après-guerre, de meilleurs appuis et bénéficient de compétences professionnelles plus solides. C'est le cas notamment des écoles Folk et Peretz, qui recrutent des pédagogues de

15. *Ibid.*, tableau 19, p. 31.

16. *Ibid.*, tableau 165, p. 257.

17. *Ibid.*, tableau 55, p. 78.

18. *Ibid.*, tableau 53, p. 74.

grande valeur en les personnes de Shimshon Dunsky, Shloime Wiseman et Jacob Zipper, nom d'emprunt de Jacob-Isaac Shtern. En 1927, le frère de Zipper, Sholem Shtern, arrive à son tour à Montréal pour enseigner à l'école Winchevsky, un établissement d'allégeance communiste. Il deviendra quelques années plus tard un des poètes yiddish les plus prolifiques de la ville.

Le monde des lettrés, des artistes et des rabbins[19] n'est pas en reste. L'intellectuel et activiste communautaire Joseph Kage, ou Kagedan, la comédienne Hayele Grober et le rabbin Yehuda-Leib Zlotnik, parfois connu sous son nom de plume Yehuda Avida, arrivent aussi à cette époque. Parmi les écrivains de langue yiddish qui s'installent à Montréal entre les deux guerres, on note aussi les poètes Noah-Isaac Gotlib, Moses-Mordecai Shaffir et Yudica, pseudonyme de Yehudit Tsik. Parmi les 429 écrivains, journalistes et auteurs mentionnés dans le dictionnaire biographique de Haim-Leib Fuks (1980), 142 ont trouvé refuge à Montréal entre les deux guerres, contre 171 pendant la grande vague migratoire dix ans auparavant, c'est-à-dire respectivement 33 % et 39 % du total[20]. Entre les deux générations, comme le souligne Medresh dans ses mémoires, se manifestera bientôt une unité de perception et d'action qui transcendera les différences de départ :

> En 1920, le flot de l'immigration juive reprit entre l'Europe et le Canada. Ces nouveaux immigrants étaient assez différents de ceux qui étaient venus avant la Première Guerre mondiale. [...] Les nouveaux immigrants ne mirent pas beaucoup de temps à s'adapter à leur nouveau pays et s'intégrèrent rapidement à la vie communautaire juive qui, incidemment, était mieux organisée. [...] Un nouveau contexte apparut qui différait beaucoup de celui de 1914[21].

---

19. À ce sujet, voir Ira Robinson, *Rabbis and Their Community: Studies in the Eastern European Orthodox Rabbinate in Montreal, 1896-1930.*

20. Haim-Leib Fuks, *Cent ans de littérature yiddish et hébraïque au Canada,* figure 5, p. 437.

21. Israël Medresh, *Le Montréal juif d'autrefois,* p. 250-251.

L'entre-deux-guerres ouvre des perspectives économiques aux Juifs montréalais qui n'existaient pas vingt ans plus tôt. De fait, la poussée industrielle de Montréal, la densification urbaine et la hausse du niveau de vie qui a accompagné l'effort de guerre jouent en faveur des immigrants de toutes origines. Les Juifs est-européens sont particulièrement sensibles à ces tendances, car leur vie communautaire est arrimée à la progression du secteur de la confection. Or, à partir de 1919, grâce à la mobilisation particulièrement efficace menée par les associations de tailleurs, les pires abus dans les conditions de travail ont été réprimés. Dans ce secteur, un équilibre s'est installé entre patrons et travailleurs, que la reconnaissance officielle des syndicats et la réglementation gouvernementale contribuent beaucoup à maintenir[22]. De même, de nouvelles occasions d'affaires se présentent aux Juifs est-européens dans l'après-guerre, dont la possibililté d'acquérir des propriétés et de tirer profit de la hausse des valeurs mobilières à Montréal. De plus en plus, les immigrants de la première heure quittent les métiers et les emplois moins bien payés pour entrer dans les classes moyennes. C'est l'irrésistible mouvement vers le haut que Medresh décrit avec un optimisme sans bornes dans son récit intitulé *Le Montréal juif entre les deux guerres* :

> Dans les années qui suivirent immédiatement la Grande Guerre, les Juifs de vieille fortune, aussi connus sous le nom d'*uptowners*, ont cessé d'être les seuls à posséder de la richesse au sein de la communauté. [...] Des Juifs d'installation récente connurent une forte ascension sociale et purent déménager à Westmount. Ils eurent comme voisins d'autres Juifs riches de longue date et qui résidaient dans cette municipalité depuis un bon moment, c'est-à-dire bien avant la guerre.
>
> D'autres encore optèrent pour Outremont, qui était aussi reconnue pour la qualité de ses quartiers résidentiels. En peu de temps apparut dans cette municipalité une zone densément peuplée de Juifs. On ne tarda pas

22. À ce sujet, voir Mercedes Steedman, *Angels of the Workplace: Women and the Construction of Gender Relations in the Canadian Clothing Industry, 1890-1940.* Voir aussi Gemma Gagnon, « La syndicalisation des femmes dans l'industrie montréalaise du vêtement, 1936-1937 » ; et Éric Leroux, « Des moyens de faire face : les syndicats internationaux et la crise des années trente ».

en effet à ouvrir dans cette ville de nouveaux quartiers avec des maisons cossues, dans lesquelles s'installèrent des gens qui étaient, il y a peu, des *downtowners.* Ces Juifs qui avaient réussi en affaires se trouvaient maintenant relativement bien nantis[23].

Les assises économiques de la vie juive montréalaise

Nous possédons des données fiables et détaillées sur la situation économique des Juifs montréalais au tournant des années 1930. Ces chiffres sont basés sur une analyse réalisée par Louis Rosenberg à partir des résultats du recensement fédéral de 1931 et publiée en 1939 sous le titre *Canada's Jews.* Recueillies au tout début de la Grande Dépression et compilées par Rosenberg à la demande du Congrès juif canadien, ces statistiques présentent un portrait fort intéressant de la population juive quelque vingt ans après la fin de la migration transatlantique de masse. On y découvre, entre autres, à quel point la progression sociale des Juifs présente un caractère tout à fait unique dans la métropole québécoise. Partis de l'horizon historique et culturel d'une minorité religieuse non chrétienne au sein de l'Empire russe, les Juifs ont aussi abouti à des résultats fort différents de ceux de la plupart des communautés immigrantes entrées au Canada à la même époque.

Première constatation, les Juifs est-européens se sont dirigés dès le début du XXe siècle vers deux secteurs bien précis de l'économie montréalaise : le petit commerce de détail et la confection. Ce choix ne tenait pas seulement à des considérations d'ordre pratique résultant d'une conjoncture locale. Il tenait pour une bonne part à l'expérience historique vécue par les Juifs en Russie sous le régime des tsars. Dans ce milieu étreint par des formes de pauvreté chroniques, les populations juives avaient été confinées juridiquement et politiquement à des rôles économiques secondaires, tels ceux de petits marchands ambulants et d'intermédiaires de deuxième ordre. Les Juifs avaient aussi embrassé en

23. Israël Medresh, *Le Montréal juif entre les deux guerres,* p. 54.

grand nombre dans l'hinterland russe les métiers d'artisans et de producteurs industriels à petite échelle, notamment dans les secteurs de la chaussure, de la tannerie, de la ferronnerie et de la distillerie. Et ils s'étaient déjà tournés massivement vers un secteur en pleine croissance au XIXe siècle, celui de la confection industrielle de vêtements. Pour cette raison, un grand nombre d'immigrants juifs du début du XXe siècle à Montréal possédaient une bonne connaissance technique des métiers de l'aiguille, surtout ceux qui venaient de bourgades et de villes de petite taille. Certains avaient même acquis, en route vers le Canada, des compétences plus pointues après un court séjour à Londres ou à New York. En somme, les Juifs yiddishophones étaient prêts à entrer à l'usine aussitôt arrivés au pays, et ils n'eurent pour la plupart qu'à s'adapter à des cadences de production plus soutenues et à des tâches plus spécialisées. À certaines saisons où la demande était plus forte, les entrepreneurs recrutaient même leurs ouvriers directement sur les quais ou dans les parcs publics situés près du port[24].

Il en va de même du petit commerce, pratiqué sous diverses formes en Europe de l'Est par un grand nombre d'immigrants juifs arrivés au Canada au début du XXe siècle. Dans l'Empire russe et en Roumanie, les marchés ruraux, les foires agricoles et même les rues commerçantes des villes plus considérables accueillaient des marchands juifs en grand nombre. Même si dans l'Ancien Monde des restrictions particulières s'exerçaient contre ces petits entrepreneurs du fait de leur origine, les Juifs étaient nettement surreprésentés dans ce secteur. Cela tenait en grande partie à ce qu'ils étaient exclus le plus souvent des professions libérales ou des secteurs économiques plus productifs et empêchés de posséder des propriétés foncières. Une fois au Canada, ces aptitudes prononcées pour le commerce furent réinvesties et mises à profit dans les zones urbaines où se pressaient des immigrants de toutes origines, comme sur le boulevard Saint-Laurent à Montréal[25]. Les Juifs est-

---

24. Israël Medresh, *Le Montréal juif d'autrefois*, p. 40.

25. Le même phénomène s'est produit dans les petites villes du Québec à cette époque. À ce sujet, voir Pierre Anctil, « Maurice Pollack, homme d'affaires et philanthrope ».

européens furent prompts à saisir des occasions d'affaires dans des quartiers urbains en plein développement qui ne possédaient pas encore de services de proximité, c'est-à-dire souvent des secteurs où les Canadiens français formaient la majorité de la population. Ils n'hésitèrent pas non plus à parcourir les campagnes québécoises plus éloignées et même les régions nouvellement colonisées où il était difficile de se procurer des biens de consommation courante.

Ces réalités se reflètent dans les données que Rosenberg est le premier à compiler à la fin des années 1930 : en 1931, 35,9 % des Juifs canadiens sont employés dans le secteur du commerce et 29,6 % œuvrent dans le secteur manufacturier. À elles seules, ces deux catégories regroupent 65,5 % des travailleurs d'origine juive au Canada, contre seulement 20,3 % des Canadiens d'origine britannique et 19,1 % des Canadiens d'origine française[26]. Les statistiques obtenues par Rosenberg reflètent en partie le fait que la grande majorité des Juifs – 82,7 % pour être exact[27] – vivent en 1931 dans des villes de plus de 30 000 habitants, ce qui n'est pas le cas des Canadiens d'autres origines. Déjà à cette période, le trajet socioéconomique de la population juive emprunte des voies inédites et constitue une innovation de taille au Canada. En somme, les Juifs entrent dans la modernité à un rythme beaucoup plus soutenu que le reste de leurs concitoyens nés au pays.

Les Juifs se distinguent aussi fortement en 1931 des autres populations immigrantes admises au Canada au début du XXe siècle. Il s'agit là d'une clé pour comprendre leur positionnement social exceptionnel dans l'entre-deux-guerres. Le recensement de 1931 divise la main-d'œuvre canadienne en six catégories : les professionnels, les propriétaires de moyens de production, les cols blancs, les travailleurs qualifiés, les travailleurs semi-qualifiés et les travailleurs non qualifiés. Selon les données officielles, la main-d'œuvre juive canadienne est composée à 5,1 % de professionnels, à 30 % de propriétaires d'entreprise, à 24,3 % de cols blancs, à 16,9 % de travailleurs qualifiés et à 17,2 % de travailleurs semi-qualifiés dans le domaine manufacturier. Chez les Juifs, les

26. Louis Rosenberg, *Canada's Jews*, tableau 107, p. 158.

27. *Ibid.*, tableau 17, p. 29.

travailleurs non qualifiés ne comptent que pour 5,7 % du total, contre 36,6 % chez les Allemands et les Autrichiens, 38,3 % chez les Scandinaves, 54,9 % chez les Européens de l'Est autres que juifs et 47,6 % chez les Italiens. Même si cela ne se reflète pas encore dans les revenus par habitant, déjà en 1931 les Juifs – presque tous des Canadiens de première ou de deuxième génération – présentent une structure sociale nettement plus adaptée à l'évolution de l'économie canadienne que leurs concitoyens d'autres origines. À ce chapitre, les Juifs canadiens, qui forment cette année-là 1,5 % de la population totale du pays, dépassent de loin le groupe des Canadiens français, composé à 38,8 % de travailleurs non qualifiés, et même le groupe des Canadiens d'origine britannique, qui compte en son sein 26,4 % de travailleurs de cette catégorie[28].

Propulsés par un niveau d'éducation et de littératie nettement supérieur à celui de tous les Canadiens – ce qui est aussi un héritage de leur situation dans l'Empire russe –, les Juifs canadiens se sont concentrés dès leur arrivée dans des milieux urbains en forte progression démographique et offrant des salaires industriels plus attirants. Cela tient aussi à ce qu'ils forment au début du XXe siècle la seule population immigrante canadienne à posséder une longue expérience historique des milieux urbains. Depuis des siècles en Europe, les Juifs ont surtout habité des milieux densément peuplés ou résidé dans des centres administratifs grands et petits d'où rayonnaient, à un degré ou à un autre, savoirs et marchandises. Les Juifs se trouvent ainsi aux premières loges pour bénéficier rapidement de l'avancement de l'économie canadienne et tirer profit de l'enrichissement collectif. C'est le jugement que Rosenberg porte en 1939 dans *Canada's Jews* :

> La structure socioéconomique de la population juive du Canada semble être celle qui s'est le plus rapprochée des compétences requises au sein d'une économie hautement industrialisée et fortement développée sur le plan commercial. Cela se voit aussi dans sa proportion de professionnels, de « cols blancs », de travailleurs qualifiés et semi-qualifiés, ce qui

28. *Ibid.*, tableau 109, p. 162.

> fait que ce sont les Juifs qui ressemblent le plus [parmi les immigrants récents] aux populations d'origine britannique et française au Canada[29].

Le portrait du Montréal juif de 1931 est encore plus marqué pour ce qui est du degré de concentration de cette population dans certains secteurs économiques. En gros, le tiers des Juifs qui habitent la métropole québécoise œuvrent dans le commerce et un autre tiers dans le secteur industriel[30]. C'est beaucoup plus qu'au sein de la population montréalaise en général, où ces proportions atteignent seulement 11,8 % et 18,9 %. Dans le groupe des travailleurs des manufactures, 85 % des Juifs de Montréal œuvrent dans le vêtement, que ce soit la confection proprement dite (75 %), la fourrure (4 %), le cuir (4 %) ou le textile (1,4 %), ce qui laisse la part congrue à la métallurgie, à l'impression, aux produits du bois et à la boulangerie. Dans le vêtement, cela représente une force de travail de près de 4 300 hommes et 1 860 femmes, dont 90 % de salariés[31]. Parmi ceux qui s'occupent de commerce, 79 % sont dans le commerce de détail, dont 5 328 hommes et 1 088 femmes[32]. À Montréal, en 1931, ces chiffres confèrent à la population juive une identité sociale bien particulière. L'importance du prolétariat juif et sa forte présence dans le secteur du vêtement ont permis la constitution au sein de cette industrie de syndicats ouvriers très efficaces et pour lesquels les enjeux de la lutte des classes restent de première importance[33]. Ces voix militantes se font entendre au sein de la communauté juive tout entière, où le sort réservé aux travailleurs et aux gagne-petit occupe les esprits. Il en va de même des organisations caritatives, des congrégations religieuses modestes et des lieux où s'exprime ouvertement la culture yiddish. Il n'y a aucun doute dans ce contexte

---

29. *Ibid.*, p. 164.

30. *Ibid.*, tableau 116, p. 176, et tableau 119, p. 185.

31. *Ibid.*, tableau 235, p. 265.

32. *Ibid.*, tableau 235, p. 269.

33. Voir Bernard Dansereau, « La présence communiste au Québec (1929-1939) ou la présence de "l'homme au couteau entre les dents" ». Voir aussi Israël Medresh, « Di yidishe arbeter bavegung in Kanade ».

que le langage de la gauche radicale et des grandes revendications sociales s'est aussi transporté dans les écoles juives privées, dans les centres culturels et au sein de cercles intellectuels yiddishophones.

Pour cette raison, entre les deux guerres, les Juifs de Montréal et des autres grandes villes canadiennes se trouvent nettement, avec leurs syndicats et leur engagement social exceptionnellement élevé, à l'avant-garde du mouvement ouvrier[34]. L'action de ces organisations et les avantages qu'elles réussissent à obtenir pour leurs membres se répercuteront à plus long terme sur l'ensemble des travailleurs industriels canadiens, peu importe leur origine culturelle ou leur secteur d'emploi. Sur ce plan, Rosenberg n'hésite d'ailleurs pas à affirmer ceci :

> Le mouvement syndical a toujours été une force agissante parmi les travailleurs juifs au sein de ce secteur industriel [le prêt-à-porter masculin et féminin]. [...] Ces syndicats, toutefois, ne sont plus l'apanage des seuls ouvriers juifs et ont maintenant dans leurs rangs une proportion de plus en plus grande de travailleurs non juifs[35].

À la concentration des Juifs montréalais dans un secteur précis de l'industrie, la confection, correspond aussi une densification de l'habitat sur le plan spatial. En 1931, la majorité des personnes d'origine juive réside encore dans le corridor du boulevard Saint-Laurent, lieu de première intégration de tous les apports migratoires importants arrivés dans la ville à partir du début du XXe siècle. Cette année-là, ils constituent, du sud au nord, 54,8 % de la population du quartier Saint-Louis, 34,2 % du quartier Saint-Jean-Baptiste, 55,9 % du quartier Laurier et 38,5 % du quartier Saint-Michel, quatre zones à forte présence immigrante[36]. C'est une masse démographique considérable de 38 500 Juifs regroupés sur un territoire assez restreint situé au cœur de l'agglomé-

34. À ce sujet, consulter Bernard Dansereau, « La contribution juive à la sphère économique et syndicale jusqu'à la Deuxième Guerre mondiale ».

35. Louis Rosenberg, *Canada's Jews*, p. 177.

36. *Ibid.*, tableau 19, page 31, et carte 5, p. 32.

ration montréalaise[37]. Dans ce secteur de la ville, le yiddish est devenu une des langues principales de la vie sociale, et on y trouve la majorité des commerces de proximité tenus par des Juifs.

Tout de même, Rosenberg note des signes encore timides de mobilité géographique, signes avant-coureurs d'importantes transformations sociales. En 1931, 6 783 Juifs habitent la municipalité d'Outremont et 1 780 se sont installés dans celle de Westmount. Ces chiffres correspondent respectivement à 23,7 % et 7,3 % de la population juive dans la ville. Dans ces deux municipalités un peu excentrées, les revenus dépassent nettement la moyenne québécoise. En 1921, 6,3 % des Juifs qui résidaient dans la région métropolitaine vivaient hors des limites de la ville de Montréal proprement dite. Dix ans plus tard, ils sont 16 % à avoir élu domicile dans les villes satellites de l'agglomération, dont la plupart offrent de meilleures conditions de vie que la ville centre.

Le même phénomène de diversification et de déconcentration se produit à partir de la fin des années 1920 dans les métiers de la confection. Rosenberg remarque que les Juifs, même s'ils forment encore une majorité des travailleurs dans ce secteur, sont de plus en plus remplacés par des femmes non juives issues des milieux ruraux – souvent des Canadiennes françaises – ou par des immigrants d'autres origines[38]. En somme, la nouvelle génération née au pays déserte déjà le secteur industriel, particulièrement le métier de tailleur, au profit des emplois de col blanc ou des professions libérales. Cela est dû d'une part à la consolidation dans la métropole des entreprises manufacturières existantes en des unités plus considérables et d'autre part à la prolifération des sous-contractants de petite taille qui recherchent à l'extérieur de Montréal une main-d'œuvre non syndiquée et plus docile. Il s'agit d'un mouvement de fond que la Grande Dépression des années 1930 amplifie. Un des grands défis des syndicats de tailleurs dirigés par des primo-arrivants juifs sera d'ailleurs d'intégrer les nouvelles classes d'ouvriers dans leurs rangs, comme le montre Miriam Judith Layton dans le cas des jeunes femmes d'origine francophone :

---

37. *Ibid.*, tableau 198, page 321.

38. *Ibid.*, p. 177-178.

> Un autre problème auquel les organisateurs syndicaux durent faire face tenait à la difficulté de communiquer avec les employés canadiens-français engagés au sein des métiers de la confection. Cette question a constitué dès les débuts du mouvement ouvrier juif dans l'industrie du vêtement un défi de taille pour les activistes et militants montréalais. La syndicalisation était rendue difficile par le fossé linguistique qui s'était créé entre les dirigeants de langue yiddish et les femmes francophones issues de la ville et de la campagne[39].

En 1931, les travailleurs d'origine juive ne forment déjà plus que 40 % de la main-d'œuvre dans l'industrie canadienne du vêtement. Dans certains secteurs, on rencontre toujours une majorité d'ouvriers masculins juifs, comme dans le prêt-à-porter pour hommes (60 %) et dans le prêt-à-porter pour femmes (53,9 %), mais partout ailleurs le nombre de Juifs est en chute constante depuis quelques années. La même tendance s'observe chez les ouvrières juives, qui ne représentent plus en 1931 que 12,5 % de la main-d'œuvre féminine du secteur du vêtement[40]. Ces départs se font en direction de nouveaux secteurs de l'économie en émergence à Montréal, comme dans les autres grandes villes du Canada. Dans la métropole québécoise, à part les secteurs déjà décrits du commerce et de la fabrication manufacturière, presque 10 % des personnes d'origine juive ont trouvé en 1931 un emploi dans la construction, les transports, les communications et la blanchisserie, 3,5 % dans les services, et 2,7 % sont considérés comme des ouvriers non qualifiés. Fait nouveau en 1931, à peine 20 ans après la fin de la grande migration, 10,8 % des Juifs montréalais détiennent un poste de col blanc et 4,2 % sont entrés dans les professions. Dans l'ensemble de la population montréalaise, les chiffres pour ces deux catégories de travailleurs sont respectivement 10,7 % et 7 %[41]. La situation au début des années 1930 laisse donc espérer des progrès considérables pour les

---

39. Miriam Judith Leyton, « The Struggle for Working-Class Consciousness: Jewish Garment Workers in Montreal, 1880-1920 », p. 143. Notre traduction.

40. Louis Rosenberg, *Canada's Jews*, tableau 117, p. 177.

41. *Ibid.*, tableau 116, p. 176.

Juifs est-européens au cours des décennies suivantes. Cela arrive de surcroît au début d'une grave crise qui paralyse l'ensemble des activités économiques et force la plupart des industries à diminuer leur production. Pour arriver à consolider ces gains, les générations juives nées au pays ne peuvent compter à court terme que sur un seul mécanisme d'ajustement : l'accès à une éducation universelle dans la langue de la majorité.

Ces données soulèvent une question fondamentale, celle du degré de discrimination « raciale » ou « ethnique » subi par les nouveaux arrivants juifs est-européens sur le marché du travail canadien et montréalais. Les immigrants subissent la plupart du temps un désavantage économique marqué lorsqu'ils traversent une première période d'adaptation à leur pays d'accueil. Cela tient à ce qu'ils ne maîtrisent pas toujours la langue dominante du milieu du travail, qu'ils sont privés d'un réseau de contacts bien établi et qu'ils sont visiblement associés à une tranche plus vulnérable de la main-d'œuvre disponible. Souvent aussi, les migrants ne possèdent pas de compétences vérifiables ou n'ont pas été formés sur le plan technique dans leur nouveau pays. Par contre, comme dans le cas des Juifs est-européens, ils sont parfois soutenus par des organisations communautaires et syndicales bien rodées et avantagés par des aptitudes culturelles antérieures à leur départ. Nous l'avons vu, les Juifs montréalais trouvent assez vite un niveau de revenus acceptable dans des secteurs de l'économie qui croissent rapidement et où la création de nouvelles entreprises requiert assez peu de capital au départ. Le petit commerce et l'industrie du vêtement forment toutefois une assise économique assez limitée pour une population de près de 60 000 personnes en 1931. Ce confinement dans des secteurs assez précis est-il la conséquence d'un préjugé qui se serait exercé contre les travailleurs juifs en particulier ou dépend-il de contraintes économiques structurelles qui limitent momentanément leur mobilité sociale ? Et combien de temps faut-il compter avant que ces obstacles de départ disparaissent peu à peu et que les revenus d'une population immigrante donnée se rapprochent de la moyenne nationale ? En somme, à quel moment les personnes d'origine juive est-européenne gagnent-elles enfin en mobilité et quand se retrouvent-elles en proportion raisonnable dans tous les secteurs de l'économie ?

Complexités du système scolaire montréalais

Originaires de l'Empire russe ou, après 1919, de la Pologne nationaliste, les Juifs est-européens ne possèdent pas, au moment de leur établissement en terre d'Amérique, toutes les clés qui pourraient leur garantir une progression sociale soutenue. Pour eux comme pour leurs descendants, une éducation de haut niveau constitue dans l'immédiat le principal instrument stratégique à leur disposition en vue d'un avancement économique à plus long terme. Arrivés le plus souvent sans le sou et dans des conditions physiques éprouvantes, les immigrants yiddishophones comptent avant tout sur leurs capacités d'apprentissage et sur leur vivacité intellectuelle pour progresser dans l'échelle sociale. Cela signifie, pour les jeunes adultes, retourner passer de longues heures sur les bancs d'école et, pour les enfants, entrer dans des établissements scolaires de qualité. Pour une population qui s'adonnait déjà à profusion dans l'Ancien Monde aux activités de raisonnement et de réflexion critique – quoique dans un contexte religieux traditionnel et dans des langues qui n'avaient pas cours en dehors de la communauté juive –, le pas à franchir n'est pas si considérable.

C'est ce qui explique que la question scolaire apparaisse rapidement comme l'une des plus fondamentales auxquelles les Juifs est-européens doivent faire face. Peu d'enjeux entre les deux guerres retiennent autant l'attention du leadership communautaire que celui-là. Garantir à tous les jeunes une éducation séculière de premier ordre, libre de toute forme de discrimination, devient une tâche fondamentale pour les dirigeants des organismes représentant la population juive.

Cette perception n'est pas seulement partagée par les individus en situation d'autorité : elle fait partie du bagage culturel et politique des Juifs d'origine russe dans leur ensemble, autant sur le Plateau Mont-Royal que dans le Lower East Side de New York ou dans le quartier Once de Buenos Aires. Comme le démontre l'historien Benjamin Nathans dans son ouvrage portant sur la fin du XIXe siècle en Russie impériale, l'accès à l'université et à l'enseignement supérieur est perçu comme une question du plus haut intérêt par la masse des Juifs est-européens, peu importe leur condition économique ou leur position dans l'échelle sociale[42]. Il n'en va pas autrement dans les quartiers de Montréal nouvellement occupés par eux.

Cela dit, la situation des immigrants est-européens se présente au Québec d'une manière tout à fait unique sur le plan juridique et constitutionnel. Nulle part ailleurs en Amérique du Nord les Juifs ne devront investir autant d'énergie pour se tailler une place qui leur convienne dans le système éducatif, particulièrement dans le réseau public. Cela tient essentiellement à la manière dont les deux peuples dits fondateurs du dominion canadien se sont partagé les responsabilités en matière de gestion scolaire. L'Acte de l'Amérique du Nord britannique de 1867 accorde aux provinces le contrôle exclusif du système d'éducation public. Comme les Églises jouent déjà à cette époque un rôle de premier plan dans l'enseignement primaire et secondaire, le législateur a aussi prévu des garanties constitutionnelles visant à protéger au Québec et en Ontario les différentes minorités religieuses, protestantes ou catholiques. Cette tendance est confirmée en 1869 par une loi provinciale québécoise qui confie à des comités confessionnels séparés la gestion des écoles publiques et le contenu de leurs programmes d'enseignement. Toutes les décisions pratiques en matière d'éducation incombent donc à partir de cette date aux autorités religieuses catholiques et protestantes[43]. Il existe bien un Conseil de l'instruction publique, mais il ne fait qu'offrir un encadrement administratif et financier aux deux comités confessionnels. Puisqu'il n'y a que quelques centaines de personnes de religion juive au Québec au moment de la promulgation de la Constitution canadienne, ces personnes sont peu affectées par l'entente provinciale de 1869. À la fin du XIXe siècle, les parents juifs de Montréal, qui n'ont aucun pouvoir en vertu de la loi, sont toujours libres de s'entendre avec des organismes scolaires protestants ou catholiques pour faire éduquer leurs enfants. Cela prend généralement la forme d'une convention précisant les services qui seront offerts à des écoles privées

---

42. Benjamin Nathans, *Beyond the Pale: The Jewish Encounter with Late Imperial Russia*, Berkeley.

43. À ce sujet, voir David Fraser, "*Honorary Protestants*": *The Jewish School Question in Montreal, 1867-1997.*

judaïques ouvertes dans des synagogues établies ou à des institutions du bas de la ville destinées à l'éducation des immigrants récents, comme l'Institut Baron de Hirsch[44].

Jusqu'au tournant du XXe siècle, la situation n'a pas soulevé de difficultés insolubles, et le plus souvent les organisations communautaires ont fait appel au Protestant Board of School Commissioners for the City of Montreal (PBSCCM) pour prendre en charge l'éducation des enfants juifs. Cela offrait le double avantage d'un apprentissage scolaire en langue anglaise et véhiculant des valeurs culturelles britanniques, deux conditions jugées essentielles à l'avancement économique et social des jeunes Juifs d'origine est-européenne. En échange, les parents acceptaient de verser leurs taxes scolaires à la commission scolaire protestante, ce que la loi permettait déjà. Ces arrangements à l'amiable ne survivent toutefois pas aux pressions démographiques considérables créées par la grande vague migratoire est-européenne. En 1901, il y a déjà 1 526 élèves juifs dans les écoles protestantes de Montréal, et ce chiffre grimpe presque jusqu'à 6 000 dix ans plus tard. En 1916-1917, la progression des Juifs dans le secteur scolaire protestant est si fulgurante que ce groupe forme 44 % du total des étudiants inscrits au PBSCCM. Très vite, les élites anglophones ont perçu qu'il y avait un risque réel que les nouveaux venus submergent la vénérable institution d'esprit britannique. Comme la plupart des parents juifs d'origine est-européenne ne paient pas de taxe foncière – faute de posséder des immeubles – et que le nombre de leurs enfants ne cesse d'augmenter, les administrateurs protestants remettent en question les ententes conclues à la fin du XIXe siècle. Leur réticence se manifeste d'abord en 1902 quand un jeune élève juif du nom de Pinsler, inscrit au PBSCCM, se voir refuser une bourse du fait que son père – un immigrant récent sans le sou – n'est pas en mesure de verser des taxes scolaires du côté protestant. De plus en plus, il ressort que les parents juifs ne possèdent aucun droit établi

44. Jean-Philippe Croteau, « La communauté juive et l'éducation à Montréal : l'aménagement d'un nouvel espace scolaire (1874-1973) ». Voir aussi, du même auteur, « Le financement des écoles publiques à Montréal entre 1869 et 1973 : deux poids, deux mesures » et *Les Commissions scolaires montréalaises et torontoises et les immigrants (1875-1960).*

dans le réseau scolaire protestant ou catholique de Montréal. Un des principes de base de la démocratie libérale, à savoir que tous ont droit à une éducation de qualité, semble battu en brèche. L'affaire Pinsler de 1902, comme le rappelle Leon D. Crestohl dans son pamphlet de 1926, crée une onde de choc au sein du leadership juif :

> Le résultat de cette décision [de la part des protestants de cesser d'éduquer les enfants juifs] a produit une vive colère dans tous les segments de la communauté. Les enfants juifs étaient privés du droit à une éducation. Il y avait plus de 10 000 Juifs dans la ville et 1 775 enfants juifs étaient inscrits aux écoles protestantes. La communauté juive était décidée à renverser cette décision en faisant appel au plus haut tribunal du pays, mais au lieu de cela, le comité protestant a proposé que les Juifs entrent en contact avec lui afin d'étudier une proposition, à savoir que les protestants acceptaient d'offrir un enseignement aux enfants juifs. Les deux parties ont alors convenu que les Juifs seraient considérés comme des protestants aux fins de l'éducation et se verraient ainsi accorder tous les droits et privilèges. Cette entente serait plus tard enchâssée dans la loi de 1903[45].

L'offre des protestants est toutefois assortie de conditions qui rendent impossible une pleine participation des Juifs à la sphère institutionnelle anglo-britannique de Montréal, ce qui réduit d'autant l'efficacité des mesures proposées. Après la promulgation de la loi provinciale de 1903 qui déclare les Juifs « protestants » aux fins de l'éducation, les parents juifs perdent tout espoir de participer aux élections ou de se faire représenter au sein de la démocratie scolaire protestante. Le PBSCCM refuse de plus d'engager un nombre significatif d'enseignants de confession juive, sous prétexte qu'ils ne pourront pas donner leur

45. Leon D. Crestohl, *The Jewish School Problem in the Province of Quebec, from its Origins to the Present Day*, p. 5. Notre traduction. Le texte est publié simultanément en version yiddish sous le titre : *Di geshikhte fun di Yidishn shul problem in Kvibek.* Voir aussi Louis Rosenberg, *Jewish Children in the Protestant Schools of Greater Montreal in the Period from 1878 to 1962: A Statistical Study*, et Arlette Corcos, *Montréal, les Juifs et l'école.*

pleine mesure dans un contexte religieux chrétien. Finalement, et c'est le plus grave, les administrateurs protestants réservent certaines écoles du bas de la ville à leur clientèle juive – là où résident la plupart des immigrants récents – et n'admettent pas ou peu de Juifs dans les établissements de plus haut niveau sur le plan socioéconomique. Résultat : les élèves juifs ne côtoient dans leurs écoles que d'autres Juifs et se trouvent objectivement dans une situation de ségrégation raciale[46]. Pour les administrateurs du PBSCCM, ces mesures ne font que refléter leur désir de conserver le contrôle des institutions scolaires protestantes dans leur ensemble. Les Juifs quant à eux doivent constater au début des années 1920 que l'offre du PBSCCM n'est qu'un leurre et que l'égalité tant souhaitée n'est pas au rendez-vous. Certes, les jeunes Juifs reçoivent une éducation de qualité en langue anglaise, mais c'est au prix de se voir nier tout contact social avec des Anglo-Canadiens résidant dans les quartiers aisés de la ville. Loin de gagner un accès au Montréal de l'élite économique et sociale anglophone comme ils le souhaitaient, les Juifs se retrouvent en fin de compte enfermés dans un ghetto scolaire. Finalement, en 1922, exaspérés par les pressions juives, les gestionnaires du PBSCCM demandent officiellement à la législature provinciale d'abolir la loi de 1903. Ils proposent plutôt de créer au sein du Conseil de l'instruction publique un comité neutre séparé qui deviendrait seul responsable de l'éducation des enfants juifs. Cela équivaut à évacuer du jour au lendemain les 12 400 élèves juifs du réseau protestant, soit 40 % de la clientèle de cette commission scolaire.

Ce geste du PBSCCM provoque au sein de la communauté juive de Montréal une crise majeure qui va durer jusqu'au déclenchement de la Seconde Guerre mondiale. Il jette à bas, en effet, la stratégie patiemment érigée depuis le milieu du XIXe siècle par les *uptowners* en vue d'assurer une pleine participation des Juifs à la société canadienne. Le refus protestant soulève aussi dans l'immédiat des questions éminemment pratiques qui ne peuvent souffrir de délai. Si les enfants juifs ne peuvent

46. Voir à ce sujet le récit de Mordecai Richler concernant sa fréquentation de l'école protestante Baron Byng, située sur la rue Saint-Urbain au coin de la rue Rachel. Ce texte a paru dans son ouvrage intitulé *The Street,* traduit sous le titre *Rue Saint-Urbain.*

plus recevoir un enseignement dans les écoles protestantes, quel organisme se chargera de les éduquer ? D'où viendront les ressources matérielles, financières et humaines pour assurer le maintien des classes que les protestants ne veulent plus accueillir ? Qui défendra les droits des clientèles scolaires juives ? Surtout, comment définira-t-on le programme d'enseignement des jeunes écoliers juifs ? À ce sujet, comme le note Leon Crestohl en 1926, il n'y a pas d'unanimité au sein du leadership juif : « La communauté juive a commencé à prendre conscience qu'il s'agissait d'un problème sérieux. Différentes opinions se sont exprimées. Différentes factions sont apparues au sein de la communauté[47]. » Non seulement le geste des administrateurs protestants menace d'obstruer le chemin que les parents juifs voulaient voir leurs enfants emprunter pour s'élever dans la société canadienne, mais il risque en plus de diviser une communauté déjà très diversifiée sur le plan identitaire et idéologique.

Première riposte, un Jewish Education Committee (JEC) composé de personnalités nanties de l'Uptown décide d'attaquer la légalité de la décision protestante. Ces dirigeants communautaires, surtout associés à la synagogue réformée Temple Emanu-El – située à Westmount –, tentent ainsi de repousser le plus longtemps possible le moment où les services du PBSCCM ne seront plus offerts aux élèves juifs. Il ne fait aucun doute à leurs yeux que le *statu quo* représente la solution la plus désirable sur le plan scolaire et social. Pour ces *uptowners*, l'intégration complète des Juifs au monde britannique et à la langue anglaise est l'idéal à atteindre. Le JEC fait valoir que l'origine juive des étudiants est un fait qui relève de la vie privée. Il n'appartient donc pas à l'école publique de sensibiliser les Juifs à leur héritage culturel ou de s'adapter à leur pratique religieuse le cas échéant. C'est le camp assimilationniste. Cette position se trouve résumée de la manière suivante lors de la commission royale créée en 1924 pour proposer des solutions au dilemme scolaire et présidée par l'ancien premier ministre Lomer Gouin :

47. Leon D. Crestohl, *The Jewish School Problem*, p. 8.

> M. Maxwell Goldstein, prenant la parole au nom du comité des *uptowners*, a déclaré que des dissensions avaient toujours existé entre protestants et Juifs au sujet de l'éducation et que chaque fois une solution avait été trouvée par le moyen d'une entente raisonnable. [...] La seule voie praticable était la reconduction de la loi de 1903 permettant l'inscription des Juifs dans les commissions scolaires protestantes[48].

Plusieurs Juifs du bas de la ville ne l'entendent pas de cette oreille. Le Jewish Community Council (JCC) ou Va'ad Ha'ir – un organisme religieux fondé en 1923 et dominé par la forte personnalité du rabbin Zvi-Hirsch Cohen – appuie l'idée d'un comité neutre au sein du Conseil de l'instruction publique[49]. Cette nouvelle instance serait chargée de représenter les intérêts des parents qui ne sont ni catholiques ni protestants – essentiellement des Juifs – et qui n'ont pas voix au chapitre selon les termes de la Constitution de 1867 et de la loi provinciale de 1869. En créant ce comité, le gouvernement Taschereau rendrait justice aux personnes qui ne se reconnaissent pas dans les décisions prises par les autorités religieuses chrétiennes et qui n'ont aucun moyen de faire valoir leur dissidence. Se joignent à cette faction les rabbins yiddishophones et plusieurs dirigeants des synagogues fondées par les immigrants est-européens. Pour le JCC, les écoles juives qui verraient ainsi le jour dans le secteur public se devraient d'offrir un enseignement à caractère aussi religieux que celui proposé par les institutions catholiques et protestantes déjà en place. Les écoliers juifs inscrits à ce système d'éducation public recevraient donc, en plus des cours de matières séculières, une formation judaïque complète. Ils seraient de plus soumis à un calendrier scolaire respectueux des préceptes de leur foi. Pour y arriver – dans un contexte linguistique anglophone dominant que personne ne souhaite modifier –, les jeunes Juifs auraient à faire l'apprentissage de l'hébreu biblique et des valeurs religieuses fondamentales du judaïsme. Le JCC réclame en somme la création d'une commission scolaire juive qui

48. *Ibid.*, p. 10.

49. Au sujet de l'histoire de cette institution, voir Steven Lapidus, « Orthodoxy in Transition: the Vaad Ha'ir of Montreal in the Twentieth Century ».

aurait le même statut et les mêmes responsabilités que celles déjà établies au profit des catholiques et des protestants. Cela semble le seul moyen de surmonter le verrou constitutionnel qui barre la voie aux écoliers de confession non chrétienne.

Pendant ce temps, Hirsch Wolofsky jette son quotidien dans la bataille en proposant la création non pas d'une commission scolaire juive, ce qui lui paraît une mesure difficile à réaliser, mais d'écoles juives autonomes administrées sur la base des structures juridiques protestantes. Tel est le camp des religieux orthodoxes.

Une troisième tendance exige aussi la mise en place d'un système scolaire public assorti d'une gestion juive séparée, mais les militants de ce groupe font appel aux valeurs de la pérennité historique et culturelle juive pour justifier leur point de vue. Ils se réclament de la justice sociale, du socialisme démocratique et de l'émancipation des classes opprimées. Dans les écoles que ces activistes aimeraient ouvrir, outre l'anglais qui demeurerait la langue dominante de la communauté, le yiddish serait enseigné comme la langue nationale du peuple juif et comme véhicule linguistique universel de la diaspora est-européenne. Les enseignants de ces maisons d'éducation seraient ainsi invités à s'inspirer des grands écrivains yiddishophones de l'Empire russe, autant ceux qui ont vécu en Europe de l'Est avant la révolution bolchevique que ceux qui se trouvent associés au régime soviétique. Dans ces institutions, l'apprentissage de l'hébreu ne serait pas lié aux croyances consignées dans la Torah mais présenté comme un outil idéologique de promotion du dessein sioniste. Derrière ce projet ambitieux se rangent les syndicats de la confection et les autres corps de métier présents dans l'industrie du vêtement, les animateurs des écoles de langue yiddish et les adeptes du Poale-Zion. Représentée par le Yidish Natsyonaler Folks Farband [l'union nationale du peuple juif], ou en anglais the Workers' Conference, cette tendance concerne une masse considérable de personnes issues de l'immigration récente. On y trouve essentiellement des yiddishophones qui occupent des emplois industriels et qui font preuve d'un engagement politique très soutenu. C'est le camp des progressistes séculiers. La prudence et le réalisme politique commandent toutefois à ce groupe de s'allier aux tenants de l'orthodoxie religieuse, qui réclament eux aussi la création d'un comité neutre au sein du Conseil de l'instruction publique. Leur porte-parole est l'échevin montréalais Joseph Schubert. Roumain d'origine, il dit représenter 32 organisations syndicales réunissant plus de 12 000 travailleurs. Il déclare devant les membres de la commission Gouin de 1924 :

> Je voudrais attirer votre attention sur le fait que les travailleurs sont unanimement en faveur d'écoles [juives] séparées. Dans cette affaire, nous avons analysé toutes les solutions possibles [...] et je tiens à insister sur la question des écoles séparées parce que les travailleurs y tiennent. Ils souhaitent aussi, advenant le cas qu'un comité juif soit créé, que les commissaires qui formeront le bureau de direction soient élus au suffrage universel[50].

Les trois membres juifs de la commission Gouin chargée en 1924 de trouver une solution à l'ultimatum protestant ne parviennent pas non plus à s'entendre[51]. Michael Hirsch et Samuel W. Cohen parlent au nom des assimilationnistes, tandis que le syndicaliste Joseph Schubert, qui siège au conseil municipal de Montréal depuis 1924, prend la parole au nom des progressistes. Les deux premiers réclament un retour à la loi de 1903, à la condition expresse que les parents juifs soient traités équitablement, alors que Schubert propose la création d'une commission scolaire juive autonome. Les neuf commissaires – trois catholiques, trois protestants et trois Juifs – en arrivent toutefois à la conclusion unanime que la décision prise en 1922 par le PBSCCM d'exclure les Juifs doit être soumise aux tribunaux. L'avocat et député provincial Peter Bercovitch[52] est chargé de représenter la partie juive et de faire valoir les

---

50. Leon D. Crestohl, *The Jewish School Problem*, p. 13. À cette époque, les commissaires étaient nommés par les différentes instances et non élus.

51. Voir Gouvernement du Québec, *Rapport de la Commission spéciale d'éducation.*

52. Au sujet de Bercovitch, consulter Geneviève Richer, « Le défenseur des Juifs au Québec : la lutte de Peter Bercovitch pour le respect et la reconnaissance de la minorité juive durant l'entre-deux-guerres » et « Le défenseur des Juifs au Québec. Intervenir en faveur de la justice sociale et des droits de la minorité juive : la carrière politique de Peter Bercovitch à l'Assemblée législative du Québec, 1916-1938 ».

intérêts de la minorité religieuse devant les instances juridiques et l'Assemblée législative[53].

Une longue bataille juridique s'engage qui voit les Juifs de Montréal déboutés de toutes leurs prétentions juridiques face à la commission scolaire protestante. En 1925, la Cour d'appel du Québec déclare la loi de 1903 inconstitutionnelle mais considère que le gouvernement provincial ne peut pas obliger les administrateurs scolaires protestants à accorder des droits aux parents juifs. Les élèves juifs qui se présentent aux écoles du PBSCCM sont donc admis « *as an act of grace*[54] ». La Cour suprême du Canada, saisie l'année suivante, opine dans ce sens mais rétablit la constitutionnalité de la loi de 1903 qui ne reconnaissait aucun pouvoir de négociation aux Juifs. Le plus haut tribunal du pays reconnaît aussi aux autorités provinciales le droit de créer des structures scolaires spécifiques pour les parents qui ne sont ni catholiques ni protestants. C'est une porte ouverte à la promulgation d'une nouvelle loi scolaire provinciale. Le Conseil privé de Londres, qui se prononce en 1929 à la demande de toutes les parties, confirme le jugement de la Cour suprême du Canada. Cela signifie que les parents juifs de Montréal se retrouvent en fin de compte privés de quelque droit que ce soit dans le réseau scolaire auquel ils avaient été obligatoirement associés par la loi de 1903. Ils sont, en toute chose, à la merci du bon vouloir des protestants.

C'est un coup de massue. L'élite juive doit constater qu'elle ne dispose plus maintenant que d'un faible pouvoir de négociation. De toute évidence, entre les protestants et les *uptowners,* il y a un fossé identitaire et juridique – découlant de la Loi constitutionnelle de 1867 – que les premiers se refusent à combler de quelconque façon. Cela inflige aux assimilationnistes un revers décisif qui aura des répercussions à très long terme sur leur ascendant au sein de la communauté. Pour beaucoup de dissidents politiques et militants des causes de la gauche, la

53. Jocelyn Saint-Pierre (dir.), *Débats sur les écoles juives : débats de l'Assemblée législative, 17e législature, 3e et 4e sessions : séances du 28 mars au 4 avril 1930 et du 24 février au 4 avril 1931 ; 1930 et 1931.*

54. Un geste de bonne volonté de la part d'une autorité constituée.

défaite juridique des *uptowners* en 1929 confirme l'importance de poursuivre la construction d'un réseau scolaire privé placé entièrement sous le contrôle des parents juifs.

L'accès à l'éducation supérieure

La joute politique et juridique très intense qui se déroule entre Juifs et protestants au cours des années 1920 met en lumière un autre aspect fondamental de l'histoire juive du Québec. Après 1903, les élites juives ont cessé d'entretenir des relations suivies avec le réseau scolaire catholique. Cela tient pour beaucoup à ce que le camp assimilationniste ne croit pas utile de s'appuyer sur le Canada français pour soutenir la mobilité sociale des Juifs est-européens. Entre l'élite anglo-britannique et la poignée de notables francophones catholiques, l'Uptown juif a fait un choix il y a déjà très longtemps. Dès le début du XIXe siècle, il était apparu évident aux premiers marchands juifs du Bas-Canada – souvent d'origine britannique – que leur avancement politique et économique ne pouvait être porté que par une alliance tacite avec le conquérant de 1763. Cette opinion a encore très largement cours un siècle plus tard au moment où arrivent au pays les premiers immigrants est-européens. Il n'est d'ailleurs pas nécessaire d'insister beaucoup pour pousser les nouveaux venus à se joindre au Montréal anglophone. Les yiddishophones constatent vite d'eux-mêmes que l'anglais est la clé des affaires dans la métropole canadienne. Au moment de leur arrivée, les rues de la ville sont constellées d'affiches en anglais et toutes les formalités d'embauche dans l'industrie se font dans cette langue. Hershl Novak, qui milite en faveur des écoles yiddish privées, décrit très bien dans ses mémoires comment l'affaire se présenta quand il chercha pour la première fois, en 1909, à se trouver du travail à Montréal :

> Quand j'ai commencé à m'installer dans mon nouveau pays, j'ai voulu au départ connaître et étudier la culture francophone propre au Canada. Comme tous les jeunes immigrants d'alors qui appartenaient au courant radical et qui se trouvaient loin des questions d'ordre pratique, l'idée de

> m'adapter de près au milieu majoritaire ne tarda pas à me passer. Comme bien d'autres, et même si ça ne fut que d'une manière superficielle, j'absorbai d'abord la culture nord-américaine anglophone qui m'entourait. Le mouvement ouvrier juif au Canada était en effet lié de très près à son équivalent aux États-Unis, et cela nous poussait à graviter vers le grand ensemble politique nord-américain et anglo-saxon. Voilà comment, comme à peu près tout le monde autour de moi, je ne devins pas un Juif francophone mais bien un Juif d'orientation anglophone et nord-américaine. Je ne mis donc pas beaucoup de temps à réaliser qu'il me fallait d'abord apprendre la langue anglaise[55].

D'autres facteurs expliquent la distance culturelle et linguistique qui se creuse au Québec à cette époque entre Juifs et catholiques. Après l'unification italienne et la publication en 1864 par Pie IX de l'encyclique *Quanta Cura* et du syllabus antimoderne qui s'y rattache, l'Église catholique opère un repli idéologique marqué. Ce refus d'un *aggiornamento* face à la nouvelle donne politique et scientifique dans laquelle sont plongés les catholiques européens affecte leurs rapports avec les autres confessions, particulièrement les tenants du judaïsme. Au même moment, au Québec, les autorités diocésaines mettent en application de manière stricte les principes canoniques de séparation entre catholiques et adeptes des autres traditions religieuses, notamment dans les établissements scolaires qui relèvent de leur responsabilité. Après la loi provinciale de 1903, plus aucun Juif ne fréquente le réseau des écoles catholiques de Montréal, qui est le plus important de la ville. Les Juifs – définis sur un plan religieux doctrinal – ne sont pas admis non plus dans les organisations paroissiales ni dans les œuvres caritatives catholiques, pas plus que dans les mouvements coopératifs et les cercles culturels patronnés par l'Église. Dans une publication officielle du diocèse de Québec datant de 1919, le cardinal Bégin rappelle « qu'on ne peut élever en commun les enfants chrétiens et les enfants juifs[56] ». Une ving-

55. Hershl Novak, *La Première École yiddish de Montréal, 1911-1914*.

56. *Mandements, lettres pastorales et circulaires des évêques de Québec*, Québec, diocèse de Québec, vol. 3, 1919, p. 330.

taine d'années plus tard, dans un ouvrage intitulé *Discipline diocésaine*, le cardinal Villeneuve ira encore plus loin : « Les juifs, les athées et les apostats doivent être bannis absolument de nos écoles[57]. »

Ainsi se referme la principale porte par laquelle les immigrants juifs est-européens auraient pu avoir accès au Canada français et à la langue française sur une base régulière. La frontière entre les deux confessions est devenue tellement étanche, sur le plan doctrinal, que les deux communautés vivent côte à côte en s'ignorant, sauf dans les lieux de sociabilité fréquentés avant tout par les classes laborieuses et dans les espaces publics communs à tous[58]. Dans les plus hautes sphères de la société canadienne-française, seuls quelques individus d'exception franchissent la barrière, dont Henri Bourassa qui, après une querelle assez virulente, se lie d'amitié au cours des années 1920 avec S.-W. Jacobs[59]. Il en va de même du jésuite Joseph Paré, qui entame dans les années 1930 un timide dialogue religieux avec le rabbin Harry Joshua Stern, le leader spirituel du Temple Emanu-El, et avec H.-M. Caiserman, du Congrès juif canadien[60]. Ce verrouillage quasi complet, en grande partie imputable à l'intransigeance théologique de l'Église préconciliaire, aura des conséquences incalculables sur la manière dont les Juifs percevront leurs concitoyens francophones au XXe siècle.

Invités à siéger à la commission Gouin de 1924, les représentants catholiques se contentent d'observer l'affrontement entre les autorités scolaires protestantes et les leaders communautaires juifs. Le pamphlet publié en 1926 par Leon Crestohl ne mentionne d'ailleurs pas la position de la Commission des écoles catholiques de Montréal (CECM) quant au sort devant être réservé aux écoliers d'origine juive. Pas une seule fois dans tout ce débat il n'est question de mettre l'expertise ou les ressources détenues par le réseau catholique à la disposition des cohortes

57. *Discipline diocésaine*, 3e édition, Québec, L'Action catholique, 1937, p. 195.

58. Ignace Olazabal, « Entre les rues Coloniale et Saint-Urbain ».

59. À ce sujet, voir Pierre Anctil, « *À chacun ses Juifs* ».

60. Pierre Anctil, *Le Rendez-vous manqué. Les Juifs de Montréal face au Québec de l'entre-deux-guerres.*

scolaires juives. Les autorités diocésaines s'opposent toutefois vivement à la création d'un comité neutre au sein du Conseil de l'instruction publique, qu'il soit ou non réservé aux Juifs, de peur que s'ouvre une brèche par laquelle s'engouffreraient les partisans d'une déconfessionnalisation du réseau scolaire public québécois. Non pas qu'il s'en trouve beaucoup parmi les francophones, mais cela pourrait signifier que le principe fondateur de la loi de 1869 – la confessionnalité universelle de l'école commune – commence à perdre de son sens. L'hostilité de Mgr Gauthier, archevêque de Montréal, à la création d'une commission scolaire juive devient si vive après 1929 qu'elle se mue en sourde indifférence envers les droits de la minorité juive. Les autorités locales catholiques ne vont toutefois pas jusqu'à soutenir les campagnes fascisantes d'Adrien Arcand ou jusqu'à encourager la propagation d'opinions racialistes à propos des Juifs[61].

La présence juive au Québec sert de catalyseur à un discours ou à des propos suggérant la mise à l'écart des minorités non chrétiennes ou à un rejet de la diversité religieuse. Le conflit scolaire coïncide aussi avec le lancement d'une presse véhiculant un discours violemment antisémite rarement entendu jusque-là, qui fait ses choux gras de l'ouverture de Taschereau à l'égard des réclamations scolaires juives. *Le Goglu*, lancé en 1929 par Adrien Arcand, s'en prend particulièrement à Peter Bercovitch, élu sans interruption depuis 1917 à l'Assemblée législative et perçu comme le représentant officieux de la communauté juive au Parlement. Ce n'est que le premier d'une série de périodiques orduriers qui vont semer la haine des Juifs dans les milieux canadiens-français modestes, propagande interrompue en 1940 par l'internement d'Adrien Arcand et de ses principaux lieutenants par le gouvernement fédéral[62]. Dans l'intervalle, ces feuilles sordides contribuent à créer un degré élevé

61. Voir les recherches récentes d'Alexandre Dumas, « L'Église catholique québécoise face à l'antisémitisme des années trente ».

62. Au sujet d'Adrien Arcand, consulter Jean-François Nadeau, *Adrien Arcand, führer canadien*, et Hugues Théorêt, *Les Chemises bleues. Adrien Arcand, journaliste antisémite canadien-français.*

d'inconfort et d'inquiétude au sein de la population juive de Montréal, qui ne sait trop à quoi s'en tenir quant aux conséquences à long terme de cette campagne d'opinion. Les échos de la propagande antisémite nazie, venue de la lointaine Allemagne par des canaux officiels après 1933, ne font qu'ajouter aux craintes des Juifs du Québec.

Le débat autour de la question scolaire divise profondément les parents et les dirigeants des organismes juifs. Une rupture se dessine qui suit les contours des principales classes sociales au sein de la communauté. Les *uptowners* plaident pour le maintien de rapports – même inégaux – avec les établissements protestants ; les *downtowners* espèrent créer un réseau séparé financé par Québec. Les premiers sont anglophiles et prônent un accommodement avec les autorités scolaires en place, tandis que les seconds, qui sont surtout yiddishophones, visent une séparation nette et définitive. Lors des élections provinciales de 1927, Peter Bercovitch trouve sur son chemin le conservateur Louis Fitch (Fieczewicz), avocat comme lui mais activiste du Jewish Community Council favorable aux écoles séparées. La joute électorale dans Montréal–Saint-Louis prend des proportions épiques puisqu'il est question – aux yeux de l'électorat juif – de remplacer un porte-parole du Jewish Education Committee par un allié des groupes ouvriers et des factions religieuses orthodoxes. Rarement deux hommes politiques juifs se sont-ils affrontés avec autant d'intensité dans une même circonscription montréalaise. C'est le symptôme d'une division profonde entre deux tendances au sein de la population juive, la première composée d'une influente minorité bonne-ententiste et l'autre regroupant des autonomistes de langue yiddish portés par un fort sentiment nationaliste. Bercovitch est réélu en 1927 avec 500 voix de majorité, mais la volonté des *downtowners* d'obtenir du gouvernement Taschereau une commission scolaire indépendante se maintient tout au long de cette décennie et bien au-delà.

De fait, les désaccords au sein de la communauté juive dépassent de beaucoup la seule question de l'éducation. Trois constructions identitaires fondamentalement différentes s'opposent à l'occasion de la crise des écoles, qui recoupent des enjeux aussi déterminants que la perpétuation de la tradition religieuse judaïque, l'affirmation du nationalisme diasporique est-européen et la lutte de la classe ouvrière en faveur d'un mode de vie décent. Sur tous ces plans, il existe très peu en commun entre les Juifs du bas de la ville et ceux de l'Uptown anglophone. H.-M. Caiserman, qui représente le Jewish Separate School Committee, écrit au premier ministre Taschereau en janvier 1930 pour faire valoir le point de vue des sécessionnistes. C'est un plaidoyer en faveur d'une éducation publique qui serait entièrement contrôlée par les Juifs :

> La décision du Conseil privé [de Londres] a confirmé notre opinion qu'il serait possible pour le gouvernement provincial de concevoir une législation permettant d'établir des écoles séparées pour les non-chrétiens, sans pour autant diminuer les droits des deux communautés chrétiennes dans leurs propres écoles confessionnelles. [...] La création d'écoles séparées permettrait aux citoyens d'origine juive de bénéficier des mêmes droits et privilèges dont jouissent tous les autres groupes qui souhaitent donner une éducation religieuse et culturelle normale à leurs enfants et aux membres de leur famille[63].

En septembre 1929, les 12 000 élèves juifs qui fréquentent toujours le PBSCCM attendent que le gouvernement Taschereau décide de leur sort. Ils sont enfin fixés quand Athanase David, secrétaire (ministre) de la province de Québec, présente en mai 1930 un projet de loi qui crée une commission scolaire juive. Des administrateurs sont nommés et les pouvoirs de l'organisme sont définis, toujours en fonction de l'existence nettement antérieure d'un Conseil de l'instruction publique destiné à financer des comités catholique et protestant autonomes. Les responsables scolaires juifs siègent au sein d'un comité neutre, mais ils se trouvent en porte-à-faux par rapport à la logique confessionnelle en vigueur dans l'école publique québécoise. La décision de présen-

63. Lettre de H.-M. Caiserman, représentant du Jewish Separate School Committee, au premier ministre Louis-Alexandre Taschereau, 13 janvier 1930, fonds personalia, boîte 1, dossier 6, Service des archives juives canadiennes Alex Dworkin, Montréal. Notre traduction.

ter ce projet de loi soulève de plus des problèmes logistiques d'une ampleur exceptionnelle, dont le moindre n'est pas l'appropriation par la nouvelle entité des bâtiments et des biens dont bénéficient dans le secteur protestant des milliers d'écoliers d'origine juive. Une question encore plus épineuse est de savoir quel sera le programme d'enseignement des jeunes inscrits à la commission scolaire juive. Dans quelle proportion y enseignera-t-on l'anglais, le français, le yiddish et l'hébreu ? Quelle conception du judaïsme prévaudra dans la nouvelle structure ? Quelle place accordera-t-on aux conceptions politiques des organisations ouvrières et des sionistes ? Les positions des différentes factions ne tardent pas à apparaître quasi irréconciliables.

Pendant ce temps, des tractations de coulisse ont lieu au niveau politique pour sortir de l'impasse qui se profile à l'horizon de la nouvelle année scolaire. Les Juifs anglophones de l'Uptown, les administrateurs protestants et plus lointainement les représentants catholiques se mettent d'accord pour reconduire l'entente de 1903, même au prix de voir les droits des parents juifs à nouveau bafoués. Coup de théâtre : une nouvelle loi David voit le jour en mai 1931 qui reconduit le *statu quo ante* et qui obtient l'aval du député Bercovitch. Les protestants, en somme, refusent de céder la moindre parcelle de leur autorité ou de leur pouvoir à une tierce communauté présente en leur sein. C'est un échec cuisant pour les leaders yiddishophones du bas de la ville, qui voient ainsi leur échapper une occasion de faire avancer la cause des institutions créées par les immigrants.

Le recul scolaire de 1931 convainc cependant une partie de la population juive de Montréal d'appuyer les maisons d'éducation privées fondées une vingtaine d'années plus tôt au moment de la grande migration est-européenne. Depuis le premier jour, les écoliers juifs de langue yiddish avaient fréquenté à temps plein les classes administrées par les autorités protestantes. Le PBSCCM n'offrait toutefois pas de formation religieuse aux enfants juifs, qui étaient exemptés des cours où l'on enseignait les fondements de la foi chrétienne. Un certain nombre de ces enfants se rendaient en fin d'après-midi dans des institutions yiddishophones comme la Folks Shule ou la Peretz Shule, où ils apprenaient les rudiments de leur propre héritage judaïque du point de vue de la gauche sioniste[64]. Il en allait de même du côté des tenants de l'orthodoxie, qui dispensaient surtout sous une forme hébraïque un enseignement religieux traditionnel dans les synagogues ou aux Talmud Toras Unis, une institution fondée à Montréal en 1896. La difficulté d'en arriver à une entente plus satisfaisante avec les protestants pousse les écoles privées juives à augmenter leur offre de services et à proposer des programmes d'enseignement à plein temps, comme à partir de 1928 à la Folks Shule ou à partir de 1931 aux Talmud Tora Unis. À la fin des années 1930, ces maisons sont en plein essor et leur population scolaire en forte progression[65]. Toutes les grandes tendances idéologiques de la communauté juive sont représentées : on trouve à partir de la fin des années 1920 une école Morris Winchevsky mise sur pied par les militants communistes et une Avraham Reisen Shule dirigée par les socialistes de l'Arbeter Ring, toutes deux de langue yiddish. Bien qu'on ne dispose pas de chiffres précis à ce sujet, on peut affirmer que près de la moitié des clientèles scolaires juives de Montréal fréquentent à un titre ou à un autre ces établissements privés au moment du déclenchement de la Seconde Guerre mondiale. Parmi les dirigeants et les enseignants de ces maisons d'éducation exclusivement judaïques se trouvent certains des plus grands intellectuels et lettrés que compte le Montréal yiddish.

Pendant que se déroulent ces événements, une autre bataille se dessine sur le front de l'accès à l'éducation supérieure. S'ils souhaitent progresser dans l'échelle sociale, les Juifs de Montréal doivent pouvoir être admis dans les institutions de haut savoir, là où se préparent les carrières dans les professions libérales, les sciences et l'administration. Puisqu'un grand nombre de jeunes Juifs ont été dirigés vers les écoles secondaires anglophones du PBSCCM et considérés « protestants aux fins de l'éducation », leur choix premier est de s'inscrire à l'Université McGill. Certes,

---

64. Pour un récit sur la fréquentation des écoles yiddish de Montréal au début du XXe siècle, voir Shulamis Yelin, *Une enfance juive à Montréal.*

65. Pour plus d'explications au sujet de l'histoire des écoles juives privées à Montréal, voir Pierre Anctil, « Introduction du traducteur », dans Hershl Novak, *La Première École yiddish à Montréal,* p. 11-60.

un petit nombre de diplômés d'origine juive ont trouvé le chemin des universités francophones à Montréal et à Québec et s'y sont très bien tirés d'affaire, comme les avocats Peter Bercovitch, S.-W. Jacobs et A. M. Klein[66], mais c'est l'exception plutôt que la règle. Pour la plupart des Juifs de Montréal, la porte d'entrée vers les professions reste la grande université d'esprit britannique fondée en 1821 grâce à un legs de James McGill. C'est vers cette institution dotée d'une riche tradition scientifique que se dirigent massivement les jeunes issus de la grande vague migratoire est-européenne, déjà anglicisés et canadianisés dans le réseau du PBSCCM. Comme c'est souvent le cas des cohortes composées d'immigrants récents, les nouveaux venus obtiennent d'excellentes notes et se hissent souvent jusqu'au sommet de leur classe. Au cours de l'année scolaire 1924-1925, le tiers des inscrits à la faculté des arts de McGill sont des Juifs montréalais ; ils sont 20 % au département de commerce, 41 % à la faculté de droit et 25 % à la faculté de médecine[67]. C'est une progression pour le moins stupéfiante dans les circonstances. En très peu de temps et avec une population nettement inférieure à celle des protestants sur l'île de Montréal, les Juifs yiddishophones ont réussi à se tailler une place enviable dans une institution universitaire de premier plan. Cela signifie aussi, comme ils ne vont pas tarder à l'apprendre, qu'ils sont bientôt perçus comme une menace à l'hégémonie des Anglo-Saxons dans les milieux professionnels de langue anglaise au Canada.

Une fois inscrits à McGill, les étudiants juifs ont généralement tout fait pour se fondre dans leur environnement britannique et élitiste. Pas question de réclamer une place à part ou de mettre en valeur ouvertement leur judéité est-européenne ni même leur tradition religieuse. Tout au plus trouve-t-on à McGill des sociétés étudiantes sionistes où l'on débat entre Juifs des mérites de la colonisation agricole en Pales-

---

66. Pour une biographie d'A. M. Klein, voir Usher Caplan, *Like One That Dreamed: A Portrait of A. M. Klein.*

67. Pierre Anctil, *Le Rendez-vous manqué,* tableau 12, p. 67. Ces données sont tirées des archives institutionnelles de l'Université McGill. Toutes les autres données sur l'université proviennent de la même source.

tine[68]. Malgré cet empressement des yiddishophones à s'acculturer, les autorités universitaires commencent au début des années 1930, en une période de graves difficultés économiques, à limiter l'admission de candidats d'origine juive. Pour y arriver, elles exigent des étudiants juifs du PBSCCM de meilleures notes en moyenne que de leurs confrères de classe chrétiens. À la faculté de médecine, considérée comme un cas à part à cause de l'importance stratégique de cette profession, McGill a établi un *numerus clausus* de 10 %. Il n'est guère difficile de distinguer les étudiants juifs des autres inscrits, puisqu'ils viennent presque tous des mêmes écoles protestantes du bas de la ville et portent souvent des patronymes à consonance germanique ou russe. Si ces indices ne suffisent pas, on peut toujours se fier au lieu de naissance de leurs parents et à leur quartier de résidence à Montréal.

Le processus d'exclusion va si rondement que le nombre d'étudiants juifs admis à McGill chute de moitié par rapport à la décennie précédente : 12 % de Juifs en 1935-1936 contre 25 % dix ans plus tôt. À la faculté de droit, les inscrits d'origine juive ne sont plus que 5 %, à la faculté des arts, 13 %, et au département de commerce, 9 %. Combiné au ralentissement économique généralisé et à l'hostilité qu'ils rencontrent parmi les représentants des classes dominantes d'origine britannique, l'étranglement en cours à McGill menace de réduire notablement l'avancement des nouvelles générations juives à Montréal. Cela augure une période où il sera plus difficile pour la minorité juive de sortir de son isolement social et de réduire sa dépendance envers certains types d'emplois industriels. Qui plus est, ces mesures limitatives ne sont pas le résultat d'un simple calcul économique ou d'une conjoncture momentanée. Elles sont dictées par des perceptions raciales très négatives chez l'élite protestante, comme en témoigne le jugement porté en 1926 par le doyen de la faculté des arts, Ira Allen Mackay :

> Dans le contexte qui est le nôtre au Canada, le Juif est probablement l'immigrant le moins désirable qui puisse venir s'installer dans ce pays. Le Canada a besoin d'hommes de science et dotés d'intui-

---

68. Voir à ce sujet Usher Caplan, *Like One That Dreamed.*

> tion. Il nous faut des ingénieurs, des promoteurs, des agriculteurs et des travailleurs physiques, tandis que la communauté juive est surtout engagée dans les professions, dans les opérations financières et dans le commerce. De toute évidence, nous n'avons pas besoin de ce type d'hommes au Canada[69].

Mouvements artistiques et culturels de langue yiddish

Pendant que les Juifs est-européens commencent à se heurter à des barrières bien réelles pour ce qui est de leur progression dans l'échelle sociale, le contexte si exceptionnel de la grande migration est-européenne libère des énergies créatives qui se transmutent bientôt à Montréal en véritables courants littéraires Au nombre des immigrants qui atteignent les rives canadiennes se trouvent des individus qui aspirent depuis le plus jeune âge à exprimer leur sensibilité artistique et à toucher un public digne de leurs ambitions. Plusieurs parmi ces nouveaux arrivés sont timidement entrés en contact dans l'Ancien Monde avec les œuvres des grands esprits européens et ont commencé à mettre en valeur leurs multiples talents en yiddish, en russe, en hébreu ou en polonais. Une fois installés dans la métropole canadienne, ces écrivains, artistes de la scène et plasticiens découvrent une société où ne s'exerce apparemment aucune censure et où les productions en yiddish ne font pas l'objet d'une surveillance politique par les autorités. Il existe de plus dans la ville – même dans les milieux ouvriers en apparence les plus modestes – des cercles où les lettres, le théâtre et les réalisations artistiques en langue yiddish sont très appréciés[70]. L'âge très précoce des premiers à se manifester, l'enthousiasme de certains milieux juifs pour la culture et l'encouragement reçu de la part de mécènes au sein de la

69. Lettre du doyen de la faculté des arts, Ira Allen Mackay, au principal de l'Université McGill, Arthur Currie, 23 avril 1926. Archives institutionnelles de l'Université McGill. Cité dans Pierre Anctil, *Le Rendez-vous manqué*, p. 79. Notre traduction.

70. Chantal Ringuet, *À la découverte du Montréal yiddish*, et *Voix yiddish de Montréal.*

communauté propulsent un groupe d'immigrants talentueux sur le devant de la scène. Au lendemain de la Première Guerre mondiale, porté par un élan irrépressible et un optimisme débordant, un véritable milieu artistique de langue yiddish voit le jour à Montréal.

En peu de temps s'élaborent dans les écoles yiddishophones, les organismes communautaires et les syndicats de tailleurs des cercles où ces efforts sont suivis et appréciés. Des publics se forment et des lectorats se constituent qui gagnent en profondeur et en effectifs au fil des ans. Comme il existe à Montréal un quotidien yiddish depuis 1907, s'y pressent de jeunes immigrants qui ont l'ambition d'écrire, d'échanger avec des collègues et de faire carrière dans le journalisme. Chaque semaine, le *Keneder Odler* publie des chroniques littéraires, des études critiques et des reportages fouillés sur la production artistique en langue yiddish partout dans le monde. Poètes, romanciers et intellectuels y côtoient des feuilletonistes, des dramaturges et des traducteurs. Tous ne sont pas des figures de réputation internationale ou des auteurs reconnus, mais tous écrivent, donnent leur avis et déposent des textes à la rédaction.

Dès la fin de 1918 paraît dans la ville un premier recueil de poésie en langue yiddish, une œuvre rédigée par un jeune ouvrier de la confection du nom de Jacob-Isaac Segal. L'opuscule, intitulé *Fun mayn velt* [de mon univers], soulève l'enthousiasme de H.-M. Caiserman et d'un petit cercle de lettrés récemment immigrés. Caiserman fait d'ailleurs paraître quelques semaines plus tard une critique très élogieuse de la contribution artistique du poète dans ce contexte juif montréalais encore fruste[71]. C'est le coup d'envoi de la littérature yiddish canadienne :

> Le poète s'avère dans ses poèmes sur l'hiver d'une grande originalité, autant sur le plan des idées que pour ce qui est de la forme. Et je demeure convaincu qu'un critique sérieux s'empresserait d'inclure le jeune poète Jacob-Isaac Segal au sein du groupe très restreint de nos meilleurs écrivains.

71. Pour une biographie de Jacob-Isaac Segal et une description de son œuvre, voir Pierre Anctil, *Jacob-Isaac Segal (1896-1954). Un poète yiddish de Montréal et son milieu.*

> À l'exception de sa première partie, cet opuscule est un début retentissant, et si les différents poèmes sur la ville et sur l'hiver appartiennent bien au monde du poète, alors il ne fait aucun doute que cet univers possède une richesse, une force et une imagerie. La littérature yiddish peut attendre de ce monde magique de merveilleuses découvertes[72].

L'efflorescence des lettres yiddish se poursuit tout au long des années 1920 et 1930 au gré des nouvelles immigrations et de l'élargissement du milieu institutionnel juif montréalais. Deux grands courants réunissent à eux seuls presque toute la production littéraire de cette époque, soit une école prolétariste inspirée par la condition ouvrière et une autre plus lyrique qui est éprise du beau idéal dans toutes ses manifestations. Pour beaucoup de ces artistes, le yiddish est une langue nationale et le véhicule privilégié de la culture juive est-européenne. C'est aussi un symbole vivant de la modernité la plus exigeante et la plus avant-gardiste, soutenu par un contact intime avec les nouvelles élites culturelles qui émergent au début du siècle à Berlin, Paris et Saint-Pétersbourg. Les écrivains yiddish locaux ont ainsi le sentiment de participer, depuis Montréal, au grand mouvement des lettres juives en Pologne, en URSS, aux États-Unis et en Argentine. Partout dans la diaspora est-européenne, les écrivains canadiens sont lus, appréciés, et font parfois l'objet de commentaires élogieux. Entre New York et Montréal, en particulier, se développe une relation intense qui fait se déplacer et séjourner dans la métropole québécoise les principaux créateurs littéraires de l'école moderniste américaine connue sous le nom de *Di Yunge* [les jeunes].

---

72. « *Nay, original, say in ideen say in forme iz er in zayne vinterlider, un ikh ken zikh gor nit farshtalen az di ernste kritik zol zikh nit opshtelen un dem yungen dikhter Yud Yud Segal araynnemen im in der klayner mishpokhe fun unzere beste dikhter. Mit oysname fun der ershter optaylung iz dos bukh a glentsender onfang, un oyb di farshidene shtatishe un vinter lider zaynen es kinder fun zayn velt, iz di velt fun Yud Yud Segal a raykhe, a gesunte un fantastishe, un di yidishe literatur hot fyel entplekungen fun dyezer tsoyber velt tsu ervarten.* » H.-M. Caiserman, « Yud Yud Segal als poet [J.-I. Segal comme poète], *Der Yidisher Arbeter,* Montréal, février 1919, p. 3. Notre traduction.

Jacob-Isaac Segal, Sholem Shtern et plusieurs autres se rendent année après année dans la capitale culturelle voisine, tandis que les New-Yorkais H. Leivik, Zishe Weinper, Mani Leib, Moshe-Leib Halpern et Kalman Marmor – pour n'en nommer que quelques-uns – fréquentent en compagnie de leurs hôtes le parc Jeanne-Mance, le mont Royal et le boulevard Saint-Laurent. Chacun à sa façon, ils tissent des liens avec le milieu yiddish montréalais, qu'ils contribuent à rattacher puissamment aux aspirations et aux réalisations de la grande diaspora est-européenne alors à son apogée. Ces auteurs immigrés aux États-Unis donnent des récitals de poésie et des lectures publiques à la Yidishe Folks Biblyotek. Ils se rendent aussi dans les classes des écoles yiddish de Montréal pour rencontrer les élèves en plus d'échanger intensément avec l'intelligentsia locale. À l'occasion de ces rencontres sont discutés les enjeux littéraires et esthétiques qui captivent l'Europe et l'Amérique, dont certains tiennent surtout au monde juif et d'autres possèdent une portée universelle.

Dans ses mémoires littéraires, Sholem Shtern a tracé un portrait étonnant de cet univers peu connu des francophones d'aujourd'hui où s'entremêlaient dans un même élan les considérations culturelles et politiques les plus élevées :

> On voyait souvent Kalman Marmor donner des conférences à Montréal, surtout le printemps et l'automne. Dans l'intervalle, nous correspondions fréquemment. Écrivain plus âgé et plus expérimenté, rédacteur et critique littéraire, il semble bien qu'il se soit rapproché de moi justement parce que nous avions partagé, chacun dans notre *shtetl* d'origine, une même éducation religieuse traditionnelle. L'impulsion qui nous poussait à écrire trouvait aussi sans doute son origine dans le texte biblique ainsi que dans le rythme triste et lancinant de la *Gemore*, sans oublier ce sens de la justice qui dominait en nous et la certitude que le pays de l'étoile rouge brandissait le flambeau qui nous mènerait à un monde de paix universelle[73]…

73. Sholem Shtern, *Nostalgie et Tristesse. Mémoires littéraires du Montréal yiddish.*

Ces apports sont décuplés par l'activisme de la Yidishe Folks Bibliotek, logée au cours des années 1930 dans un édifice de l'avenue de l'Esplanade, juste en face du parc Jeanne-Mance, et par l'accueil que la salonnière Ida Maze réserve pendant plusieurs décennies aux poètes juifs américains et européens[74]. Plusieurs revues littéraires de langue yiddish de haute tenue prennent leur envol au cours de l'entre-deux-guerres, mais la plupart d'entre elles ne connaîtront qu'une existence éphémère. Pendant les années 1920, Segal anime *Nyuansn* [nuances], *Royerd* [terre vierge] et *Kanade* [Canada], puis de 1932 à 1937 Noah-Isaac Gotlib dirige *Montreal* et *Heftn* [cahiers]. Paraissent aussi des manuels destinés aux écoles yiddish de la ville, des essais sur le folklore juif et des recherches sur la tradition religieuse judaïque. Yehuda Avida, de son vrai nom Yehuda-Leib Zlotnik, poursuit son œuvre commencée en Pologne. Il s'intéresse à l'ancienne culture perse, à l'histoire de la langue yiddish, à la rhétorique hébraïque et au livre biblique de l'Ecclésiaste. Le rabbin Yudel Rosenberg[75], lui aussi polonais d'origine, traduit en hébreu moderne le *Zohar**, écrit des récits populaires d'inspiration hassidique en yiddish[76] et publie des discussions d'inspiration rabbinique. Dans son dictionnaire biographique de 1980, Haim-Leib Fuks répertorie plus de deux cents livres yiddish publiés à Montréal[77]. Si certains auteurs s'immergent dans l'étude des siècles passés, d'autres contemplent le milieu qui les entoure et rédigent des textes intimistes décrivant leur ville.

C'est le cas de Jacob-Isaac Segal, qui publie dix recueils de poésie dans sa ville d'adoption, dont deux paraîtront après sa mort en 1954.

---

74. Chantal Ringuet, « L'engagement littéraire et communautaire d'Ida Maze, la mère des écrivains yiddish montréalais », p. 149-166.

75. Il s'agit du grand-père maternel de Mordecai Richler.

76. Voir la traduction par Curt Leviant du récit publié en 1909 par Yudel Rosenberg en Pologne : *The Golem and the Wondrous Deeds of the Maharal of Prague.*

77. Haim-Leib Fuks, *Cent ans de littérature yiddish et hébraïque.* L'ensemble de la production littéraire à travers le monde des écrivains et journalistes yiddish montréalais – avant, pendant et dans certains cas après leur séjour dans la ville – consiste en près de mille ouvrages.

Dans ses vers, Segal incarne le parcours littéraire et esthétique de toute la génération arrivée d'Europe orientale avant la Grande Guerre et pour qui le yiddish est une langue propice aux réalisations artistiques les plus épurées. S'exprime dans son œuvre l'élan culturel irrépressible du Montréal juif de l'entre-deux-guerres, fermement enraciné en terre d'Amérique mais héritier à la fois d'une douloureuse expérience culturelle est-européenne et d'un enseignement rabbinique aux racines historiques très profondes. Émerge ainsi un nouveau phénomène littéraire, celui de la poésie lyrique décrivant le Montréal des immigrants, les quartiers modestes adossés au mont Royal et la frénésie des places publiques les jours de fête. Tout un pan de l'écriture juive s'ouvre aux réalités locales – en plusieurs langues – et plonge des racines nouvelles dans le contexte québécois, comme le révèle ce poème de Jacob-Isaac Segal mettant en scène le mont Royal :

> [...]
> Les enfants jouent dans les allées
> Les plus grands sur la place du marché.
> Et contre cette place bruyante
> S'élève fière dans ma ville la montagne.
> Elle repose maintenant dans une blanche froidure
> Resplendissante dans la lumière crue de la neige.
> Comme des cerfs, majestueux avec leurs bois
> Les arbres s'y alignent rangée après rangée.
> En ce lieu, son trône royal
> L'hiver a érigé.
> Toute la nuit rayonne la croix
> Qui sait, pour l'éternité[78] ?

---

78. « *Un kinder shpiln zikh in gas / Un groyse – oyfn mark. / Un shtolts azoy shtayt in mayn shtot / Antkegn mark – der barg. / Er shtayt in kaltn vays atsind / In klorn likht fun shnay. / Vi hirshn, hernerdik un hoykh, / Di boymer – ray nokh ray. / Dort hot der vinter oyfgeshtelt / Zayn keniglakhn tron. / Der tselem brent a gantse nakht, / Ver vays – fun aybik on ?* » Jacob-Isaac Segal, extrait de « Montreal », *Mayn nigun* [ma chanson], Montréal, publié à compte d'auteur, 1934, p. 284-285.

Dans cet interstice temporel des années 1920 et 1930 s'entremêlent ainsi, au sein de la communauté, des courants et des sensibilités venus d'horizons en apparence très divers et qui formeront l'assise de l'histoire juive montréalaise. Au milieu de cette ébullition perpétuelle émerge peu à peu dans la ville une identité à nulle autre pareille, d'abord judaïque mais aussi imprégnée de culture russe et fortement minoritaire. Sans compter la fascination qu'exerce sur les Juifs montréalais la terre d'Israël, objet de toutes les vénérations qui se rappelle sans cesse à leur attention par la prière. Ces multiples composantes culturelles et historiques affleurent sans cesse dans l'œuvre de Segal et dans celle de ses nombreux contemporains voués comme lui à l'écriture yiddish moderniste. Il en résulte l'impression parfois déroutante, parfois exaltante, que le texte poétique yiddish, par ses qualités esthétiques et la force de ses images, constitue un témoignage irremplaçable du vécu culturel juif à Montréal. De là vient que le public de langue yiddish tienne en très haute estime ceux qui pratiquent assidûment le métier de poète, le plus souvent des individus de condition ouvrière allant et venant modestement dans les rues du Plateau Mont-Royal. Assimilés à la figure biblique du prophète, ces lettrés sont l'objet d'une adulation constante, et on leur réserve une place d'honneur dans les célébrations culturelles au sein de la communauté.

Le Montréal yiddish donne aussi naissance à des mouvements artistiques dans les domaines du théâtre, de la sculpture et de la peinture, qui sont encore peu connus des historiens. Mis à part le très populaire vaudeville de langue yiddish et les productions de bas étage accueillies dans les différentes salles du boulevard Saint-Laurent – dont le mythique Monument-National –, des formes théâtrales plus recherchées et plus audacieuses se manifestent entre les deux guerres. Arrivée de Pologne à la fin des années 1920, Hayele Grober incarne dans la ville la grande tradition de langue hébraïque promue par la troupe Habimah et défendue par Constantin Stanislavski. Fondée à Moscou en 1918 et très estimée à travers la diaspora juive, Habimah applique à des thématiques bibliques les techniques avant-gardistes de la nouvelle école de théâtre russe. Montréal héberge également pendant vingt ans l'artiste lituanien Bezalel Malchi, arrivé au Canada en 1933. Auteur de plusieurs bustes et sculptures audacieux qui ornent aujourd'hui les salles de la Bibliothèque publique juive, Malchi a aussi dessiné plusieurs couvertures d'ouvrages et de revues de langue yiddish publiés dans la ville.

C'est toutefois dans le domaine de la peinture que la communauté juive d'origine est-européenne s'illustre le plus, notamment par la volonté de ses artistes d'explorer les nouvelles tendances qui émergent en Europe et au Canada dans le domaine des arts visuels. Bien au fait des évolutions esthétiques qui s'affichaient déjà en URSS et en Allemagne, les peintres juifs de Montréal font jonction avec les talents canadiens les plus novateurs pour donner naissance à une nouvelle école marquée par l'urbanité, la condition sociale ouvrière et une expérimentation picturale audacieuse. Cela tient pour une bonne part à ce que des peintres comme Alexander Bercovitch, Louis Muhlstock, Sam Borenstein et Jack Beder sont en quelque sorte détachés par leur statut d'immigrant des milieux canadiens traditionalistes et qu'ils dépeignent le milieu densément peuplé où ils ont élu domicile[79]. Apparaissent ainsi souvent sur leurs toiles les quartiers où était concentrée la population juive de l'entre-deux-guerres et les figures humaines qui en représentent le type le plus commun. Ce sont certaines parmi les premières manifestations concrètes de la sensibilité artistique avant-gardiste dont le milieu juif montréalais est traversé de part en part au XXe siècle.

L'antisémitisme des francophones

Dès la période de la grande migration, les Juifs est-européens découvrent à Montréal une ville dont la configuration sociale, politique et géographique est basée sur un dualisme linguistique profondément ancré dans l'histoire. Après les Juifs britanniques arrivés au siècle précédent, les yiddishophones sont à leur tour soumis à la force d'attraction de la

79. Esther Trépanier, *Les Peintres juifs de Montréal. Témoins de leur époque (1930-1948)*; Michèle Thériault (dir.), *Jack Beder. Lumières de la ville*; et Robert Adams, *The Life and Work of Alexander Bercovitch, Artist.* Voir aussi Colette Tougas, *Sam Borenstein.*

langue anglaise telle qu'elle s'exerce dans les grands secteurs économiques de la métropole canadienne. Dirigés vers l'école protestante par la loi de 1903, ils rencontrent aussi de puissants facteurs d'anglicisation dans le fonctionnement des organisations syndicales nord-américaines et lorsqu'ils entrent en contact avec des institutions communautaires juives d'envergure continentale. Rapidement, les immigrants de l'Empire russe basculent dans le camp de l'anglophonie canadienne. Ce n'est pas faute d'être privés de contacts soutenus et positifs avec le Canada français. La plupart des Juifs de langue maternelle yiddish vivent à proximité d'importantes populations francophones et côtoient sans cesse un public de langue française dans les parcs, les commerces et les lieux de sociabilité urbaine[80]. Au cours de l'entre-deux-guerres, un grand nombre de Juifs est-européens parcourent aussi la campagne québécoise ou exercent leur métier de marchand ambulant dans les quartiers situés à l'est de la rue Saint-Denis. Le rapport entre les deux groupes est soutenu et mutuellement profitable, ce qui permet à de nombreux immigrants d'apprendre rapidement des rudiments de français et d'échanger sans trop de mal avec leurs concitoyens canadiens-français. Dans les usines de confection, les dirigeants des organisations ouvrières associées à la mouvance révolutionnaire juive pratiquent d'ailleurs au début du XXe siècle une politique énergique de syndicalisation des jeunes travailleuses francophones et marquent des points par rapport aux syndicats catholiques plus conservateurs. Éduqués dans un milieu est-européen polyglotte et pluriculturel, les militants de la gauche juive trouvent à s'adapter au profil culturel et linguistique des classes laborieuses francophones. Laissés à eux-mêmes, la plupart de ces activistes auraient pu s'accommoder facilement d'une intensification de leurs rapports avec le Canada français. La difficulté vient d'ailleurs.

Nous l'avons vu, les Juifs yiddishophones souhaitent avant tout participer pleinement à leur société d'accueil et tentent très tôt d'échapper

80. Voir les témoignages de Hershl Novak, *La Première École yiddish à Montréal*, p. 166-170 ; de Sholem Shtern, *Nostalgie et Tristesse*, et celui de Michel Tremblay dans *La grosse femme d'à côté est enceinte*, Montréal, Leméac, 1978, p. 22.

La synagogue Bevis Marks à Londres, fondée en 1701.
© Deror Avi.

L'homme d'affaires Jesse Joseph, à Montréal, en 1877.
© Musée McCord, ii-43721.

La synagogue Shaar Hashomayim, rue McGill College, vers 1910.

Le grand écrivain yiddish est-européen Shalom Aleichem en compagnie du fondateur de la Bibliothèque publique juive, Reuben Brainin, et de J. D. Bercovitch, à Montréal, en 1915.

Le militant Hirsch Hershman photographié en 1921 en Ukraine entouré d'orphelins juifs victimes de la guerre civile.
© ABPJ.

Le militant communautaire H.-M. Caiserman en 1919.
© Archives juives canadiennes Alex Dworkin (AJC Alex Dworkin).

Les élèves de l'école yiddish Peretz avec Hershl Novak, vers 1920.

La syndicaliste Léa Roback
(à gauche) avec deux compagnes,
à Montréal, en 1923.

Ouvrières dans une usine de confection de Montréal, vers 1930.
© ABPJ.

Affiche pour la représentation de *Der Payatz* [le clown] au Monument-National, comédie musicale de langue yiddish qui connaît un grand succès à New York au milieu des années 1930.
© ABPJ.

Affiche annonçant la venue de l'écrivain new-yorkais Kalman Marmor à Montréal pour un récital de poésie à la Bibliothèque publique juive, vers 1935.
© ABPJ.

Affiche en yiddish pour la sauvegarde de la synagogue Shearith Israel, rue Chenneville, à Montréal, en 1940.
© AJC Alex Dworkin.

Ouvrières de la Rose Dress en grève, avec l'appui du Syndicat international des travailleuses du vêtement de dames (ILGWU), à Montréal, vers 1940.

Les réfugiés du *Serpa Pinto* au moment de leur arrivée à Montréal au printemps 1944.

L'écrivain A. M. Klein (debout) présente le journaliste Pierre Van Paassen (assis, avec des lunettes) en 1945, alors qu'il est de passage à Montréal pour une conférence à la Bibliothèque publique juive.
© ABPJ.

La poète yiddish Rokhl Korn sur le mont Royal, vers 1950.
© ABPJ.

à leur condition d'immigrant. Voulant faire échec à la marginalisation et à l'isolement dont ils étaient victimes avant leur arrivée, la plupart cherchent à l'extérieur de leur communauté immédiate des points d'appui institutionnels et des passerelles vers les classes moyennes. Or, le Canada français sous sa forme institutionnalisée n'offre pas de telles occasions d'avancement aux personnes qui se situent à l'extérieur de la foi catholique et certainement pas à des cohortes ouvertement d'origine juive. Cela tient d'une part à l'approche mutuellement exclusive que protestants anglophones et Canadiens français ont développée d'un commun accord à Montréal au cours du XIXe siècle et d'autre part à l'antisémitisme doctrinal très ancré dont font preuve les milieux relevant de l'Église romaine. La compartimentation confessionnelle rigide que rencontrent les yiddishophones dans la métropole, particulièrement dans le cas du catholicisme, constitue un écueil systémique que ne parviennent pas à entamer les efforts soutenus d'adaptation linguistique et culturelle des nouveaux venus. Le Canada français institutionnel ne présente de fait ni aspérité ni interstice qui aurait rendu possible l'insertion progressive des Juifs dans l'univers catholique. Dans le vaste réseau paroissial et éducatif francophone, les fils et les filles d'Israël ne découvrent ni antichambre, ni refuge temporaire, ni espace de négociation qui leur permettrait de prendre pied dans la sphère francophone à plus long terme. Le refus des clercs et des élites se passe même parfois de tout commentaire désobligeant ou d'un antisémitisme fortement affirmé. Pas une fissure, pas une faille ne se présente dans l'édifice organisationnel qui ouvrirait la voie à une attitude d'acceptation ou d'intégration bienveillante. C'est que la plupart des francophones catholiques ne peuvent pas concevoir que les yiddishophones, même détachés de toute pratique judaïque et fortement attirés par une vision universaliste de leur culture, puissent un jour devenir partie intégrante du Canada français. Dans l'esprit de plusieurs penseurs d'allégeance conservatrice, la mission historique primordiale des francophones en Amérique est toujours de témoigner des valeurs traditionnelles de la foi, de peupler les marges agricoles de la vallée du Saint-Laurent et de tourner le dos aux forces de la modernité, autant d'éléments identitaires auxquels les Juifs sont réputés ne pouvoir se conformer. On trouve là le socle sur lequel repose la pensée de l'abbé Groulx et de la plupart des éditorialistes du *Devoir* au cours des années 1920 et 1930 relativement à la présence juive à Montréal[81].

Les élites politiques canadiennes-françaises plus nationalistes qui émergent au tournant du siècle n'acceptent pas non plus les politiques migratoires du Canada et résistent à l'idée que l'État fédéral ouvre le territoire du Canada à des populations venues d'autres horizons culturels. Cela tient à ce que toute arrivée nouvelle, peu importe sa provenance, risque d'affaiblir la proportion des francophones au sein de la population canadienne et de réduire d'autant l'influence que le Canada français détient au Parlement d'Ottawa. Du côté des catholiques, nul ne croit en effet que les nouveaux arrivants se joindront massivement à la communauté francophone du pays, et plusieurs ne le souhaitent carrément pas. Partant de cette conviction, Henri Bourassa condamne très tôt au XXe siècle toute tentative d'agrandir la population canadienne, francophone comme anglophone, par des moyens autres que la fécondité naturelle. Son nationalisme défensif le pousse aussi à vouloir renforcer la binarité linguistique et confessionnelle du pays et à rejeter tout d'abord l'immigration juive issue de la Russie impériale[82]. D'autres vont beaucoup plus loin que lui au *Devoir*, dont Georges Pelletier, qui estime que la migration de masse qui déferle sur le Canada au début des années 1910 est composée des rebuts de l'humanité, coûte très cher au trésor fédéral et profite essentiellement aux grandes compagnies de transport maritime[83]. Ce point de vue est diamétralement opposé à celui qui prévaut au Canada anglophone, pour lequel un apport impor-

---

81. Voir à ce sujet l'éditorial d'Albert Rioux intitulé « Il faut coloniser », *Le Devoir*, 18 avril 1933, p. 1. L'éditorial au complet est cité dans Pierre Anctil, « *Soyons nos maîtres* ». *60 éditoriaux pour comprendre* Le Devoir *sous Georges Pelletier, 1932-1947*, p. 117-121. Voir aussi l'éditorial de Georges Pelletier intitulé « Les Juifs d'Allemagne font déraisonner le "Star" », *Le Devoir*, 26 novembre 1938, p. 1. L'éditorial au complet est cité dans Pierre Anctil, « *À chacun ses Juifs* », p. 217-223. Consulter aussi Pierre Anctil, « *Le Devoir* et les Juifs : complexités d'une relation sans cesse changeante (1910-1963) ».

82. Voir Pierre Anctil, « *À chacun ses Juifs* », p. 31-38.

83. Voir les perceptions de Georges Pelletier à ce sujet dans *L'Immigration canadienne. Les enquêtes du* Devoir.

tant de nouveaux citoyens est perçu comme susceptible de propulser le développement économique du pays. Loin d'atténuer les craintes viscérales du Canada français face à l'immigration internationale, l'arrivée de Juifs est-européens à Montréal renforce le cloisonnement confessionnel en place, durcit les barrières basées sur le dualisme historique canadien et conduit à une réaffirmation de l'exclusivisme culturel des institutions francophones.

Le mouvement de repli se mesure notamment à la réaction de l'Université de Montréal aux premières inscriptions provenant de la communauté juive montréalaise. Nous l'avons vu, à partir de 1930, l'Université McGill prend des moyens draconiens pour limiter l'entrée des yiddishophones dans ses programmes, si bien que certains candidats juifs du bas de la ville se résolvent à venir cogner à la porte d'une institution d'enseignement supérieur de langue française canoniquement catholique. Comme le démontre la grève menée en 1934 contre le docteur Samuel Rabinovitch à l'hôpital Notre-Dame[84], les diplômes que les personnes d'origine juive obtiennent à l'Université de Montréal ne peuvent conduire assurément à des postes de responsabilité au sein du réseau francophone confessionnel. Au mieux, ils offrent à quelques individus la possibilité d'ouvrir un cabinet de médecin privé ou un cabinet d'avocat indépendant. Les candidats d'origine est-européenne ne se bousculent d'ailleurs pas aux portes d'une institution dont la devise est liée de très près à sa vocation canonique : *Fide splendet et scientia*[85]. Cela explique que la présence juive à l'Université de Montréal se situe à près de 4 % tout au long des années 1930, c'est-à-dire beaucoup moins qu'à l'Université McGill.

Une campagne publique assez virulente est d'ailleurs menée au milieu de cette décennie pour interdire totalement aux Juifs l'accès à une maison d'enseignement considérée par certains comme apparte-

84. Voir Pierre Anctil, *Le Rendez-vous manqué*, chapitre 2. L'hôpital Notre-Dame est affilié à l'Université de Montréal.

85. « Elle rayonne par la foi et la science. » La devise date du détachement de l'Université de Montréal d'avec l'Université Laval en 1920.

nant exclusivement au Canada français de confession catholique[86]. Les dénonciations antisémites répétées – dont celles d'Adrien Arcand – occasionnent une clarification au plus haut niveau de la hiérarchie religieuse qui est symptomatique des perceptions de l'époque : les étudiants d'origine juive ne doivent faire l'objet d'aucune concession doctrinale de la part d'une université qui demeure investie d'une mission canonique, mais ils ne peuvent pas non plus en être exclus. Les Juifs, raisonne l'épiscopat catholique, se situent certes à l'extérieur du Canada français, mais ils sont aussi des citoyens canadiens de plein droit. On peut donc les empêcher d'exercer une profession à l'intérieur des institutions à vocation catholique mais pas leur interdire de s'instruire et d'avancer dans le reste de la fédération canadienne. En somme, ils sont irrecevables seulement là où la foi catholique est une exigence déclarée et contraignante. Dans cette affaire, les évêques, influencés par les prises de position antinationalistes de Pie XI, se montrent plus ouverts d'esprit que plusieurs militants laïques des causes politiques conservatrices. Soucieux de suivre à la lettre la doctrine de Rome et d'obtenir éventuellement des éclaircissements supplémentaires, le cardinal Villeneuve adresse en février 1936 une lettre très révélatrice à son vis-à-vis de la secrétairerie d'État du Vatican, Mgr Nicola Canali :

> La loi d'immigration admet ces juifs au pays. Un bon nombre sont nés sur notre sol, en ont pris des lettres de naturalisation. Ils sont donc citoyens canadiens dans la province au même titre légal que les catholiques et exercent les droits ordinaires du citoyen. Ils ont, en particulier, le droit naturel de s'instruire et de faire instruire leurs enfants. Les juifs contribuent pour leur part au soutien des Universités dans les octrois qui sont accordés par le gouvernement de la Province et les autres autorités politiques et municipales. Les associations professionnelles les admettent parmi leurs membres, et les lois de notre province leur confèrent le droit d'exercer les professions. [...]
>
> Pour toutes ces raisons et dans les circonstances, il paraît plus prudent

---

86. Pierre Anctil, *Le Rendez-vous manqué*, chapitres 2 et 3.

> d'user de tolérance à leur égard. Les refuser absolument serait soulever un problème de race dans nos Universités qui gagnerait bientôt tout le pays[87].

Ce point de vue très mesuré pour l'époque n'empêche pas des prêtres et des pratiquants sincères de soulever des objections d'ordre moral ou relevant de préjugés antisémites classiques à la présence juive à Montréal. On trouve de telles observations sous des pseudonymes utilisés par l'abbé Lionel Groulx en 1933-1934 dans la revue *L'Action nationale*. Elles affleurent aussi dans les pages éditoriales du grand quotidien fondé par Bourassa en 1910, *Le Devoir*. Au plus fort de la Grande Dépression, un volet de cet antisémitisme canadien-français prend aussi des formes qui se justifient par la concurrence économique supposée des nouveaux venus. Entre 1934 et 1939, *Le Devoir* propose à ses lecteurs de ne pas faire leurs achats chez des marchands d'origine juive et s'oppose à ce que ces derniers ouvrent boutique le dimanche[88]. En 1932, *L'Action catholique* choisit de refuser aux marchands juifs de Québec d'annoncer dans ses pages et fait campagne contre l'érection d'une synagogue dans la haute ville[89]. Plusieurs commentaires désobligeants sont ainsi formulés au sein de la société civile, dont un certain nombre prennent la forme d'une méfiance soutenue envers le judaïsme. Ces propos négatifs contre les porteurs d'une insistante altérité religieuse et culturelle sont rendus plus insistants par la gravité de la crise économique mondiale. Ils sont aussi aggravés par l'arrivée au pouvoir de Hitler et par une propagande insidieuse qui émerge du régime allemand pour se rendre jusqu'au Canada français. Quand se profile en 1938-1939 la crise des réfugiés voulant fuir les persécutions politiques et raciales dont ils sont l'objet sous le nazisme, *Le Devoir* souligne le caractère inassimilable des Juifs, leur propension à opter pour un

87. Lettre du cardinal Jean-Marie-Rodrigue Villeneuve, évêque de Québec, au cardinal Nicola Canali, cité du Vatican, 15 février 1936, archives de l'archevêché de Québec.

88. Pierre Anctil, « *À chacun ses Juifs* », p. 285-300 et 333-342.

89. Pierre Anctil, « Bâtir une synagogue à la haute ville (1932-1952) ».

mode de vie avant tout urbain et leur volonté de se cantonner dans les professions libérales[90].

Pour l'essentiel, toutefois, ces objections antijuives bien senties ne prennent pas une couleur obsessionnelle marquée et fluctuent au gré des circonstances et des individus. Pendant toute la décennie 1930 et jusqu'à la fin de la Seconde Guerre mondiale, *Le Devoir* publie une soixantaine d'éditoriaux négatifs sur la présence juive au Québec, c'est-à-dire moins de 2 % du total[91]. Interpellés par les activistes du CJC, plusieurs auteurs de ces saillies antisémites s'étonnent par ailleurs des accusations d'intolérance que leur méritent certaines affirmations sanctionnées depuis longtemps par l'Église. Quel mal peut-on commettre, s'étonnent-ils, en reprenant l'enseignement traditionnel catholique ? Attaqué en 1933 par le CJC pour son manque de sensibilité envers une minorité qui vit des heures très difficiles depuis l'arrivée au pouvoir de Hitler, Omer Héroux, rédacteur en chef du *Devoir*, rétorque :

> Où et quand avons-nous fait de l'antisémitisme ? Où et quand avons-nous pris une attitude que l'on puisse qualifier de manifestement antisémitique ? Est-ce faire de l'antisémitisme que de recommander aux Canadiens français d'avoir autant de bon sens que les Juifs, de pratiquer cette entr'aide économique que tous les autres groupes, à commencer par les Juifs, pratiquent couramment, sans avoir besoin de le dire, ni même d'y penser ? Est-ce faire de l'antisémitisme que de prétendre simplement juger par soi-même, et non sous la dictée de la presse ou des intérêts juifs, les choses de notre pays ou de l'étranger[92] ?

90. Pierre Anctil, « *À chacun ses Juifs* », p. 186-204.

91. *Ibid.*, p. 55-81. Bien que les données manquent à ce sujet, on peut faire l'hypothèse que le nombre d'écrits hostiles aux Juifs et au judaïsme était encore plus bas dans la presse francophone à grand tirage. À ce sujet, consulter Marc Hébert, « La presse de Québec et les Juifs, 1925-1939 : le cas du *Soleil* et du *Quebec Chronicle Telegraph* », et Yves Frenette, « Les éditoriaux de *La Presse*, 1934-1936 : une défense de la démocratie libérale ».

92. Omer Héroux, « L'autorité de ces documents juifs », *Le Devoir*, 25 janvier 1934, p. 1.

Pour l'essentiel, l'antisémitisme du Canada français se situe à l'intérieur de ces balises doctrinaires catholiques et est pratiqué surtout parmi les classes instruites. Il est aussi plutôt discursif et se limite à des affirmations écrites ou à des remarques prononcées devant des auditoires pieux. Malgré le caractère parfois emporté de la prose hostile aux Juifs, elle débouche rarement au Québec sur des gestes concrets et violents, entre autres parce que l'Église catholique condamne formellement ce genre d'attitude envers les Juifs[93]. Les choses n'ont dégénéré que quelques fois au XXe siècle, entre autres dans les heures qui ont suivi la conférence du notaire Plamondon sur le Talmud en 1910 à Québec[94], au moment des manifestations contre la conscription à Montréal en 1942[95] et lorsque la synagogue de Québec est en partie incendiée le 21 mai 1944[96]. Contrairement à ce qu'Irving Abella et Harold Troper affirment dans *None Is Too Many*[97], il est difficile de croire dans ce contexte que la société québécoise fût unanime à détester les Juifs et à réagir négativement à leur présence. Il s'agit d'un enjeu qui soulève dans bien des cas une indifférence complète ou qui ne fait surface que dans certaines conjonctures. On trouve aussi au sein de la population canadienne-française quelques individus empreints d'une certaine hauteur morale et qui ont clamé, dans l'entre-deux-guerres, leur attachement aux droits des minorités et aux valeurs d'ouverture culturelle, tels Henri

---

93. Voir les déclarations du chanoine Cyrille Labrecque dans *La Semaine religieuse de Québec* sous le titre « Envers les Juifs », 1934, vol. 47, n° 3, 20 septembre, p. 37-39 ; n° 4, 27 septembre, p. 51-54 ; et n° 5, 4 octobre, p. 67-71.

94. Voir à ce sujet David Fraser, « The Blood Libel in North America: Jews, Law and Citizenship in the Early 20th Century », et Christian Samson, « L'antisémitisme au cœur de Saint-Roch : l'affaire Plamondon », p. 111-114. Voir aussi Sylvio Normand, « Plamondon, Jacques-Édouard », et Israël Medresh, *Le Montréal juif d'autrefois*, p. 182-195.

95. André Laurendeau, *La Crise de la conscription, 1942*, p. 94-95.

96. Pierre Anctil, « Bâtir une synagogue à la haute ville », et Israël Medresh, *Le Montréal juif entre les deux guerres*, p. 153-155.

97. Irving Abella et Harold Troper, *None Is Too Many: Canada and the Jews of Europe, 1933-1948*, p. x.

Bourassa, Edmond Turcotte et Olivar Asselin[98]. Bourassa en particuliler comprend la portée de ses attitudes antisémites d'avant-guerre et fait amende honorable auprès de certains leaders de la communauté juive montréalaise au cours des années 1920.

Le Devoir et la plupart des organes de presse d'inspiration catholique au Québec ont donc essentiellement pratiqué un antisémitisme d'Église entre les deux guerres, c'est-à-dire modelé de très près sur l'enseignement doctrinal catholique. Quand le contexte s'y prêtait et que les Juifs devenaient un enjeu central de l'actualité internationale, *Le Devoir* par exemple a prôné la méfiance envers une population perçue comme marginale et inadmissible dans le cadre de la société canadienne-française de l'époque. En tenant des propos de cette sorte, les dirigeants du journal n'ont pas eu le sentiment de commettre une faute contre la morale chrétienne ou d'outrepasser une position éthique juste. Cet antisémitisme s'est affirmé et a pris de l'ampleur précisément parce qu'il faisait partie intégrante de la doctrine catholique et qu'il était perçu par l'élite francophone comme acceptable à l'intérieur de certaines limites. De ce point de vue, le rejet ou la mise à l'écart des Juifs, sans recours à la violence physique ni à un langage haineux, n'apparaissaient pas même aux yeux de certains éditorialistes comme de l'antisémitisme à proprement parler mais plutôt comme une attitude de défense de la foi et de la nation canadienne-française.

L'antisémitisme du *Devoir* entre les deux guerres s'accompagne parfois aussi d'un nationalisme économique du genre « achat chez nous », mais toujours subordonné au premier principe de mise à distance doctrinale des Juifs dans une société catholique. Sous cet angle, la dénonciation du commerce juif vise avant tout à maintenir une division étanche entre deux communautés qui ne doivent pas se côtoyer, pas même sur la place publique ou dans la sphère économique. En reprenant de tels avertissements, *Le Devoir* cherche non pas à remettre en cause le droit des Juifs de faire des affaires au pays ou s'enrichir mais à

---

98. Voir Israël Medresh, *Le Montréal juif entre les deux guerres*, p. 133-136. Voir l'éditorial d'Henri Bourassa intitulé « Leçons et réflexions », *Le Devoir*, 26 août 1931, p. 1. Le texte est repris au complet dans Pierre Anctil, « *À chacun ses Juifs* », p. 256-259.

les détourner des marchés canadiens-français. Une fois de plus, Omer Héroux se défend à cette occasion de vouloir causer du tort aux adeptes du judaïsme. Il ne fait, prétend-il, que réclamer le droit pour les francophones de constituer un espace social où ils seront strictement entre eux, une société où tous les entrepreneurs et tous les professionnels seront des catholiques pratiquants. S'agissant de l'« achat chez nous », Héroux rappelle en 1934 : « Nous ne faisons point ici profession d'antisémitisme. Nous visons à l'action positive. [...] Nous ne faisons la guerre à personne à cause de sa race. Mais qui nous blâmera de vouloir remettre un peu d'ordre dans la situation économique du pays[99] ? » L'Église et *Le Devoir* manifestent beaucoup plus de réticence à s'engager sur la voie que privilégie le mouvement national social chrétien d'Adrien Arcand. Cela tient à ce que dans cette forme d'antisémitisme les Juifs font l'objet d'un discours obsessionnel et sont décrits comme la cause principale de tous les dérèglements dont l'Occident est affligé. Toute la presse dirigée par Arcand, sous ses multiples incarnations, n'existe que pour vilipender ouvertement le judaïsme et pour proposer des moyens radicaux d'en neutraliser l'influence. Cette fois-ci, il ne s'agit pas seulement de fermer les portes du Canada français catholique aux Juifs mais de chasser ceux-ci de l'ensemble de la société canadienne, voire de l'Occident au complet[100].

Les attitudes méprisantes des antisémites canadiens-français ont toutefois fait un tort immense aux relations entre les deux groupes et ont suscité à certaines périodes une inquiétude profonde au sein du leadership communautaire juif, surtout à l'époque de la montée des fascismes en Europe et de la Seconde Guerre mondiale. Il est difficile cependant de mesurer les conséquences matérielles et économiques exactes de ces courants d'hostilité, même au moment où l'idéologie de l'« achat chez nous » est diffusée par les journaux nationalistes de ten-

---

99. Omer Héroux, « M. Joseph Cohen et la "Saint-Jean-Baptiste" », *Le Devoir*, 5 janvier 1934, reproduit dans Pierre Anctil, « *À chacun ses Juifs* », p. 290-292.

100. Voir Alexandre Dumas, « L'Église catholique québécoise face à l'antisémitisme », et Jonathan Tremblay, « La contribution des conservateurs à la longue survie des organisations fascistes d'Adrien Arcand : un élément d'explication ».

dance conservatrice. Israël Medresh, un immigrant lituanien de la première heure à Montréal, suggère dans ses mémoires publiées en 1947 que l'antisémitisme francophone se rencontrait surtout dans les couches aisées de la population et qu'il n'affectait pas vraiment le comportement des classes laborieuses :

> Une autre forme d'antisémitisme se manifesta toutefois à cette époque, non pas issue des masses populaires [sous la forme de voyous], mais bien des milieux intellectuels et académiques. Il s'agissait de l'antisémitisme d'un petit groupe de penseurs canadiens-français d'allégeance conservatrice et ultranationaliste. Les immigrants juifs de Montréal connaissaient peu de choses à propos de ce type d'antisémitisme, car ils n'en sentaient pas la présence. De même, l'ensemble de la population canadienne-française resta à l'écart de ce genre d'antisémitisme[101].

La palme de l'excès dans cette agitation verbale antisémite revient aux journaux éphémères d'Adrien Arcand, partisan déclaré à partir de 1929 de la haine des Juifs et du préjugé racial. Tandis que la plupart des publications nationalistes canadiennes-françaises abordent la « question juive » de manière cyclique, c'est-à-dire surtout à l'occasion d'événements tragiques survenus en Europe, Arcand produit une prose systématiquement attachée à dénigrer et à rabaisser les adeptes du judaïsme. Jour après jour, il construit dans ses publications périodiques une image des Juifs basée sur des perceptions mythologiques, sur des fabulations ou sur la dénonciation gratuite. N'hésitant pas à inventer des faits, à triturer l'information ou à mentir effrontément, Arcand fait circuler une prose nauséabonde et empreinte de propos diffamatoires pendant plus de dix ans, soit jusqu'à son internement en 1940 par le gouvernement canadien[102]. Les publications du Parti national social

---

101. Israël Medresh, *Le Montréal juif d'autrefois*, p. 178. Voir aussi Ira Robinson, *A History of Antisemitism in Canada.*

102. Jean-François Nadeau, *Adrien Arcand, führer canadien* et Hugues Théorêt, *Les Chemises bleues.* Voir aussi l'article de ce dernier, « Influence et rayonnement international d'Adrien Arcand ».

chrétien et du Parti de l'unité nationale du Canada – les deux principaux véhicules politiques d'Arcand – ne représentent pas cependant le courant dominant au Canada français entre les deux guerres. Si les historiens ne sont pas unanimes dans leur évaluation de l'influence réelle d'Arcand au sein des milieux francophones ou du nombre de sympathisants qu'il a recrutés, il semble généralement acquis que son idéologie racialiste ne lui mérita pas d'appuis solides au sein du clergé catholique ou de l'élite intellectuelle. L'homme disparaît d'ailleurs de la scène politique québécoise une fois la Seconde Guerre mondiale terminée. En effet, de nouvelles forces se manifestent au Québec à la fin des années 1930 qui préparent l'éclosion de perceptions culturelles différentes de la part des catholiques de langue française. Un basculement identitaire à grande échelle se prépare déjà qui va modifier en profondeur les rapports des francophones avec la minorité juive montréalaise.

CHAPITRE 4

Dans la tourmente, 1939-1945

Arrivés à la faveur d'un mouvement démographique provoqué par la situation politique régnant au sein de l'Empire russe, la plupart des Juifs ne sont au Canada que depuis deux générations quand se dessine en Europe une nouvelle crise d'une ampleur exceptionnelle. Déstabilisée par la défaite de 1918 et par les exigences financières du traité de Versailles, poussée vers l'abîme par la débâcle économique de 1929, la société allemande porte Adolf Hitler au pouvoir. Par une combinaison complexe d'alliances et de négociations politiques, le président Hindenburg confie en janvier 1933 le gouvernement au parti national-socialiste. Nommé chancelier, Hitler abolit aussitôt les libertés fondamentales et muselle les organisations politiques et syndicales qui font contrepoids à son pouvoir. Profitant de l'incendie du Reichstag en février de la même année, il proclame une situation d'urgence, supprime la liberté de presse et suspend indéfiniment les activités du Parlement. Les Juifs allemands, que Hitler attaque violemment et sans relâche dans ses discours depuis des années, ne tardent pas à comprendre que l'appareil d'État allemand va se déchaîner contre eux. En février et mars 1933, une vague de violence atteint les institutions, les entreprises commerciales et les personnes associées en Allemagne au judaïsme[1]. De nombreux établissements tenus par des Juifs sont désignés par des placards et des graffitis, puis boycottés ou pris d'assaut.

1. Voir à ce sujet Ian Kershaw, *Hitler, 1889-1945*. Voir aussi, du même auteur, *Hitler, the Germans and the Final Solution.*

En avril, de nouvelles mesures antijuives sont imposées, dont l'exclusion des Juifs de la fonction publique, des universités et de certaines professions. Ces décisions sont mises en application avec une brutalité particulière dans le but explicite d'humilier les Juifs, qui occupent une place jugée trop importante au sein de la société allemande. L'ensemble de la presse mondiale rapporte ces faits, ainsi que les déclarations tonitruantes de Hermann Goering et Joseph Goebbels contre leurs compatriotes d'origine juive, accusés d'être un corps étranger dans le pays. En quelques semaines seulement, le demi-million de Juifs allemands sont aux prises, impuissants, avec une situation qui ne cesse de s'aggraver sur le plan juridique et politique. Nul ne peut encore prévoir au milieu des années 1930 jusqu'à quelle extrémité se portera, sous le régime nazi, la persécution antisémite.

Au Canada, les Juifs d'origine est-européenne voient se dégrader jour après jour la situation de leurs coreligionnaires allemands. Les attaques des nazis sèment la consternation dans les rangs du judaïsme montréalais et provoquent un réveil pour le moins brutal au sein du leadership communautaire. Plusieurs dirigeants prennent soudain conscience de la gravité des attaques verbales et physiques lancées par les dirigeants du régime hitlérien. Ils sont aussi témoins à distance de pogroms qui ont lieu dans plusieurs grandes villes allemandes. Cette fois, ce ne sont pas des hordes paysannes qui s'attaquent avec une violence aveugle à de modestes marchands juifs, comme dans quelque bourgade reculée de Russie, mais bien un mouvement politique structuré brusquement placé au sommet d'une des sociétés les plus avancées et les plus florissantes d'Europe. La scène frappe l'imagination des Juifs canadiens et les glace d'horreur. Un sentiment d'impuissance et d'angoisse étreint tout le milieu juif de Montréal, qui se voit confronté à l'impensable : une campagne antisémite virulente dans le pays qui a donné naissance à un des plus brillants courants de renouveau intellectuel juif en Europe[2]. L'Allemagne n'est-elle pas la patrie de Moses Men-

---

2. À ce sujet, voir Amos Elon, *The Pity of It All: A Portrait of Jews in Germany, 1743-1933* ; et Jacques Ehrenfreund, *Mémoire juive et nationalité allemande. Les juifs berlinois à la Belle Époque.*

delssohn, l'instigateur au XVIIIe siècle de la *haskala** et d'un grand mouvement de la pensée scientifique au sein de l'intelligentsia juive[3] ? N'est-ce pas dans ce pays que se sont illustrés l'historien Heinrich Graetz, l'écrivain Heinrich Heine, le peintre impressionniste Max Liebermann et l'homme d'État Walter Rathenau, tous des sommités de la culture germanique ? La contribution des Juifs allemands semblait d'autant plus considérable à leurs coreligionnaires est-européens – même ceux qui avaient trouvé refuge au Canada – qu'elle avait traversé les frontières de l'empire tsariste au milieu du XIXe siècle pour venir briller dans les petits milieux enclavés de la zone de résidence russe. Tout à coup, il semble qu'une déraison criminelle se soit emparée d'un pays associé depuis longtemps au progrès des Lumières, à l'étude de la philosophie classique et à une certaine noblesse de pensée. Pis encore, les Juifs allemands bénéficient d'un niveau de vie enviable parmi les populations juives du Vieux Continent et ont de grandes réalisations professionnelles à leur crédit. Ils ont aussi combattu vaillamment pour leur pays durant la Grande Guerre et se sont dépensés sans compter pour assurer le succès politique et économique de la république de Weimar. Pendant que des nouvelles de plus en plus troublantes affluent d'Allemagne, le Montréal juif est saisi d'un profond sentiment de vertige, d'une inquiétude viscérale.

Témoins impuissants de la descente aux enfers des populations juives allemandes, les dirigeants de la communauté montréalaise ne restent pas longtemps les bras croisés. En mars 1933, un comité de vingt-cinq personnes est créé – essentiellement des militants des différentes organisations sionistes de gauche – pour préparer une riposte et mieux faire connaître au public canadien et montréalais le sort réservé aux Juifs allemands. Les activistes décident d'abord de tenir une manifestation de masse à l'aréna Mont-Royal, lieu de rencontre bien connu des amateurs de hockey à l'époque. Le 6 avril, une foule bruyante converge vers l'édifice situé au cœur du Plateau Mont-Royal pour exprimer l'indignation de la population juive de Montréal et rallier d'autres secteurs de la société à la défense des minorités religieuses en Allemagne.

3. Shmuel Feiner et Anthony Berris, *Moses Mendelssohn: Sage of Modernity.*

Plusieurs personnalités y prennent la parole, dont le maire de Montréal, Fernand Rinfret, et l'ex-président de l'Assemblée générale de la Société des Nations et sénateur canadien Raoul Dandurand. S'y rendent aussi des représentants des Églises protestantes et le rabbin Harry J. Stern du Temple Emanu-El[4]. H.-M. Caiserman a décrit des années plus tard dans ses mémoires les répercussions de l'événement :

> J'étais le secrétaire du regroupement d'organisations [juives] et la décision a été prise de tenir un grand rassemblement à Montréal. Un comité de 25 personnes a été élu pour préparer la manifestation de protestation, qui a eu lieu à l'aréna – qui était à l'époque sur l'avenue du Mont-Royal –, et une foule de 15,000 est venue exprimer son opposition pendant 2 ½ heures. [...] La manifestation contre le nazisme a été une des plus réussies qui [aient] eu lieu à Montréal depuis longtemps et toute la presse, anglaise comme française, lui a accordé beaucoup de place[5].

Les protestations ponctuelles ne peuvent toutefois servir de politique à long terme pour ce qui est de la situation dramatique des Juifs en Allemagne et aussitôt le projet se forme de rétablir le Congrès juif canadien (CJC) fondé à Montréal en mars 1919. L'idée est de réunir toutes les forces vives du judaïsme canadien. Comme au lendemain de la Première Guerre mondiale, les événements de 1933 en Allemagne ont convaincu les différentes factions de la communauté de s'unir pour faire face à une situation menaçante en Europe et qui ne manquera pas d'avoir des retombées ailleurs dans la diaspora. En 1919, pendant que les Alliés étaient réunis à Versailles pour fixer les contours de l'après-guerre et décider entre autres du sort de la Palestine, des pogroms de grande ampleur avaient eu lieu en Ukraine dans le sillage de la guerre civile russe,

---

4. C'est cette manifestation publique que le mouvement Jeune-Canada critiquera de façon virulente dans un pamphlet intitulé *Politiciens et Juifs, Cahiers des Jeune-Canada*, n° 1, 1933.

5. H.-M. Caiserman, manuscrit non daté, non signé, débutant par « The Anti-Jewish Pogroms in Germany during 1932/33 », archives de la Bibliothèque publique juive, Montréal, fonds Caiserman, chemise 6, 4 pages. Notre traduction.

que les représentants du judaïsme mondial avaient dénoncés. La conférence de paix avait aussi servi à obtenir de la part des puissances européennes des garanties quant au traitement des minorités religieuses, linguistiques et culturelles présentes sur leur propre territoire, dont la Pologne nouvellement (re)créée. On y avait aussi discuté du sort des territoires autrefois contrôlés par l'Empire ottoman au Proche et au Moyen-Orient, dont la Palestine que les Britanniques convoitaient.

Tous ces enjeux de première importance sont à nouveau à l'ordre du jour au moment de la prise du pouvoir par Hitler : la possibilité d'un afflux massif de réfugiés, la violence antisémite et l'ouverture éventuelle de la Palestine aux Juifs allemands désirant fuir leur pays. La conjoncture hautement défavorable de 1933 sert une fois de plus de catalyseur aux dirigeants juifs canadiens, vivement préoccupés d'unité communautaire. Confrontées à une crise internationale soudaine et plongées dans un climat économique morose, un grand nombre d'organisations envoient des délégués à Toronto, à la fin de janvier 1934, pour jeter les bases d'un nouveau CJC. Il s'agit avant tout de décider d'une stratégie face à la dégradation de la situation en Allemagne, puis de préparer les Juifs canadiens aux conséquences d'un effondrement des droits fondamentaux partout en Europe de l'Est, notamment en Pologne. H.-M. Caiserman, qui est élu secrétaire général de l'organisation et qui va jouer un rôle décisif au cours des années 1930 en son sein, décrit le contexte de la manière suivante :

> Voilà quels sont les problèmes qui ont poussé les Juifs canadiens à organiser divers types d'élections [au sein de la communauté] […] et à se rencontrer lors d'une conférence dont le but était de mettre en place un mécanisme permettant de créer une autorité centralisée. C'était le début d'une forme d'unité qui est si essentielle à notre survie comme communauté empreinte d'un certain dynamisme, et qui doit sans cesse progresser afin que les Juifs canadiens puissent acquérir les moyens politiques dont ils ont besoin pour résoudre leurs difficultés d'une manière civilisée et cultivée[6].

---

6. H.-M. Caiserman, manuscrit non daté, non signé, débutant par « The First Canadian Jewish Congress held in the year 1919 ». Notre traduction.

D'autres tâches urgentes attendent aussi la communauté juive canadienne, dont celles d'asseoir l'éducation religieuse et culturelle des jeunes Juifs sur de meilleures bases, de recueillir des données statistiques fiables – raison pour laquelle le CJC crée un Bureau of Social and Economic Research avec la collaboration de Louis Rosenberg – et d'établir des archives institutionnelles pour conserver les traces du passé. Les Juifs ont aussi désormais l'obligation de réagir sur la scène canadienne à la propagande grandissante de certains mouvements antisémites organisés – dont ceux qui s'inspirent du national-socialisme allemand – et de lutter contre la discrimination socioéconomique dont les Juifs sont victimes sur le marché du travail ou dans les établissements d'enseignement supérieur. Dernier point mais non le moindre, il reviendra au CJC de mener des campagnes de financement au profit des Juifs allemands et de contribuer aux efforts déjà entrepris en ce sens par d'autres organisations juives internationales bien connues.

Le défi est d'autant plus difficile à relever que le Canada est en proie en 1934 à un ralentissement économique très sérieux qui grève les ressources financières des Juifs canadiens et paralyse l'action du réseau institutionnel communautaire. Les souffrances causées par la Grande Dépression, qui s'abattent sur les couches les plus vulnérables de la société canadienne et québécoise – dont les immigrants récents –, ne sont guère propices par ailleurs à ce que se développe une sympathie envers les réfugiés allemands, peu importe leur origine culturelle ou religieuse. Né au moment d'une grave crise politique sur le front européen – qui comporte un important volet juif –, le CJC a donc aussi fort à faire pour surmonter les conséquences du krach boursier de Wall Street survenu en octobre 1929. Partout au pays, à mesure que le taux de chômage augmente, le sentiment anti-immigration se durcit et une xénophobie bien sentie se manifeste. La situation est aussi favorable au renforcement des sentiments antisémites souvent latents d'une partie de la population canadienne et québécoise.

Dès le début de la crise, le gouvernement fédéral réduit considérablement le flux migratoire de l'Europe vers le Canada et applique à la lettre les règlements qui dictent la manière dont doivent être sélectionnés les candidats à l'immigration. En mars 1931, un arrêté en conseil confirme que ne seront plus admis au pays que les épouses et les enfants mineurs des personnes déjà domiciliées au Canada ainsi que les fermiers disposant de suffisamment de capital pour acquérir une exploitation agricole[7]. Le resserrement se fait particulièrement sentir du côté des populations juives, contre lesquelles se dressent des obstacles supplémentaires qui tiennent à leur provenance surtout urbaine et à la perception qu'en ont les Canadiens en général. Partout, l'horizon semble bouché, et la marge de manœuvre du CJC est fort limitée. Dans un appel aux donateurs éventuels distribué en décembre 1933, les dirigeants de l'organisme nouvellement reconstitué affirment :

> Cette organisation a été remise sur pied parce qu'une fois de plus nous nous voyons forcés de nous défendre contre ceux qui souhaitent notre disparition. Nous devons prendre des mesures pour nous opposer aux injustices graves dont souffrent les Juifs dans certains pays d'Europe de l'Est, où leurs droits et leurs libertés fondamentales sont supprimés et où leurs biens sont confisqués, réduisant à la pauvreté un grand nombre de personnes.
> Nous sommes particulièrement forcés à nous défendre contre la campagne vicieuse menée par les journaux antisémites de bas étage qui sévissent dans la province de Québec. Ces publications et les organisations qui les soutiennent font circuler par des moyens de plus en plus importants une propagande dirigée vers les couches les moins éduquées de notre pays et qui menace la paix et la prospérité générale[8].

7. Voir « Regulation of Canadian Immigration », dans Louis Rosenberg, *Canada's Jews: A Social and Economic Study of the Jews in Canada*, p. 129.

8. *Emergency Call*, Montréal, « Emergency Fund, Canadian Jewish Congress, December 1933 », feuille signée par S.-W. Jacobs, Lyon Cohen, Peter Bercovitch, Nathan Gordon, J. Levinson, Samuel Hart, Marcus Sperber, le capitaine Sebag-Montefiore, F.-I. Spielman, Norman Viner, H.-E. Hershorn et le lieutenant-colonel Philip Abbey, Service des archives juives canadiennes Alex Dworkin [anciennement les archives du Congrès juif canadien], Montréal. Notre traduction.

La renaissance du Congrès juif canadien

L'homme derrière cet effort communautaire, H.-M. Caiserman, est admirablement bien préparé pour prendre la tête du groupe de pression qui commence à prendre forme à la fin de 1933. Il a été de toutes les initiatives syndicales et culturelles menées par le Poale-Zion au moment de la Première Guerre mondiale. Au milieu des années 1920, après un séjour de deux ans en Palestine, Caiserman est devenu le principal propagandiste de la Canadian Zionist Organization (CZO). À plusieurs reprises, il a mené des campagnes de financement importantes pour l'organisme et parcouru le pays de long en large pour s'adresser à des auditoires juifs, petits et grands. Comptable de profession et bien au fait du monde des affaires – son épouse, Sarah Wittal, est propriétaire d'une usine de confection à Montréal –, Caiserman connaît très bien la population juive canadienne et ses sensibilités. Il a aussi, comme l'attestent sa correspondance et ses manuscrits personnels, un vibrant attachement à la langue et à la littérature yiddish[9]. Quand il prend la tête du CJC au début de 1934 à titre de secrétaire général, Caiserman n'a ni ressources financières ni personnel attitré et il ne peut même pas compter sur une rémunération fixe pour lui-même. Il ne possède qu'un vaste programme, fixé quelques semaines auparavant lors de l'assemblée de fondation, et la conviction que les circonstances exigent des Juifs canadiens qu'ils s'engagent au plus tôt dans l'arène politique. Son plan d'action contient six éléments qui se résument en quelques lignes :

> Le Congrès juif canadien, l'organisation nationale de tous les Juifs canadiens, possède les buts et objectifs suivants : 1) protéger les droits civils, politiques, économiques et religieux des Juifs ; 2) consacrer ses ressources aux problèmes internes qui sont dus à des conditions anormales et malsaines surgies dans la vie culturelle, économique et sociale des Juifs ; et chercher une solution rationnelle et constructive à ces problèmes ;

---

9. Pierre Anctil, *Jacob-Isaac Segal (1896-1954), un poète yiddish de Montréal et son milieu* ; et « H.-M. Caiserman et l'école littéraire de Montréal. Vers une exploration en yiddish du Canada français ».

> 3) hâter l'établissement d'un foyer national juif [en Palestine] ; 4) soutenir le réseautage du judaïsme à l'échelle mondiale par la création d'une assemblée générale des Juifs à travers le monde devant être convoquée sur des bases démocratiques dès que possible afin de résoudre les problèmes de la vie juive et de coordonner à cette fin toutes les organisations existantes ; 5) prendre l'initiative et agir dans tous les dossiers urgents concernant les problèmes vécus par les Juifs ; 6) combattre les manifestations d'antisémitisme au Canada[10].

Trois problèmes pressants se présentent à l'attention de Caiserman quand il inaugure les bureaux du CJC à Montréal, rue de Bleury : la situation de plus en plus désespérée des Juifs allemands, la montée au Canada d'un antisémitisme strident et la discrimination systémique dont sont victimes dans leur propre pays les Juifs canadiens. Dans le premier cas, il s'agit de parer au plus pressant : préparer la population à accueillir des réfugiés fuyant le régime nazi et faire admettre ceux-ci par les autorités de l'immigration. La chose promet d'être très difficile dans un contexte économique où l'opinion publique canadienne et québécoise est mal disposée à recevoir des étrangers qui ne correspondent pas, qui plus est, au profil généralement attendu. Dans le second cas, Caiserman entend affronter des groupes de pression et des organes de presse séduits par le discours nazi et qui attaquent inlassablement les représentants attitrés du judaïsme canadien. La difficulté ici consiste à distinguer les propagandistes aguerris qui tiennent sciemment des propos fielleux et les individus mal informés qu'un effort de sensibilisation pourrait convaincre de changer d'orientation. Finalement, le CJC doit monter à l'assaut des préjugés et des impressions négatives qui barrent la route aux Juifs dans les professions, les universités et les différents milieux de vie, sans pour autant que cela constitue nécessairement une manifestation d'antisémitisme assumé ou fortement idéologique. Beaucoup de Canadiens, en effet, agissent contre les

10. « Platform, Canadian Jewish Congress, Dominion Executive », Montréal, feuille distribuée en décembre 1933, Service des archives juives canadiennes Alex Dworkin, Montréal. Notre traduction.

Juifs par réflexe défensif ou par méfiance, sans se soucier d'approfondir la question de leurs rapports avec les minorités.

Pour parvenir à ses fins, l'organisme doit faire circuler de l'information objective et chiffrée sur la contribution des Juifs à l'avancement du Canada, sur leur enracinement au pays et sur leur volonté de prendre la place qui leur revient dans la société, d'où l'importance d'établir un Bureau of Social and Economic Research au sein du CJC. C'est beaucoup pour un seul homme et pour une institution qui n'en est qu'à ses balbutiements. Surtout, jamais auparavant les Juifs canadiens n'ont tenté, en tant que communauté, pareil effort de relations publiques. Jamais non plus, il est vrai, l'avenir n'a semblé aussi menaçant sur la scène internationale ni l'urgence d'agir aussi pressante.

Pour espérer arriver à des résultats convaincants et susceptibles de modifier des comportements bien ancrés, Caiserman et les siens doivent adapter leur discours à différents auditoires et contextes. Le CJC vise d'abord à faire valoir son point de vue auprès du gouvernement canadien, la seule instance capable de modifier les lois sur l'immigration et d'interpréter de manière plus ouverte les règlements en vigueur sur ce plan. Les Parlements fédéral et provinciaux sont aussi en mesure de faire obstacle à la propagation de l'antisémitisme en promulguant de nouvelles mesures législatives ou en resserrant l'application du droit existant. Cela se vérifie en septembre 1932 quand le juge Gonzalve Desaulniers condamne comme fortement diffamatoire, à la demande de E. Abugov, un marchand de Lachine, des écrits d'Adrien Arcand parus dans *Le Miroir*[11]. Le magistrat ajoute toutefois que rien dans le Code civil ne lui permet d'imposer le silence au journal fascisant ou à son imprimeur, Joseph Ménard. Il faudrait une intervention législative forte pour museler les feuilles diffamatoires et les porte-parole qui tiennent des propos racistes. Heureusement, en 1934, le CJC peut compter sur trois députés juifs à Ottawa, dont S.-W. Jacobs de Montréal, et sur deux élus libéraux à Québec : Peter Bercovitch et Joseph Cohen. Ceux-ci peuvent porter le message de la communauté au cabinet des premiers

11. James W. St. G. Walker, *"Race", Rights and the Law in the Supreme Court of Canada: Historical Case Studies.*

ministres canadien et québécois ou protester devant leurs collègues réunis aux Communes ou à l'Assemblée législative. Encore faut-il que ceux-ci soient sensibles aux arguments d'une minorité dont le moins que l'on puisse dire est qu'elle n'a pas bonne presse.

Le CJC doit en effet composer avec une presse écrite qui véhicule différents stéréotypes et préjugés concernant les Juifs canadiens, l'immigration et la situation en Europe centrale. Dans ce cas, il ne suffit pas de protester et de s'indigner : il faut aussi rencontrer des journalistes, contrer les mauvaises impressions qu'ils véhiculent et présenter des dossiers étoffés. Dans la plupart des cas – sauf quelques exceptions notoires –, les organes de presse ne propagent pas un discours violemment hostile aux Juifs mais reprennent pour les diffuser des notions fausses et des informations biaisées[12]. Finalement, Caiserman a aussi la responsabilité de se porter au-devant des groupes constitués que sont les Églises, les syndicats, les partis politiques ainsi que les associations volontaires et patriotiques. Par les pétitions qu'elles adressent aux Parlements et aux politiciens, par leur action auprès des couches populaires et par leur ascendant dans certains milieux, ces organisations canalisent l'opinion publique et exercent une grande influence sur la gouvernance du pays. En faire fi serait pour le CJC se priver d'une source importante de renseignements sur l'évolution des idées au Canada et d'un moyen particulièrement efficace d'atteindre les élites du pays.

Dès le départ, Caiserman met au point une stratégie dont il ne déviera pas jusqu'au début des hostilités en Europe. Ceux que le secrétaire général ne peut influencer ni convaincre, soit parce que ce sont des antisémites obsessifs, soit parce que leur discours ne laisse aucune place au compromis, Caiserman n'hésitera pas à les dénoncer publiquement et à les attaquer sans relâche. Cela peut signifier, dans le cas des journaux hostiles aux Juifs, tenter de réduire leurs recettes publicitaires ou les signaler aux autorités. Sauf pour les personnages récalcitrants et les

12. Au sujet du *Devoir* pendant cette période de l'histoire, voir Pierre Anctil, « *À chacun ses Juifs* ». *60 éditoriaux pour comprendre la position du* Devoir *à l'égard des Juifs, 1910-1947*. Pour *L'Action catholique*, voir Pierre Anctil, « Bâtir une synagogue à la haute ville (1932-1952) ».

individus méprisables – c'est-à-dire une petite minorité d'interlocuteurs –, le CJC va dépenser tout au long des années 1930 des trésors d'ingéniosité pour atteindre, informer et fréquenter les meneurs d'opinion au sein de la société canadienne. Armé d'une patience inébranlable, Caiserman s'attache à faire valoir le point de vue des Juifs auprès des élus, des journalistes, des clercs, des universitaires et des enseignants[13]. Il s'adresse à des individus de diverses origines sociales ainsi qu'à des activistes de toutes les appartenances religieuses et aux opinions politiques très variées. Il prend par exemple la peine d'écrire aux responsables des journaux pour les renseigner, les reprendre s'ils se trouvent dans le tort ou les admonester s'ils s'enfoncent dans leurs erreurs. Le secrétaire général mobilise au cours de ces années une énergie prodigieuse pour tenter de bâtir des ponts, se rendre dans des milieux où nul Juif n'est allé jusque-là et maintenir le dialogue. Souvent, Caiserman va même plus loin – et c'est le troisième volet de son action – en tentant de recruter des alliés potentiels et de rallier ouvertement à sa cause les personnes qui compatissent déjà aux difficultés des victimes du nazisme. Dans le cas du Québec, la chose est d'autant plus complexe que les dirigeants communautaires juifs n'ont entretenu jusque-là que des rapports très éloignés avec les élites francophones de Montréal et avec les mouvements nationalistes canadiens-français, que souvent ils ne comprennent pas. Parmi les activistes du CJC, plusieurs n'ont jamais lu la presse de langue française de Montréal et n'ont pas de contacts suivis avec ses principaux artisans. C'est sans doute là la principale difficulté que Caiserman et les siens rencontrent sur leur route quand ils tentent d'entrer en contact avec le Canada français. Il y a une ignorance mutuelle entre les deux groupes en présence qui parfois prend des proportions abyssales.

---

13. Caiserman n'hésita pas par exemple à s'adresser en août 1938 au cardinal Villeneuve pour lui reprocher l'attitude de *La Semaine religieuse de Québec* face aux Juifs et concernant la publicité accordée par cette publication diocésaine aux *Protocoles des sages de Sion*. Voir Pierre Anctil, *Le Rendez-vous manqué. Les Juifs de Montréal face au Québec de l'entre-deux-guerres*, Québec, Institut québécois de recherche sur la culture, 1988.

En effet, l'intégration des Juifs est-européens pose un nouveau défi à la société canadienne et québécoise, défi que la présence d'une forte communauté yiddishophone sur le Plateau Mont-Royal et dans le quartier du Mile End rend encore plus pressant. Les Canadiens français, tout comme les Canadiens anglais de confession protestante, conçoivent Montréal comme un espace d'enracinement et d'affirmation des valeurs chrétiennes. Cela se perçoit et se lit par exemple dans l'œuvre historique de Lionel Groulx et dans sa manière de décrire l'action des premiers colonisateurs venus de France au XVIIe siècle. Par son architecture, par ses pratiques administratives et par ses fondements juridiques, la métropole que découvrent les immigrants est-européens est un milieu de vie rythmé par l'enseignement des Églises et marqué entre autres par la présence d'importantes congrégations de religieux et religieuses catholiques. Les Juifs russes venus à l'occasion de la grande migration de 1904-1914 forment dans cet ensemble une population en porte-à-faux. Bien qu'ils n'en prennent pas toujours conscience, les yiddishophones portent le fardeau d'incarner au début du XXe siècle une première présence non chrétienne numériquement significative dans l'île de Montréal. Ils ne peuvent pas s'attendre non plus à être aspirés vers le haut par un contact soutenu avec des institutions d'accueil catholiques ou protestantes, où ils trouveraient dans d'autres circonstances encouragements et sympathies dues à une proximité de foi. Une barrière quasi insurmontable s'élève entre les nouveaux arrivants issus du judaïsme – même ceux qui sont éloignés de la pratique religieuse – et les milieux francophones et anglophones les plus susceptibles d'offrir une première expérience de vivre-ensemble aux immigrants fraîchement installés. Cela se constate particulièrement dans le contexte du nationalisme canadien-français, pour lequel l'amalgame entre langue et religion semblait un acquis inaltérable et la défense du réseau institutionnel catholique une tâche primordiale. L'expression la plus vive de ce verrouillage idéologique et doctrinal se trouve notamment dans le journal fondé en 1910 par Henri Bourassa, *Le Devoir*, d'où l'on peut tirer de nombreuses preuves de l'incapacité structurale du Canada français à s'ouvrir collectivement aux apports venus de l'extérieur du christianisme. Le ton est donné par exemple dans cet éditorial de Georges Pelletier publié en 1940 à l'occasion du trentième anniversaire du journal :

> *Le Devoir* n'a d'autre ambition que de voir dans la cité de demain [Montréal] une population chrétienne, respectueuse des lois de Dieu et des hommes, [...] une politique fondée sur la justice, la raison et le sens chrétien, [...] des œuvres qui s'intéressent à fond à répandre, en même temps que l'hygiène matérielle et la connaissance des volontés chrétiennes, la pratique et l'esprit de foi – la foi dans les œuvres – dans toutes les classes de la population montréalaise.
> Bref une cité qui soit à la fois chrétienne et canadienne, française et catholique progressive, d'esprit ouvert à l'instruction, au bon sens, aux exactes réalités de la vie sociale[14] [...].

Aux prises avec une situation économique difficile et un contexte européen pour le moins instable, les Juifs canadiens s'interrogent également au cours des années 1930 sur les progrès qu'ils ont accomplis en une génération au pays. Parfois, ils éprouvent un sentiment d'hostilité latente et de rejet subtil de la part de leurs concitoyens, attitude dont les causes restent souvent diffuses et non exprimées. Dans pareil contexte, le leadership du CJC trouve difficile de mesurer – à part quelques incidents isolés – si l'encerclement dont souffrent les Juifs tient à la dégradation générale de la qualité de vie au Canada ou si des formes de discrimination plus spécifiques et plus permanentes pèsent sur eux. En effet, beaucoup de Canadiens restent la plupart du temps muets quant à leurs réticences face aux Juifs et ne manifestent pas leurs objections au grand jour. L'expérience de la grande migration de 1904-1914 est encore trop récente pour qu'il soit possible d'en tirer des conclusions éclairantes sur le plan statistique ou économique. Les Juifs subissent-ils une dévalorisation due à leur immigration récente ou sont-ils victimes d'un rabaissement socioéconomique général dont les causes sont plus profondes et plus durables ? C'est d'ailleurs pour cette raison que le CJC prépare de nombreuses études scientifiques et constitue des archives : « Pour obtenir des renseignements exacts concernant notre situation générale au Canada ; pour soutenir sur le plan scientifique notre lutte contre les propos diffamatoires et pour éclairer les changements qui

14. Georges Pelletier, « Montréal, hier et demain... », *Le Devoir*, 24 février 1940.

doivent être effectués dans la vie de notre communauté[15]. » Alors que le pays s'enfonce sans cesse plus profondément dans une crise déflationniste, le CJC décide, pour briser l'étau qui se resserre autour des Juifs canadiens, de favoriser un activisme de tous les instants. C'est le sens des paroles que prononce Caiserman à la fin de 1934 devant ses coreligionnaires : « C'est notre devoir le plus urgent de susciter une attitude de confiance par un travail constant, d'une grande valeur éthique et dans l'intérêt du judaïsme canadien [...], et de construire et de consolider une autorité centrale juive au Canada qui soit aussi influente qu'imbue d'une haute valeur morale, capable d'affronter les multiples problèmes que rencontrent les Juifs canadiens et ceux du monde entier[16]. » Des événements qui se produisent sur la scène européenne vont bientôt donner l'occasion aux Juifs de comprendre plus précisément à quels obstacles ils se heurtent dans leur progression au pays et de quels préjugés exactement ils sont victimes. À ce titre, l'Ancien Monde va servir une fois de plus de catalyseur par rapport à une situation canadienne aux contours moins définis.

L'aggravation de la situation en Allemagne

La crise des réfugiés européens commence dès 1933-1934, mais elle n'atteint son apogée qu'en 1938. La raison de ce délai tient à ce que les nazis ne s'attaquent pas toujours aux Juifs allemands avec la même intensité. Des pauses sont marquées dans les persécutions qui correspondent au désir du régime de s'attirer la sympathie des gouvernements étrangers ou quand des événements à l'échelle internationale requièrent toute son attention[17]. Il y a aussi que la population juive allemande se résout difficilement à quitter un pays où elle a des racines très profondes et auquel elle s'identifie. Hitler fait promulguer les lois de Nuremberg

15. H.-M. Caiserman, manuscrit non daté, non signé, débutant par « *The first Canadian Jewish Congress held in the year 1919* », p. 2. Notre traduction.

16. *Ibid.*, p. 1.

17. À ce sujet, voir Ian Kershaw, *Hitler, the Germans and the Final Solution.*

en septembre 1935, geste qui prive les Juifs de la citoyenneté allemande. Il s'agit toutefois d'une mesure législative qui ne fait qu'entériner une situation de fait de mise à l'écart systématique. L'année suivante, les Juifs allemands perdent le droit d'exercer une activité professionnelle dans les domaines de l'éducation, de l'industrie et de la vie politique. Ils sont aussi chassés des principaux médias et empêchés de tenir certains types de commerce. Bientôt, le régime les oblige à déclarer leur origine juive sur tous les documents officiels et dans leurs transactions avec les autorités. Le point de non-retour est atteint lorsque survient, dans la nuit du 9 au 10 novembre 1938, le pogrom de Kristallnacht en réponse à l'assassinat d'un fonctionnaire à l'ambassade allemande de Paris. En quelques heures seulement, près de 200 synagogues sont incendiées dans différentes villes allemandes, environ 7 000 commerces mis à sac et 30 000 personnes présumément juives internées arbitrairement. Ces violences sont relayées partout sur la planète par la presse et jettent la consternation dans les milieux juifs canadiens.

À partir de cette date, les demandes d'immigration en provenance d'Allemagne montent en flèche dans les pays les plus susceptibles d'accueillir des réfugiés, dont le Canada. Dans son mémoire de maîtrise, Justin Comartin[18] montre clairement que le nombre de Juifs acceptés au pays en provenance de l'Allemagne ne dépasse celui des Juifs polonais qu'en 1940 et en 1941, soit 593 personnes contre 415 au cours de ces deux années. La même tendance vaut pour la Tchécoslovaquie, qui n'est pas une source importante d'immigration pour le Canada avant son annexion par le Troisième Reich en 1939. Au cours des années 1930, les Juifs admis par Ottawa proviennent essentiellement de la Pologne – où ils ne sont pas encore soumis à des persécutions aussi graves qu'en Allemagne – ou des États-Unis.

Des obstacles sérieux se dressent toutefois sur la voie des Juifs allemands qui désirent, après la nuit de Cristal, atteindre au plus tôt une destination étrangère, dont le plus sérieux demeure l'attitude de la Grande-Bretagne et des démocraties occidentales face à l'Allemagne

18. Justin Comartin, « Humanitarian Ambitions – International Barriers: Canadian Governmental Response to the Plight of the Jewish Refugees (1933-1945) ».

nazie. À partir de la remilitarisation de la Rhénanie par Hitler, en février 1936, le gouvernement de Sa Très Gracieuse Majesté tente de contenir les ambitions territoriales allemandes au moyen d'une politique de négociations et d'apaisement. À Londres, une partie de l'élite dirigeante et des classes privilégiées croit qu'il est possible de s'entendre avec les nazis pour éviter un nouveau conflit militaire en Europe[19]. Cela signifie pour le gouvernement Chamberlain qu'il doit tenter de se gagner les faveurs du régime hitlérien par des concessions territoriales, des rencontres diplomatiques fréquentes et la signature de traités de paix. Les résultats nets de ces pourparlers sont l'annexion de l'Autriche par l'Allemagne en mars 1938, la conférence quadripartite de Munich en septembre de la même année et le démembrement de la Tchécoslovaquie au début de 1939.

En juin 1937, Mackenzie King visite Berlin dans le même esprit et s'entretient personnellement avec Goering et Hitler. C'est l'occasion pour le premier ministre canadien de faire l'apologie des réalisations économiques allemandes et de promouvoir des relations harmonieuses entre les deux pays, particulièrement d'un point de vue favorable aux intérêts britanniques. À mesure que la tension monte en Europe, Ottawa réaffirme son attachement au maintien de la paix, même au prix de fermer les yeux sur les violences commises contre les minorités religieuses en Allemagne. Dans cette perspective, protester ouvertement contre le traitement injuste et brutal imposé aux Juifs dans ce pays peut sembler contre-productif à un premier ministre qui cherche à maintenir coûte que coûte des liens diplomatiques avec Hitler. Le parti pris en faveur de la temporisation se lit entre autres dans cette lettre adressée par Vincent Massey, haut-commissaire canadien à Londres, au premier ministre Mackenzie King au lendemain du pogrom de Kristallnacht :

> L'Europe présente toujours une situation difficile. L'orgie anti-juive en Allemagne[20] rend la politique d'apaisement de Chamberlain particuliè-

---

19. Au sujet des politiques d'apaisement du gouvernement britannique, voir l'étude d'Ian Kershaw, *Lord Londonderry, the Nazis and the Road to War.*

20. On trouve ici une référence à Kristallnacht.

> rement difficile à poursuivre. [...] Mais il faut savoir distinguer [...] l'amitié envers les États dictatoriaux et notre propre intérêt. Malgré tout ce qui vient de se passer, nous continuons de croire profondément que nous pouvons en venir à une entente [avec l'Allemagne], peu importe que les politiques internes allemandes nous apparaissent détestables. La seule autre solution est un éloignement grandissant [avec l'Allemagne] débouchant sur une politique de guerre. Je suis satisfait de constater que Chamberlain ne se laissera pas distraire du chemin qu'il a choisi d'emprunter pour arriver à une entente à l'échelle de toute l'Europe[21].

La situation des réfugiés juifs allemands se complique encore quand la Grande-Bretagne, dans un souci de maintenir ses positions politiques en Palestine, décide de limiter fortement l'immigration juive vers *Eretz Israel*[22]. Les populations arabes ne cessent en effet de dénoncer la politique mandataire de Londres et plusieurs émeutes violentes à la fin des années 1930 viennent rappeler au gouvernement britannique qu'un afflux encore plus soutenu d'immigrants européens d'origine juive risquerait de menacer une paix sociale déjà fragile dans cette partie du monde. En mai 1939, le Parlement de Westminster vote des mesures visant à limiter l'émigration juive vers la Palestine à 10 000 personnes par année pour la période 1940-1944, avec possibilité d'en admettre jusqu'à 75 000 au total en cas d'urgence. C'est nettement insuffisant dans le contexte de la persécution qui frappe alors les populations juives d'Europe centrale. En septembre 1939, au début de la Seconde Guerre mondiale, plus de la moitié des personnes d'origine juive vivant en Allemagne et en Autriche ont fui leur pays, soit 282 000 personnes dans le premier cas et 117 000 dans le second. Certains de ces réfugiés, partis pour la plupart dans la précipitation, ont réussi à traverser le Rhin vers l'ouest. D'autres se sont rendus par la mer en Angleterre, aux États-Unis, en Palestine et même en Amérique latine. Mais pour la plupart, ils sont

21. Lettre de Vincent Massey, haut-commissaire du Canada à Londres, à William Lyon Mackenzie King, premier ministre du Canada, 15 novembre 1938. Notre traduction. Une copie de ce document se trouve au service des archives juives canadiennes Alex Dworkin, à Montréal.

22. Anita Shapira, *Israel: A History.*

en attente d'un statut légal dans ces pays et risquent à tout moment d'être expulsés vers d'autres destinations.

Les puissances occidentales avaient convoqué en juillet 1938 une conférence internationale pour faire face à la montée du flot de personnes déplacées, au nombre desquelles se trouvaient un certain nombre d'opposants non juifs au régime hitlérien. Réunis à Évian, en France, les délégués de près d'une trentaine de pays, dont le Canada, ont pris acte de l'ampleur du problème mais refusé de prendre des mesures particulières autres que celles déjà prévues par les lois d'immigration déjà en vigueur. Ottawa, représenté par son délégué permanent à la Société des Nations, Humphrey Hume Wrong, ne prendra aucun engagement concret en cette heure dramatique.

En fait, depuis le début des années 1930, il est devenu très difficile pour certaines catégories de personnes d'entrer au Canada en tant qu'immigrant reçu. À partir de ce moment, le nombre de nouveaux citoyens admis au pays chute d'ailleurs de façon radicale. En 1929, juste à la veille de la Grande Dépression, 164 000 personnes avaient franchi les frontières du pays et obtenu le statut de résident permanent. En 1934, Ottawa laisse entrer seulement 12 476 nouveaux arrivants de toute provenance sur le territoire canadien. Six ans plus tard, au plus fort de la crise des réfugiés allemands, le total des personnes admises n'est plus que de 11 324.

De fait, le gouvernement canadien ne prend aucune mesure particulière après 1938, alors que la crise des réfugiés allemands atteint son paroxysme, et continue d'appliquer strictement les lois et règlements du pays en matière d'immigration. Sans que les Juifs soient mentionnés nommément ou désignés comme catégorie administrative précise, tout les désavantage dans cet édifice complexe de procédures. Cela tient à ce que les agriculteurs et aides domestiques ont la priorité en toute chose et qu'Ottawa favorise nettement les citoyens britanniques et américains. Qui plus est, les Juifs d'Europe centrale ont été déchus de leur nationalité par les lois de Nuremberg et partent souvent après avoir été spoliés par le régime nazi. Dans ces conditions, ils ne peuvent guère figurer sur les listes des immigrants que le gouvernement considère comme « les plus favorisés ». Cela signifie de plus qu'ils sont parfois privés de passeport ou de moyens de prouver leur citoyenneté de naissance.

Figure 6. Pourcentage formé par les immigrants juifs par rapport à l'immigration totale canadienne, 1901-1960

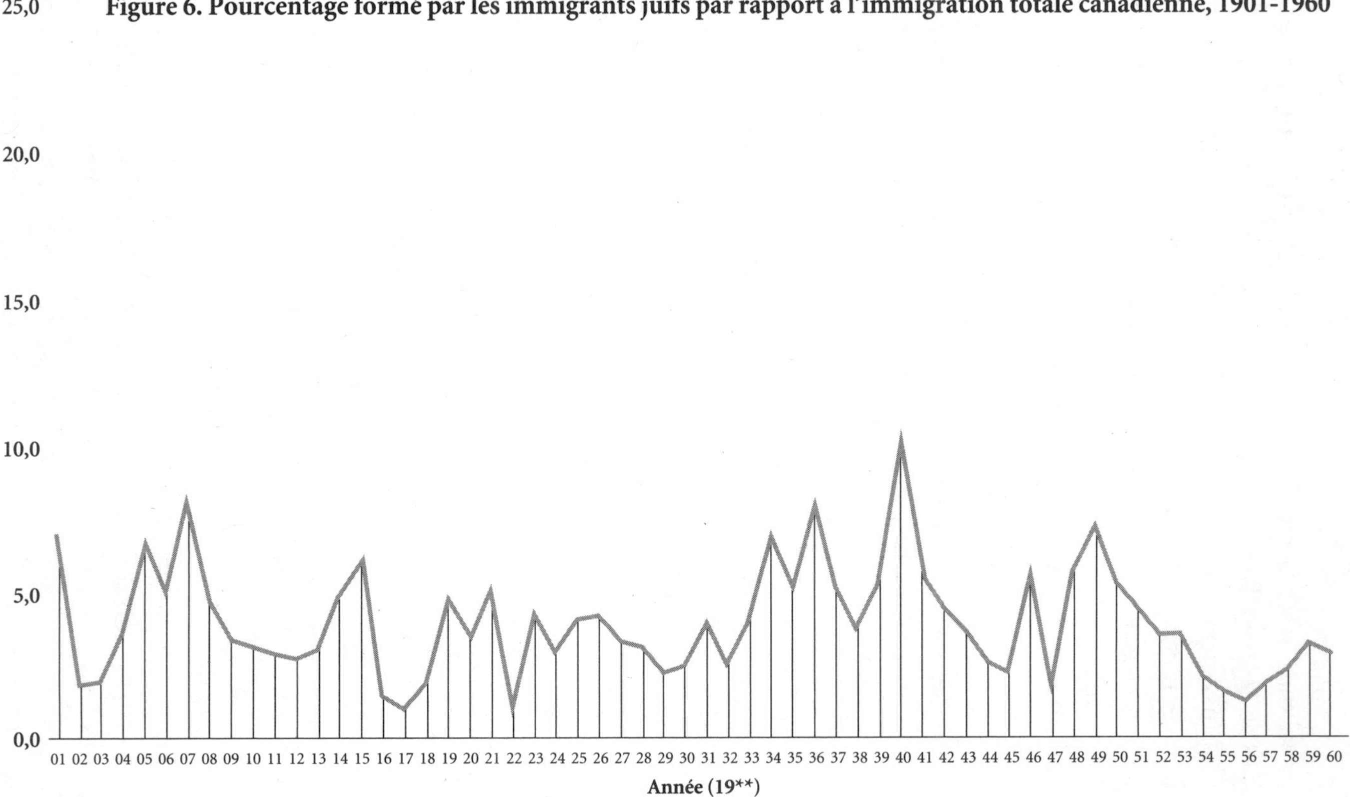

Source : Joseph Kage, *With Faith and Thanksgiving: The Story of Hundred Years of Jewish Immigration and Immigrant Aid Effort in Canada (1760-1960)*, p. 259-260.

La situation devient si difficile sur le plan bureaucratique que la seule procédure possible à la fin des années 1930 consiste à faire admettre les Juifs européens par arrêté en conseil, c'est-à-dire un individu à la fois par décision ministérielle. Certaines années, la majorité des réfugiés juifs entrent au pays grâce à ce procédé administratif. Les chiffres révèlent en outre que jusqu'à la moitié des personnes qui entrent au Canada sous le coup de cette mesure d'exception sont des Juifs, un fait que les opposants à l'immigration ne manqueront pas de monter en épingle. Jamais, avant la guerre, il n'est question d'accepter en bloc un groupe de Juifs ou de prévoir des mesures s'appliquant collectivement aux réfugiés allemands. Malgré les représentations insistantes des députés fédéraux d'origine juive et du Congrès juif canadien, aucun membre du gouvernement Mackenzie King n'envisage de modifier les règles en vigueur.

De 1933 à 1945, d'après Louis Rosenberg, 5 160 personnes d'origine juive entrent au pays par un port canadien et 3 627 traversent la frontière américaine, dont beaucoup sont récemment arrivés d'Europe orientale[23]. À ce nombre, il faut ajouter 2 340 Juifs allemands et autrichiens expulsés de Grande-Bretagne en juillet 1940 en tant que « citoyens d'une puissance ennemie », puis internés au moment de leur arrivée au Canada[24], et environ 400 réfugiés embarqués à Lisbonne et accueillis au milieu de l'année 1944[25]. Ces personnes ne figurent pas dans les statistiques officielles en tant que nouveaux résidents du Canada, car elles ont traversé les frontières du pays en tant que prisonniers de guerre ou avec le statut d'immigrant temporaire. En 1939, Ottawa laisse entrer officiellement 890 personnes d'origine juive et 1 623 de plus en 1940, la plupart des réfugiés placés dans une situation

---

23. Fonds Rosenberg, Bibliothèque et Archives Canada, Ottawa. Ces données sont citées par Justin Comartin, « Humanitarian Ambitions, International Barriers ».

24. Pierre Anctil, « L'internement des Juifs allemands sur les plaines d'Abraham à l'été 1940 ». Voir aussi Eric Koch, *Deemed Suspect: A Wartime Blunder.*

25. Cette cohorte est souvent désignée du nom du paquebot portugais qui les a transportés à travers l'océan, le *Serpa Pinto.*

désespérée par les événements en Europe centrale. Après 1942 toutefois, ce chiffre chute à moins de 500 par année, voire à moins de 300 en 1943-1944. C'est très peu en regard des attentes de la communauté juive canadienne et des efforts déployés par ses dirigeants sur la colline parlementaire, sans compter l'extrême gravité des événements qui se déroulent dans les pays occupés par les nazis.

En nombres relatifs, les Juifs ont maintenu et même accru au cours de ces années leur pourcentage par rapport à l'ensemble de l'immigration canadienne, jusqu'à 8 % par exemple en 1940, mais c'était dans un contexte où le flux migratoire vers le Canada était réduit à presque rien. Compte tenu des persécutions hitlériennes et de la situation désespérée des personnes déplacées, l'effort paraît dérisoire. Le bilan est d'autant plus lamentable qu'à partir de 1938, des organismes issus de la majorité anglo-britannique se sont joints au concert des voix juives pour réclamer plus d'ouverture d'Ottawa face aux réfugiés de toutes origines, dont le Canadian National Committee on Refugees and Victims of Persecution (CNCR), animé par la sénatrice Cairine Wilson, et le Committee on Jewish-Gentile Relationships (CJGR).

La position officielle du gouvernement canadien sera particulièrement mise en relief au moment du périple à travers l'Atlantique du *Saint Louis,* un paquebot allemand parti de Hambourg en mai 1939 à destination de Cuba avec quelque 900 réfugiés juifs à son bord. Arrivés à destination, les passagers apprennent que leurs visas d'entrée sont annulés et que le navire doit retourner en Europe. Après avoir été tenus à distance des ports de la côte américaine sur le chemin du retour, les voyageurs reçoivent l'appui d'un groupe de citoyens canadiens alors que le *Saint Louis* se trouve en pleine mer, à deux jours de navigation de Halifax. Pressé d'agir pour des raisons humanitaires, le premier ministre Mackenzie King décline néanmoins toute responsabilité dans l'affaire et refuse d'intervenir. Malgré tous les efforts du lobby proréfugiés, pas une seule fois le Parlement ou le gouvernement canadien ne consentiront au cours de cette période à modifier les lois en vigueur ou à permettre une application plus souple des règlements concernant l'immigration. Les fonctionnaires fédéraux chargés de ce dossier se montreront tout aussi inflexibles, dont le tristement célèbre Frederick Blair, responsable du domaine de l'immigration de 1936 à 1943. Cette question a fait l'objet de nombreuses études depuis une trentaine d'années, dont celle d'Irving Abella et Harold Troper intitulée *None Is Too Many*[26]. De nouvelles données et une connaissance plus fine de la situation au Québec nous permettent toutefois aujourd'hui de dépasser le constat trop rapide dressé par ces deux auteurs quant aux responsabilités des politiciens francophones dans cette affaire[27].

Le refus canadien d'accueillir des réfugiés

Plusieurs chercheurs se sont demandé quelle était la nature exacte de l'antisémitisme dans le contexte canadien et ce qui avait poussé Mackenzie King à se montrer aussi peu ouvert aux souffrances des Juifs allemands. Il existe à ce sujet une historiographie abondante qui n'en comporte pas moins de nombreuses lacunes, notamment l'absence de référence à des sources de langue française pour juger de la situation du Québec au moment où la crise des réfugiés atteint son sommet. Certains auteurs ont de plus avancé l'idée, sans apporter de preuves suffisantes, que le Canada français aurait formé sous ce rapport une société nettement plus hostile aux Juifs et où fleurissait un antisémitisme plus virulent et plus agissant. Selon cette interprétation, le gouvernement fédéral aurait été poussé par les ministres francophones du cabinet libéral, dont Ernest Lapointe, à faire preuve de moins de compassion envers les réfugiés juifs. La crainte de voir le pays se fracturer suivant des lignes ethniques et linguistiques, juste à la veille d'un conflit mondial, serait en somme venue freiner l'ardeur du gouvernement King à réagir promptement à la situation en apparence sans issue des réfugiés allemands. La responsabilité de l'inaction canadienne dans ce dossier se

26. Irving Abella et Harold Troper, *None Is Too Many: Canada and the Jews of Europe.*

27. Pierre Anctil, « Deux poids, deux mesures : les responsabilités respectives du Canada de langue anglaise et de langue française dans la crise des réfugiés allemands ».

trouve donc imputée pour une bonne part à la minorité francophone, empêchée par une hostilité viscérale aux Juifs de faire preuve d'humanisme envers les victimes du nazisme.

Quelle était l'ampleur du sentiment antisémite chez les principaux protagonistes canadiens de ce drame d'ampleur planétaire et pourquoi le Canada a-t-il pu paraître si indifférent à la persécution violente subie par une minorité religieuse dans un pays européen de première importance ? Pour répondre à ces questions, il convient d'examiner tour à tour l'attitude des anglophones et des francophones dans les années qui précèdent immédiatement l'arrivée au pouvoir de Hitler.

Nous l'avons vu dans le chapitre précédent, il se pratique assez ouvertement au pays des formes d'antisémitisme qui affectent la mobilité sociale des Juifs récemment arrivés d'Europe orientale. La classe politique et les élites économiques canadiennes n'hésitent pas en effet à agir discrètement pour mettre à l'écart ou marginaliser au sein des différents milieux plus privilégiés les individus issus de la communauté juive. De tels réflexes apparaissent autant au sein des élites anglo-protestantes que chez les notables canadiens-français, à la différence que les catholiques francophones expriment leurs réticences plus franchement et dans des organes de presse reconnus. C'est à ce courant de nativisme et d'hostilité raciale qu'il faut rattacher la réaction du gouvernement canadien et des différents groupes de pression lors de la crise des réfugiés allemands.

Quand la situation se dégrade brusquement à la fin des années 1930 en Europe centrale, les dirigeants politiques et économiques du pays puisent dans un arsenal déjà constitué de perceptions négatives l'essentiel de leur point de vue face au sort réservé à la minorité juive outre-Atlantique. Des réflexes bien établis ne tardent pas à se manifester qui font partie depuis plusieurs décennies du paysage politique canadien et qu'il n'est pas nécessaire, dans la plupart des cas, de justifier ou de rendre explicites. Il est très difficile de croire que, de part et d'autre de la barrière linguistique – sauf pour quelques cas isolés et peu représentatifs –, une adhésion bien sentie au nazisme ou au fascisme soit à l'origine du traitement que les différents paliers de gouvernement réservent aux Juifs allemands qui viennent cogner aux portes du pays. La persécution violente des minorités, le recours à des propos antisémites enflammés et la mise à l'écart systémique des Juifs sur une base raciale ne sont ni des stratégies auxquelles les Canadiens et les Québécois adhèrent au cours de cette période tragique ni des méthodes que les élites politiques valorisent sous quelque forme que ce soit. Le refus d'admettre des réfugiés ou de les accueillir – même sur une base juridique temporaire – ne vient pas de ce que les élus du Parlement d'Ottawa acquiescent aux méthodes nazies et applaudissent aux propos incendiaires de Goebbels mais de ce que des réticences sociales ancrées depuis longtemps les empêchent de percevoir les victimes juives comme étant dignes de recevoir un soutien d'ordre humanitaire.

Des recherches récentes réalisées par Sandra Dubé[28] indiquent que seulement une trentaine d'interventions ont eu lieu à la Chambre des communes, pendant la période 1938-1945, concernant les réfugiés juifs allemands. Dans cette enceinte, le tiers des députés sont d'origine canadienne-française et plusieurs des ministres du cabinet King sont des francophones québécois. Sauf pour le député créditiste albertain Norman Jaques, qui est d'origine britannique et qui tente de faire lecture des *Protocoles des sages de Sion* en Chambre, il s'agit généralement de demandes d'informations factuelles relativement au nombre de Juifs allemands récemment admis au pays. Ces interrogations sont parfois formulées de manière impatiente et dénotent une hostilité indirecte à l'admission de réfugiés, mais on n'y discerne pas l'expression d'une sympathie ouverte envers le régime nazi et son idéologie raciale. Dans certains cas, les intervenants visent à sensibiliser le gouvernement aux souffrances des personnes déplacées et blâment le gouvernement pour son inaction, mais aucun ne va jusqu'à proposer l'ouverture toute grande des portes du pays aux réfugiés. Même les trois députés fédéraux d'origine juive et ceux plus à gauche qui siègent sous les couleurs de la Co-operative Commonwealth Federation (CCF) se gardent d'aller jusque-là. Dans son ensemble, le Parlement d'Ottawa ne reprend donc ni la logique, ni les propos, ni la stratégie à court terme du régime hit-

28. Sandra Dubé, « "Personne n'est antisémite, mais tout le monde est opposé à l'immigration". Discours des responsables politiques canadiens et québécois sur l'immigration, 1938-1945 ».

lérien envers les Juifs. S'ils ne condamnent pas explicitement les événements qui se déroulent en Allemagne relativement à certaines minorités religieuses, les députés fédéraux canadiens semblent par contre très peu enclins à suivre cet exemple ou à le valoriser.

Ces positions politiques prennent forme malgré le dépôt en janvier 1939 et en mars 1944, par le député libéral Wilfrid Lacroix[29], de deux pétitions signées par plusieurs dizaines de milliers de personnes condamnant l'immigration à grande échelle au Canada. À l'initiative de la Société Saint-Jean-Baptiste de Québec (SSJBQ), ces documents prônent le rejet de toute tentative d'accueillir massivement des réfugiés ou des personnes issues du continent européen au Canada, même quand des circonstances politiques incontrôlables les forcent à l'exil. Il s'agit en somme davantage de barrer la route à tout mouvement de population en direction du pays, quelle que soit sa provenance ou sa composition, que de fermer la porte à une communauté ou à une nationalité en particulier. L'opposition à l'accueil de nouveaux citoyens, sous quelque prétexte que ce soit, fait toutefois nommément référence dans la pétition de 1939 – mais pas dans celle de 1944 – à la question des réfugiés juifs allemands. C'est que cette pétition est rédigée et circule dans la foulée du pogrom de Kristallnacht, alors que la presse mondiale est saturée de reportages décrivant le sort brutal réservé au début de novembre 1938 aux personnes d'origine juive sous le régime nazi. Les violences antisémites perpétrées dans toutes les grandes villes du Reich laissent croire, avec raison, aux dirigeants de la SSJBQ que ces événements auront des conséquences sous peu au Canada. Le raisonnement des opposants à l'immigration juive et non juive est décrit de la manière suivante en janvier 1939 dans le compte rendu officiel des débats au Parlement fédéral :

> Une pétition portant la signature de 127,364 personnes qui s'opposent à l'immigration juive, à l'entrée de tout Juif au pays ; proteste vigoureu-

29. C'est le même Lacroix, farouchement isolationniste, qui s'oppose en septembre 1939 au Parlement à la participation du Canada à la guerre en Europe et plus tard en 1942 à la conscription militaire pour le service outre-mer.

> sement contre toute immigration quelconque et spécialement contre l'immigration juive ; demande [...] l'application rigoureuse des défenses d'immigration ; s'opposent également à ce que certains ministres permettent l'entrée au pays, même de quelques-uns, en leur attribuant des permis spéciaux ou discrétionnaires qui donnent accès au Canada alors que l'immigration est officiellement défendue ; et enfin, prient avec instance le gouvernement canadien de prendre les moyens nécessaires et urgents pour empêcher toute immigration chez nous[30].

Si les réfugiés juifs sont expressément mentionnés dans la pétition de janvier 1939, ce n'est toutefois pas dans un contexte idéologique qui est celui du nazisme. Il faut plutôt y voir un reflet de l'antijudaïsme doctrinal de l'Église catholique, dont l'origine est beaucoup plus ancienne et dont l'enracinement institutionnel au Québec remonte au milieu du XIXe siècle. Rien dans les campagnes anti-immigration de la SSJBQ ne laisse croire que l'organisme adhère à la pensée raciale du Parti national-socialiste allemand ou qu'il a rejoint la mouvance hitlérienne. On ne voit pas non plus l'organisme se féliciter des malheurs qui s'abattent sur le judaïsme au pays de Goethe ni encourager les Canadiens à se comporter de la même façon que les nazis. La SSJBQ affirme vouloir seulement renforcer, en agissant ainsi, le caractère traditionnel du Canada français. Aux yeux des membres de la société patriotique, la foi chrétienne et la langue française sont perçues comme des composantes essentielles de l'identité des Canadiens français qu'une arrivée massive de réfugiés juifs viendrait menacer. Dans un autre document faisant référence aux activités anti-immigration du groupe nationaliste, le président de la SSJBQ, Henri Boisvert, dit vouloir « traduire, par des faits concrets, l'acheminement vers l'idéal de notre peuple français et catholique[31] ».

---

30. *Compte rendu officiel des débats de la Chambre des communes,* vol. 1, 1939, 18e législature, 4e session, Ottawa, J.-O. Patenaude, p. 441.

31. « La Société St-Jean Baptiste de Québec », *Radio-information,* 8 janvier 1939, vol. 2, n° 2, p. 22.

La même remarque vaut pour *Le Devoir*, qui défend lui aussi une réduction à long terme de l'immigration en provenance de l'étranger, quelles que soient les circonstances qui règnent en Europe ou à travers le monde. Organe représentatif à l'époque de la faction la plus conservatrice du nationalisme canadien-français, *Le Devoir* prend immédiatement parti contre l'ouverture des frontières du Canada aux réfugiés allemands, une attitude nourrie par une méfiance viscérale envers la judéité. Opposé depuis longtemps à toute forme de politique migratoire permanente, le journal tire prétexte de la crise de 1938-1939 pour étaler dans ses colonnes éditoriales de nombreux préjugés envers les Juifs, dont l'idée selon laquelle ils forment un peuple inassimilable qui vise à dominer le monde[32]. Jamais, rappelle Georges Pelletier dans ses textes, les immigrants juifs ne se joindront au projet phare du Canada français, qui consiste à créer un nouveau front de colonisation agricole en Amérique septentrionale. Ils ne formeront pas non plus au Canada une population favorable à la protection des droits de la minorité francophone et à la diffusion en son sein de l'enseignement catholique. Ces préjugés antisémites grossiers trouvent place dans *Le Devoir* à côté de désaveux formels concernant la barbarie nazie et la suppression des droits fondamentaux en Allemagne par la dictature hitlérienne[33]. Les premiers signes d'un désaccord profond face à la politique menée par les nazis apparaissent d'ailleurs dans ce quotidien dès 1935-1936[34]. En décembre 1937, *Le Devoir* exprime nettement son opposition aux méthodes de répression antidémocratiques du régime allemand et condamne le traitement que celui-ci réserve à la presse[35]. Georges

32. Voir l'analyse faite à ce sujet dans Pierre Anctil, « *À chacun ses Juifs* », p. 122-125.

33. Voir par exemple l'éditorial de Georges Pelletier intitulé « Les Juifs d'Allemagne font déraisonner le "Star" », *Le Devoir*, 26 novembre 1938. Texte reproduit intégralement dans Pierre Anctil, « *À chacun ses Juifs* », p. 217-223.

34. Voir Omer Héroux, « Choses d'Allemagne », *Le Devoir*, 5 août 1935. Éditorial reproduit intégralement dans Pierre Anctil, « *À chacun ses Juifs* », p. 169-172.

35. Georges Pelletier, « À travers l'Allemagne hitlérienne », *Le Devoir*, 18 décembre 1937. Éditorial reproduit intégralement dans Pierre Anctil, « *À chacun ses Juifs* », p. 176-181.

Pelletier avait fait de même le mois précédent pour ce qui est du gouvernement italien dirigé par Benito Mussolini[36]. C'est que le Vatican a émis en avril 1937, à la suite des persécutions contre les catholiques en Allemagne, une condamnation sans appel du nazisme. Celle-ci paraît dans l'encyclique *Mit brenender Sorge* [avec une brûlante inquiétude], que tous les journaux d'allégeance catholique diffusent à travers le monde, dont *Le Devoir*[37]. Ce jugement du pape Pie XI permet à Georges Pelletier de s'en prendre sans retenue à la politique de répression intérieure menée par Hitler, sans toutefois mentionner – tout comme l'encyclique papale – les graves atteintes commises à l'endroit des Juifs allemands :

> Pour ce qui est de l'opinion libre en Allemagne, elle est inexistante. Il ne saurait y avoir là de presse d'opposition vivante, vu le régime adopté à l'endroit de la presse. Il est aussi impossible que quelqu'un aille exprimer en public, soit par écrit, soit verbalement, ses objections au régime, sans être molesté ou réduit au silence. [...] Cela veut dire que, présentement, pour avoir parlé d'un ton qui a déplu à l'État, pas moins de 60 pasteurs protestants et un bien plus grand nombre de prêtres catholiques allemands sont, ou dans des camps de concentration, ou dans des camps de travail, ou même dans des prisons, détenus en tout cas pour un temps indéfini. Il existe une loi, votée il y a déjà plusieurs mois, qui vise nettement à empêcher la liberté de parole jusque dans la chaire... [...] N'est-ce pas un régime dont le moins que l'on puisse dire, c'est qu'il est engagé sur une pente dangereuse ; celle de la dictature tournant à la tyrannie[38] ?

36. Georges Pelletier, « L'Italie d'aujourd'hui », *Le Devoir*, 9 novembre 1937. Éditorial reproduit intégralement dans Pierre Anctil, « *Soyons nos maîtres* ». *60 éditoriaux pour comprendre* Le Devoir *sous Georges Pelletier, 1932-1947*, p. 201-208.

37. « Pie XI accuse le Reich naziste », *Le Devoir*, 22 mars 1937. Voir aussi l'éditorial d'Omer Héroux, « Le pape et l'Allemagne », *Le Devoir*, 23 mars 1937.

38. Georges Pelletier, « À travers l'Allemagne hitlérienne ».

Nativisme et xénophobie aux Parlements d'Ottawa et de Québec

L'antisémitisme qui contribue à fermer la porte du Canada en 1938-1939 aux réfugiés allemands n'est pas celui que diffuse et met en pratique le régime nazi. Ce n'est pas en somme une affirmation de la haine des Juifs assortie de gestes violents appuyés par des lois discriminatoires. Il faut plutôt y voir l'expression d'un sentiment xénophobe et nativiste animé par la volonté de garder à l'extérieur du pays des populations dont le profil culturel et religieux ne correspond pas à celui des deux peuples dits fondateurs de l'État canadien. De part et d'autre de la barrière linguistique, une méfiance, sinon une antipathie et une aversion profonde, empêche les anglophones protestants et les catholiques francophones de s'intéresser au sort des minorités juives en Europe une fois le régime nazi en place. Mis à part le Canada français, où un antijudaïsme religieux oriente et guide de surcroît l'attitude des opposants à l'accueil de réfugiés, la réaction des citoyens canadiens est souvent dictée par une répugnance à accepter socialement les Juifs allemands et par une détestation de leurs origines culturelles. Ces perceptions, partagées par de larges couches de la population et souvent basées sur des notions imaginaires, bloquent la voie à un assouplissement politique et réglementaire qui ouvrirait la porte aux réfugiés. Devant l'éventualité d'une migration de Juifs allemands, même expulsés *manu militari* de leur pays dans des conditions effroyables, plusieurs Canadiens préfèrent céder à un antisémitisme défensif et souvent exprimé sous la forme d'une résistance passive à l'accueil des victimes du nazisme. Pour beaucoup de députés et de fonctionnaires fédéraux, cela signifie faire comme si de rien n'était et attendre que la tempête de la persécution hitlérienne passe. Comme pour les quotas à l'Université McGill ou les politiques de répartition spatiale des élèves juifs de la commission scolaire protestante à Montréal, l'aversion aux réfugiés allemands a pris la forme d'un non-discours et d'une résistance à l'action. Plutôt que d'être mû par la haine et signifié par la commission de gestes brutaux, ce type d'antisémitisme se définit plutôt comme une inimitié qui dépasse rarement le stade du rejet ferme mais poli. Réaction épidermique et mépris silencieux, que des circonstances socioéconomiques graves intensifient au cours des années 1930, il manifeste le refus non verbalisé de plusieurs Canadiens d'accepter la diversité religieuse et culturelle au sein de leur pays.

Au moment de l'accession au pouvoir de Hitler, le Canada possède déjà, depuis plusieurs décennies, une politique migratoire qui donne nettement la priorité aux résidents de la Grande-Bretagne, des États-Unis et des contrées européennes nordiques. Il y a ainsi, ancrée depuis longtemps dans les pratiques gouvernementales, la notion implicite que des individus façonnés par le protestantisme et issus des îles Britanniques sont porteurs d'une civilisation supérieure et « désirables » à plus d'un égard. Entre ce modèle idéal et l'exemple offert par les Juifs allemands, il y a un écart impossible à dissimuler, qu'amplifie un antisémitisme jugé légitime et tolérable dans le contexte canadien et québécois des années 1930. Cela n'empêche pas le premier ministre Mackenzie King d'avoir des rapports cordiaux et parfois assez suivis avec des personnes appartenant à l'élite de la judéité canadienne, comme le député montréalais S.-W. Jacobs ou le marchand Archibald-Jacob Freiman d'Ottawa. King, comme ses collègues du Parlement, s'accommode plutôt bien de la présence de quelques personnes d'origine juive nanties et assimilées à la culture britannique.

Il en va autrement du projet d'ouvrir les portes du pays pour permettre une immigration massive de Juifs allemands – ou plus tard est-européens – dont la plupart risqueraient dans ces circonstances de conserver pendant longtemps leurs traits culturels d'origine. C'est à ce changement d'échelle dans le flot migratoire que résiste la classe politique canadienne, anglophone autant que francophone. Accueillir des gens d'origine juive un à la fois, cela peut se concevoir dans le cadre de la démocratie parlementaire canadienne, mais pas ouvrir la porte à des populations entières, voire à tout un peuple, fût-il en quête d'un refuge loin de l'oppression politique et de la persécution violente. Dans les rares occasions où King juge bon de s'exprimer à propos des Juifs, soit en public, soit dans ses écrits intimes, il laisse entrevoir un mélange complexe d'empathie pour les victimes juives en Allemagne et de réticence envers les pratiques sociales qu'il associe aux Juifs. Le 13 novembre 1938, quelques jours après Kristallnacht, King écrit pour lui-même : « Je sens que le Canada doit jouer un rôle en accueillant certains des réfugiés juifs. Cela ne sera pas facile politiquement et je ne pourrai peut-être pas vaincre les réticences du cabinet, mais je vais lutter pour ce qui est juste et chrétien d'esprit[39]. »

Huit ans plus tard, le premier ministre n'en consigne pas moins, dans son journal personnel, des réflexions très négatives au sujet des Juifs. Il est difficile de croire que ces propos tenus en 1946 ne reflètent que des perceptions passagères :

> Je me rappelle que Goldwin Smith[40] avait des opinions très défavorables envers les Juifs. Un jour, il s'était exprimé de la manière suivante : ils sont un poison qui circule dans les veines de la communauté. [...] Je ne me suis jamais permis moi-même de penser ainsi, même un instant, ou de laisser le préjugé s'installer dans mon esprit, mais je dois admettre qu'il existe des preuves substantielles à cet effet, pas contre tous les Juifs, ce qui serait plutôt injuste, car on ne peut pas accuser une race en entier, pas plus que tout un peuple, mais dans cette race il y a un fort pourcentage de gens qui démontrent des tendances qui sont certainement dangereuses[41].

Quoi qu'il en soit de ses sentiments personnels envers les Juifs, King a tôt fait à la fin des années 1930 de s'ajuster à la conjoncture politique. Il n'hésite pas par exemple à tenir compte d'une opinion publique généralement négative lorsque vient le temps d'élaborer une réaction officielle à la crise qui suit le pogrom de Kristallnacht. Si admettre des réfugiés allemands risque de lui attirer l'inimitié de la majorité de ses concitoyens, King n'hésite pas à tourner le dos aux victimes du nazisme et à ne pas tenir compte de leurs tourments. Pour la plupart, les membres de son cabinet sont du même avis, dont son principal

---

39. Cité dans Justin Comartin, « Humanitarian Ambitions, International Barriers ». Le passage est daté du 13 novembre 1938.

40. Écrivain et journaliste canadien d'origine britannique, Smith, établi au Canada en 1871, défendait assez ouvertement des positions hostiles aux Juifs.

41. Cité dans Justin Comartin, « Humanitarian Ambitions, International Barriers ». Notre traduction. Le passage est daté du 20 février 1946.

allié politique québécois, le ministre Ernest Lapointe. La même propension à faire fi des souffrances des personnes déplacées pour des raisons électoralistes se manifeste aussi à l'Assemblée législative du Québec. Contrairement à Ottawa, où les députés en général ne s'opposent pas aux politiques de l'État canadien en matière d'immigration, à Québec, une majorité de parlementaires, tous partis politiques confondus, réclament depuis longtemps la suspension presque totale du mouvement migratoire en direction du Canada. D'après Sandra Dubé, entre 1938 et 1945, le gros des interventions à l'Assemblée tourne autour de la réaffirmation d'un droit de regard provincial sur la gestion de l'immigration. Dans ce contexte, la question juive compte pour assez peu et l'accueil des réfugiés en provenance d'Allemagne, phénomène éminemment circonstanciel, est passé sous silence. Ou plus précisément, comme pour la SSJBQ, le cas des Juifs figure comme un élément mineur à l'intérieur d'une vaste problématique qu'il convient de traiter sans distinction de culture ou de nationalité. C'est que, contrairement à la situation qui règne au Parlement d'Ottawa, où les francophones sont en minorité, les députés qui siègent à Québec se perçoivent comme les premiers responsables de la préservation du rapport de force entre les deux peuples dits fondateurs de l'État canadien. Tout ce qui est susceptible de rompre l'équilibre atteint au moment du pacte de 1867 paraît suspect dans cette enceinte politique, y compris l'arrivée massive de nouveaux citoyens, à plus forte raison s'ils sont destinés à s'installer sur le territoire du Québec. Il n'y a donc pas nécessairement, dans cette attitude de rejet, l'expression d'un antisémitisme virulent mais plutôt l'affirmation d'une xénophobie systémique. À l'inverse, l'hostilité envers les Juifs peut très bien se manifester sans qu'il soit question de déplacements de populations sur la scène internationale ou de l'accueil de réfugiés fuyant la tourmente nazie. C'est le cas notamment quand l'Union nationale harcèle le gouvernement Taschereau lors des audiences de 1936 sur les comptes publics et que le député Bercovitch, venu défendre les ministériels, est invectivé par une foule déchaînée qui le traite de « maudit Juif[42] ».

---

42. Voir le récit de ces événements dans « M. Bercovitch prend la défense de M. Charles Lanctôt au comité des comptes publics », *Le Devoir*, 16 mai 1936.

Comme à Ottawa, le Parlement provincial ne promulgue pas de lois ou de mesures spécifiquement dirigées contre les Juifs. Il n'est pas non plus, dans le cadre de ses activités législatives normales, témoin d'invectives ou de propagande dirigée contre eux. Simplement, l'actualité internationale des années 1938-1939 place les Juifs allemands au premier plan des débats plus généraux sur l'immigration. Les dépêches de presse contribuent aussi à propulser au-devant de la scène des préjugés courants à l'endroit des exilés juifs qui seraient peut-être devenus moins éclatants dans d'autres circonstances. Alors que la crise s'aggrave sur le Vieux Continent, les efforts du CJC et des organismes multiconfessionnels canadiens en faveur des réfugiés européens atteignent assez peu le Canada français. Cela tient à ce que presque toute l'information que leurs porte-parole présentent au public est rédigée uniquement en anglais et que les principaux animateurs du Committee on Jewish-Gentile Relationships (CJGR) ne possèdent pas un réseau de contacts développé parmi les francophones. Cette tendance à l'unilinguisme se vérifie même quand le CJGR décide d'ouvrir un bureau à Montréal pour mieux disséminer son point de vue. La brochure intitulée *Facts and Fables about the Jews*[43], qui aurait pu contribuer en 1939 à dissiper certaines impressions fausses, ne paraît qu'en langue anglaise. Il en va de même des nombreuses interventions à l'époque du révérend Claris Edwin Silcox, vice-président du CJGR et auteur d'un texte intitulé *The Challenge of Anti-Semitism to Democracy*[44]. Pis encore, Silcox, un pasteur de l'Église unie du Canada, émaille ses conférences publiques et sa correspondance de propos francophobes et anticatholiques stridents

43. *Facts and Fables about the Jews,* Toronto, Committee on Jewish-Gentile Relationships, 1939, 12 pages.

44. Révérend Claris Edwin Silcox, *The Challenge of Anti-Semitism to Democracy: An Address Delivered before Canadian Clubs in Western Canada,* Toronto, Committee on Jewish-Gentile Relationships, 1939, 16 pages. Pour une biographie de Silcox, voir Alan Davies, « Clarence Edwin Silcox (1888-1961): Brave and Resolute Champion of the City of God ». On peut aussi consulter l'ouvrage d'Alan Davies et Marilyn Nefsky, *How Silent Were the Churches? Canadian Protestantism and the Jewish Plight during the Nazi Era.* Malheureusement, cet ouvrage n'étudie pas la réaction des francophones au Canada.

– toujours en anglais – qui produisent au Québec l'effet contraire de celui qui est recherché par le CJGR. Outré, *Le Devoir* reproduit d'ailleurs en 1943, pour les condamner, les propos tenus par Silcox quelques années plus tôt :

> Le Canada a été empêché de faire son devoir [offrir un sanctuaire aux réfugiés] par l'opposition du Québec. Ce fait est devenu plus évident à la fin de l'année 1938 et au début de l'année 1939 quand la pétition [anti-immigration] a été envoyée au Parlement avec l'appui des sociétés Saint-Jean-Baptiste. Je considère cette pétition comme l'affirmation la plus anti-chrétienne et la plus condamnable des préjugés et du fanatisme qui peuvent naître d'une pensée fausse – autant sur le plan religieux, social, économique et politique – qui ait assombri la vie de notre pays[45].

Cet organisme de défense des réfugiés, qui prend en 1940 le nom de Canadian Conference of Christians and Jews (CCCJ), fonctionne de plus, tout au long de cette période, sans l'apport d'un seul membre du clergé catholique ou d'un seul francophone de renom. C'était compter sans les accusations de trahison et de sympathie pour le fascisme qui circulent au Canada anglais à partir de 1939, alors que la possibilité d'une nouvelle conscription militaire obligatoire est reçue avec beaucoup de méfiance par les élites politiques de langue française, à plus forte raison à la rédaction du *Devoir*. Silcox, par son attitude cavalière et notamment ses harangues dirigées contre le Canada français, finit par se valoir, en 1943, un démenti cinglant dans la page éditoriale du *Devoir*. Ce n'était certes pas la meilleure stratégie pour se gagner la sympathie des francophones envers les réfugiés allemands :

> M. Silcox se laisse emporter par son zèle universel, il se préoccupe peu des intérêts permanents du Canada. C'est son affaire. Qu'il respecte

45. Lettre de Claris Edwin Silcox citée dans Roger Duhamel, « Le problème de l'immigration et l'animosité antiquébécoise ? », *Le Devoir*, 16 décembre 1943. Éditorial reproduit intégralement dans Pierre Anctil, « *À chacun ses Juifs* », p. 159-162.

toutefois le sentiment pour le moins aussi légitime de la province de Québec de penser différemment de lui. Il ferait bien de réviser son arsenal d'arguments, singulièrement démodés et qui sentent le fagot. Il y a trop longtemps que la légende d'un Québec fasciste et soumis à la propagande nazie sert des intérêts discutables... et plus que discutables[46].

Le Canada entre en guerre

Les campagnes antisémites de la fin des années 1930 en Allemagne suscitent des critiques et des condamnations au Canada anglais comme au Canada français, mais la plupart des observateurs y voient une suite d'événements exceptionnels qu'un appel à la raison d'État et à la moralité chrétienne devrait pouvoir ramener à des proportions plus acceptables. La nuit de Cristal, en particulier, suscite de vives réactions par son ampleur tout à fait inattendue et par le caractère clairement planifié des violences qui s'abattent en quelques heures sur la population juive allemande. Il s'agit du pogrom le plus meurtrier et le plus dévastateur dont ait été témoin l'Europe centrale à l'époque contemporaine. Le 14 novembre 1938, le quotidien *Le Canada* s'insurge contre les exactions commises quelques jours plus tôt dans toutes les grandes villes allemandes, mais c'est pour réprouver les destructions et les assassinats commis à cette occasion et pas nécessairement pour blâmer le régime politique en place. L'idée que ces actes ne soient que le préambule à une persécution encore plus meurtrière n'a pas encore effleuré l'esprit du *Canada* ou de la plupart de ses lecteurs :

> Que les chefs Nazis essaient d'expliquer comme ils l'entendent leurs actions odieuses ; nous constatons et nous affirmons, en pesant le sens de nos mots, qu'ils se conduisent à la manière de barbares, comme si l'esprit de la civilisation chrétienne n'avait jamais pénétré jusqu'au cœur

46. *Ibid.*

> de la nation allemande. On découvre soudain des Huns et des Wisigoths là où on croyait trouver l'un des groupements humains supérieurement civilisés[47].

La même remarque vaut pour *Le Devoir* qui lui aussi déplore les agressions des nazis sans toutefois en arriver à saisir le sens et la finalité ultime de ces agissements à plus long terme. Omer Héroux écrit : « Personne qui ne soit un peu humain, quels que puissent être ses sentiments envers les Juifs d'ici ou d'ailleurs, ne saurait rester indifférent aux actes de brutalité méthodique dont les Juifs d'Allemagne souffrent[48]. » Cela n'empêche cependant pas le journal de rejeter à plusieurs reprises au cours des mois de novembre et décembre 1938 la possibilité que des réfugiés allemands soient admis au pays[49]. La raison en est que les Canadiens, pense *Le Devoir,* ne sont pas responsables de la montée des tensions politiques sur le continent européen et n'ont donc pas à payer le prix des excès auxquels risque de conduire un nouvel affrontement militaire en Europe. Qui plus est, les Juifs que l'on chasse d'Allemagne risquent de ne pas s'adapter facilement à la société canadienne et surtout québécoise. Ils formeront pendant longtemps une population marginale qui pourrait s'attirer des réactions d'hostilité de la part des Canadiens, francophones comme anglophones. Mieux vaut se garder dans les circonstances d'accueillir une nouvelle migration, jugent les éditorialistes du *Devoir,* d'autant plus que la prospérité n'est pas revenue au pays.

La plupart des Canadiens et des Québécois ne conçoivent en effet pas que les persécutions hitlériennes de la fin des années 1930, qui leur

47. « La damnable persécution des Juifs par les Nazis », *Le Canada,* 14 novembre 1938.

48. Omer Héroux, « L'éternelle question des réfugiés juifs », *Le Devoir,* 22 novembre 1938. Éditorial reproduit intégralement dans Pierre Anctil, « *À chacun ses Juifs* », p. 212-216.

49. Voir par exemple l'éditorial de Georges Pelletier intitulé « À chacun ses Juifs », *Le Devoir,* 3 décembre 1938, reproduit intégralement dans Pierre Anctil, « *À chacun ses Juifs* », p. 224-228. Voir aussi Pierre Anctil, « Uneven Perceptions: Kristallnacht in the Yiddish and French-Language Press of Montreal ».

apparaissent sur le coup si outrageantes, ne sont que le prélude à un programme d'extermination de la population juive dans toute l'Europe. Nul ne comprend au sein de la classe politique canadienne et québécoise que des circonstances radicalement différentes vont permettre quelques mois plus tard à Hitler d'agir en toute impunité et de mettre en branle une campagne antisémite d'une ampleur inimaginable jusque-là. Même les éditorialistes du *Keneder Odler,* pourtant très bien renseignés sur les événements en Allemagne, n'arrivent pas à comprendre à la fin de 1938 que les nazis planifient déjà des interventions plus brutales et qu'un génocide menace d'engouffrer toutes les communautés juives d'Europe. Cela n'empêche par les Juifs canadiens de ressentir une impuissance et un désarroi profonds que ne partagent pas les autres habitants du pays et dont on trouve de nombreux exemples dans l'*Odler* : « Rien ne pourrait être plus terrible et plus horrifiant que de lire sur ces événements [les persécutions antisémites]. On tremble de peur lorsqu'on s'arrête à penser quel pourrait être le sort des Juifs allemands et des Juifs partout en Europe, à un moment où une réaction aussi infâme se manifeste[50]. » Pour la plupart des parlementaires siégeant à Ottawa et à Québec, la question des réfugiés n'est qu'un des multiples enjeux auxquels les gouvernements se trouvent confrontés en une période où s'assombrit gravement le climat politique européen. Il en va de même des éditorialistes et des observateurs qui prennent bien note des violences commises à l'occasion de Kristallnacht mais n'y accordent qu'une attention momentanée. Les derniers mois de paix s'envolent. Ce qui était encore raisonnablement possible en 1938-1939 pour le Canada, c'est-à-dire voler au secours des personnes déplacées par la persécution nazie, cesse de l'être après l'invasion de la Pologne en septembre 1939[51].

50. « *Es iz shreklikh un shoyderlekh, ven men layent vegen dem. Es iz shreklikh, ven men tut a trakht vos es kon zayn der vayterdiker goyrl fun di daytshe yiden, un fun yiden fun Eyrope bekhlal, vu es bushevet itst aza moyre'dige reaktsye.* » « Di kanibalistishe orgye [l'orgie cannibale] », *Der Keneder Odler,* 11 novembre 1938, p. 4. Notre traduction.

51. Pour une histoire de ce conflit, voir notamment John Keegan, *La Deuxième Guerre mondiale.*

Le déclenchement de la Seconde Guerre mondiale ouvre un abîme dans lequel plonge l'ensemble de la société canadienne. L'ampleur du conflit qui s'annonce, la gravité des sacrifices auxquels la population doit maintenant consentir et le caractère solennel du combat pour la liberté qu'entame le pays ont tôt fait de faire oublier à la population le sort des réfugiés d'avant-guerre. Des rationnements ne tardent pas à être imposés sur les denrées essentielles, qu'accompagnent des privations de toute nature. Une mobilisation de tous les instants s'organise pour mettre les ressources humaines et matérielles du Canada au service de la cause des Alliés. À l'été 1943, les forces armées canadiennes prennent pied pour la première fois en Europe continentale, plus précisément dans le sud de l'Italie, campagne bientôt suivie par le débarquement de Normandie en juin 1944.

La population juive québécoise n'échappe pas à l'obligation de contribuer à l'effort de guerre collectif, tâche qui semble d'autant plus pressante que les dirigeants des organisations communautaires juives veulent saisir cette occasion de faire valoir leur loyauté. En janvier 1939, l'industriel Samuel Bronfman est élu président du CJC et engage toutes les ressources de l'organisation pour soutenir la participation du Canada au conflit mondial. Au sein du CJC, un War Efforts Committee est mis sur pied qui ouvre des centres de recrutement à Montréal et à Toronto pour faciliter l'enrôlement des Canadiens d'origine juive. En 1944, au moment où le nombre de Canadiens sous les drapeaux atteint son sommet, le CJC met à la disposition des soldats de toutes confessions une quinzaine de centres d'accueil dans plusieurs villes du pays, où il est possible pour les volontaires de nouer des relations sociales et de trouver du réconfort loin du foyer. Pendant ce temps, le Jewish Labor Committee of Canada, une organisation syndicale, milite pour placer les usines de confection sur un pied de guerre et pour limiter au maximum les frictions syndicales susceptibles de ralentir la production.

En 1938, le CJC avait créé un consortium d'organisations appelé les United Jewish Refugee and War Relief Agencies (UJRWRA), bientôt placé sous la direction efficace de l'avocat Saul Hayes. Le déclenchement des hostilités, quelques mois plus tard, ne relègue pas la question des réfugiés et des victimes du nazisme à l'arrière-plan au sein de la communauté, mais il rend singulièrement plus difficile pour le CJC d'obtenir des résultats concrets de ce côté. La guerre exige dorénavant que tous les moyens à la disposition du pays soient utilisés pour défaire l'ennemi, dont ceux qui auraient pu servir en d'autres circonstances à secourir les Juifs en attente d'un statut légal en Europe ou ailleurs dans le monde. Les hostilités empêchent de plus le Canada – et les organismes de la communauté juive canadienne – d'intervenir dans des pays qui passent sous occupation allemande ou dans des régions qui sont le théâtre d'importantes opérations militaires. Après 1939 et surtout après 1941, il est devenu impossible d'atteindre les populations juives européennes promises à l'extermination ou de les acheminer vers des ports sûrs, d'où elles pourraient s'échapper en direction du Canada. Cela se vérifie en octobre 1942 quand, malgré tous les efforts diplomatiques consentis par le Canada, un plan de sauvetage de 500 enfants juifs retenus dans le sud de la France par le régime de Vichy échoue. Dans des notes rédigées pour un discours, H.-M. Caiserman résumera en quelques mots à la fin des années 1940 la situation que le CJC a dû affronter pendant le conflit mondial : « Durant la guerre, des raisons de sécurité et de politique gouvernementale, des problèmes de transport et la difficulté d'obtenir des visas de sortie des pays européens ont barré la route de manière tragique à une immigration juive en provenance du Vieux Continent[52]. » Même la traversée de l'Atlantique depuis l'Angleterre est devenue très périlleuse, comme le constatent les autorités britanniques lorsqu'elles affrètent à l'été 1940 des navires pour amener au Canada des prisonniers militaires de plusieurs nationalités et des civils allemands. Sur quatre navires partis à destination de ports canadiens, trois seulement terminent le voyage. Plus de 800 personnes périssent le 2 juillet dans le torpillage de l'*Arandora Star,* dont un grand nombre étaient des civils internés d'origine italienne ou allemande. Le même sort attend en septembre 1940 un paquebot, le *City of Benares,* ayant à son

52. H.-M. Caiserman, notes manuscrites non datées, Service des archives juives canadiennes Alex Dworkin, Montréal, fonds DA 1, boîte 4, chemise 10, rapports au sujet de l'immigration (1920-1950). Notre traduction.

bord des enfants de citoyenneté britannique que l'on cherchait à mettre à l'abri au Canada. Près de quatre-vingts d'entre eux périssent dans cette attaque.

Officiellement, le gouvernement canadien adopte après 1939 la position selon laquelle mener la guerre à l'Allemagne est la meilleure politique dans les circonstances et que le salut des réfugiés et des populations civiles en Europe dépend en dernière analyse de la victoire des Alliés. Tel un leitmotiv, ce discours est repris inlassablement par Ottawa au cours du conflit mondial pour justifier l'inaction du cabinet quant aux populations juives européennes. Mackenzie King résume parfaitement cette position lors d'un discours prononcé en juillet 1943 à la Chambre des communes : « Il n'y a rien que les gouvernements alliés puissent faire pour sauver ces victimes innocentes, excepté gagner la guerre le plus rapidement et le plus complètement possible. Il est présentement impossible de leur faire quitter les territoires tenus par les forces de l'Axe. Tous les efforts auxquels nous pourrions consentir pour les aider, même à supposer que cela soit réalisable, ne pourraient que prolonger leurs souffrances, si cela signifiait prolonger la durée de la guerre[53]. » C'est ignorer que les Juifs sont la cible, beaucoup plus que d'autres minorités religieuses, de politiques génocidaires déclarées de la part des forces allemandes d'occupation. À l'exception des 2 340 civils détenteurs de passeports allemands arrivés dans le port de Québec en juillet 1940 puis détenus dans la région de Sherbrooke et dans les provinces maritimes pendant près de trois ans au même titre que les prisonniers de guerre, seul un petit nombre de personnes d'origine juive pourront trouver refuge au Canada pendant la durée des hostilités.

Les circonstances ont d'ailleurs rapidement convaincu le CJC d'adopter après 1939 le discours souvent repris par les Alliés, voulant qu'il faille concentrer toutes les énergies à gagner la guerre dans les meilleurs délais. En septembre 1941, lors d'une rencontre de direction tenue au CJC, Samuel Bronfman formule de manière très claire les priorités de l'organisme relativement à l'accueil des victimes du nazisme,

53. Canada, *Débats de la Chambre des communes*, 9 juillet 1943, 19e législature, 4e session, vol. 238, p. 4558-4559.

dont très peu seraient en mesure à ce moment, même au prix de très grands efforts, d'atteindre les rives du pays :

> Pour ce qui a trait à nos responsabilités financières, il nous est tout de suite apparu qu'elles se manifestent à trois chapitres. En premier lieu, les Juifs canadiens, en tant que citoyens du Canada, ont le devoir d'appuyer au maximum de leurs capacités tous les fonds patriotiques liés à la guerre et aux services auxiliaires. Notre soutien à la victoire militaire est de première importance ; tous les autres objectifs, quelle que soit leur ampleur, apparaissent sous cet angle comme secondaires. En deuxième lieu, nous devons poursuivre notre action en offrant des services caritatifs à l'échelle locale. Et finalement nous devons prendre en charge des responsabilités supplémentaires qui viennent des ravages produits par la guerre et offrir des secours à nos coreligionnaires qui sont des victimes immédiates de la barbarie nazie[54].

Réactions à la Shoah

Dès le début des hostilités, une partie importante des Juifs allemands qui avaient fui leur patrie avant septembre 1939 tombent aux mains des nazis. Cela se produit quand les armées hitlériennes s'emparent coup sur coup, au printemps 1940, des Pays-Bas, de la Belgique et de la France. Des populations juives encore plus nombreuses se trouvent bientôt placées sous domination allemande à l'est, particulièrement en Pologne, où existe une communauté de 3,3 millions de personnes, et plus tard en Russie. Les opérations d'extermination des populations juives commencent peu après l'invasion de l'URSS, en juin 1941. Un million de personnes périssent dans une première phase qui s'étend jusqu'au

54. « Report of the President of the United Jewish Refugee & War Relief Agencies Submitted at the National Executive Meeting, September 6th, 1941 », Montréal, sept pages, Service des archives juives canadiennes Alex Dworkin, CJC, BA, boîte 22, chemise 15. Notre traduction. Voir aussi Patrick Reed, « A Foothold in the Whirlpool: Canada's Iberian Refugee Movement ».

milieu de l'année 1942. Des mécanismes plus élaborés de concentration et de déportation vers des camps de la mort sont ensuite mis en place[55]. Près de cinq millions d'êtres humains venus de presque toutes les régions du continent européen, sauf de Grande-Bretagne, d'Espagne, du Portugal et de Suisse, disparaissent au cours de cette deuxième phase, qui culmine à l'été 1944. Malgré la censure de guerre et la rareté des informations en provenance des zones occupées par les forces allemandes, des témoignages commencent à circuler assez tôt au sujet du sort réservé aux Juifs est-européens une fois lancée l'invasion militaire de l'URSS. Des résistants polonais, des dissidents allemands et des citoyens des pays neutres font en effet parvenir dès 1942 aux gouvernements alliés et au Vatican des données fragmentaires sur le massacre en cours des populations juives.

Réunis et compilés, ces renseignements indiquent qu'une politique concertée d'extermination est en cours, dont l'ampleur et la rapidité d'exécution semblent à peine croyables à la plupart des observateurs occidentaux[56]. Ce ne sont plus cette fois des informations faisant état de violences localisées, de déportations périodiques ou d'emprisonnements individuels arbitraires, comme avant 1939, mais des données qui confirment la destruction systématique et délibérée de populations entières. La communauté juive montréalaise prend pleinement conscience du phénomène à l'été 1942, quand l'information commence à filtrer par le truchement du réseau d'institutions humanitaires juives. D'autres témoignages sont publiés dans le *Keneder Odler* et dans l'ensemble de la presse juive mondiale de langue yiddish. Le CJC en particulier est tenu très bien informé de la situation en Pologne, comme en fait foi cette lettre d'un leader juif montréalais de juillet 1942 :

> Les rapports qui nous sont parvenus peu à peu, à propos du terrible prix que le peuple juif paie dans les territoires occupés par les nazis, sont tout simplement impossibles à décrire. Plusieurs d'entre nous, qui sont

---

55. Voir à ce sujet Raoul Hilberg, *La Destruction des Juifs d'Europe*.

56. David S. Wyman, *The Abandonment of the Jews: America and the Holocaust, 1941-45*.

> déjà endurcis devant les coups portés par les nazis, refusent de croire que ces rapports puissent être vrais. Des chiffres obtenus il y a peu directement de Pologne, et présentés au Polish National Council à Londres par le politicien juif Arthur Zigolboim[57], révèlent qu'entre 700 000 et 1 000 000 de Juifs ont déjà péri en Pologne seulement entre les mains des nazis. Les exécutions de masse se poursuivent chaque jour et gagnent autant pour ce qui est de leur férocité que du nombre de victimes[58].

Le gouvernement canadien n'est pas en reste. De nombreuses confirmations du sort fait aux Juifs est-européens atteignent Ottawa au même moment, dont plusieurs d'ailleurs sont perçues tout d'abord comme nettement exagérées. En effet, la Shoah est un événement qui n'a pas de précédent dans l'histoire de l'Europe, et plusieurs observateurs attentifs doutent de la véracité des informations qui circulent à ce sujet. Les renseignements sur le nombre de décès dus à la persécution et sur les conditions de vie dans les camps, pensent plusieurs journalistes, semblent tenir plus de la propagande que de la cueillette méthodique et fiable de renseignements stratégiques. La presse canadienne de langue anglaise et de langue française accorde d'ailleurs assez peu de place au massacre des Juifs dans ses pages, si ce n'est dans des rubriques secondaires ou parmi d'autres nouvelles qui concernent surtout les opérations militaires en Europe[59]. *Le Devoir*, qui suit de très près le conflit

---

57. Il s'agit de Szmul Sygielbojm, qui s'est suicidé à Londres en mai 1943 pour protester contre le peu de réaction des gouvernements alliés devant les souffrances endurées par les Juifs polonais sous le régime nazi et lors de la Shoah proprement dite.

58. Lettre de Michael Rubinstein, président du Yidisher Arbeter Komitet [Jewish Labor Committee] de Montréal, aux responsables du Congrès juif canadien, 22 juillet 1942, Service des archives juives canadiennes Alex Dworkin, Montréal, fonds Caiserman. Notre traduction.

59. Aucune recherche systématique n'a encore été menée à ce sujet à propos des journaux parus au Canada. C'est toutefois la conclusion à laquelle en vient une étude consacrée à un grand organe de presse américain, le *New York Times*. Voir Laurel Leff, *Buried by the* Times: *The Holocaust and America's Most Important Newspaper.*

militaire et continue de s'opposer avec force à la conscription obligatoire pour le service outre-mer, ne commente les massacres qu'en septembre 1943, soit après que Roosevelt et Churchill se furent rencontrés à Québec pour planifier la conduite de la guerre. À cette occasion, en août 1943, l'Emergency Committee to Save the Jewish People of Europe dépose un mémoire fondé sur des données chiffrées qui presse les Alliés d'agir avant que la population juive européenne tout entière n'ait succombé à la politique génocidaire des nazis[60]. Cela n'empêche pas *Le Devoir* de demander que le gouvernement canadien se soucie en priorité de ses propres citoyens avant de penser secourir les personnes parquées dans des camps outre-Atlantique : « Il est bel et bien de s'occuper des victimes et des réfugiés de la guerre en d'autres pays que le nôtre, de voir à faire venir au Canada des réfugiés d'ailleurs. Si l'on commençait par nos propres victimes, nos propres réfugiés de guerre, ça serait certes plus dans l'ordre[61]. »

De nombreuses protestations juives, provenant surtout d'organismes américains, avaient convaincu un peu plus tôt Washington et Londres d'organiser une conférence conjointe portant sur la façon de réagir aux massacres ayant cours en Europe de l'Est. Elle se tient en avril 1943 dans l'archipel des Bermudes, en l'absence de représentants du gouvernement canadien. Les discussions n'aboutissent à aucun geste concret, sauf celui de déclarer que la seule manière d'épargner les populations juives menacées d'anéantissement est de gagner la guerre au plus tôt. Ni les États-Unis ni la Grande-Bretagne ne prennent des mesures pour accueillir plus d'immigrants juifs sur leur sol ou pour ouvrir les portes de la Palestine à des réfugiés européens. Pressé par le CNCR et les UJRWRA, le cabinet de Mackenzie King décide finalement d'annoncer en novembre 1943 un programme pour faire venir au Canada quelque

60. Louis Robillard, « Un mémoire judéo-américain à la conférence de Québec », *Le Devoir*, 9 septembre 1943. Éditorial reproduit intégralement dans Pierre Anctil, « *À chacun ses Juifs* », p. 237-240.

61. Émile Benoist, « Nous avons nos propres victimes et réfugiés de la guerre », *Le Devoir*, 4 juin 1943. Éditorial reproduit intégralement dans Pierre Anctil, « *À chacun ses Juifs* », p. 232-236.

deux cents familles juives bloquées depuis un certain temps au Portugal, pays neutre à la marge occidentale de l'Europe. C'est la première fois depuis le début de la guerre que le gouvernement a recours à des mesures autres que l'admission d'immigrants par arrêté ministériel. Un bureau est ouvert à Lisbonne, d'où partiront en avril, mai et octobre 1944 des réfugiés juifs surtout originaires d'Europe centrale et qui ont fui l'avancée allemande en franchissant les Pyrénées. Ils sont 276 dans le premier voyage, 74 dans le deuxième et 45 dans le dernier autorisé par Ottawa, toujours à bord du paquebot portugais *Serpa Pinto*[62]. L'opération se fait du début jusqu'à la fin sous la conduite directe du gouvernement canadien. Débarquées à Philadelphie, les familles sont immédiatement emmenées par train jusqu'à Montréal, où elles sont prises en charge par les UJRWRA, la Jewish Immigrant Aid Society (JIAS) et le CNCR. Elles n'obtiennent toutefois qu'un asile temporaire en attendant la fin des hostilités en Europe. Ce sera le seul groupe de réfugiés juifs accueilli au pays pendant toute la durée de la guerre.

Malgré des efforts considérables de la part des organismes communautaires juifs et un intense lobbying politique mené sur la colline parlementaire à Ottawa par le CNCR, le bilan reste désespérément maigre pour un pays doté d'avantages stratégiques en temps de guerre. Le Canada est situé loin des combats, possède des ressources naturelles plus qu'abondantes et bénéficie de vastes territoires traversés d'infrastructures de transport fiables. Confronté à la situation extrêmement difficile sinon désespérée des victimes du nazisme, le gouvernement canadien a préféré s'en remettre, malgré des intentions nobles, à des mesures dilatoires et attentistes. En fait, le manque de volonté politique des parlementaires ne fait que refléter l'indifférence générale de leurs électeurs en la matière et souvent leur résistance passive à l'encontre de programmes précis d'intervention en faveur des communautés juives européennes. Simplement, les Canadiens ne se sentent pas concernés par les souffrances jugées lointaines des victimes de la guerre, même celles que le nazisme voue à l'extermination. Cela tient en partie à ce

62. Voir à ce sujet l'article de Rebecca Margolis, « A Review of the Yiddish Media: Responses to the Jewish Immigrant Community ».

que des préjugés tenaces désignent les Juifs à l'opprobre général et à ce qu'un antisémitisme social prononcé empêché anglophones comme francophones d'éprouver une sympathie agissante envers les réfugiés de cette origine.

Il ne semble pas par contre que l'hostilité face aux Juifs ait été nettement plus prononcée à cette époque au Canada français ou qu'elle ait pris des formes très différentes dans l'arène politique québécoise. Certes, l'antisémitisme catholique n'a pas les mêmes origines que celui manifesté par les protestants, et il s'exprime souvent par d'autres moyens que ceux privilégiés par la classe économique dominante d'origine britannique. Mais il est très difficile de croire que, dans le contexte des années 1938 à 1945, les francophones auraient été en mesure de faire obstacle à un courant de compassion envers les réfugiés juifs s'il s'était manifesté clairement au sein de la population majoritaire. Les divergences fondamentales entre les deux peuples dits fondateurs concernent plutôt la participation à la guerre et la conscription militaire, questions beaucoup plus difficiles, que le cabinet libéral tranche de toute façon à l'encontre de la volonté fortement exprimée par les francophones lors du plébiscite de 1942. C'est autour de cet enjeu décisif que s'affronteront les deux communautés linguistiques, pas à propos de l'opportunité d'ouvrir les portes du pays aux victimes du nazisme. Prétendre le contraire, c'est croire que le Canada français constituait une minorité puissante au pays, ce qui n'était pas le cas à ce moment dans l'histoire.

De telles perceptions chez certains auteurs trahissent une méconnaissance du Canada français sur le plan historique et négligent de prendre en compte l'existence d'un rapport de force inégal entre les deux communautés linguistiques du pays. Les Canadiens qui s'adressent personnellement à Mackenzie King, le 7 juin 1939, pour demander qu'on permette l'entrée au pays des passagers du *Saint-Louis* sont tous des anglophones éminents. Le cabinet libéral auquel ils font appel délibère uniquement en langue anglaise et son chef est un unilingue de confession protestante né en Ontario. C'est sans compter que la fonction publique fédérale reflète clairement à l'époque les attitudes prônées dans la partie anglaise du pays, une réalité que Frederick Charles Blair incarne très bien. Il semble peu crédible dans ces circonstances que la responsabilité du refus essuyé par les pétitionnaires revienne principalement au ministre de la Justice Ernest Lapointe ou aux antisémites québécois, à moins de leur accorder un pouvoir dont l'existence n'est pas étayée par les données historiques disponibles. Il s'agit d'un contexte politique que les dirigeants du réseau communautaire juif comprennent très bien à l'époque puisqu'ils s'adressent avant tout, pour des raisons constitutionnelles, au Parlement d'Ottawa et au bureau du premier ministre canadien. Leur discours est d'ailleurs empreint de références à l'hospitalité britannique et au mode de gouvernance né sur les bords de la Tamise. La société canadienne à laquelle les Juifs aspirent le plus à participer est celle qui est liée à l'Empire et au Commonwealth des nations, pas celle du Canada français catholique. Quand les premiers réfugiés du *Serpa Pinto* arrivent au pays – ce qui n'est guère un triomphe d'ouverture et de générosité de la part du Canada –, le poète et journaliste montréalais A. M. Klein salue l'événement par ces paroles : « Le fait d'accorder l'asile aux victimes de la persécution religieuse et politique appartient à la grande tradition britannique de la justice et du *fair-play*[63]. » Simplement, au moment de la crise des réfugiés, il n'existe pas encore de passerelles entre Juifs et francophones ni d'attentes particulières de part et d'autre. Au cours de ces années, le Canada français apparaît pour l'essentiel hors de la sphère de perception de la communauté juive montréalaise et, pour cette raison, il n'est pas courtisé ou sollicité activement, même dans la perspective d'accueillir au pays des victimes du nazisme.

L'intervention de Duplessis

D'autres événements survenus à la fin de cette période font beaucoup pour convaincre la communauté juive canadienne que les francophones sont moins favorables à l'accueil des réfugiés que les anglophones. La

63. « *The granting of asylum to the victims of religious and political persecution is of the great tradition of British justice and fair play.* » A. M. Klein, « Refugees Find Freedom and Welcome in Canada », *Canadian Jewish Chronicle,* 13 avril 1944. Notre traduction.

promesse faite par Mackenzie King, en novembre 1943, d'ouvrir timidement les portes du pays à des personnes en détresse entraîne des réactions négatives assez fortes dans certains milieux de langue française, comme en témoigne la préparation au début de 1944 d'une pétition anti-immigration sous l'égide de la SSJBQ[64]. L'annonce officielle du gouvernement fédéral intéresse particulièrement le député de Trois-Rivières et chef de l'opposition à Québec, Maurice Duplessis, qui sillonne la province à la fin de 1943 à l'occasion d'une sorte de campagne préélectorale[65]. S'arrêtant dans le village de Sainte-Claire, sur la rivière Etchemin, dans le comté de Bellechasse, Duplessis annonce qu'une organisation sioniste a conclu une entente avec le Parti libéral fédéral pour recevoir au pays un grand nombre de réfugiés chassés d'Europe centrale. Le chef de l'opposition « divulgue » que près de 100 000 Juifs allemands seront ainsi invités à s'établir sur des terres agricoles du Québec dans un avenir rapproché. L'Union nationale avance comme preuve de cette machination une lettre rédigée par un certain H.-L. Roscovitz, de la Zionist International Fraternity[66], qui se révélera plus tard inventée de toute pièce. L'affaire n'en occupe pas moins les membres de l'Assemblée législative de février à mai 1944 et soulève de fortes passions. C'est que le sujet de l'immigration en temps de guerre, combiné à celui de l'arrivée hypothétique d'un nombre très important de réfugiés juifs, réunit tous les éléments susceptibles de provoquer une réaction viscérale de nationalisme défensif de la part de l'opinion publique québécoise. Il s'agit en outre d'une chance inespérée pour Duplessis de faire mal paraître le gouvernement conscriptionniste de Mackenzie King et

64. Comme nous l'avons déjà vu, il n'est toutefois pas fait mention dans cette pétition de réfugiés d'origine juive.

65. Les élections ont lieu en août 1944 et, à cette occasion, l'Union nationale de Maurice Duplessis défait le Parti libéral d'Adélard Godbout.

66. Une reproduction de la supposée lettre de Roscovitz, datée du 14 octobre 1943 et adressée à un certain rabbin J. Schawartz de Montréal, a été reproduite au complet dans *Le Temps*, publié à Québec, le 25 février 1944. La supposée correspondance a toutefois été discutée dans tous les médias francophones. Il ne fallait pas par ailleurs être très malin pour découvrir que le patronyme Schawartz n'existait tout simplement pas, pas plus d'ailleurs que la Zionist International Fraternity.

de dénoncer les multiples empiétements fédéraux dans des domaines de responsabilité provinciale. L'affaire lui donne aussi l'occasion d'affaiblir son adversaire libéral Adélard Godbout, lequel se voit associé du coup aux machinations d'Ottawa. Sous ce rapport, la présence d'un *dramatis persona* juif conférait à « la légende de Sainte-Claire », selon le nom dont les libéraux affublent l'événement, une dimension tragique que Duplessis exploite sans aucun scrupule. L'épisode, qui démontre le peu de cas que fait le chef de l'opposition des sensibilités juives, n'a toutefois pas donné naissance à une campagne de dénigrement antisémite à plus long terme de la part de l'Union nationale ni de celle d'autres acteurs sociaux[67]. Il place néanmoins la communauté juive dans une situation de risque élevé face aux antisémites et aux racistes de toute allégeance, comme le fera d'ailleurs remarquer le journaliste Israël Medresh vingt ans plus tard :

> L'intervention de Duplessis eut un grand retentissement dans les villes et les villages de la province. Un courant d'opinion se forma aussitôt parmi les Canadiens français pour manifester une opposition à l'accueil au Canada des victimes de la brutalité nazie. À Ottawa, le gouvernement fit savoir qu'il n'avait aucunement l'intention de permettre l'entrée en masse de Juifs allemands obligés de fuir leur pays.
> Dans un grand nombre de localités québécoises, petites et grandes, furent votées au conseil municipal des résolutions afin de réclamer que l'on ne laisse pas s'installer au Canada les victimes du régime hitlérien. Ces textes furent rédigés dans un style qui faisait penser à de la propagande nazie[68].

Ce n'est pas la première fois que des rumeurs de cette nature circulent au Québec, sauf que les circonstances tragiques propres à la Seconde Guerre mondiale ajoutent une aura de crédibilité supplémen-

67. Voir l'entrevue donnée en 1938 par Maurice Duplessis au journaliste Israël Medresh du *Keneder Odler,* dans Israël Medresh, *Le Montréal juif entre les deux guerres,* p. 164-167.

68. *Ibid.,* p. 112.

taire aux affirmations de Duplessis[69]. Même en supposant que le gouvernement fédéral ait eu l'intention d'admettre un grand nombre de victimes juives, ce qui n'était absolument pas le cas, la date tardive dudit projet de sauvetage rendait déjà improbable sa réalisation. Au début de 1944, la majorité des Juifs européens avaient déjà péri dans les camps de la mort, et il n'existait aucun moyen concret à court terme de secourir ceux qui avaient survécu à ces exactions ou de les soustraire physiquement au sort que leur réservait la brutalité nazie. Avancée sciemment dans le but de choquer son auditoire et prononcée sans aucun souci de véracité, la tirade de Duplessis et ses suites révèlent à quel point certaines couches de la société québécoise craignaient d'être submergées par des forces extérieures jugées hostiles, quelle que soit leur provenance. Le spectre d'une invasion juive servait ainsi, comme l'a souligné Martin Pâquet[70], d'instrument en vue de rallier un électorat éminemment sensible à une menace venue de l'étranger et vite convaincu de s'opposer à l'intervention fédérale. L'affaire de Sainte-Claire peut aussi servir à mesurer à quel point l'hostilité envers les Juifs pouvait se manifester de manière contrastée de part et d'autre de la barrière linguistique. Les préjugés que Mackenzie King chuchotait à l'oreille de ses collaborateurs ou confiait à son journal personnel, Duplessis n'hésitait pas à les étaler sur toutes les tribunes afin de faire avancer sa cause électorale. Dans un cas comme dans l'autre, ces deux dirigeants politiques ne faisaient le plus souvent que reprendre à leur compte des perceptions négatives partagées par la plupart de leurs compatriotes.

---

69. On trouve dans *Le Devoir* des années 1930 plusieurs « reportages » écrits dans cette veine. Voir par exemple « Un bloc de Juifs allemands émigreront au Canada », *Le Devoir,* 1er juin 1933, p. 1 ; « 400,000 Juifs allemands en train d'émigrer », *Le Devoir,* 11 août 1933, p. 1 ; et « Au congrès juif de Prague », *Le Devoir,* 27 septembre 1933, p. 1. Tous ces textes reposent sur des informations fausses et des noms fictifs. Voir aussi un article d'Émile Benoist intitulé « Prépare-t-on un exode de 10 000 Juifs allemands au Canada ? », paru en page 1 du *Devoir* le 5 mars 1936.

70. Martin Pâquet, *Tracer les marges de la Cité. Étranger, immigrant et État au Québec 1627-1981.*

D'autres enjeux encore plus sérieux éloignent les dirigeants juifs de l'élite politique francophone. L'opinion publique québécoise est massivement hostile en 1939 à la participation du Canada au conflit européen. Ce point de vue a été formulé pour la première fois par Henri Bourassa à la fin du XIXe siècle, lors de la guerre des Boers en Afrique du Sud, et il est devenu caractéristique de l'attitude du Canada français face à l'Empire britannique et face aux affaires européennes. Défenseur acharné des intérêts nationaux du Canada, Bourassa s'était élevé en 1917 contre l'enrôlement obligatoire de la jeunesse du pays au profit de la cause impérialiste. La résistance à la conscription provoque au cours de la Première Guerre mondiale un affrontement politique de longue durée entre francophones et anglophones et menace le Canada d'éclatement[71]. Dans l'espoir d'éviter une reprise de ce scénario catastrophique, Mackenzie King promet solennellement en octobre 1939, devant ses électeurs québécois, de ne pas avoir recours à la conscription pour service outre-mer. L'ampleur du conflit mondial et la gravité de la situation militaire l'obligent toutefois à tenir un référendum en avril 1942 pour délier le gouvernement canadien de son engagement. Une mobilisation sans précédent du Canada français contre l'envoi d'une force expéditionnaire en Europe produit un résultat sans équivoque lors de cette consultation – la mesure est rejetée à 72 % au Québec[72] –, si bien que Mackenzie King est forcé dans les mois qui suivent de temporiser, de crainte d'exposer le pays à des tensions politiques très dommageables en temps de guerre. Pendant que les francophones tournent le dos à l'Europe, les Juifs canadiens jettent toutes leurs forces dans la bataille contre Hitler, responsable depuis 1933 d'une persécution impitoyable contre leurs coreligionnaires. Dans une brochure illustrée publiée en février 1944, le CJC affirme que 12 000 Juifs servent dans les forces armées du pays et que plus d'un million et demi se trouvent sous les drapeaux au sein des diverses nations alliées. L'orga-

---

71. Voir les éditoriaux de Bourassa dans Pierre Anctil, « *Fais ce que dois* ». *60 éditoriaux pour comprendre* Le Devoir *sous Henri Bourassa, 1910-1932.*

72. Le taux de rejet de la proposition du gouvernement fédéral atteint 80 % chez les seuls francophones.

nisme en profite d'ailleurs pour citer le nom et les exploits de plusieurs combattants d'origine juive enrôlés dans les forces armées canadiennes :

> Partout des Juifs ont déclaré la guerre à Hitler, une guerre sans merci, sans retenue et sans compromis. Les Juifs, tout comme les citoyens du monde entier, savent que l'hitlérisme est l'ennemi de la civilisation. Les hommes ne peuvent s'épanouir librement et vivre d'une manière décente si Hitler reste vivant et si ses idées demeurent. Les Juifs, de concert avec toute l'humanité civilisée, luttent dans cette guerre pour détruire Hitler et ses plans maléfiques[73].

Ces divergences fondamentales de perception compteront pour beaucoup dans l'établissement d'une relation fortement déficitaire entre Juifs et Canadiens français au cours des années de guerre. Il en va de même du peu d'empathie ressenti au sein de la population canadienne en général pour les victimes juives du nazisme, malgré l'engagement ferme des dirigeants juifs canadiens à soutenir la participation du pays au conflit mondial et à contribuer financièrement à l'accueil des personnes déplacées. Encore récemment installés au Canada, les Juifs est-européens ont ainsi l'occasion de constater que les souffrances de leurs proches et de leurs coreligionnaires restés en Europe n'émeuvent guère l'opinion publique au pays. C'était à leurs yeux faire preuve d'une indifférence coupable à un moment où des centaines de milliers de Juifs cherchent désespérément un refuge face à l'arbitraire et alors qu'ils sont menacés sous le régime nazi d'une mort quasi certaine. Les persécutions encore plus violentes et insensées de 1942-1944, qui allaient mener à la disparition du judaïsme sur une grande partie du continent européen, n'ont guère plus d'effet sur les dirigeants canadiens, qui en sont pourtant informés au moment où elles ont lieu. De pareilles attitudes contribuent puissamment à donner l'impression que le Canada s'est volontairement gardé à distance des réfugiés au moment même où ils étaient le plus vulnérables et devaient affronter seuls des ennemis implacables.

---

73. *Jewish War Heroes*, Montréal, Canadian Jewish Congress, 1944, 8 pages. Service des archives juives canadiennes Alex Dworkin, Montréal. Notre traduction.

Encore aujourd'hui, il subsiste dans les études juives canadiennes un héritage d'amertume et de récrimination relativement à cette période de l'histoire, comme en font foi les ouvrages *None Is Too Many* et *Nazi Germany, Canadian Responses*[74]. Le CJC et ses dirigeants, qui avaient échoué avant et au cours de la guerre à faire admettre au pays un grand nombre de personnes victimes du nazisme, eurent cependant beaucoup plus de succès une fois la paix revenue. Les préjugés et les réticences qui avaient caractérisé la réaction des Canadiens et des Québécois face à la présence juive s'atténuèrent nettement après 1945, rendant possibles de nouvelles percées décisives dans les domaines de l'emploi, de la mobilité sociale et de la lutte contre la discrimination antisémite. Après l'armistice, une nouvelle ère débuta qui devait voir les Juifs du Québec réaliser sur tous les fronts des prodiges d'avancement et d'accomplissement. Les tourments effroyables endurés par les populations juives d'Europe au cours du conflit mondial et les pertes très lourdes subies sous le régime de terreur nazi projetèrent toutefois pendant longtemps une ombre sur ces avancées. Ces perceptions négatives se reportèrent en particulier sur le Canada français, coupable aux yeux des populations juives canadiennes de ne pas avoir exprimé de sympathies réelles ou manifesté une volonté agissante d'accueillir les victimes des crimes commis pendant la Shoah. Une partie de cet échec à communiquer l'urgence de la situation venait de ce que les dirigeants juifs les plus connus n'avaient pas su comment établir des liens significatifs avec les francophones ni mettre en place des réseaux de communication intercommunautaires efficaces. Pour leur part, les catholiques de langue française avaient jugé que les Juifs n'appartenaient pas, pour des raisons doctrinales, à leur univers et avaient entretenu à leur endroit des préjugés négatifs venus d'un autre âge. Un profond fossé s'était creusé entre les deux groupes qu'il faudrait plusieurs décennies pour combler.

---

74. Irving Abella et Harold Troper, *None Is Too Many*; L. Ruth Klein (dir.), *Nazi Germany, Canadian Responses: Confronting Anti-Semitism in the Shadow of the War.*

CHAPITRE 5

Nouveaux contextes, nouvelles arrivées, 1945-1960

Un nouveau monde surgit dans l'après-guerre qui constitue, pour le judaïsme montréalais, une rupture fondamentale avec le passé. Encore plus qu'en 1918, l'armistice de 1945 redéfinit le contexte politique et idéologique dans lequel évoluent les différentes communautés juives dispersées à travers le monde. Premier élément à retenir, près de six millions de personnes d'origine juive ont disparu dans les persécutions violentes et systématiques menées sur tout le continent européen par les forces hitlériennes. Cette perte, dont les Juifs montréalais prennent peu à peu conscience au lendemain de la guerre, rompt pour toujours l'équilibre entre les différentes composantes de la diaspora[1]. La destruction planifiée des collectivités juives allemandes, polonaises, russes, baltes, ukrainiennes, roumaines et, dans une moindre mesure, françaises, belges, italiennes et néerlandaises fait basculer le centre de gravité démographique du judaïsme du côté de l'Amérique du Nord.

Depuis des siècles, le judaïsme ashkénaze, apparu au milieu du Moyen Âge dans les terres germaniques, avait représenté le point de référence obligé de l'orthodoxie religieuse et des savoirs judaïques tra-

1. Franklin Bialystok, *Delayed Impact: The Holocaust and the Canadian Jewish Community*; et Raoul Hilberg, *La Destruction des Juifs d'Europe.*

ditionnels. Dans des villes telles que Francfort, Amsterdam, Vienne, Prague, Vilnius, Kiev et Varsovie s'étaient développés au cours de l'ère moderne des lieux de rayonnement du judaïsme où avaient brillé de tous leurs feux de grands esprits. La destruction en quelques années de ces foyers de judéité représente une perte soudaine et irréparable à tous égards, que ce soit sur le plan de la vie religieuse, de l'expression culturelle ou de la connaissance scientifique de l'histoire juive. Dans plusieurs régions d'Europe orientale, les politiques génocidaires nazies ont permis l'élimination, par des méthodes d'une cruauté inouïe, de la presque totalité des communautés juives existantes, grandes ou petites. Prises au piège par l'avancée rapide de l'armée allemande et rassemblées dans des ghettos urbains insalubres, des populations entières ont été conduites vers les camps de la mort ou massacrées sur place. À Varsovie, où des résistants juifs se sont soulevés en avril 1943 contre l'occupant, il ne reste plus en 1945 aucun vestige de la vie juive d'avant-guerre et pratiquement aucun survivant. Le judaïsme polonais, le plus considérable d'Europe sur le plan démographique, est un vaste champ de ruines, et on ne trouve plus dans la capitale du pays la moindre trace tangible de ses réalisations les plus importantes.

Les Juifs montréalais reçoivent la nouvelle de la destruction de leurs communautés d'origine dans la consternation et l'incrédulité. Ils découvrent que les villes et les bourgades d'où plusieurs d'entre eux étaient partis quelques décennies plus tôt ont été anéanties et leurs populations massacrées. Pour les artistes, les poètes et les intellectuels de langue yiddish, la perte est d'autant plus inimaginable que la plupart d'entre eux tiraient encore en bonne partie leur inspiration du mode de vie traditionnel qu'ils avaient connu au cours de leur enfance. Avec la Shoah disparaît la source vive du judaïsme est-européen, dont était issu en droite ligne le milieu social et culturel juif apparu modestement au début du XXe siècle sur les contreforts du mont Royal. Rameau surgi il y a peu en terre canadienne et prolongement de la grande diaspora ashkénaze, la communauté montréalaise est frappée de plein fouet par la catastrophe. La suppression brutale de l'univers judaïque d'outre-Atlantique non seulement emporte des proches et des amis chers mais met aussi fin à la relation privilégiée qu'entretenait encore la masse des yiddishophones canadiens avec leurs racines historiques et leur identité européenne. Des paquebots étaient descendus dans les ports canadiens, en plus des masses immigrantes, les grandes idées de la révolution russe, les rêves inassouvis des sionistes et les ambitions démesurées des écrivains yiddish. Quand survient l'Holocauste, ces élans enflammés n'avaient pas encore eu le temps de se transmuer sous le poids des réalités locales, et une onde de choc traverse tout le milieu associatif et littéraire juif de Montréal.

Comme leurs équivalents de New York et de Buenos Aires, les cercles culturels, les réseaux scolaires et les syndicats qui se sont constitués vingt ou trente ans plus tôt dans l'axe du boulevard Saint-Laurent et de l'avenue de l'Esplanade perdent soudain de leur consistance et de leur matérialité. Un long deuil s'ouvre au lendemain de la Shoah qui change radicalement la nature et l'ampleur des efforts consentis par les Juifs jusqu'alors pour faire apparaître à Montréal une communauté d'inspiration est-européenne. La rupture forcée du lien avec l'Europe modifie toutes les perspectives et pose la question de l'avenir.

Le basculement provoqué par la Shoah remet aussi en question la survivance de la langue yiddish à Montréal. Nous l'avons vu, cet idiome avait été le véhicule privilégié de communication pour les Juifs est-européens qui avaient entrepris le grand périple de la migration vers l'Amérique. L'événement était encore suffisamment récent au Canada pour que la langue s'exprime avec force dans les foyers et les différents milieux institutionnels juifs. En 1939, le Congrès juif canadien (CJC) produisait toujours des affiches en trois langues – dont le yiddish – pour recruter des soldats, et la Peretz Shule avait inauguré en 1942 un nouvel édifice scolaire sur la rue Duluth en proclamant sur une banderole unilingue : « *Mazel tov ! Zoln lebn di boyers ! Undzer yugent iz undzer hofenung !* » (Félicitations ! Vive les bâtisseurs ! Notre jeunesse est notre espoir !). De la même manière, le CJC avait fait imprimer des tracts en yiddish et en anglais pour inviter les Juifs de Montréal à se présenter à un grand rassemblement au Forum[2], le 11 octobre 1942, afin de pousser les autorités à agir en faveur des victimes de la persécution : « Juifs !

2. Il s'agit de l'édifice situé au coin de la rue Sainte-Catherine et de la rue Atwater et qui à cette époque était surtout utilisé pour des parties de hockey.

Nul ne devrait négliger de participer à la manifestation de dimanche afin d'exprimer notre peine et notre volonté de protester contre les terribles atrocités commises par la bestialité nazie et dont sont victimes nos malheureux frères et sœurs vivant dans les pays occupés[3]. » Sur le Plateau Mont-Royal, de nombreux candidats issus de plusieurs partis se présentaient encore devant l'électorat en utilisant aussi cette langue, dont Louis Fitch, Joseph Schubert, A. M. Klein et Maurice Hartt. À l'approche du mitan du siècle, le yiddish semblait toujours à Montréal une langue promise à un certain avenir. La Shoah plonge toutefois la communauté yiddishophone dans le doute et fait fondre sur elle un sentiment de profonde solitude. La disparition soudaine et douloureuse des grands centres est-européens altère l'inébranlable élan d'optimisme qui avait animé les immigrants de la première heure. La communauté juive montréalaise se trouve dorénavant privée de la source vive qui avait donné naissance à la langue yiddish et assuré son rayonnement à travers une vaste diaspora.

Pour les créateurs et les artistes de langue yiddish qui se sont illustrés à Montréal depuis le début de la grande migration, la perte est d'autant plus irréparable qu'ils se voient privés du contact avec un vaste lectorat où leurs œuvres avaient commencé à circuler et à être appréciées. En Europe de l'Est, des critiques littéraires, des maisons de publication et des milieux universitaires relayaient entre les deux guerres les réalisations des écrivains canadiens et offraient appui et direction aux talents qui s'étaient manifestés sur les rives du Saint-Laurent[4]. Depuis les immensités glacées de l'Amérique septentrionale parvenaient aux lettrés de langue yiddish les échos des écoles littéraires polonaises d'avant-garde et les réalisations d'une nouvelle génération de cher-

---

3. « *Yiden ! Kayner tor nit felen in der demonstratsye dem kumendigen zuntog, tsu lozen heren dem tsar un protest gegen di moyredike akhzaryes'n fun di bestyale nazim legabe unzere umgliklikhe brider un shvester in di okupirte lender !* », affiche distribuée à l'occasion de la manifestation du 11 octobre 1942, conservée au service des archives juives canadiennes Alex Dworkin [anciennement les archives du Congrès juif canadien], Montréal. Notre traduction.

4. Voir Pierre Anctil, *Jacob-Isaac Segal (1896-1954). Un poète yiddish montréalais et son milieu*, chapitre 3.

cheurs réunis à Vilnius au sein du Yidisher Visenshaftlikher Institut (YIVO)[5]. De ces réalisations éclatantes, il ne reste plus après 1945 que des fragments dispersés sur plusieurs continents.

Décidés à se rendre compte par eux-mêmes de l'ampleur des dévastations, des organisations juives canadiennes envoient à la fin de 1945 une délégation officielle qui séjournera plusieurs semaines en Pologne. Elle est composée entre autres de H.-M. Caiserman, secrétaire général du CJC, et de Shlomo Lipshitz, un natif de Radom (Pologne) qui était le représentant attitré des communistes au sein de l'organisation. Les deux hommes sont parmi les premiers civils à pénétrer sur les lieux où les massacres ont été perpétrés, notamment dans les camps de la mort libérés quelques mois plus tôt[6]. Ils peuvent aussi rencontrer certains survivants des communautés polonaises et constater l'étendue des destructions en visitant plusieurs villes où résidaient avant la guerre des centaines de milliers de Juifs.

Caiserman, dont nous possédons le témoignage, revient profondément traumatisé par son expérience. Témoin d'un événement sans équivalent dans la vie juive européenne, il constate que l'Holocauste est une réalité incommunicable dans le contexte canadien. Par l'ampleur des souffrances infligées et par ses conséquences tragiques, le génocide dépasse tout ce qu'il est possible d'imaginer, même pour un esprit parfaitement sensibilisé à la logique des persécutions antisémites. Incapable d'appréhender dans sa totalité la signification de la Shoah, Caiserman ne parvient pas à communiquer à ses compatriotes le sens de ces destructions :

> De là, nous avons visité « Oshwienchin[7] », l'immense camp de concentration. C'est une ville composée de baraques et qui fait environ 40 kilomètres carrés [...]. La ville au complet était entourée de clôtures électrifiées afin de rendre toute sortie impossible. Trois crématoriums

5. Aujourd'hui l'Institute for Jewish Research, basé à New York.

6. Pour un récit de la libération des camps, voir Annette Wieviorka, *1945. La découverte.*

7. Nom donné au camp d'Auschwitz dans la langue polonaise.

y fonctionnaient jour et nuit pour liquider des millions de personnes [...]. On ne peut pas voir les espaces de détention sans perdre tout sens de la dignité humaine. Oshwienchin est une forme d'inhumanité qui dépasse l'imagination. Il n'existe pas de mots pour décrire cet endroit[8].

Il faudra encore plusieurs années avant que les Juifs montréalais – y compris les survivants eux-mêmes – trouvent la force de témoigner.

La déclaration d'indépendance israélienne

Pendant que les communautés juives européennes disparaissent dans la tourmente des années de guerre, les Juifs qui vivent en Palestine sous le mandat britannique entrent soudainement dans une période d'ébullition politique. Dès que le deuxième conflit mondial prend fin, les tensions s'aggravent au Proche-Orient entre les populations juives et arabes, au point où l'Organisation des Nations unies nouvellement créée est saisie de l'affaire. Cela tient en grande partie à la volonté du gouvernement américain, exprimée dès avril 1946, d'établir 100 000 Juifs européens survivants de la Shoah en Palestine. Les Britanniques, conscients des risques de cette politique pour une paix civile déjà précaire, maintiennent malgré les pressions de Washington un blocus quasi total à l'encontre de l'immigration juive, tel qu'imposé par le livre blanc de 1939. Cela n'empêche pas Londres d'annoncer en février 1947 qu'il mettra bientôt fin de manière unilatérale à son mandat sur la Palestine[9].

Appelées à trancher, les puissances alliées optent pour une partition de la région en deux zones, une entre les mains des populations arabes, l'autre contrôlée par les dirigeants des communautés juives. Partageant une même frontière, ces deux entités politiques seraient invitées à coo-

---

8. H.-M. Caiserman, « Polish Diary », 9 janvier 1946, fonds Caiserman, Service des archives juives canadiennes Alex Dworkin, Montréal. Notre traduction.

9. À ce sujet, consulter Anita Shapira, *Israel: A History.* Voir aussi Alan Dowty, *Israel/Palestine* ; ainsi que William L. Cleveland et Martin Bunton, *A History of the Modern Middle East.*

pérer sur le plan administratif et économique tout en étant dirigées chacune de manière autonome par une assemblée élue au suffrage universel. Le vote qui a lieu à la fin de novembre 1947 à l'Assemblée générale des Nations unies consacre le principe de la création d'un État juif et d'un État arabe, dont on s'attend à ce qu'ils collaborent au maintien de la paix dans la région. Des délimitations géographiques très détaillées sont tracées qui correspondant en gros à la localisation des différentes populations sur le terrain. C'était compter sans le fait que l'immense majorité des élites politiques arabes s'opposent à une intervention internationale dans la région et à l'établissement d'un État juif en Palestine. Devant ce refus péremptoire et le blocage indéfini de la situation, les responsables de l'Organisation sioniste mondiale et de l'Agence juive pour la Palestine décident en mai 1948 de déclarer unilatéralement la création de l'État d'Israël. L'événement ouvre la porte à la plus importante vague migratoire vers le territoire maintenant sous contrôle juif, soit près de 700 000 personnes entre 1948 et 1951, dont une proportion considérable de survivants de la Shoah. La déclaration d'indépendance est immédiatement suivie d'une guerre ouverte entre le nouvel État juif et ses voisins arabes, notamment l'Égypte, la Jordanie et la Syrie. Les hostilités, qui durent de mai 1948 à juillet 1949, permettent à l'État d'Israël de doubler son territoire mais laissent la vieille ville de Jérusalem entre les mains des Jordaniens. C'est le début d'un long conflit.

Absorbés par l'effort de guerre et par la situation européenne, les Juifs canadiens n'entrevoient pas dans un premier temps que la donne géopolitique puisse se modifier radicalement au Moyen-Orient après la paix de 1945. L'accueil des réfugiés et les conséquences à long terme du génocide hitlérien occupent tous les esprits. Le CJC en particulier accorde toute son attention à des missions de secours destinées aux survivants de la Pologne juive et à l'établissement au Canada des personnes déplacées. L'émotion est en effet à son comble quand s'ouvre pour la première fois depuis 1939 l'accès aux pays est-européens jusqu'à tout récemment sous occupation nazie, et Caiserman revient au début de 1946 de sa mission chargé de centaines de messages de détresse destinés à des proches résidant au Canada ou aux États-Unis. Il en va de même des Juifs canadiens, qui tentent par tous les moyens de savoir si les membres de leur famille ont échappé aux camps de concentration et s'ils se trouvent dans des baraquements pour réfugiés en Allemagne ou en Autriche.

L'évolution très rapide de la situation en Palestine mandataire prend les Juifs canadiens au dépourvu. Pour la plupart, les militants sionistes au Canada pressentaient que la Grande-Bretagne se chargerait, après une longue évolution politique, de remettre aux populations locales juives et arabes la responsabilité de gérer leurs propres affaires sous le regard bienveillant du Parlement de Londres. C'était la solution envisagée au moment de la déclaration Balfour trente ans plus tôt, que l'anglophilie des élites juives canadiennes rendait tout à fait acceptable comme politique à long terme. En fait, peu de gens entrevoyaient encore au Canada que la réalisation du projet sioniste était à portée de main au lendemain de la Seconde Guerre mondiale. Tant que les Juifs de Palestine et les autorités impériales britanniques étaient restés unis dans une lutte acharnée contre Hitler, le statut futur des établissements sionistes n'avait guère pesé dans la balance. L'armistice de 1945 et la ruine économique de la Banque d'Angleterre changent radicalement ces perspectives. Comme en Inde impériale, l'élément déclencheur du processus d'accès à l'indépendance au Proche-Orient est l'incapacité de la Grande-Bretagne à gérer et à conserver des colonies acquises à l'époque victorienne ou peu après. La volonté des Britanniques de s'extirper à partir de 1947 d'une situation jugée insoluble en Palestine ouvre de fait la voie à la fondation, un an plus tard, d'un État juif dans la région.

Les Juifs canadiens prennent conscience de la situation au Proche-Orient quand une partie des dirigeants de l'Agence juive basée en Palestine se retrouve en juin 1946 derrière les barreaux pour sédition. Cette mesure répond à une série d'attaques terroristes menées par des organisations juives opposées à la présence britannique en Palestine, dont l'Irgoun et le Lehi. Au même moment, le parti socialiste de David Ben Gourion et sa branche armée, la Haganah, entament une campagne de désobéissance civile face aux autorités mandataires. L'immigration souhaitée des Juifs européens vers *Eretz Israel* est toujours bloquée par le gouvernement britannique de Clement Attlee, si bien que des réseaux clandestins se sont constitués pour tenter d'y introduire des réfugiés juifs européens. Ces événements radicalisent la lutte pour l'indépendance politique et rendent de plus en plus difficile la mise en œuvre de la solution intermédiaire privilégiée par les dirigeants juifs canadiens, c'est-à-dire l'inclusion de la Palestine juive dans le Commonwealth britannique.

Pour les sionistes canadiens, en majorité opposés à l'usage de la violence contre l'administration mandataire, le tournant décisif arrive au cours de l'été 1947 quand un plan de partition est présenté aux Nations unies par un comité spécial auquel siège le Canada. Le CJC et les différents mouvements sionistes canadiens, réunis sous le parapluie de l'United Zionist Council (UZC), prennent alors fermement position en faveur de la création d'un État juif autonome et entreprennent de convaincre le gouvernement canadien de voter en ce sens à l'Assemblée générale de l'ONU à New York. Cela arrive le 29 novembre : le représentant canadien, le juge Ivan Rand, appuie ce jour-là l'établissement par les Nations unies de deux entités nationales séparées en Palestine. Peut-être pour la première fois au XXe siècle, les Juifs canadiens obtiennent l'appui du gouvernement fédéral sur une question décisive pour l'ensemble du judaïsme mondial. C'est, comme le note le journaliste Israël Medresh, un revirement marquant par rapport aux décennies précédentes :

> Le gouvernement canadien a toujours eu un préjugé favorable envers les objectifs sionistes. Il manifesta de la sympathie même au cours de ces années difficiles quand les sionistes durent mener une rude bataille contre le Colonial Office. Cette approche positive trouva à s'exprimer tout autant sous un régime dirigé par les libéraux que quand les conservateurs étaient au pouvoir. [...] Le Canada ne fut peut-être jamais mieux disposé envers le sionisme qu'en 1947, soit quand les Nations unies traitèrent la question d'*Eretz Israel* et eurent à réagir à une demande de l'Organisation sioniste mondiale de fonder un État juif dans la Palestine sous mandat britannique[10].

La création de l'État d'Israël modifie considérablement les perspectives au sein de la communauté juive montréalaise. Les divergences

10. Israël Medresh, *Le Montréal juif entre les deux guerres*, p. 219.

irréconciliables qui existaient au début du siècle autour de la question sioniste s'atténuent après 1948 et paraissent moins fondamentales. Apparu dans un contexte de lutte armée et resté longtemps vulnérable à la pression militaire des pays voisins, l'État hébreu rallie de vastes segments de la population diasporique juive et suscite un sentiment de fierté. Les relations commerciales naissantes avec Israël et l'arrivée à Montréal de représentants diplomatiques renforcent l'enseignement de l'hébreu dans les écoles juives et donnent un nouvel élan à l'Organisation sioniste canadienne. Malgré les difficultés économiques graves auxquelles doit faire face le jeune État et la précarité de sa position géopolitique, les Juifs montréalais ressentent profondément à quel point son existence représente un tournant décisif pour l'ensemble du judaïsme mondial. La déclaration d'indépendance du 14 mai 1948 est célébrée bruyamment au Forum de Montréal par une foule en délire ; des relations soutenues ne tardent pas à s'établir sur le plan communautaire avec l'État d'Israël.

Au cours de l'été 1949, le CJC décide d'envoyer le poète A. M. Klein en mission au Proche-Orient pour évaluer la situation des réfugiés européens et pour en rendre compte à la population juive canadienne. Pendant deux semaines, Klein traverse le territoire israélien du nord au sud et d'est en ouest. Il visite des installations agricoles ultramodernes, se rend à Tel-Aviv, Jérusalem, Haïfa et Beer-Sheva puis prend le pouls de la langue hébraïque renaissante. Cette expérience bouleversante inspire au poète montréalais son œuvre maîtresse, parue en 1951, *The Second Scroll*[11]. On y suit l'alter ego de Klein parti à la recherche d'un oncle aux multiples incarnations et qui sans cesse échappe aux efforts de ses poursuivants, depuis Montréal jusqu'à Safed en passant par Bari, Rome et Casablanca. Dans cette quête identitaire frénétique et inachevée – puisque l'oncle, Melech Davidson, meurt dans un attentat terroriste en Israël avant que son neveu ne le rejoigne – se trouve reflété le parcours incertain du judaïsme montréalais à travers l'histoire contemporaine. L'œuvre montre aussi comment pouvait paraître exaltante pour Klein l'image d'un État juif moderne s'érigeant sur les lieux mêmes

---

11. A. M. Klein, *The Second Scroll.*

où avaient été proclamées quelques siècles plus tôt les anciennes prophéties bibliques. Juste avant de survoler le nouvel Israël, le protagoniste se fait les réflexions suivantes :

> À partir du moment où l'avion s'éleva au-dessus de la Méditerranée jusqu'à celui où il vira et que la terre s'étendit comme une Bible ouverte, le vol vers Israël fut un doux passage dans l'espace au-dessus de calmes et somnolents léviathans d'eau et par-dessus les nuages, troupeaux de blancs chevaux pommelés, luxuriants.
> Réchauffé par le soleil qui frappait le hublot, mon esprit communiquait en rêve avec le vrombissement des moteurs à travers l'aluminium. Ils me jouèrent la musique que mon esprit leur imposait, plaintive, messianique, prophétique. C'était comme si j'avais pris part à une montée, à une marche dans laquelle j'étais entraîné, deçà, delà, par la figure multiple, qui apparaissait et disparaissait, d'oncle Melech[12].

Pour un grand nombre de Juifs montréalais, l'émergence de l'État d'Israël représente le point culminant d'un long cheminement idéologique et culturel commencé quelques décennies plus tôt dans les vastes steppes de l'empire des tsars. Né dans les grandes capitales européennes de Budapest, Berlin et Paris, le sionisme avait recruté ses plus ardents propagandistes et ses plus fervents adeptes dans les modestes bourgades juives de Russie. Cela tenait à ce que la situation désespérée du judaïsme est-européen à la fin du XIXe siècle en faisait un terrain fertile pour les utopies les plus invraisemblables. De là, l'idée d'une reconstruction nationale par un retour à la terre promise avait essaimé dans toute la diaspora nord-américaine. À Montréal, l'élan sioniste, alors à son apogée dans le monde, avait imprégné la pensée des nouveaux arrivants juifs et marqué leurs projets de construction communautaire. À divers degrés et souvent sous différentes formes, les écoles, les centres culturels et les syndicats mis sur pied par les immigrants s'étaient donné la responsabilité de transmettre aux nouvelles générations un attachement indéfectible au futur foyer national juif. Quand l'événement se produit

12. *Ibid.*, p. 105.

finalement en 1948, il y a plus de trente ans que l'heure des premières fondations communautaires juives est passée à Montréal. Dans l'intervalle, les Juifs se sont canadianisés et ont adopté le mode de vie des Nord-Américains. Si la naissance de l'État hébreu frappe l'imaginaire des Juifs canadiens, peu d'entre eux cependant entreprennent de faire *aliyah.* Cela s'explique par le fait que pendant de nombreuses années les conditions économiques seront très difficiles en Israël et que le Canada est devenu la première patrie des Juifs nés à Montréal. Un immense courant de sympathie se forme en faveur de ce nouvel État dont avaient tant rêvé les immigrants de la grande vague migratoire, mais cela ne suffit pas à arracher leurs descendants à l'univers symbolique de la diaspora ni à les soustraire à un enracinement canadien déjà très avancé.

La tentation communiste

Un troisième basculement de grande ampleur attend les Juifs montréalais au lendemain de la Seconde Guerre mondiale. Non seulement le judaïsme est-européen a cessé d'exister, mais les quelques fragments qui subsistent de cet univers sont passés sous la coupe du monde soviétique. Quand l'Armée rouge s'empare enfin de Berlin, en mai 1945, les principaux foyers historiques de la culture ashkénaze, en Pologne, en Lituanie, en Hongrie, en Roumanie et en Tchécoslovaquie, appartiennent déjà à la sphère d'influence de l'URSS. Pour la première fois, le drapeau rouge flotte sur la tombe du Maharal de Prague, sur la grande synagogue de Vilnius – ou ce qu'il en reste – et sur les ruines de la Varsovie juive. Aux yeux de certains Juifs montréalais, qui appartiennent depuis longtemps à la mouvance de la gauche radicale, l'occupation russe de l'Europe orientale apparaît comme un triomphe politique et militaire.

D'abord alliée au régime nazi par le pacte germano-soviétique d'août 1939, l'URSS avait changé de camp quand son territoire avait été envahi en juin 1941 par les forces allemandes. Cela avait entre autres permis aux communistes canadiens de bénéficier d'une certaine clémence de la part du gouvernement de Mackenzie King, notamment sur la scène politique intérieure. En août 1943, Fred Rose profite de l'embellie pour se faire élire dans la circonscription montréalaise de Cartier lors d'une élection partielle au niveau fédéral[13]. Candidat du Parti ouvrier progressiste – qui est en fait un prête-nom pour le Parti communiste –, Rose remporte 30 % des suffrages et récupère le siège de S.-W. Jacobs, décédé en août 1938. La victoire de Rose est un renversement de perspective complet puisque la circonscription de Cartier était un fief libéral depuis sa création au milieu des années 1920 et que S.-W. Jacobs y avait régné sans partage pendant de nombreuses années.

Électricien de métier, organisateur syndical et militant communiste de longue date, Rose devient en 1943 le premier (et le dernier) communiste à entrer au Parlement canadien. Né Fishel Rosenberg à Lublin en Pologne (sous domination russe) et arrivé au pays à l'âge de dix ans, l'homme a déjà été emprisonné pour sédition au cours des années 1930 et compte parmi les opposants les plus connus au régime de Duplessis. Élu dans une circonscription depuis longtemps associée à la présence immigrante, Rose représente l'aile la plus radicale du mouvement ouvrier juif à Montréal. Tout comme l'échevin Joseph Schubert et la militante syndicale Léa Roback, il peut compter sur un groupe d'activistes aguerris et rompus depuis longtemps à la lutte pour l'amélioration des conditions de travail dans l'industrie du vêtement. Son élection en 1943 constitue d'ailleurs un temps fort dans le combat mené par la gauche ouvrière au Canada, que la forte hausse de la production industrielle en période de guerre favorise sur le plan organisationnel. L'arrivée de Rose sur la colline parlementaire coïncide aussi avec la tournée entreprise en Amérique du Nord par deux figures illustres du judaïsme soviétique et membres éminents du Comité juif antifasciste d'Union soviétique : le comédien Shlomo Mikhoels et le poète Itsik Fefer. Arrivés à Montréal en septembre 1943 pour rallier la communauté juive à la cause de l'URSS et pour glorifier l'effort de guerre de Staline, ils voyagent en compagnie du grand écrivain yiddish Sholem Asch, depuis long-

13. Voir David Levy, *Stalin's Man in Canada: Fred Rose and Soviet Espionage*, New York, Enigma Books, 2011 ; Henry Felix Srebrnik, *Jerusalem on the Amur: Birobidzhan and the Canadian Jewish Communist Movement, 1924-1951.*

temps établi aux États-Unis[14]. Le bref passage de Mikhoels et Fefer dans la ville se déroule dans une atmosphère d'intense émotion, car ils viennent aussi rendre compte, quelques semaines après l'insurrection du ghetto de Varsovie, du massacre des communautés juives est-européennes par Hitler. Un grand nombre de Juifs montréalais vont à la rencontre des porte-parole de l'intelligentsia juive soviétique, comme le rapporte Sholem Shtern dans ses mémoires publiés en 1982. L'influence des communistes est alors à son zénith dans le milieu juif canadien ; il semble à tous que seule l'URSS peut encore intervenir à temps pour empêcher que le judaïsme polonais ne sombre dans le néant :

> Une foule immense s'était présentée au grand rassemblement où Fefer et Mikhoels devaient prendre la parole. Le Forum de Montréal[15] se trouvait rempli au maximum de sa capacité et s'y pressaient autant des Juifs que des non-Juifs. Si j'ai bonne mémoire, Fefer parla en yiddish et en russe, tout comme Mikhoels d'ailleurs. Tous deux évoquèrent la catastrophe que les hordes meurtrières dirigées par Hitler avaient apportée et décrirent les horreurs vécues par notre peuple. La voix puissante de Mikhoels et son cri retentissant de « Mort au fascisme ! » émurent au plus haut point l'auditoire.
>
> Sholem Asch parla peut-être une dizaine de minutes. Il fit l'éloge de l'Union soviétique, dont l'héroïque Armée rouge allait briser l'élan nazi : « Les blindés allemands seront engloutis comme les chariots du pharaon d'Égypte[16]. Juifs, notre malheur est grand ! Il nous faut tout tenter avant qu'il ne soit trop tard ! Sauvons notre peuple et nos frères juifs[17] ! »

---

14. Voir la description qu'en fait Israël Medresh, *Le Montréal juif entre les deux guerres*, p. 191-194.

15. L'événement eut lieu le 7 septembre 1943 en soirée et 15 000 personnes y prirent part. On chanta *L'Internationale* au début du rassemblement et le Montréalais Louis Fitch prononça un discours d'accueil en anglais.

16. Asch fait ici référence à la fuite d'Égypte par les Juifs, telle que décrite dans le récit biblique de l'Exode.

17. Sholem Shtern, *Nostalgie et Tristesse. Mémoires littéraires du Montréal yiddish*, p. 172.

C'est donc un contexte éminemment favorable à l'action politique de Rose. Le militant communiste est réélu aux élections générales de 1945 avec 41 % des voix, mais son succès est de courte durée. La défection en septembre de la même année d'un jeune fonctionnaire à l'ambassade russe à Ottawa, Igor Gouzenko, apporte au gouvernement la preuve qu'un réseau d'espions travaille à transmettre à Moscou les secrets militaires et scientifiques de l'Occident. Lorsqu'elle est révélée aux médias quelques mois plus tard, l'affaire a l'effet d'une bombe. C'est aussi le début de la guerre froide entre les deux superpuissances qui ont contribué à la chute du régime nazi en Europe : les États-Unis et l'URSS. Fred Rose et Sam Carr – un autre militant communiste d'origine est-européenne – figurent tous deux sur les listes remises par Gouzenko à la police fédérale. Reconnu coupable d'espionnage, Rose est arrêté en mars 1946, expulsé du Parlement en janvier 1947 puis emprisonné jusqu'en 1951. Deux ans plus tard, dans l'espoir d'une vie meilleure, il quitte le pays pour retourner dans sa Pologne natale. Son exil devient permanent en 1957 quand, dans un geste exceptionnel, Ottawa lui retire la citoyenneté canadienne.

L'affrontement idéologique entre l'Occident et l'URSS discréditera le communisme au sein même de la communauté juive canadienne. Le CJC, dirigé par Samuel Bronfman, expulse en 1951 les communistes de ses rangs et relègue la gauche radicale à la marge de la communauté. La mesure frappe de nombreux groupuscules au sein de la mouvance institutionnelle juive montréalaise, dont le Faraynikter Yidisher Folks Ordn – aussi connu sous le nom de United Jewish Peoples Order –, une organisation fraternelle semi-clandestine issue de la classe ouvrière et d'allégeance communiste[18]. Il en va de même de l'école Morris Winchevsky, fondée à la fin des années 1920, qui accueillait en 1948 près de 500 élèves sous la direction de l'écrivain Sholem Shtern. D'allégeance communiste et proposant un programme pédagogique progressiste de langue yiddish, l'établissement constitue jusqu'à sa fermeture dans les

18. Voir à ce sujet Merrily Weisbord, *The Strangest Dream: Canadian Communists, the Spy Trials, and the Cold War.*

années 1960 un foyer de dissémination des idées de la gauche radicale, comme le révèle cette publicité datant de la fin des années 1940 :

> Les écoles Morris Winchevsky proposent un programme scolaire d'esprit progressiste, qui prend sa source à la fois dans le passé édifiant de notre peuple, dans sa situation historique récente et dans ses luttes actuelles. Dans notre enseignement, nous soulignons le rôle incontestable du Juif comme combattant pour la paix et la justice, car nous tenons à ce que nos enfants puissent vivre fièrement comme des citoyens libres et progressistes dans un pays [le Canada] dont ils chérissent la vie démocratique[19].

L'engagement des militants communistes ne se limite toutefois pas à propager les idéologies révolutionnaires à l'intérieur de la communauté juive montréalaise. De nombreux activistes juifs se portent aussi à la défense des classes opprimées au sein de l'ensemble de la population, dont les ouvriers canadiens-français qui travaillent dans la confection. C'est le cas de Léa Roback, qui a grandi sur la côte de Beauport, près de Québec, au sein d'une famille de langue yiddish[20]. Éduquée dans un esprit de justice sociale et de promotion du féminisme, Roback entre au Parti communiste à la fin des années 1920 au cours d'un séjour d'études en Allemagne. De retour à Montréal en 1934 après un détour par l'URSS, elle se lance dans le combat en vue d'établir une section de l'International Ladies Garment Workers Union (ILGWU) dans les usines de vêtements pour femmes à Montréal. Dans ce milieu,

19. Texte tiré d'un dépliant publicitaire de l'école Morris Winchevsky intitulé *Shtits undzere shuln. Helf boyen di progresive Yidishe Morris Winchevsky shuln !* [Soutenez nos écoles. Aidez-nous à bâtir les écoles progressistes juives Morris Winchevsky !], vers 1948, archives du Yivo Institute for Jewish Research, New York, RG 116, Territorial Collection – Canada, collection Krishtalka, boîte 46. Notre traduction.

20. Voir Christian Samson, « Léa Roback, une militante inclassable », p. 116-117 ; et Allen Gottheil, *Les Juifs progressistes au Québec*, p. 65-67. Voir aussi Nicole Lacelle, *Entretiens avec Madeleine Parent et Léa Roback.*

près de 60 % des travailleuses sont de jeunes francophones souvent récemment arrivées des campagnes et qui n'ont aucune expérience de résistance à l'exploitation capitaliste. Roback s'allie à Bernard Shane et à Rose Pesotta – deux syndicalistes américains d'origine juive – pour mettre sur pied des organisations ouvrières efficaces. Pendant de nombreuses années, Roback militera dans les usines en partageant le quotidien des salariées de la confection.

En avril 1937, cette campagne opiniâtre de revendication se transforme en grève générale touchant 5 000 couturières travaillant dans le quartier du boulevard Saint-Laurent, dont la majorité sont des « midinettes » canadiennes-françaises. L'événement n'est pas sans rappeler les grandes grèves de 1912 et 1917, quand des militants inspirés par la lutte contre le tsarisme avaient apporté à Montréal un arsenal de nouveaux moyens radicaux pour résister à l'oppression du travail en usine. Dans chacun de ces cas, une masse de travailleurs de langue française a été initiée par des activistes juifs yiddishophones à des moyens radicaux de combattre l'inégalité de traitement dans les milieux industriels montréalais. Organisatrice de Fred Rose lors des élections de 1935, 1943 et 1945, Roback poursuit son travail avec le même succès de 1941 à 1951 à l'usine RCA Victor dans le quartier Saint-Henri. Pour la première fois, des francophones entrent massivement en contact avec des idéologies de gauche, en l'occurrence véhiculées par des organisations syndicales où des Juifs est-européens jouent un rôle clé. Ces contacts produisent un transfert culturel grâce auquel se transmettent en sous-main des valeurs, des formes de discours et des méthodes d'organisation qui deviendront quelques décennies plus tard celles des nouveaux syndicats francophones issus de la Révolution tranquille. Le phénomène se produit toutefois, comme l'explique l'historien Bernard Dansereau, sous la forme d'une osmose lente qui laisse peu de traces dans l'imaginaire collectif :

> Les travailleurs juifs et leurs organisations ont occupé une place déterminante dans l'évolution du mouvement syndical et ouvrier montréalais. Leur engagement dans la défense des travailleurs semi-qualifiés et non qualifiés a entraîné l'ensemble des autres organisations syndicales. Le syndicalisme de métier, dominant jusqu'à la Deuxième Guerre mon-

> diale, a dû s'adapter aux nouvelles réalités du travail et, dans cette voie, les organisations juives ont joué un rôle moteur[21].

L'affrontement idéologique ouvert entre l'Occident et l'URSS après 1945 contribue beaucoup à entamer le capital de sympathie dont bénéficiait la gauche radicale au sein de la population juive montréalaise. L'intensification de la guerre froide oblige les organisations juives à choisir leur camp, et la voix des modérés devient vite prépondérante en leur sein. Au même moment, la mobilité ascendante et l'intégration toujours plus poussée des Juifs à l'activité économique canadienne réduisent la virulence des revendications syndicales issues de la mouvance est-européenne. De plus en plus, au cours de l'après-guerre, les jeunes Juifs nés au pays tournent leurs regards vers les professions et délaissent le milieu ouvrier dans lequel les premières générations immigrantes s'étaient insérées. La disparition progressive du prolétariat juif et des institutions qui avaient été créées pour le soutenir modifie le positionnement du CJC et de la presse de langue yiddish. Signe des temps, Léa Roback quitte le Parti communiste canadien en 1958 et se consacre à la lutte des femmes, à la libération des peuples opprimés du tiers-monde et à la dénucléarisation.

La désaffection des Juifs à l'endroit de l'Internationale communiste se double du constat que l'URSS a mené au lendemain de la Seconde Guerre mondiale une répression féroce de la culture yiddish et de ses principaux animateurs. Soucieux d'empêcher que le Comité antifasciste juif fondé en 1941 ne se transforme après la guerre en un groupe de pression « communautaire », Staline fait emprisonner en 1948-1949 tous ses principaux porte-parole. Shlomo Mikhoels, qui avait été si éloquent en 1943 à Montréal et dont la réputation artistique dépassait de beaucoup les frontières de l'URSS, est assassiné à Minsk en 1948. Quant à Itzik Fefer, il disparaît en août 1952 dans une prison de Moscou avec douze de ses collègues poètes, dont Peretz Markish, David Bergelson, Leib Kvitko et David Hofstein. Les publications en yiddish sont frappées

---

21. Bernard Dansereau, « La contribution juive à la sphère économique et syndicale jusqu'à la Deuxième Guerre mondiale », p. 140. Voir aussi Jacques Rouillard, « Les travailleurs juifs de la confection à Montréal (1910-80) ».

Graphique 1. Population juive pour certaines villes canadiennes, recensement de 1951

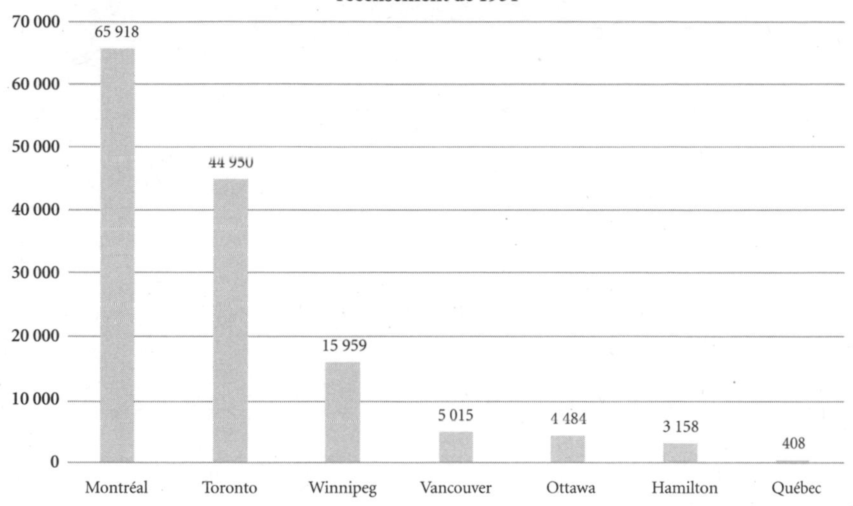

Graphique 2. Population juive pour certaines villes du Québec, excluant l'île de Montréal, recensement de 1951

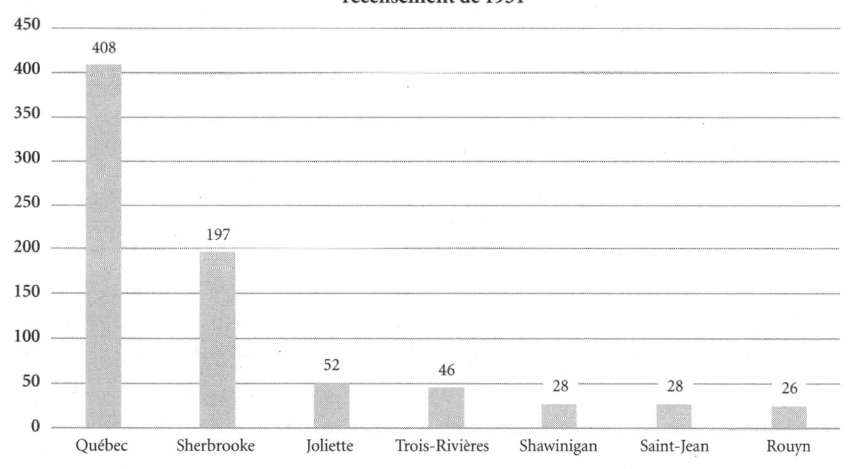

d'interdit et les œuvres des « coconspirateurs » retirées des bibliothèques du pays. Révélée en 1956 par Khrouchtchev et appelée *Harugey malkut funem Ratnfarband* [la nuit des poètes assassinés], l'exécution en août 1952 des sommités culturelles yiddishophones d'URSS soulèvera une émotion considérable à Montréal et partout dans la diaspora. S'efface ainsi le dernier milieu de créativité juive à avoir survécu au génocide nazi en Europe de l'Est, qui avait soulevé de grands espoirs

Graphique 3. Pourcentage de la population juive pour certaines villes canadiennes, recensement de 1951

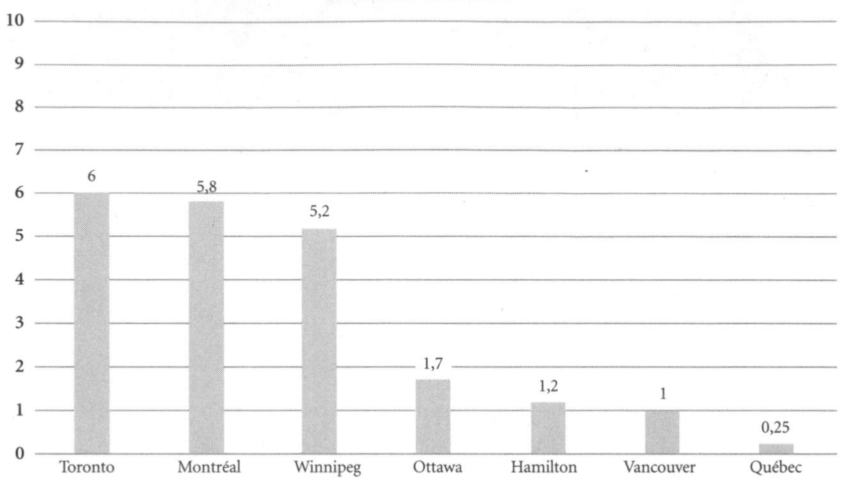

au cours de l'entre-deux-guerres par son modernisme et son ton audacieux. C'est la fin de l'influence soviétique dans le milieu yiddishophone canadien.

La migration vers l'ouest de la ville

Plus de trente ans après la grande migration est-européenne, la fin du second conflit mondial et la prospérité de l'après-guerre ouvrent de nouvelles perspectives socioéconomiques à la population juive montréalaise. En peu de temps, les Juifs arrivent à se tailler une place enviable dans la métropole québécoise et s'apprêtent à vivre de grands changements démographiques. En 1951, les fidèles du judaïsme forment la troisième communauté ethnique et religieuse de langue non officielle à Montréal, un titre qu'ils détiennent depuis plus d'un siècle. Forte de 80 829 personnes[22], il s'agit de la plus ancienne et de la plus impor-

---

22. Ces données sont tirées de trois études publiées par Louis Rosenberg : *A Study of the Growth and Changes in the Distribution of the Jewish Population of Montreal*; *Population Characteristics (Distribution by Age and Sex) of the Jewish Community of Montreal*; et *Population Characteristics (Ethnic Pattern, Conjugal*

tante communauté juive au Canada, aussi la plus nombreuse dans le Commonwealth britannique après celle de Londres. En Amérique du Nord, les Juifs montréalais viennent au sixième rang, après New York, Chicago, Los Angeles, Boston et Philadelphie, mais arrivent en deuxième place pour ce qui est de l'intensité de leurs réalisations culturelles en langue yiddish.

Par rapport à d'autres communautés juives canadiennes – notamment celle de Toronto –, les Juifs de Montréal vivent une situation exceptionnelle à plus d'un titre. À part celle de Paris, c'est la seule communauté juive de grande taille qui soit insérée dans une population surtout de langue maternelle française. Cette situation n'existe nulle part ailleurs en Amérique du Nord, et il faut se rendre à Mexico ou à Buenos Aires pour découvrir des communautés juives qui ne baignent pas dans un environnement entièrement anglophone. Les Juifs de Montréal sont aussi plongés dans une agglomération urbaine où le catholicisme domine nettement et possède des réseaux institutionnels très influents. Aucune autre communauté juive d'envergure au Canada ne doit faire face à cette réalité particulière. Comme nous le verrons bientôt, le judaïsme montréalais commence à entrevoir au cours des années 1950 qu'une rencontre s'impose enfin avec ces deux aspects fondateurs de la réalité québécoise : l'héritage catholique et la langue française. Cette prise de conscience graduelle mettra toutefois plusieurs décennies à donner des fruits. Lorsque l'heure du rendez-vous sonnera finalement, ce sera dans un contexte politique fort différent de celui qui régnait au cours de l'immédiat après-guerre.

La population juive de Montréal franchit aussi au cours de cette période une frontière démographique décisive qui modifie du tout au tout le climat politique qui domine au sein de son réseau institutionnel. Nous l'avons vu, l'immigration avait cessé au cours des années 1930

Condition, Jewish Origin and Jewish Religion, Place of Birth, Size of Family, Language and Mother Tongue, Higher Education) of the Jewish Community of Montreal. La population juive canadienne de 1951 est calculée selon l'appartenance religieuse de la personne sondée et non pas selon son appartenance ethnique. Les chiffres qui tiennent compte de l'origine ethnique sont supérieurs à ceux obtenus selon la définition religieuse de près de 1 %.

d'être un moteur de croissance pour les communautés juives canadiennes. Tandis que le nombre de personnes admises au Canada chutait radicalement avec la Grande Dépression et après la déclaration de guerre de 1939, une nouvelle génération naissait au pays et s'acculturait dès son plus jeune âge aux réalités canadiennes. En 1941, pour la première fois depuis le début de la grande migration, la majorité des Juifs montréalais sont des Canadiens de naissance. À partir de cette date, les immigrants commencent à perdre du terrain au sein de la communauté au profit des natifs, ce qui ne manquera pas d'entraîner à terme des changements de perception et d'identité considérables.

Dans l'après-guerre, une nouvelle cohorte de dirigeants formés au pays prend les commandes de la communauté et modifie le cahier des revendications traditionnellement présentées aux autorités gouvernementales par les Juifs montréalais. Pour ces activistes, il ne s'agit plus tant de réclamer l'ouverture du pays à l'immigration que d'exiger pour tous les Juifs vivant au Canada un traitement en tout point semblable à celui des autres Canadiens. Dans l'intervalle, de nouvelles méthodes de travail sont implantées au CJC et dans le réseau scolaire privé juif, dont l'usage quasi universel de l'anglais dans la gestion des affaires communautaires. En 1931, 42,8 % des Juifs montréalais étaient canadiens de naissance. Vingt ans plus tard, ce taux a grimpé à 55,2 %, voire à 56,3 % si l'on englobe toute l'île de Montréal. Les Juifs montréalais sont donc conviés à une transformation identitaire profonde qui se poursuivra d'ailleurs à un rythme accéléré au cours des décennies suivantes.

En 1951, il y a 23 000 familles juives à Montréal comptant en moyenne 2,3 personnes ; elles représentent près de 40 % de l'effectif démographique juif canadien. Les Juifs représentent cette année-là 5,8 % de la population métropolitaine mais beaucoup plus dans certains quartiers où sont concentrées les institutions judaïques les plus significatives. Au cours de cette décennie, la natalité juive est plus basse que celle des Canadiens français mais surpasse le taux enregistré au sein des populations d'origine britannique. Le retour des soldats et la démobilisation générale produisent d'ailleurs un boom de naissances au sein de la population juive montréalaise, tout comme parmi les autres groupes du pays. Cela tient aussi au grand nombre de mariages célébrés après 1945 et à l'arrivée d'une nouvelle vague migratoire juive composée de personnes relativement jeunes. En 1951, le nombre d'enfants juifs de moins de dix ans a crû de 78 % par rapport à 1941 – contre 48 % pour la population montréalaise en général. C'est une augmentation exceptionnelle qui rappelle les sommets atteints au cours de la grande migration est-européenne deux générations plus tôt, à cette différence près qu'il s'agit d'enfants presque tous nés au Canada. La hausse se répercute sur le nombre de Juifs d'âge scolaire, qui atteint 11 300 personnes en 1951, dont 9 000 vivent dans la ville de Montréal à proprement parler. C'est la dernière grande poussée démographique juive à Montréal au XXe siècle, un phénomène dont les effets se feront sentir jusqu'aux années 1970.

Le rajeunissement de sa population pousse la communauté juive organisée à renouveler son infrastructure institutionnelle et à diversifier son offre de services aux jeunes familles. La progression économique et la mobilité sociale qui accompagnent la croissance démographique amènent aussi les Juifs à entreprendre une nouvelle migration, cette fois en direction des villes de banlieue qui se développent au-delà des frontières de la ville historique. C'est le signe d'une mobilité sociale ascendante qui entraîne les Juifs montréalais loin du type d'environnement qu'avaient connu les immigrants est-européens du début du siècle. Les jeunes familles troquent le Plateau Mont-Royal pour le quartier montréalais de Snowdon ou pour la municipalité de Côte-Saint-Luc.

Il existait plusieurs signes avant-coureurs de l'avancement socio-économique juif au cours de l'entre-deux-guerres à Montréal ; ils sont décrits de manière anecdotique par des mémorialistes comme Israël Medresh, Hershl Novak et Hirsch Wolofsky. La hausse de la valeur foncière, l'accroissement général de l'activité commerciale et l'amélioration des conditions de vie au sein de la classe ouvrière sont autant de manifestations de ce mouvement ascendant, malgré les reculs infligés par la crise boursière de 1929. Le rythme de ces améliorations s'accélère toutefois nettement après 1945, au point où la vie juive montréalaise se trouve modifiée de fond en comble. Au cours des années 1950 ou 1960, la majorité de la population juive gagne accès aux classes moyennes et aux professions libérales sans restrictions particulières ni manifestations persistantes d'hostilité. Le travail industriel et le petit commerce cessent pour la première fois de représenter pour les communautés juives montréalaises une source importante de revenus ou d'identification idéologique. Il s'agit aussi d'un passage qui s'accompagne, contrairement aux décennies précédentes, d'un accès quasi universel à l'éducation supérieure et aux services offerts par les grandes institutions bancaires canadiennes.

Le meilleur indice de cette progression rapide se trouve reflété dans le déplacement massif des Juifs montréalais vers de nouveaux quartiers. En 1951, 59 % d'entre eux ont leur domicile au nord de la rue Sherbrooke et à l'ouest de la rue Hutchison[23], soit près de 50 000 personnes. En une décennie, le nombre de Juifs a plus que doublé dans la municipalité d'Outremont et dans les quartiers montréalais de Côte-des-Neiges, Snowdon et Notre-Dame-de-Grâce. Et dès cette époque un mouvement timide s'esquisse vers les municipalités plus huppées de Mont-Royal, Hampstead et Saint-Laurent. Contrairement aux quartiers centraux de la ville, où la plupart des Juifs avaient vécu jusque-là, ces nouveaux espaces offraient un habitat plus dégagé, des constructions de qualité supérieure et de meilleurs services publics.

Ce déplacement à grande échelle a pour caractéristique principale de s'être effectué en quelques années seulement. Après 1945, les Juifs abandonnent le corridor historique du boulevard Saint-Laurent pour bifurquer brusquement à angle droit vers l'ouest à partir de la rue Jean-Talon, là où se trouve au cours de ces années la limite du développement urbain montréalais. En agissant ainsi, ils vont dans une direction déjà suggérée en 1934 par l'inauguration de l'Hôpital général juif à l'intersection des chemins de la Côte-Sainte-Catherine et de la Côte-des-Neiges. Ils suivent aussi plus généralement la population anglo-britannique qu'ils côtoient dans les écoles protestantes et qui connaît elle aussi une mobilité sociale ascendante et géographique vers les mêmes quartiers. C'est le seul exemple à cette époque d'une communauté immigrante qui opte massivement pour la partie majoritairement anglophone de l'île de Montréal. Pour leur part, les populations d'ori-

---

23. La rue Hutchison représente à cette période la frontière entre la municipalité de Montréal et celle d'Outremont, c'est-à-dire en gros entre la partie est et la partie ouest de l'île de Montréal.

gine italienne, portugaise et slave, toutes moins fortunées et moins éduquées en moyenne que les Juifs est-européens, pénètrent plutôt dans la zone francophone située à l'est du boulevard Saint-Laurent. Dans ce secteur, le coût du logement est plus bas et les conditions de vie apparaissent moins alléchantes, notamment parce que les rues résidentielles côtoient souvent de vastes emprises industrielles et sont ceinturées de voies ferrées. Certains facteurs, par contre, attirent particulièrement les immigrants de religion catholique vers l'est, dont le fait qu'il s'y trouve déjà de grandes infrastructures paroissiales qui peuvent servir d'appui à leur intégration socioéconomique. Les travailleurs non qualifiés allophones peuvent aussi tirer profit de la présence dans les quartiers Hochelaga et Maisonneuve d'un grand nombre d'entreprises de transformation qui offrent des emplois à des salaires intéressants. Dans l'ensemble, cependant, et depuis longtemps, la qualité des logements est plutôt médiocre à l'est du boulevard Saint-Laurent, et les efforts d'embellissement urbain plus sommaires.

En « passant à l'Ouest », les Juifs échappent aussi en partie à l'effet de concentration résidentielle qui avait marqué historiquement la zone centrale de Montréal. En 1931, les quartiers Saint-Louis et Laurier, traversés du nord au sud par le boulevard Saint-Laurent, comptaient chacun une proportion de 50 % de résidents d'origine juive. Vingt ans plus tard, ces taux ont chuté de près de moitié. À Outremont, où plusieurs Juifs s'installent après 1945, ils ne forment guère plus du tiers de la population. Dans l'après-guerre, les nouvelles générations juives nées au pays tendent plutôt à se disperser et à perdre de leur visibilité. En 1901, 41 % des Juifs de la région métropolitaine de Montréal vivaient dans le quartier Saint-Louis. Cinquante ans plus tard, les taux de croissance démographique juive les plus élevés se trouvent dans les municipalités de Mont-Royal, Hampstead et Saint-Laurent. C'est dire à quel point le centre de gravité de la communauté juive s'est déplacé. En 1955, le démographe Louis Rosenberg affirme, chiffres à l'appui, que les Juifs montréalais n'ont pas vraiment connu, au cours de leur histoire récente, un processus de densification urbaine très prononcé[24]. Rosenberg, qui est

---

24. Louis Rosenberg, *A Study of the Growth and Changes*, p. 16. Voir aussi Jacques

d'origine polonaise, veut signifier par là que cette population n'a pas subi au Québec un isolement social sous forme d'un ghetto géographique et culturel intense, comme ce fut le cas des yiddishophones un siècle plus tôt en Europe de l'Est. Au début des années 1950, les Juifs forment la majorité de la population dans seulement trois secteurs précis de la ville : sur le Plateau Mont-Royal entre l'avenue des Pins et l'avenue Bernard jusqu'à la rue Saint-Denis, dans la zone nord de la municipalité d'Outremont et entre la rue Victoria et le boulevard Décarie dans le quartier Snowdon. Trente ans plus tard, à l'exception notable d'Outremont où se regroupent les Juifs hassidiques, toutes les zones à forte concentration juive dans l'île de Montréal se trouveront à l'ouest de l'autoroute Décarie.

Libérés après 1945 des contraintes économiques et culturelles liées à une arrivée encore récente, les Juifs traversent en quelque sorte le territoire montréalais d'est en ouest à mesure qu'ils s'élèvent dans l'échelle sociale. Cette propension à la mobilité s'exprime sur de longues périodes au XXe siècle et demeure plus ou moins constante dans le temps et l'espace. Le périple à travers la ville ne représente pas seulement un déplacement physique d'une zone géographique à une autre. C'est aussi un processus transformatoire par lequel se modifient profondément les paramètres identitaires hérités de la grande migration est-européenne. En parcourant le Montréal qui s'offre à leur regard, les populations juives absorbent de nouveaux comportements, entrent en contact avec des réalités inconnues jusque-là et acquièrent des perceptions inédites. Cycles historiques et avancées spatiales se présentent ainsi comme deux facettes d'une même catharsis par laquelle les Juifs montréalais prennent une distance par rapport à certains événements traumatiques européens et pénètrent par bonds successifs dans le Nouveau Monde. Au fil de cette trajectoire, ils s'éloignent de plus en plus des quartiers portuaires qui les avaient vu débarquer dans la ville au début du siècle. Ils cessent ainsi peu à peu d'être ces migrants venus d'un autre univers de signification et que l'on pouvait reconnaître au premier coup d'œil. Allant de quartier en quartier, voire de rue en rue, les Juifs franchissent

---

Légaré, « La population juive de Montréal est-elle victime d'une ségrégation qu'elle se serait elle-même imposée ? ».

des frontières économiques, progressent dans l'échelle sociale et marquent des points. C'est une stratégie d'acculturation progressive qui se poursuit de génération en génération avec des résultats toujours plus probants. Il s'agit d'un phénomène culturel que Mordecai Richler décrit avec sa verve mordante dans *L'Apprentissage de Duddy Kravitz* :

> Aux yeux d'un étranger de la classe moyenne, les rues, il faut bien l'admettre, auraient semblé aussi sordides les unes que les autres. À tous les carrefours, une tabagie, une épicerie et une petite fruiterie. Partout des escaliers extérieurs en colimaçon, les uns en bois, les autres en métal, rouillé et dangereux. Ici, une minuscule pelouse entretenue avec un soin jaloux ; là, un vilain carré de mauvaises herbes. Une succession sans fin de balcons chéris à la peinture écaillée, parfois entrecoupés de terrains vagues. Mais, ainsi que le savaient les garçons, d'une rue à l'autre, entre Saint-Dominique et l'avenue du Parc, il existait une subtile gradation dans l'échelle sociale. Tous les appartements sans eau chaude étaient différents. Dans cette maison était né le fabuleux Jerry Dingleman. Quelques portes plus loin habitait Duddy Ash qui, à chacune des élections, briguait un poste de conseiller municipal en défendant un programme composé d'un seul article : l'antisémitisme des policiers provinciaux dans l'attribution des contraventions pour excès de vitesse. Les magasins étaient tous différents, eux aussi : chez Best Fruit, la balance était truquée, mais chez Smiley, on ne faisait pas crédit[25].

Ces déplacements internes sur le territoire montréalais ne sont pas seulement le fait d'individus et de familles isolés : ils engagent des collectivités entières qui avancent ensemble de décennie en décennie le long d'un axe commun. Synagogues, syndicats, cercles culturels, sociétés de secours mutuel et établissements scolaires migrent aussi et se transforment à mesure[26]. Quand les populations juives quittent une

---

25. Mordecai Richler, *L'Apprentissage de Duddy Kravitz*, p. 19-20.

26. Voir les données présentées à ce sujet par Louis Rosenberg dans *Synagogues, Jewish Schools and Other Jewish Community Facilities as Affected by the Migration of the Jewish Population in Metropolitan Montreal, 1951-1956*, Montréal, Canadian Jewish Congress, Bureau of Social and Economic Research, series A, n° 1, 1956.

zone déjà connue pour entrer dans un nouvel environnement social, les organisations qui assurent la perpétuation du judaïsme entreprennent le même périple. Pour la plupart des mouvements culturels et politiques juifs, quitter le Plateau Mont-Royal et le quartier du Mile End à la fin des années 1940 signifie aussi abandonner à plus ou moins long terme un important patrimoine immobilier. Dans leur mouvance, les congrégations, communautés et organisations laissent ainsi derrière elles des constructions et des édifices imposants bientôt repris par des groupes immigrants plus récemment arrivés et moins fortunés, tels les Portugais, qui s'installent dans le secteur au cours des années 1950. Il en va de même des commerces, restaurants et lieux de sociabilité fréquentés surtout par des Juifs. Le plus souvent, c'est l'occasion de rebâtir plus loin dans la banlieue en favorisant des formes architecturales plus modernes et en procédant à des rehaussements. D'abord logée rue Saint-Urbain près de la rue Sherbrooke dans de petits logements convertis, la Bibliothèque publique juive s'installe au cours des années 1930 dans une résidence en bordure du parc Jeanne-Mance. À la fin des années 1940, l'institution se fait construire un édifice beaucoup plus vaste au coin des avenues du Mont-Royal et de l'Esplanade pour finalement aboutir dans le quartier Snowdon au cours des années 1960. Quelques années plus tard, suivant la progression de ses membres vers l'ouest, la bibliothèque ouvre une succursale encore plus loin en banlieue, dans la municipalité de Côte-Saint-Luc. La Young Men's Hebrew Association, les écoles progressistes de langue yiddish et les principales synagogues de la ville suivent toutes le même cheminement et traversent les mêmes quartiers.

La population juive avance ainsi dans l'espace montréalais par bonds historiques successifs, dont la durée dépasse rarement une génération. Quand la communauté juive atteint le boulevard Décarie vers 1950, elle a déjà séjourné pendant une génération dans le quartier près du port, s'est ensuite hissée sur les contreforts est du mont Royal, puis a contourné la montagne par son flanc nord. Il lui reste encore à franchir les limites de la ville de Montréal pour entrer dans les villes de banlieue nouvelles et surtout anglophones situées à l'ouest du boulevard Cavendish. Comparativement à d'autres communautés allophones installées à peu près au même moment à Montréal, tels les Italiens, les

Chinois et les Slaves, les Juifs est-européens maintiennent par contre sur le long terme une densité intracommunautaire assez élevée, c'est-à-dire qu'ils reforment à chaque génération, même en banlieue éloignée, des noyaux de peuplement distincts et clairement définissables. En règle générale, les autres immigrants tendent à connaître rapidement au XXe siècle un taux de dispersion géographique proche de celui de la population majoritaire francophone ou anglophone. Cela se produit quand la plupart des personnes associées à ces groupes utilisent principalement les langues officielles du Canada, bénéficient d'un niveau de vie plus près de la moyenne et sont pour la plupart nées au pays.

Dans le cas des populations juives, ces mêmes facteurs sociologiques semblent avoir peu d'influence sur le comportement résidentiel ou sur la constitution des réseaux sociaux de première importance. Les différences observées à Montréal tiennent notamment au fait que le judaïsme exige de la part de ses fidèles qu'ils résident à proximité des lieux de culte. Un pratiquant orthodoxe ne peut en effet utiliser des moyens de transport motorisés pour se rendre à la prière le jour du sabbat ni voyager sur de grandes distances, même à l'intérieur de l'agglomération métropolitaine. Il doit aussi porter une attention constante à l'épanouissement de sa communauté religieuse et se montrer solidaire envers les plus démunis. Ces comportements bien précis, appliqués à la lettre par une minorité de Juifs seulement, ont tout de même une influence décisive sur les attitudes des personnes moins attachées à leur héritage judaïque, notamment en limitant l'étalement géographique du plus grand nombre. Il en va de même des Juifs qui, sans être pieux, se rendent régulièrement à des activités culturelles ou politiques organisées par des institutions juives laïques. La masse des immigrants est-européens et leurs descendants ont ainsi donné l'impression de franchir en bloc les différentes étapes de leur intégration à la société montréalaise et de cheminer collectivement vers de nouvelles identités. Ce fait se vérifie particulièrement dans la période de l'après-guerre, quand la population juive quitte en quelques années seulement le corridor historique du boulevard Saint-Laurent et reconstruit tout son réseau communautaire quelques kilomètres plus à l'ouest.

Une progression socioéconomique décisive

Les Juifs de Montréal franchissent une autre étape fondamentale lorsqu'ils abandonnent au cours de l'après-guerre le yiddish au profit de l'anglais. La transition est certes plus graduelle sur le plan linguistique qu'en ce qui concerne les quartiers de résidence et la mobilité socioéconomique, mais plusieurs indices laissent croire que le changement est déjà bien engagé une fois le deuxième conflit mondial terminé. En 1951, seulement 54,4 % de la population juive montréalaise déclare posséder le yiddish comme langue maternelle, contre 99 % vingt ans plus tôt. Le déclin, plus prononcé entre 1941 et 1951, se produit même – comme nous le verrons bientôt – au cours d'une période où une nouvelle vague d'immigrants yiddishophones atteint la métropole québécoise. Le démographe Louis Rosenberg paraît lui-même surpris par ces chiffres, car il écrit en 1956 : « Le yiddish en tant que langue maternelle a décliné en 1951 *à un niveau aussi bas* que 54,4 %[27]. » La tendance paraît d'autant plus forte qu'aucune forme de persécution raciale ou de contrainte idéologique externe ne pousse les Juifs est-européens à s'assimiler rapidement à l'anglais. Les données révèlent en fait une chute encore plus vertigineuse dans le reste du pays : en 1951, seulement 44 % des Juifs nés au Canada ont le yiddish comme langue maternelle. Plusieurs de ces yiddishophones n'utilisent d'ailleurs pas nécessairement cette langue à l'extérieur du foyer ni dans le cadre de leur vie professionnelle. De plus en plus, il semble évident que le yiddish va se trouver confiné aux milieux associés de près à l'immigration récente et à la culture est-européenne à proprement parler. En 1951, 38,7 % des Juifs montréalais ont l'anglais comme langue maternelle, et ces personnes forment la tranche d'âge la plus jeune de la communauté. Preuve du caractère polyglotte et pluriculturel de la vie juive, 6,9 % de cette population parle une panoplie d'autres langues maternelles déclarées en 1951 : seize en tout. Malgré ces chiffres et la diversité des origines culturelles au sein du

27. Louis Rosenberg, *Population Characteristics (Ethnic Pattern, Conjugal Condition, Jewish Origin and Jewish Religion, Place of Birth, Size of Family, Language and Mother Tongue, Higher Education) of the Jewish Community of Montreal*, p. 44. Notre traduction.

judaïsme, 94 % des Juifs de Montréal parlent anglais couramment en 1951. Cet unanimisme linguistique permet dorénavant au réseau institutionnel juif canadien, à de rares exceptions près, de fonctionner uniquement dans cette langue. On ne peut pas en dire autant du français, qui n'est compris à cette date que par le tiers de la communauté juive établie dans l'île de Montréal. Cette faible connaissance empêche d'ailleurs toujours, au cours des années 1950, les dirigeants des organismes juifs de tisser des liens durables et conséquents avec le Canada français. Il faut voir là le résultat de plusieurs décennies de fréquentation des réseaux scolaires protestants, où le français n'est pas valorisé comme outil de communication ni enseigné comme une langue vivante.

Le transfert linguistique vers l'anglais des Juifs de Montréal est beaucoup plus qu'une tendance statistique dont on peut suivre la progression au cours des années. Anglicisée, la deuxième génération absorbe les valeurs et les perceptions politiques du groupe qui l'a accueillie au pays. Elle a aussi tendance à percevoir le Canada français à travers le prisme de l'anglophonie canadienne, c'est-à-dire comme une population d'importance secondaire. Le passage à l'anglais est aussi par contre le signe indéniable d'une intégration socioéconomique réussie dans un contexte de libéralisme politique avancé. La population juive née au pays ne rencontre pas d'obstacles importants devant elle au cours des années 1950 et tire profit des nombreuses occasions d'avancement. Cette mobilité est appuyée au cours de l'après-guerre par un climat économique général favorable et par la construction dans la périphérie montréalaise d'une nouvelle ceinture de villes de banlieue cossues où les facteurs de discrimination antérieurs jouent assez peu. La compartimentation ethnique de l'avant-guerre cède le pas à des espaces plus indifférenciés qui expriment une certaine porosité identitaire. Dans les municipalités montréalaises de Côte-Saint-Luc, Hampstead, Saint-Laurent et Dollard-des-Ormeaux, les Juifs forment néanmoins dans certains secteurs des communautés assez denses où ils reproduisent jusqu'à un certain point le réseau institutionnel des quartiers montréalais plus anciens[28].

---

28. Voir les cartes géographiques de la densité urbaine à Montréal par communauté ethnique dans Pierre Drouilly, *L'Espace social de Montréal, 1951-1991*.

De nouvelles données recueillies par la Commission royale d'enquête sur le bilinguisme et le biculturalisme viennent confirmer au cours des années 1960 le chemin parcouru par les Juifs au sein de la société québécoise depuis un demi-siècle. Ces chiffres sont d'autant plus intéressants qu'ils portent sur le revenu global moyen de la population active dans la région métropolitaine de Montréal, classée selon l'origine ethnique[29]. La commission, mieux connue sous le nom de ses deux coprésidents, André Laurendeau et Davidson Dunton, publie aussi des données sur le niveau d'éducation et sur les activités professionnelles de la population active, toutes basées sur le recensement canadien de 1961. Il s'agit donc de renseignements qui n'avaient pas pu être obtenus par Louis Rosenberg au cours des années 1950 et qui présentent un portrait beaucoup plus approfondi de la situation des minorités dans l'environnement montréalais et québécois. Ces nouvelles séries statistiques démontrent que la mobilité spatiale juive de l'après-guerre, décrite en détail par Rosenberg sur le territoire de l'île de Montréal, correspond aussi dans les faits à une poussée sur le plan de l'enrichissement matériel des individus et des familles[30].

En 1961, parmi les groupes immigrants arrivés à Montréal au début du XXe siècle, ce sont les Juifs – il faut comprendre ici d'origine est-européenne – qui ont le revenu annuel global moyen le plus élevé, soit 6 996 $. Ils devancent les Allemands (5 040 $), les Ukrainiens (4 341 $) et les Italiens (3 379 $), trois groupes qui ont une trajectoire historique à peu près semblable dans l'agglomération métropolitaine. Fait encore plus notable, la communauté juive dépasse aussi sur ce plan les populations anglophones (6 216 $) et francophones majoritaires (4 243 $), qui détiennent de nombreux leviers de pouvoir économique et politique dans l'île de Montréal. La même tendance se vérifie d'ailleurs en 1961 dans les régions métropolitaines d'Ottawa et de Toronto,

---

29. Gouvernement du Canada, *L'Apport culturel des autres groupes ethniques.*

30. Ces données sont contenues dans une étude produite pour la commission Laurendeau-Dunton par André Raynauld, Gérald Marion et Richard Leblanc, intitulée « La répartition des revenus » et qui n'a pas été rendue publique à l'époque. Seules les grandes lignes de cette recherche apparaissent dans les publications de la commission.

où la situation est assez différente sur le plan des rapports entre Canadiens de langue anglaise et Canadiens de langue française. Il en va de même dans l'ensemble du Canada, où les Juifs arrivent en tête pour ce qui est du revenu annuel global moyen par communauté d'appartenance, soit 7 426 $, contre 4 852 $ pour les Britanniques et 3 872 $ pour les personnes d'origine française. Ils se distancent de toutes les collectivités d'origine immigrante au Canada par une marge de plus de 3 000 $. Cela se produit alors que la population juive perd à Montréal, au profit du groupe d'origine italienne, son statut de troisième groupe ethnique en importance démographique. En 1961, les Juifs sont au nombre de 100 000 dans la métropole québécoise, alors que la communauté italienne atteint, après une forte poussée migratoire dans l'après-guerre, un nombre légèrement supérieur.

Une partie de cet avantage très marqué sur le plan économique peut provenir de ce que les Juifs forment dès le début du XXe siècle un groupe fortement urbanisé qui se concentre dans les plus grandes villes canadiennes. Le fait pour une collectivité immigrante de résider surtout dans de grandes villes confère un avantage décisif à ses membres, qui peuvent bénéficier sur le long terme d'une concentration de richesse plus soutenue et d'occasions d'affaires à plus grande échelle. Ce facteur joue beaucoup moins pour les populations anglophones et francophones arrivées au pays aux XVIIIe et XIXe siècles et qui ont une répartition géographique dans l'ensemble du pays. En 1961, 98,8 % des Juifs canadiens sont des citadins, contre 61,8 % des Canadiens d'origine allemande et 65,2 % des Canadiens d'origine ukrainienne. Seuls les Canadiens d'origine italienne se rapprochent de ce chiffre avec 94,7 %, mais ils sont beaucoup moins nombreux en 1961 à être nés au pays et ils traversent au cours de cette décennie une période d'adaptation intense qui les confine au bas de l'échelle sociale.

L'explication la plus plausible de la progression économique remarquable des Juifs montréalais dans l'après-guerre tient toutefois à un autre facteur qui a assez peu à voir avec la date d'arrivée au pays de ces populations ou avec leur résidence dans la métropole. Dans l'Empire russe, la mobilité socioéconomique des Juifs, même entravée par des lois discriminatoires et des poussées soudaines de violence, était liée historiquement à leur niveau d'éducation et de littératie. Presque tous les gains effectués au XIXe siècle par les Juifs de Russie tenaient à leur capacité à absorber des savoirs associés de près à la pratique de certains métiers et professions, dont la maîtrise des langues et des codes officiels. Ces connaissances, pas toujours acquises dans le cadre d'institutions de haut savoir, conféraient aux populations juives un grand avantage au sein d'une société où le taux d'analphabétisme était extrêmement élevé. En somme, il avait suffi aux Juifs de transposer à l'époque moderne, dans le champ des études séculières, les méthodes d'apprentissage et de raisonnement très avancées déjà présentes dans la sphère religieuse traditionnelle. Ce passage de l'univers de signification spécifiquement judaïque à la société civile russe, réalisé par une petite élite juive russophone, offrait déjà un modèle à suive aux immigrants partis à destination de l'Amérique.

Conscients de cet héritage culturel de performance sur le plan intellectuel, les Juifs montréalais ont appliqué la même stratégie dans l'espace économique canadien. Polyglottes au moment de leur arrivée au Canada et habitués aux contextes pluriculturels, ils ont systématiquement dirigé leurs enfants vers les études supérieures en mettant à profit l'ouverture même imparfaite qui leur était faite dans le réseau des écoles protestantes de Montréal. Les organisations communautaires ont aussi mis en place dans la ville un réseau scolaire privé qui a servi de passerelle à leurs enfants vers le milieu universitaire anglophone tout en préservant leur identité judaïque et leur culture est-européenne yiddishophone. Cinquante ans plus tard, le taux de diplomation universitaire au sein de la communauté juive montréalaise dépassait de très loin celui des deux populations majoritaires. En 1961, 25,5 % des Juifs canadiens avaient terminé des études supérieures, contre 12,5 % des Canadiens d'origine britannique et 6,3 % des Canadiens d'origine française. Le contraste est tout aussi frappant pour ce qui est des Canadiens d'origine allemande (9,2 %), ukrainienne (7,9 %) et italienne (3 %), plus récemment installés au pays.

En privilégiant le savoir et la compétence professionnelle comme principaux outils de promotion sociale – et pas nécessairement au détriment de l'enrichissement obtenu grâce au petit commerce –, la population juive de Montréal espérait que la génération née au pays pourrait réaliser à terme des gains substantiels sur le plan socioéconomique.

C'était aussi compter sur l'éducation publique offerte universellement dans les économies libérales nord-américaines à toutes les couches de la population, peu importe leur origine. Les résultats de cette stratégie n'ont pas tardé à se faire sentir dans l'agglomération montréalaise, qui comptait plus de la moitié de la communauté juive canadienne. En 1961, parmi la population active masculine classée par origine ethnique, les Juifs comptent le plus haut pourcentage au pays de travailleurs engagés dans les professions libérales ou considérés comme des techniciens spécialisés, soit 13,6 %, contre 7,6 % pour la moyenne canadienne. Les personnes d'origine allemande se situent à 6 %, celles d'origine ukrainienne à 5,8 % et celles d'origine italienne à 2,8 %. À l'autre extrême, les ouvriers qualifiés ne forment plus que 15,6 % de la main-d'œuvre d'origine juive au pays, contre 28,8 % pour la moyenne canadienne. Les Allemands se situent sous ce rapport à 32,5 %, les Ukrainiens à 29,6 % et les Italiens à 43,7 %. Ces données démontrent que le groupe des travailleurs industriels juifs est déjà en voie de disparition à Montréal au cours des années 1960. Il en va de même des petits marchands yiddishophones installés dans les quartiers populaires bordant le boulevard Saint-Laurent ou plus loin dans l'est de l'île. Un mouvement général s'empare de la communauté juive montréalaise, qui franchit en quelques années une frontière sociale jusque-là étanche et pénètre massivement dans les classes moyennes de la société québécoise.

Ces chiffres qui peuvent surprendre doivent aussi être replacés dans une perspective historique plus large. De fait, ils prennent tout leur sens si on examine de plus près le progrès général des populations juives en Europe au XIXe siècle. Après la Révolution française et l'émancipation politique des personnes de confession juive, à qui il faut tout accorder, selon le mot du comte Clermont de Tonnerre, à titre de « citoyens », l'acculturation et l'intégration sociale des Juifs progressent très rapidement en Europe occidentale. En France, en Allemagne et en Angleterre, les Juifs se fondent aux populations dominantes et atteignent, à quelques réserves près, les plus hauts sommets politiques et économiques. Surtout, ils abandonnent en public les traits culturels, linguistiques et religieux qui les avaient ouvertement gardés à l'écart du mouvement général. En Russie tsariste, ces transformations identitaires profondes n'ont toujours pas eu lieu au début du XXe siècle et la masse des Juifs conserve jusqu'en 1917 un statut politique marginal assorti d'une situation économique difficile. Jusqu'à Lénine et la révolution d'octobre 1917, les Juifs russes restent regroupés dans une zone de résidence obligatoire, subissent des persécutions systémiques et n'ont pas accès juridiquement aux professions qui permettent la mobilité sociale à une grande échelle. C'est, rappelons-le, le point de départ des populations juives est-européennes qui prennent le chemin de l'exil vers l'Amérique.

En ce sens, l'arrivée à Montréal, lors de la grande vague migratoire de 1904-1914, d'une population juive surtout russe est le signal d'un renversement de grande ampleur. Pour ces quelques dizaines de milliers de nouveaux venus, le Canada représente l'accès à une société libérale où il est possible d'échapper à l'arbitraire et à l'antisémitisme érigé en politique d'État. C'est, selon l'hypothèse proposée par l'historien Jonathan Frankel dans *Prophecy and Politics: Socialism, Nationalism and the Russian Jews (1862-1917),* l'émancipation par l'émigration. Au début du XXe siècle, quitter la Russie tsariste signifie pour les Juifs, dont ceux qui s'installent dans la métropole canadienne, accéder à la modernité et bénéficier pour la première fois des libertés civiles fondamentales. Le même sort attend les Juifs polonais descendus dans les ports de mer canadiens entre les deux guerres et juste après 1945.

À Montréal, les Juifs est-européens entrent pour la première fois au début du XXe siècle dans la même sphère politique qui avait permis à leurs coreligionnaires français de devenir citoyens en 1791 et sous Napoléon[31]. C'est un siècle de retard qui peut être comblé en l'espace de quelques années seulement. Ce bond en avant s'accompagne presque toujours, comme en France, en Allemagne et en Angleterre, du passage dans la vie communautaire d'une langue juive à une langue non juive. La transition vers le français, l'allemand et l'anglais a en effet été perçue après 1800 comme le vecteur fondamental de l'émancipation politique dans ces trois pays, puisqu'elle permettait aux Juifs d'entrer dans l'espace partagé d'une société égalitaire. Les Juifs russes, qui quittent l'em-

---

31. Voir Pierre Birnbaum, *Les Fous de la République. Histoire politique des Juifs d'État, de Gambetta à Vichy* et *Les Deux Maisons. Essai sur la citoyenneté des Juifs (en France et aux États-Unis).*

pire sans avoir réalisé leur émancipation, et ce, précisément parce qu'ils ne peuvent l'obtenir dans le contexte de l'autocratisme tsariste, réalisent cette transition à Montréal en adoptant l'anglais à la place du yiddish. Le changement de langue que l'on peut mesurer nettement après 1951 revêt donc une signification d'une très grande importance pour les Juifs, puisqu'il symbolise à lui seul la fin de leur statut d'infériorisation permanente et leur accès à une pleine participation civique. Certes, tout ne se règle pas parce que les diverses populations juives canadiennes ont désormais l'anglais comme langue maternelle, mais c'est un pas décisif vers une mobilité sans entraves réelles.

Il y a par ailleurs eu des résistances à l'anglicisation au sein de la communauté juive montréalaise elle-même, notamment de la part de littérateurs nés en Europe de l'Est qui croyaient que le yiddish était devenu une langue porteuse de la modernité au même titre que l'allemand, le français, l'anglais et le russe. Plusieurs écrivains de la diaspora juive au Canada se sont en effet demandé comment il serait possible de représenter et de transmettre la judéité dans une langue forgée dans le creuset de la chrétienté et qui ne possédait aucune des références historiques de la culture ashkénaze. En Amérique du Nord, toutefois, ces perceptions étaient minoritaires et ne sont pas parvenues à faire contrepoids à la ferme volonté d'acculturation manifestée par le plus grand nombre. L'argument des yiddishistes porta d'autant moins que de grands noms apparurent dès les années 1930 au firmament de la littérature anglo-juive montréalaise, surpassant parfois en qualité et en profondeur la production issue du monde britannique canadien.

L'accueil des survivants de la Shoah

Pendant que les Juifs canadiens réussissent dans les années d'après-guerre une mutation sociale de grande ampleur, une nouvelle immigration juive est-européenne se présente aux portes de la ville. C'est la troisième depuis le début du XXe siècle. Pour l'essentiel, il s'agit de personnes qui ont survécu d'une façon ou d'une autre à la Shoah et qui quittent l'Ancien Monde après avoir été témoins de l'anéantissement de la judéité est-européenne. Certaines d'entre elles ont connu l'horreur des camps, d'autres se sont cachées dans les forêts ou ont rejoint les partisans qui luttaient contre les nazis et d'autres encore ont vécu sous de fausses identités. Presque toutes cependant ont en commun d'avoir échappé à la mort de peu et d'avoir été victimes d'intenses traumatismes. Les jeunes en particulier, qui arrivent à Montréal à la fin des années 1940 ou peu après, ont souvent vu tous leurs proches périr dans la tourmente et souffrent de désorientation profonde. « Contrairement aux immigrants des périodes antérieures, rappelle Franklin Bialystok dans son excellente étude intitulée *Delayed Impact: The Holocaust and the Canadian Jewish Community*, la plupart des survivants arrivés au pays étaient de véritables réfugiés sans passeport, qui avaient perdu la plupart des membres de leur famille et qui ne recevaient pas d'appui de leur société d'adoption[32]. »

Ces nouveaux venus prennent pied au sein d'une communauté qui a reçu très peu d'apports immigrants au cours des vingt-cinq années précédentes et qui a su se frayer pendant ce temps un chemin au sein de la société canadienne. En 1951, par exemple, seulement 13,3 % des Juifs de Montréal se trouvaient au Canada depuis moins de dix ans ou, vu par l'autre bout de la lorgnette, 72,6 % étaient nés au pays ou y avaient résidé depuis plus de trente ans. Entre les nouveaux venus de l'après-guerre et les Juifs nés à Montréal, il y a un fossé très profond qui mettra beaucoup de temps à se combler. Le clivage entre les deux groupes tient pour beaucoup à la difficulté pour les Juifs canadiens de saisir l'intensité de la persécution dont ont été victimes leurs coreligionnaires européens sous le Troisième Reich et l'ampleur des séquelles émotionnelles dont ils sont porteurs au moment de leur entrée au Canada[33]. Contrairement aux immigrants des années 1904 à 1914, qui étaient soutenus par un intense optimisme et par un irrépressible désir de se libérer des entraves du régime tsariste, les survivants de l'après-guerre fuient un univers judaïque détruit jusqu'à la racine, dont il ne reste plus que des traces

---

32. Franklin Bialystok, *Delayed Impact*, p. 45. Notre traduction.

33. Voir Myra Giberovitch, *Recovering from Genocidal Trauma: An Information and Practice Guide for Working with Holocaust Survivors.*

imaginaires. Rien dans l'histoire canadienne récente n'a préparé les organisations juives du pays à recevoir un tel afflux de personnes en détresse :

> Les organisations juives étaient mal préparées à faire face de manière adéquate aux besoins de la plupart des survivants. [...] Pour bien tenir compte des besoins psychologiques des réfugiés, il fallait d'abord comprendre leur expérience et saisir la nature de la vie juive en Europe entre les deux guerres. Rien de tout cela n'était facilement accessible à la plupart des Juifs canadiens. Pour ces derniers, l'Holocauste était certes une calamité, mais son ampleur, sauf pour le chiffre souvent cité de six millions de morts, restait à l'extérieur de leur univers. Il faudrait attendre la montée d'une nouvelle génération pour que cette situation se modifie[34].

Après avoir refusé pendant plusieurs années de laisser entrer au pays plus que quelques milliers de Juifs par année – parfois quelques centaines seulement –, le gouvernement libéral de Mackenzie King adopte en mai 1947 une nouvelle politique migratoire qui suscite un espoir prudent au CJC et établit pour la première fois dans la loi les balises de la citoyenneté canadienne. La croissance future de l'économie nationale, affirme le premier ministre à cette occasion, requiert l'arrivée de travailleurs qualifiés étrangers et de nouveaux apports de population. Dans ce contexte, les réticences manifestées par les fonctionnaires fédéraux avant et pendant la guerre disparaissent peu à peu. Tous les citoyens cependant ne partagent pas l'ouverture de Mackenzie King à une immigration sélectionnée et des résistances actives persistent dans plusieurs milieux, notamment face à l'admission de personnes d'origine autre que britannique ou française. C'est le cas notamment au Québec, où des voix continuent de s'élever pour limiter l'afflux migratoire, peu importe sa provenance.

Voyant qu'une brèche s'ouvre dans l'opposition générale à l'arrivée de réfugiés européens, le CJC met aussitôt en branle un projet déjà approuvé par le gouvernement : faire venir au Canada un millier d'or-

---

34. Franklin Bialystok, *Delayed Impact*, p. 44.

phelins juifs victimes de l'Holocauste. De fait, le CJC attend depuis 1941 l'occasion d'accueillir au pays des mineurs qui se trouvent bloqués sur le territoire français et qui ne peuvent pas être transportés hors d'Europe tant que les hostilités durent. Les premiers enfants survivants arrivent dans le port d'Halifax en janvier 1949 ; plus de la moitié se trouvaient dans des camps de la mort en Pologne et en Allemagne lorsqu'ils ont été libérés par les Alliés. En tout, 1 116 personnes entrent au Canada grâce à cette entente officielle, dont beaucoup ne sont déjà plus des enfants tant leur arrivée au pays a tardé. En fait, il s'agit pour la plupart de jeunes adultes qui ont grandi au milieu de privations de toutes sortes et qui n'ont jamais connu un milieu d'accueil digne de ce nom.

Pendant que les premiers contingents d'orphelins traversent l'Atlantique, le Jewish Labor Committee (JLC) et la Jewish Immigrant Aid Society (JIAS) proposent de recruter en République fédérale d'Allemagne des travailleurs qualifiés juifs qui sont d'origine est-européenne et que l'on garde depuis l'armistice dans des camps de réfugiés. De concert avec le CJC, les syndicats juifs canadiens de la confection réussissent à convaincre des employeurs du secteur manufacturier – souvent eux-mêmes d'origine juive – de donner la priorité dans l'emploi à cette catégorie d'immigrants. Grâce entre autres à ce programme d'admission, plus de 15 000 survivants de l'Holocauste entrent au pays entre avril 1947 et mars 1950, dont près de la moitié s'établissent dans la région de Montréal. La plupart sont des tailleurs, des fourreurs et des spécialistes du vêtement. C'est le plus important contingent juif arrivé au Canada depuis la vague migratoire du début du siècle[35].

Cet afflux soudain remplit de joie une communauté qui avait vainement tenté, quelques années auparavant, d'ouvrir les portes du pays aux Juifs allemands et est-européens fuyant la tyrannie nazie. Le sommet est atteint en 1949 quand près de 9 000 personnes d'origine juive franchissent la frontière du Canada en provenance d'Europe. Ce sont

---

35. Pour une représentation littéraire de cette immigration, voir Chava Rosenfarb, *Survivors: Seven Short Stories*. Un extrait en français de la nouvelle intitulée « Der Griner » [Le nouvel arrivé] a paru dans *Voix yiddish de Montréal, Mœbius*, vol. 139, novembre 2013, p. 50-59, dans une traduction de Chantal Ringuet.

pour la plupart des Juifs polonais qui ont quitté la zone d'influence soviétique à la fin du conflit mondial et qui attendaient depuis de longs mois d'être admis à l'Ouest. À Montréal, l'apport se chiffre à 8 420 personnes pour la période de cinq ans qui débute en 1946. En 1951, rappelle Louis Rosenberg, les immigrants de l'après-guerre forment près de 27,5 % de la population immigrante juive dans la ville[36]. C'est un bloc considérable, uni par une expérience commune du génocide, mais qui s'installe à Montréal souvent privé de tout soutien affectif véritable. Le défi d'une intégration harmonieuse est particulièrement difficile à relever dans le cas des orphelins et des jeunes adultes qui ont vu toute leur communauté d'origine périr aux mains des bourreaux nazis. Qui plus est, il n'existe pas encore de mots pour décrire les souffrances qu'ils ont endurées. Il n'existe pas non plus d'institutions ou de musées pour rappeler les significations de leur expérience récente et interpréter pour un vaste public l'ampleur de la Shoah. Pendant des années, le silence règne – même au sein de la communauté juive – sur les crimes dont ont été victimes les Juifs polonais et sur les différentes étapes qui ont mené à l'extermination de millions de personnes. Dans certains cas, la persécution s'est faite dans un tel contexte de cruauté et d'inhumanité que le récit de ces atrocités paraît insoutenable aux premiers témoins. Comment en effet, se demandent les survivants[37], relater l'indicible et transmettre un portrait fidèle des événements, même à des Juifs canadiens ? Pendant un certain nombre d'années, les personnes déplacées venues d'Europe sont aussi occupées à une tâche redoutable : rebâtir leur vie, reprendre contact avec leurs proches ou réunir dans la plupart des cas les preuves de leur disparition violente.

---

36. Louis Rosenberg, *Population Characteristics.*

37. Le nombre exact de survivants de l'Holocauste n'en est pas moins difficile à établir au sein de cette vague migratoire. Joseph Kage, auteur de *With Faith and Thanksgiving* (1962), mentionne le chiffre total de 19 873 immigrants juifs pour l'ensemble du Canada entre 1946 et 1951 et 20 193 de plus pour la période de 1951 à 1956, dont près de la moitié s'établissent à Montréal. En accueillant sur une décennie près de 20 000 nouveaux venus, dont une forte majorité de survivants, Montréal devient une des villes au monde où le pourcentage de rescapés de la Shoah est le plus élevé au sein de la population juive.

D'autres difficultés d'ordre plus logistique se présentent dans l'après-guerre à la communauté juive de Montréal, dont celle de trouver des familles d'accueil pour les orphelins venus d'Europe et de les initier aux pratiques sociales de leur société d'adoption. Les besoins dépassent nettement les capacités d'accueil des structures juives déjà en place :

> Bien que les organisations juives aient réservé des sommes importantes à cette fin et malgré l'aide de nombreux bénévoles, l'effort consenti ne parvint pas à produire de résultats satisfaisants. La communauté se trouva dépassée par la situation. Cela tient à ce que d'une part les différentes organisations ne surent pas coordonner leurs efforts ni partager une même responsabilité et de l'autre à ce que les besoins des immigrants se sont finalement avérés très différents de ceux des vagues précédentes[38].

Malgré la complexité des trajectoires migratoires juives d'après-guerre et le fardeau qui incombe dès lors à la communauté juive canadienne dans ce contexte, l'arrivée d'une nouvelle vague est-européenne présente aussi des occasions d'enrichissement culturel inespérées. Parmi les immigrants qui arrivent à Montréal après 1947 se trouvent certains des plus grands littérateurs de langue yiddish que comptait la Pologne entre les deux guerres. Des pédagogues de renom, des intellectuels reconnus et des artistes d'avant-garde prennent le chemin de Montréal, certains qu'ils sont d'y trouver une vie culturelle en langue yiddish de haut niveau. Se déversent ainsi sur la ville les derniers vestiges d'un monde disparu et qu'il n'est plus possible de faire revivre en Europe de l'Est. Les persécutions systématiques et les massacres à grande échelle, dont certains ont lieu en Pologne même après le retour de la paix – comme en juillet 1946 à Kielce, par exemple –, achèvent de convaincre l'intelligentsia de langue yiddish qu'il n'est plus possible d'espérer une renaissance juive sur le Vieux Continent.

La prise de contrôle politique par les communistes des anciennes républiques baltes, hongroise, tchécoslovaque et polonaise forme un

38. Franklin Bialystok, *Delayed Impact*, p. 57. Notre traduction.

autre obstacle insurmontable dans ce contexte. Se produit ainsi un renversement de perspective qui propulse des foyers autrefois considérés comme appartenant à la diaspora lointaine, tels que New York, Montréal, Buenos Aires et Los Angeles, au cœur de la mouvance yiddish d'après-guerre. La marge devient le centre et, pour la première fois depuis le bas Moyen Âge, l'Europe n'est plus le pivot fondamental du judaïsme mondial. Un très grand nombre de survivants de la Shoah se dirigent au même moment vers la Palestine, où ils doivent faire face jusqu'à l'apparition de l'État d'Israël à des tracasseries administratives incessantes de la part des Britanniques et à la nécessité d'adopter la langue hébraïque dans leur vie quotidienne. La communauté juive de Montréal – peut-être pour la première fois de son histoire – détourne le regard qu'elle maintenait jusqu'alors fixé sur l'Europe pour s'intéresser de manière plus soutenue au sort de la collectivité juive qui émerge au Proche-Orient après 1948.

À Montréal, tous les activistes culturels et les créateurs juifs savent au fond d'eux-mêmes que la vague migratoire de langue yiddish qui s'échoue sur la ville après 1948 sera la dernière. Ce constat, inéluctable et tragique, soulève un mouvement de sympathie envers les personnalités littéraires et artistiques que la réputation de la communauté attire dans la métropole québécoise. Plusieurs survivants arrivent au Canada à la suite d'un long parcours « à travers mers et mondes[39] » grâce auquel ils ont échappé à leurs bourreaux et conservé un semblant de normalité. Aussitôt établis, les écrivains et poètes yiddishophones sont entourés de préventions et intégrés au réseau institutionnel de la Bibliothèque publique juive (BPJ), à la rédaction du *Keneder Odler* et aux cercles agissants de l'intelligentsia locale. Une fois de plus, Montréal connaît une effloraison de culture yiddish – brève mais intense – à un moment où l'élan des premières fondations date de près de quarante ans et où la

39. C'est d'ailleurs le titre d'un ouvrage de Melech Ravitch, *Kontinenten un okeanen, lider, baladn un poemes* [continents et océans, poèmes, ballades et textes poétiques], publié à Varsovie en 1937 quelques mois avant l'invasion allemande.

langue n'est plus utilisée par la jeune génération née au Canada. Les poètes qui avaient immigré dans la ville avant la Première Guerre mondiale côtoient pendant un court interlude les rescapés de la Shoah. Ils partagent leurs souvenirs de communautés maintenant disparues où ils avaient pour la plupart vécu leur enfance.

Melech Ravitch, arrivé à Montréal en août 1941 après des séjours de quelques mois en Australie, en Argentine et au Mexique, devient rédacteur littéraire à l'*Odler* en compagnie de Jacob-Isaac Segal. Il publie de la poésie yiddish, écrit un dictionnaire biographique en quatre tomes des écrivains yiddish à travers le monde[40] et anime la Folks Universitet [l'université populaire] à la BPJ. Il contribue aussi à l'édition d'un volumineux *yizkor-bukh*[41] sur Varsovie, publié en 1966 à Montréal, et traduit en yiddish *Le Procès* de Franz Kafka. Ravitch est suivi en 1948 de Rokhl Korn, qui avait fui l'invasion allemande en se réfugiant pendant quelques années à Tachkent, en Asie centrale, et à Moscou. Lorsqu'elle arrive à Montréal, Korn est déjà connue pour son abondante production littéraire d'avant-guerre et obtient aussitôt un auditoire considérable dans la ville. En 1949, elle publie un recueil poétique intitulé *Bashertkayt, lider* [Prédestination, poèmes], bientôt suivi de plusieurs autres surtout diffusés à partir de Tel-Aviv. Comme le rappelle son biographe Haim-Leib Fuks,

> son arrivée à Montréal a correspondu dans sa carrière à une période d'intense activité littéraire. Elle a ainsi fait paraître des textes dans le *Keneder Odler,* en plus de contribuer à presque toutes les anthologies ayant vu le jour à ce moment, notamment par des poèmes, des récits, des essais littéraires, des études concernant des auteurs et des livres, ainsi qu'une partie de ses mémoires portant sur ses années d'errance. [...] Ses poèmes ont été traduits en hébreu, en russe, en anglais, en fran-

40. Melech Ravitch, *Mayn Leksikon* [Mon dictionnaire biographique], Montréal, publié par un comité de souscripteurs, 1945-1982.

41. Ce terme signifie « livre du souvenir ». Il s'agit d'un genre littéraire très répandu à l'époque, qui veut témoigner rétrospectivement de la vie juive dans certaines localités d'Europe de l'Est avant la période nazie. Voir Melekh Ravitch, *Dos amolike Yidishe Varshe biz der shvel fun dritn khurbn, 1414-1939.*

çais et en allemand. Ils figurent également dans diverses anthologies de la littérature universelle parues autour du monde[42].

Peu après Korn s'établit en 1950 à Montréal une jeune femme qui a été enfermée dans le ghetto de Lodz puis détenue aux camps d'Auschwitz et de Bergen-Belsen, dont elle a été libérée par les Britanniques en avril 1945. Chava Rosenfarb s'installe dans la ville elle aussi précédée d'une réputation mondiale que lui a valu la publication en 1947, à Londres, d'un recueil poétique intitulé *Di balade fun nekhtikn vald* [La ballade de la forêt d'autrefois]. L'ouvrage, une réflexion lancinante sur la Shoah, est réédité en 1948 à Montréal par les soins de Hirsch Hershman. L'événement ouvre la voie à l'arrivée de Rosenfarb et lui vaut beaucoup d'attention dans sa ville d'accueil, où elle écrit en 1958 une pièce de théâtre intitulée *Der foygl fun geto* [L'oiseau du ghetto]. Suit quelques années plus tard un récit autobiographique en trois volumes ayant pour titre *Der boym fun lebn, trilogye* [L'arbre de vie, une trilogie][43]. En 1959, le *Tog Morgen Zhurnal* [Le quotidien du matin] de New York formule ce jugement sur son œuvre : « Chava Rosenfarb est une enfant de notre époque. Elle a découvert sa vocation d'écrivain au milieu de terribles souffrances et survécu à des horreurs, ce qui ne l'a pas empêchée d'émerger de tous ces malheurs avec un livre de poésie[44]. » Fondé à Montréal en 1941 par des sommités littéraires locales, le Yidisher Shrayber Farayn [l'association des écrivains yiddish], qui compte alors près de cinquante membres, sert de lieu d'accueil aux nouveaux venus et facilite leur entrée dans le panthéon littéraire canadien de langue yiddish[45]. Jusqu'en 1948, une vingtaine de nouvelles personnalités y sont admises, dont Rokhl Korn, Paul Trepman, Joseph Rogel et Shlomo Mitsmacher. Il en va de même de la BPJ

42. Haim-Leib Fuks, *Cent ans de littérature yiddish et hébraïque au Canada*, p. 316-317.

43. Le récit est disponible en anglais sous le titre *The Tree of Life: A Trilogy of Life in the Lodz Ghetto.*

44. Haim-Leib Fuks, *Cent ans de littérature yiddish et hébraïque*, p. 364.

45. Voir Pierre Anctil, *Jacob-Isaac Segal*, p. 301-306.

et du salon littéraire d'Ida Maze, où les talents nés à l'étranger sont entourés de toutes les attentions et où l'on cherche à valoriser leurs réalisations[46].

Montréal voit aussi arriver à cette époque de grands esprits qui appartiennent au courant religieux de la tradition juive. Grâce à eux, un nouveau souffle s'empare du réseau institutionnel qui perpétue dans la ville le judaïsme sous sa forme orthodoxe. Des académies talmudiques et des écoles pour enfants voient le jour, de même que des parutions pieuses en yiddish et en hébreu qui approfondissent une veine déjà riche dans la métropole. C'est le cas notamment du rabbin Pinchas Hirschprung, qui a fui la Pologne en 1939 et est arrivé à Montréal en 1941 *via* le chemin de fer transsibérien et le Japon. Il publie en 1944 *Fun natzishn yomer tol* [Dans la vallée des tourments nazis], témoignage poignant de son départ *in extremis* d'Europe et des péripéties qui lui ont permis d'échapper aux camps de la mort[47]. Hirschprung se distinguera entre autres en devenant à partir de 1969, et pendant près de trente ans, le grand rabbin de Montréal et le *rosh yeshiva** du Rabbinical College of Canada, une institution d'allégeance hassidique loubavitch située dans le quartier Côte-des-Neiges. La destruction de la vie juive en Europe de l'Est pousse en effet les derniers adeptes de l'orthodoxie à fuir un monde où plus rien ne les retient. C'est que les grandes synagogues et les académies talmudiques, qui formaient le réservoir vivant du savoir religieux traditionnel, ont toutes été emportées dans la tourmente. Jusqu'à la guerre, la plupart des grands dirigeants du courant judaïque pieux avaient repoussé l'idée d'entreprendre la traversée de l'Atlantique, sous le prétexte qu'il n'était pas possible en Amérique de mener une vie en strict accord avec les préceptes du judaïsme. Ce point de vue n'est plus soutenable après 1939 et de petits groupes d'étudiants des cercles hassidiques est-européens commencent à arriver à Montréal.

Ils ne sont pas tout à fait les premiers adeptes de cette mouvance à immigrer dans la ville, car cette tradition était déjà représentée par le

---

46. Chantal Ringuet, « L'engagement littéraire et communautaire d'Ida Maze, la mère des écrivains yiddish montréalais ».

47. Rabbin Pinchas Hirschprung, *The Vale of Tears.*

rabbin Yudel Rosenberg depuis les années 1920 ; mais ils œuvrent, aussitôt établis, à la création de maisons de prière et de communautés autonomes[48]. Le hassidisme constitue de fait une rupture avec l'orthodoxie rabbinique. Cela se produit au milieu du XVIIIe siècle lorsque le Baal Shem Tov – de son vrai nom le rabbi Israël ben Eliezer – entreprend de prêcher aux masses populaires juives une interprétation mystique du judaïsme basée sur la piété, la prière intense et la reconnaissance d'un leader charismatique. Comme tous les immigrants juifs de l'après-guerre à Montréal, les Juifs hassidiques, ou Pieux, prennent racine sur le Plateau Mont-Royal et dans le Mile End, où ils tissent au fil des ans un réseau très dense d'institutions scolaires séparées, de *yeshivot*, de *bote-medroshim* et de synagogues. Tous d'origine est-européenne au départ, ils appartiennent à différentes sectes qui entretiennent assez peu de liens entre elles et dont les principales dans la région de Montréal sont les Belz (Galicie), les Loubavitch (Russie), les Satmar (Hongrie), les Skver (Ukraine) et les Tash (Hongrie)[49]. Ces communautés forment une nouvelle réalité dans la judéité canadienne, une mouvance animée par des valeurs et des pratiques qui n'ont pas d'équivalent au sein des populations juives installées dans la ville depuis plus longtemps. Les Pieux en effet proposent des modes de socialisation axés sur la préservation de la tradition religieuse entendue dans son sens le plus exigeant, ce qui les empêche le plus souvent d'entretenir des rapports suivis et intimes avec les Juifs séculiers ou d'obédience plus libérale. Leur dévotion religieuse les détourne aussi fréquemment des modes de mobilité sociale empruntés par la majorité des Juifs montréalais au XXe siècle, qui exigent un abandon au moins partiel des comportements religieux traditionnels.

---

48. Steven Lapidus, « The Forgotten Hassidim: Rabbis and Rebbes in Prewar Canada » et « The Jewish Community Council of Montreal: A National Kehillah or a Local Sectarian Organization? ».

49. Voir Julien Bauer, « Les communautés hassidiques de Montréal » et *Les Juifs hassidiques.*

La complétude institutionnelle juive

L'après-guerre voit aussi l'apparition au Canada des premiers réseaux institutionnels juifs centralisés. Ces infrastructures communautaires, dont les différents éléments constitutifs étaient apparus au tournant du siècle, réunissent sous un même parapluie tous les services sociaux et culturels offerts dans une même localité aux personnes d'origine juive. Contrairement aux principaux lobbys politiques juifs, qui possèdent un mandat pancanadien, les fédérations communautaires reflètent des réalités plus locales. Cela tient à ce que les caractéristiques démographiques et économiques des populations juives diffèrent beaucoup d'une région à l'autre du pays et que leur concentration dans certaines villes en particulier exige que les politiques d'intervention soient taillées sur mesure.

À Montréal, où l'expertise en ce sens est très développée sur le plan historique, les grands secteurs de la vie associative sont réunis en 1951 sous l'autorité de la Federation of Jewish Community Services (FJCS). Il s'agit d'une structure administrative complexe gérée par des bénévoles élus, comptant plusieurs centaines d'intervenants professionnels spécialisés et dont les activités respectent une planification à long terme. La hausse du niveau de vie des Juifs montréalais, leur déplacement vers la banlieue et le maintien d'une identité séparée contribuent au développement de cet ensemble d'institutions imbriquées les unes dans les autres, et dont il n'existe pas d'équivalent dans les autres milieux immigrants de la métropole. Héritière de l'Institut Baron de Hirsch, la FJCS coordonne divers domaines où il existe un investissement communautaire juif important. C'est le cas par exemple en santé et services sociaux, en éducation, dans les activités culturelles et dans le loisir en général. À une époque où l'engagement de l'État provincial et des municipalités est encore relativement limité sur le plan social, la FJCS s'intéresse aussi à certaines clientèles plus vulnérables, tels les immigrants, les orphelins, les personnes âgées, les personnes démunies sur le plan économique et les femmes sans soutien.

Dans l'après-guerre, le réseau montréalais compte un hôpital de calibre universitaire, des cliniques de santé et de services sociaux, plusieurs écoles privées, un sanatorium situé dans la région des Laurentides, des institutions culturelles et des maisons d'accueil pour jeunes et personnes âgées. Généralement dirigé par des personnes d'orientation séculière soucieuses d'offrir des services de première ligne, le réseau n'en a pas moins la responsabilité de ménager les sensibilités et les aspirations collectives de la population juive de Montréal. Cela se vérifie en particulier dans le secteur scolaire privé, auquel sont inscrits près de la moitié des enfants juifs de la ville et qui cherche à transmettre dans ses programmes d'enseignement une connaissance de l'héritage religieux et culturel du judaïsme[50].

Le phénomène du développement de réseaux communautaires dits ethniques a d'ailleurs suffisamment progressé à Montréal, à la fin des années 1950, pour attirer l'attention du sociologue Raymond Breton. Dans une étude universitaire de grande envergure entreprise à la Johns Hopkins University menée auprès de plus de deux cents immigrants de près de trente origines différentes, Breton conclut que l'intégration des nouveaux citoyens est souvent réalisée, au cours des premières années d'installation, par des institutions et dans des milieux où ils retrouvent des coreligionnaires parlant leur langue et possédant les mêmes caractéristiques socioculturelles qu'eux. D'après les données de Breton, une moyenne de 60 % des nouveaux venus entretiennent des relations surtout avec les membres de leur groupe et 20 % surtout avec des personnes du groupe majoritaire d'accueil, soit canadien-anglais, soit canadien-français. Cela amène Breton à proposer un nouveau mode d'analyse du comportement immigrant basé sur le concept de « complétude institutionnelle » *(« institutional completeness »).* Dans le cas des populations allophones dotées d'infrastructures communautaires développées, comme au sein de la population juive par exemple, la proportion de relations intracommunautaires peut grimper jusqu'à près de 90 %. En somme, à Montréal, l'acculturation des nouveaux citoyens est réalisée avant tout par des immigrants installés depuis plusieurs années et bien intégrés à la société canadienne. Ce lien qui se tisse au sein d'une même communauté entre arrivants récents et ceux qui sont

50. Voir Sivane Hirsch *et al.* (dir.), *Judaïsme et Éducation. Enjeux et défis pédagogiques.*

déjà « acculturés » a aussi pour effet de renforcer l'identité « ethnique » des personnes nées au Canada :

> Le degré de complétude institutionnelle et l'ampleur des réseaux ethniques interpersonnels demeurent des phénomènes interdépendants. [...] Une fois qu'une structure formelle a été développée, celle-ci a pour effet de renforcer la cohésion des réseaux déjà existants et d'en étendre l'influence. Cet élargissement est obtenu surtout en attirant les nouveaux immigrants à l'intérieur de la communauté ethnique déjà en place. Une communauté avec un haut degré de complétude institutionnelle possède une plus grande capacité d'absorption que celles qui ne sont dotées que d'organisations sociales plus informelles[51].

Quoique Breton n'ait pas mené d'entrevues auprès d'immigrants d'origine juive dans son étude publiée en 1964, il est assez évident que le modèle d'intégration proposé et réalisé à la fin des années 1950 par la communauté juive de Montréal correspond à la situation optimale décrite par le chercheur[52]. La forte amplitude institutionnelle juive est de plus soutenue par une identité religieuse unique et par un schème migratoire de groupe plutôt qu'individuel. Elle s'explique aussi par les moyens financiers assez limités des immigrants est-européens de l'après-guerre et par leur état de détresse affective, deux désavantages que la population juive bien établie a voulu atténuer en s'engageant auprès d'eux. En somme, l'acculturation soutenue des immigrants à l'intérieur d'un réseau spécifiquement juif, déjà en place depuis plusieurs décennies, renforce le maintien par les Juifs canadiens de leur autonomie institutionnelle et de leur identité. Cela contribue aussi à perpétuer la compartimentation historique déjà ancienne à Montréal des populations de différentes origines, dont les Juifs de la grande vague

51. Raymond Breton, « Institutional Completeness of Ethnic Communities and the Personal Relations of Immigrants ». Notre traduction.

52. La décision de la part de Breton de ne pas analyser le cas des nouveaux venus juifs tenait probablement au fait que ceux-ci venaient d'un grand nombre de pays et qu'il était sans doute difficile d'isoler leur « judéité » à partir des données disponibles.

est-européenne ont fait l'expérience un demi-siècle plus tôt. Le modèle juif s'avère d'autant plus performant qu'il s'appuie sur une progression sociale exceptionnelle des populations juives nées au pays et sur un éventail de compétences professionnelles récemment acquises dans le réseau d'enseignement supérieur canadien.

Au lieu de se disperser fortement dans l'espace montréalais et d'atténuer les manifestations de leur présence, les nouveaux venus sont ainsi invités à suivre la voie ouverte par leurs coreligionnaires une ou deux générations plus tôt et à occuper des quartiers déjà riches en institutions judaïques de toutes sortes. Grâce à ces appuis bien sentis – et malgré les lacunes relevées par l'historien Franklin Bialystok et notées plus haut –, les survivants de la Shoah et les rescapés des camps connaissent, pour ce qui est des conditions d'entrée au pays, un sort nettement plus enviable que les arrivants juifs du début du siècle, entrés sur le territoire canadien sans le bénéfice de structures d'accueil développées et à une époque où les préjugés anti-immigrants étaient nettement plus présents dans les mentalités. C'est ce qui permet à Louis Rosenberg d'affirmer en 1956 :

> Les immigrants juifs venus après la Seconde Guerre mondiale ont été intégrés plus rapidement à la vie économique de la communauté et ne sont pas restés longtemps dans les secteurs urbains plus dégradés de Montréal, là où les loyers étaient les plus bas. En fait, ils n'ont pas tardé à prendre résidence à Outremont et dans les nouveaux quartiers d'habitation de Montréal[53].

À la fin des années 1950, la communauté juive montréalaise a déjà atteint un certain palier de réalisations. Ses membres, pour la majorité nés au Canada, aspirent plus que jamais à se tailler une place enviable dans la vie économique et politique de leur société d'appartenance. Pour la première fois depuis la grande vague migratoire, les Juifs canadiens possèdent indéniablement les compétences et les outils nécessaires à la réalisation de leurs ambitions. Ils maîtrisent en très grand

---

53. Louis Rosenberg, *Population Characteristics*, p. 33.

nombre la langue commune des affaires et ils ont souvent été éduqués dans des établissements de haut savoir, un cheminement qui leur a ouvert les portes des professions libérales. Au sein de cette population, les revenus sont à la hausse et les conditions de vie se sont nettement améliorées par rapport au début du siècle. C'est le sens du déplacement massif qui a mené les Juifs montréalais à quitter les quartiers du bas de la ville et de la *Main* en direction des nouvelles villes de banlieue situées plus à l'ouest, parfois au-delà des limites de la municipalité mère.

Les Juifs montréalais ont aussi appris à perpétuer leur héritage religieux dans le contexte nord-américain et ont traversé une période d'acculturation intense sans entamer pour autant leur identité judaïque. Cela tient en grande partie à l'étendue et à la profondeur du réseau institutionnel juif à Montréal. Certes, des réticences continuent à se manifester face à la présence juive dans certains milieux, mais un vent de libéralisme politique et de tolérance empêche l'expression, dans l'après-guerre, des discours antisémites stridents qui avaient proliféré au cours des années de la Grande Dépression. À partir des années 1950, les dirigeants de la communauté juive commencent à entrevoir l'avenir avec un certain optimisme et sentent que les progrès accomplis par rapport à la période précédente sont irréversibles. Cela se mesure particulièrement par rapport aux trois objectifs principaux que le CJC s'était fixés au moment de sa réactivation en 1933-1934. Près de trente ans plus tard, le Canada est redevenu une terre d'accueil pour les immigrants juifs européens, et les sentiments antisémites qui avaient tenu les victimes du nazisme à l'écart du pays se sont atténués. Des progrès sont aussi particulièrement visibles sur le marché du travail, où les Juifs ne rencontrent plus des obstacles aussi insurmontables et aussi systématiques que vingt ans plus tôt.

Établis au début du XXe siècle au sein d'une société de tradition fortement britannique, les Juifs est-européens ont rapidement traversé en terre canadienne les principales étapes de leur émancipation politique complète. Les avancées qui semblaient irréalisables au sein de l'Empire russe cinquante ans plus tôt se sont finalement produites dans un pays nouveau où les Juifs étaient pour l'essentiel des immigrants récents. Dans ce processus transformatoire inédit au Canada et quasi inespéré sur le plan historique, Montréal a joué un rôle fondamental.

C'est dans les quartiers de la métropole québécoise et dans ses places de travail que s'est jouée la montée sociale décisive qui a mené les populations de langue yiddish à se redéfinir puis à participer pleinement au développement de leur société d'accueil. Parmi toutes les villes du pays, Montréal a fini par incarner en quelque sorte la réussite et les réalisations inattendues du judaïsme canadien. Par sa densité institutionnelle et la brillance de ses réalisations culturelles, la métropole occupe une place à part dans l'imaginaire juif. Nulle part mieux qu'à Montréal n'est-il possible de sentir avec autant d'intensité la profondeur historique du judaïsme canadien. En tournée à Toronto à la fin de sa vie, H.-M. Caiserman a eu ces mots à l'endroit de sa ville d'adoption, Montréal :

> Cette fois, je suis venu à Toronto à l'invitation d'un organisme philanthropique juif, afin de regrouper plus de 300 organisations juives vouées au bien-être de la communauté, un peu comme le Central Peoples Committee à Montréal. Dire que j'aime venir à Toronto serait une exagération. C'est une communauté encore fruste malgré sa taille.
> Chaque fois que je me déplace ici, je ressens une nostalgie pour Montréal – une communauté d'une grande maturité, qui bénéficie d'un fort leadership et qui est dotée d'une certaine dignité, bien qu'elle soit parfois cachée dans les replis de ses milieux culturels et artistiques ; une communauté au développement de laquelle j'ai personnellement contribué et où se trouvent de nombreux amis qui me sont chers sur le plan émotionnel[54].

L'ascension sociale de la population juive s'accompagne de nouveaux phénomènes à Montréal et dans l'ensemble du Québec qui étaient impensables dans la période de l'entre-deux-guerres. Le développement économique accéléré de la métropole après 1945, la hausse constante de la valeur foncière et l'amélioration générale du niveau de vie des consommateurs permettent à quelques entrepreneurs d'origine

54. Lettre de H.-M. Caiserman à la famille Kanner, Toronto, 16 février 1949, fonds Caiserman, Service des archives juives canadiennes Alex Dworkin, Montréal. Notre traduction.

juive de se hisser très haut et de bâtir de véritables empires industriels et commerciaux. C'est le cas de Samuel Bronfman, né en Russie impériale et immigré avec sa famille en Saskatchewan en 1889. Après avoir exercé différents métiers, dont ceux de marchand de chevaux et de propriétaire d'hôtels dans l'Ouest canadien, Bronfman se lance dans le commerce de l'alcool alors que la prohibition sévit toujours au sud de la frontière américaine. En 1924, il ouvre une distillerie en banlieue de Montréal puis fait l'acquisition en 1928 de la compagnie Joseph E. Seagram, une entreprise concurrente basée en Ontario. La fin en 1933 des restrictions légales sur la vente d'alcool aux États-Unis et une stratégie de marketing basée sur la promotion de whiskeys fins propulsent Seagram au sommet de l'industrie. À la fin des années 1940, Bronfman, qui entre-temps s'est établi à Montréal, est à la tête de la plus importante entreprise de production d'alcool en Amérique du Nord. Cela fait de lui un des hommes les plus riches au pays. La fortune n'empêche toutefois pas l'industriel de se rappeler ses origines modestes, et il devient par son leadership communautaire et ses activités philanthropiques une figure dominante du judaïsme canadien[55]. Président du CJC de 1939 à 1962, Bronfman personnifie les succès inespérés des Juifs canadiens dans un monde devenu plus ouvert à la diversité et au pluralisme.

Si Bronfman présente le cas le plus patent d'ascension sociale dans l'histoire juive canadienne, d'autres entrepreneurs tout aussi inspirés ont laissé leur marque sur le Québec de l'après-guerre. C'est le cas notamment de Samuel Steinberg, né dans une famille hongroise arrivée à Montréal vers 1910. La mère de Samuel, Ida, tient une épicerie sur le boulevard Saint-Laurent, et c'est là que son fils s'initie au monde des affaires. Fort de cette expérience, Samuel Steinberg adapte au milieu des années 1930 le concept du *self-serve* au domaine de l'épicerie, c'est-à-dire une approche de marketing où le client a accès directement à la marchandise au lieu de passer par un comptoir. L'idée fait florès et vaut

55. Voir l'excellente biographie de Samuel Bronfman publiée par Michael Marrus sous le titre *Mr. Sam: The Life and Times of Samuel Bronfman.* Le roman de Mordecai Richler *Solomon Gursky Was Here* présente aussi plusieurs facettes de la vie de Samuel Bronfman. Il a été traduit en français par Lori Saint-Martin et Paul Gagné sous le titre *Solomon Gursky.*

au commerce familial une expansion extraordinaire dans les quartiers populaires de Montréal. Après la guerre, Steinberg comprend qu'une nouvelle forme d'habitat émerge dans les grandes villes et se lance dans l'ouverture tous azimuts de grands centres commerciaux en banlieue. La recette est simple : regrouper des magasins spécialisés autour d'une grande épicerie Steinberg et d'un magasin à rayons Miracle Mart. À sa mort en 1978, Sam Steinberg dirige la plus importante chaîne alimentaire du Québec[56]. Des milliers de francophones travaillent d'ailleurs en français dans l'entreprise et l'enseigne est présente partout, au point où le nom de Steinberg est entré dans l'imaginaire canadien-français. Avec elle, une culture et des pratiques qui semblaient exotiques et lointaines au moment de la grande migration est-européenne atteignent maintenant l'ensemble des foyers du Québec, car des produits alimentaires et des mets typiquement ashkénazes font leur entrée dans les cuisines des familles francophones montréalaises. Le bagel, la viande de bœuf fumée – connue sous le nom de *smoked meat* – et le cornichon mariné, tous des produits cachers à l'origine, franchissent allègrement la frontière culturelle qui séparait les Juifs des catholiques canadiens-français.

D'autres entrepreneurs issus de l'Empire russe font des percées remarquables, dont le quincaillier Jacob Pascal dans la région de Montréal et le commerçant de détail Maurice Pollack à Québec[57]. C'est probablement le signe le plus éclatant de l'abaissement des barrières communautaires et religieuses autrefois quasi infranchissables au sein de la société québécoise.

Revirements d'après-guerre

Les dirigeants communautaires juifs prennent peu à peu conscience du climat nouveau qui se manifeste au lendemain de la Seconde Guerre mondiale dans le Québec francophone. Ce n'est pas encore la fin de

56. Peter Hadekel et Ann Gibbon, *Steinberg. Le démantèlement d'un empire familial.*

57. Voir Pierre Anctil, « Maurice Pollack, homme d'affaires et philanthrope ».

l'antisémitisme doctrinal à proprement parler, mais les attaques virulentes et les charges à fond de train qui ponctuaient les rapports entre les deux groupes sont devenues choses du passé. D'une part, les activistes du CJC sont mieux préparés à se porter à la rencontre du fait français, qu'ils accueillent avec plus d'ouverture ; d'autre part, les changements à l'emporte-pièce que traverse la société québécoise des années 1950 et 1960 ouvrent la voie pour la première fois à un dialogue significatif. Le déclin de la doctrine catholique traditionnelle et de l'influence de l'Église figure certainement parmi les facteurs les plus marquants de cette évolution. Fers de lance de la compartimentation confessionnelle, l'enseignement et la prédication catholiques ne cessaient de soulever des objections fondamentales à la rencontre entre Juifs et chrétiens. Plusieurs penseurs formés au sein du catholicisme croyaient aussi fermement, pour des raisons identitaires, qu'il était très difficile sinon impossible pour les adeptes du judaïsme d'être admis au sein du Canada français et d'y jouer un rôle constructif.

L'atténuation puis la disparition progressive de ces arguments vont ouvrir la porte à des échanges plus ciblés et plus positifs, favorisés par la prise de conscience de l'anéantissement du judaïsme européen – et du rôle qu'y a joué le christianisme. Non seulement la place des clercs dans la société québécoise se modifie et leur présence s'estompe, mais le pape lui-même proclame au cours du IIe concile du Vatican une nouvelle relation entre catholiques et Juifs. En 1965, la publication de la déclaration *Nostra Ætate* renverse un paradigme vieux de deux millénaires et confirme que la chrétienté est issue du judaïsme, auquel elle a emprunté l'essentiel de son système de valeurs éthique et moral. Dans les circonstances, Paul VI condamne avec fermeté les propos qui tiennent de l'antijudaïsme doctrinal et reconnaît les fautes passées de l'Église en la matière[58].

Un ton est donné qui se répercute sur la société civile canadienne-française et limite les abus flagrants des années 1930. David Rome avait en quelque sorte anticipé la chose dès 1949 dans un document interne

58. John Connelly, *From Brother to Enemy: The Revolution in Catholic Teaching on the Jews, 1933-1965.*

du CJC rédigé à l'intention des dirigeants bénévoles de l'institution : « En ce qui concerne le Canada français, l'antisémitisme varie selon les politiques appliquées par l'Église [catholique]. Un autre aspect très important de ce phénomène a trait aux notions véhiculées et au pouvoir détenu par le volet "nationaliste" caractéristique du Canada français[59]. » David Rome, relationniste au CJC, notait au même moment une chute partout au Canada dans les grands journaux, dont au Québec francophone, des tirades dirigées contre la communauté juive et le judaïsme. Le constat était saisissant par rapport à la période précédente :

> La presse à grand tirage, c'est-à-dire les journaux et les magazines qui s'adressent à un public très vaste, et non pas à des segments particuliers de l'opinion publique, ne reflète plus du tout aujourd'hui de penchants pour l'antisémitisme. Bien au contraire, plusieurs de ces publications publient des éditoriaux et des articles qui condamnent fortement ce mal. Dans la plupart des cas, ces dénonciations apparaissent spontanées et font même parfois usage de matériel documentaire offert par des groupes juifs et d'autres institutions intéressées à combattre les préjugés[60].

Pendant que l'Église catholique modifie radicalement sa position, le courant nationaliste canadien-français du tournant du XXe siècle se mue au Québec en un mouvement résolument laïque et plus ouvert à la diversité. C'est l'autre volet du constat fait par David Rome en 1949. La société québécoise de l'après-guerre est entrée dans un processus de transformation et de modernisation qui reporte sur la langue française le point de référence fondamental de l'identité collective. D'abord soucieux de perpétuer leur espace d'expression francophone et leur originalité culturelle au sein du Canada, les Québécois abandonnent peu à peu le point de vue défensif qui les portait à repousser hors de leur idée

59. Note de David Rome à H.-M. Caiserman intitulée « In reply to your request for information for the survey on anti-Semitism in Canada », Canadian Jewish Congress, 17 février 1949, Service des archives juives canadiennes Alex Dworkin, Montréal. Notre traduction.

60. *Ibid.*

de la nation les immigrants et les porteurs d'altérité, à plus forte raison s'ils étaient de confession non chrétienne. Par le truchement de la langue française comme outil d'intégration universel, et non plus au moyen de la foi catholique, émerge la perception que le Québec francophone doit se présenter comme la communauté d'accueil principale des nouveaux citoyens. C'est un processus qui mettra plusieurs décennies à s'accomplir, mais il est irréversible et modifie le rapport des Québécois de l'après-guerre aux minorités religieuses et culturelles déjà présentes dans l'agglomération montréalaise[61].

On peut retracer l'émergence de ce nouveau discours dans *Le Devoir* de la fin des années 1930, quand apparaît timidement la notion selon laquelle le Québec forme une société distincte même à l'intérieur du Canada français[62]. Dès le milieu des années 1950, le journal maintenant dirigé par Gérard Filion propose une réorientation fondamentale de la pensée canadienne-française relativement à l'immigration. Ce n'est pas encore un revirement aussi radical que celui qui viendra en 1977 avec la Charte de la langue française, mais un nouveau ton apparaît qui tranche avec l'hostilité d'avant-guerre. André Laurendeau, entré au *Devoir* en 1947, est le premier qui cherche à réorienter la réflexion à ce sujet dans les pages du quotidien. Devant l'ampleur du défi, il réclame rien de moins que l'intervention du gouvernement du Québec dans la gestion de l'immigration internationale. En janvier 1956, quelques années avant l'arrivée au pouvoir de Jean Lesage, il déclare :

> Par conséquent, non seulement Toronto a toutes les chances de damer le pion à Montréal, et de devenir bientôt la métropole canadienne, mais même à Montréal le Néo-Canadien opte pour l'anglais. Nous perdons sur les deux tableaux. Le remède consisterait-il à s'opposer à l'immigration comme nous l'avons fait par le passé ? Cette politique négative n'a rien donné. Il n'est pas dit non plus qu'un pays jeune et riche comme le

61. À ce sujet, voir Lomomba Emongo et Bob W. White (dir.), *L'Interculturel au Québec. Rencontres historiques et enjeux politiques.*

62. Pierre Anctil, *« Soyons nos maîtres ». 60 éditoriaux pour comprendre* Le Devoir *sous Georges Pelletier, 1932-1947.*

> nôtre ait le droit de fermer ses portes aux hommes qui veulent y entrer. Il doit seulement poser ses conditions [...]. Il y a surtout à élaborer au Québec une politique d'accueil. C'est le gouvernement provincial qui devrait y voir, car seul il dispose de moyens assez amples[63].

Entre-temps, *Le Devoir* a cessé à la fin des années 1940 de discourir au sujet des Juifs de Montréal et n'entretient plus d'hostilité même latente envers la communauté qu'il avait voulu, sous le leadership de Georges Pelletier, tenir à l'écart du Canada français[64]. *Le Devoir* continue cependant de s'opposer encore longtemps à l'immigration de masse qui serait orchestrée au détriment du Canada français par le gouvernement fédéral, mais sans citer en exemple les immigrants d'origine juive ou faire de reproches particuliers aux Juifs du Québec[65]. Le refus viscéral d'admettre de nouveaux citoyens, un des grands axiomes de la pensée d'Henri Bourassa au moment de la fondation du *Devoir* en 1910, mettra encore plusieurs décennies à s'estomper au sein du Québec francophone. La perte d'intensité soudaine de l'hostilité envers les Juifs, qui survient au moins vingt ans avant la proclamation de la Charte de la langue française, tend à démontrer toutefois que les deux phénomènes pouvaient coexister sans être intrinsèquement liés. S'élever contre l'immigration ne signifiait pas nécessairement détester la présence juive à Montréal et vouloir repousser les Juifs à la marge du Canada français. Il en va de même du mouvement de l'« achat chez nous », qui n'a pas toujours pris au cours de l'histoire une coloration antijuive. Ce constat nous aide à mieux comprendre le sens qu'il convient de donner à l'antisémitisme comme élément de discours dans l'histoire du Québec au XXe siècle.

---

63. André Laurendeau, « Plus d'immigrants à Toronto que dans tout le Québec », *Le Devoir*, 27 janvier 1956.

64. Voir Pierre Anctil, « *Le Devoir* et les Juifs : complexités d'une relation sans cesse changeante (1910-1963) ».

65. Voir par exemple l'éditorial d'Alexis Gagnon, « La dénatalité et ses résultantes », *Le Devoir*, 11 août 1947, et celui de Pierre Vigeant, « Les pouvoirs de la province en matière d'immigration », *Le Devoir*, 27 février 1948.

L'évolution idéologique du *Devoir* au cours des années 1950 devient plus manifeste quand le directeur du journal se rend en visite en Israël et constate l'ampleur des transformations qui ont affecté le judaïsme mondial depuis la fin de la Seconde Guerre mondiale. L'émergence d'un État juif au Proche-Orient et les conséquences de la Shoah jettent en effet une lumière nouvelle sur un enjeu que *Le Devoir* commence à saisir autrement. Revenu en 1958 de Tel-Aviv et de Jérusalem, Filion projette sur le Québec francophone les réalisations que la société israélienne a su accomplir en moins de dix ans. Il renverse ainsi des décennies de méfiance et d'incompréhension mutuelles entre Juifs et Canadiens français à Montréal :

> Le peuple juif, à travers ses tribulations, n'a jamais perdu confiance en l'avenir ; il a toujours eu la détermination de se refaire un foyer national où il puisse s'épanouir librement. Cette patrie, il la possède depuis dix ans.
>
> La solidarité des Juifs doit nous servir de leçon. [...] Il n'y a pas de peuple plus divisé en surface que les Israéliens, et cependant ils savent poser les gestes qui assurent leur statut collectif. [...] Il faudrait que plus de Canadiens français aillent en Israël[66].

Filion n'est d'ailleurs pas le seul à constater que l'émergence de l'État hébreu change la donne du tout au tout et ouvre de nouvelles voies de communication entre les Juifs montréalais et le Québec de la majorité. Voyant qu'un climat plus favorable semble se profiler à l'horizon, le CJC lance quelques initiatives d'un genre nouveau qui appuient le développement de sentiments plus positifs entre tenants du judaïsme et francophones catholiques. En 1948, le grand poète montréalais A. M. Klein publie *The Rocking Chair and Other Poems*[67], œuvre qui contient une série de tableaux finement ciselés ayant pour thème la culture québé-

---

66. Gérard Filion, « Israël, une leçon de vie et de solidarité », *Le Devoir*, 23 avril 1958.

67. A. M. Klein, *The Rocking Chair and Other Poems.* Ce recueil obtient en 1949 le Prix du Gouverneur général pour la poésie puis le prix David en 1952.

coise rurale traditionnelle. Dans une lettre destinée à Karl Shapiro, Klein explique qu'il a découvert au Canada français un attachement à la tradition religieuse et aux valeurs identitaires qu'il voudrait voir se développer au sein de sa propre communauté. C'est un aveu de taille qui rompt avec les attitudes antérieures de retenue et de crainte viscérale : « Je vous entends me dire *"tu quoque"*. Et qu'avez-vous à faire avec le Canada français ? C'est une longue histoire. J'ai écrit deux livres inspirés de mes traditions ancestrales et qui tous deux vantaient les vertus anciennes. Quand j'ai cherché des exemples de ces vertus dans le monde d'aujourd'hui, je les ai trouvés dans la société québécoise[68]. » Puisque le recueil propose des perspectives culturelles inédites, le CJC décide d'en faire la promotion auprès du public lettré francophone en publiant certains des poèmes qu'il contient dans des plaquettes que l'organisme distribue lui-même[69]. Un compte rendu touchant l'œuvre littéraire de Klein avait déjà paru en 1946 dans *Les Gants du ciel*[70], un périodique animé par Guy Sylvestre, et deux ans plus tard *Les Cahiers viatoriens* s'intéressent à la manière dont l'auteur aborde la culture québécoise[71].

Paradoxalement, Klein s'ouvre au Canada français traditionnel et à son désir de perpétuation culturelle juste au moment où l'ensemble de la société québécoise bascule dans la modernité. Si l'avancée est remarquable de sincérité, elle témoigne aussi d'un certain décalage temporel entre les perceptions passéistes du poète et le déferlement des nouvelles idées au Québec. Pendant une certaine période, l'univers de signification auquel s'attachent Klein et ses admirateurs au CJC ne correspond plus à l'expression des forces vives en émergence dans le Montréal francophone. Néanmoins, l'idée que le Canada français puisse

68. Lettre d'A. M. Klein à Karl Shapiro, 27 décembre 1948. Cette lettre est reproduite dans Elizabeth Popham (dir.), *A. M. Klein: The Letters*, p. 179-180. Notre traduction.

69. Pierre Anctil, « A. M. Klein : du poète et de ses rapports avec le Québec français ».

70. A. J. M. Smith, « Abraham Moses Klein ».

71. Le Scrutateur [pseud.], « Poems of French Canada », *Les Carnets viatoriens*, vol. 8, nº 1, 1948, p. 62-63.

découvrir la réalité juive montréalaise commence à pénétrer certains esprits de part et d'autre de la barrière culturelle. La possibilité d'un rapprochement significatif progresse quand le CJC et la BPJ organisent en février 1951, rue Sherbrooke, une exposition du livre juif. La romancière Germaine Guèvremont et la journaliste Françoise Gaudet-Smet discutent à cette occasion avec le poète Jacob-Isaac Segal, puis le démographe Louis Rosenberg et l'historien Léon Trépanier prennent la parole pour vanter les réalisations culturelles et littéraires des Juifs canadiens[72]. Jamais jusque-là pareille rencontre n'avait eu lieu.

Au même moment, le Cercle juif de langue française (CJLF) est créé vers 1948 par Saul Hayes sous les auspices du CJC, mais il prend son envol qu'avec l'arrivée en 1954 à Montréal de Naïm Kattan, un jeune Juif de Bagdad qui a fréquenté dans son Irak natal les classes de français offertes par l'Alliance israélite universelle. L'homme a de plus séjourné quelques années à Paris immédiatement après la guerre et connaît très bien la francophonie internationale. Contrairement à ses coreligionnaires ashkénazes de Montréal, Kattan, issu du judaïsme de tradition mizrachi, n'a pas à faire l'effort d'apprendre à communiquer avec les Québécois dans leur langue. Aussitôt nommé animateur du CJLF, il entreprend un ambitieux programme de conférences et de rencontres entre Juifs et francophones catholiques, toutes tenues en langue française. C'est un renversement de perspectives complet. Pendant plusieurs années, sur une base mensuelle, le CJLF invite des figures emblématiques de la société francophone, dont André Laurendeau, Judith Jasmin, Gérard Pelletier et René Lévesque, pour leur permettre de s'exprimer devant des auditoires mixtes[73]. L'organisme publie aussi un *Bulletin* et, dans les années 1960, deux ouvrages collectifs voués à faire

72. « Exhibit Opens Here of Jewish Canadiana », *The Gazette,* Montréal, 16 février 1951. L'événement fut aussi commenté par Roger Nadeau dans « La science prouve que tous les hommes sont frères et le bon sens montre qu'ils ont intérêt à l'être », *Le Canada,* 22 février 1951.

73. Au sujet du Cercle juif de langue française, voir les thèses de Jean-Philippe Croteau, « Les relations entre Juifs de langue française et les Canadiens français selon le *Bulletin du Cercle juif,* 1954-1968 », et de Jean-François Beaudet, « René Lévesque et la communauté juive du Québec, 1960-1976 ».

le point sur l'évolution du judaïsme dans les pays de langue française[74]. Kattan, un passionné des lettres, publie des critiques littéraires dans *Le Devoir*, le même organe de presse qui deux décennies plus tôt avait repoussé les réfugiés juifs allemands en quête d'un refuge en terre canadienne. Interviewé en 1956 pour un film tourné par Fernand Dansereau au sujet de la communauté juive de Montréal, Kattan se déclare convaincu de la profondeur et de la pertinence de la rencontre qui se dessine entre Juifs et francophones. Pour convaincre son auditoire, il utilise un argumentaire qui n'avait jamais été suggéré jusque-là. Nul n'avait proposé aussi explicitement avant Kattan et la création du CJLF que les deux populations, juive et québécoise, puissent se découvrir des éléments de sensibilité commune :

> Du reste, les Canadiens français et les Canadiens juifs ne se ressemblent pas seulement sur ce point [d'une attirance envers la culture nord-américaine]. [...] En fait, ils appartiennent tous les deux à un groupe minoritaire. En tant que groupes minoritaires, ils peuvent se comprendre, ils peuvent comprendre la mentalité d'un autre groupe minoritaire. Il y a aussi évidemment le rattachement à leur patrimoine culturel. [...] Et puis il y a le genre de ressemblances dans la mentalité des deux groupes. Il y a l'exubérance, il y a un certain désir de se fréquenter, de se connaître[75].

Ce sont toutefois des ouvertures encore timides et des projections culturelles avancées par des gens dotés d'une sensibilité exceptionnelle. À la fin des années 1950, les perceptions de la communauté juive à l'égard des Canadiens français sont encore fortement orientées par la

---

74. Il s'agit de *Les Juifs et la communauté française* et de *Juifs et Canadiens*, tous deux dirigés par Naïm Kattan dans la collection « Cahiers du Cercle juif de langue française ». Voir aussi, de Naïm Kattan, « Jews and French Canadians ».

75. Le passage en question est tiré du documentaire de Fernand Dansereau intitulé *La Communauté juive de Montréal*, 1956 [floraweb.onf.ca/acrosscultures/theme_vis.php?id=2005&mediaid=660894&print&full]. Voir aussi l'entrevue réalisée avec Naïm Kattan en 2009 par Sharon Gubbay Helfer : www.youtube.com/watch?v=5Pa9OQt2_PU.

domination politique et économique de l'anglophonie dans l'espace montréalais. Des facteurs imprévus viendront cependant bientôt modifier de fond en comble le parcours du judaïsme au Québec. L'évolution politique du Canada réserve en effet bien des surprises à une population qui s'est habituée à percevoir sa société d'accueil comme reposant sur un soc politique immuable. Animés par la Révolution tranquille et par des formes plus radicales de nationalisme, les francophones s'apprêtent à renverser certaines des notions culturelles que les Juifs de Montréal ont cultivées depuis des décennies dans les milieux scolaires protestants. Soudainement, il ne suffira plus de maîtriser la langue anglaise pour s'assurer d'une réussite professionnelle éclatante ou d'une pleine participation à la société montréalaise. Entre le succès socioéconomique des communautés juives, qui franchissent à cette époque des étapes déterminantes, et leur intégration culturelle et politique à la majorité francophone, une dissonance se fait jour qui soulève des inquiétudes inédites. En pleine progression au lendemain de la Seconde Guerre mondiale, les Ashkénazes découvrent soudainement que leur degré d'adaptation au Québec français laisse beaucoup à désirer. Un chemin difficile s'ouvre devant les Juifs anglophones de Montréal, parfois ponctué de crises douloureuses et de doutes existentiels soutenus. Si le progrès a été grand à l'échelle matérielle, il en va tout autrement de la capacité du leadership communautaire à prédire les choix politiques de la majorité démographique et à s'y adapter. C'est une tâche qui exigera des efforts soutenus, étalés sur plusieurs décennies.

Pendant que la métropole bascule dans le giron de la langue française, une nouvelle immigration juive en provenance d'Afrique du Nord ajoute au désarroi de la communauté ashkénaze déjà établie en optant fermement pour le maintien de son identité sépharade et francophone. Le leadership institutionnel établi doit aussi composer avec l'intervention de plus en plus fréquente de l'État québécois dans le réseau institutionnel juif, notamment en matière d'éducation et de gestion de la santé publique. Avec le financement gouvernemental viendront de nouvelles normes linguistiques et un recentrement des organisations juives montréalaises sur la sphère politique provinciale. Il faudra aussi faire face à Montréal à une décroissance démographique juive due à plusieurs facteurs complexes, qui soulèvera des interrogations sérieuses en matière de financement communautaire. Mais comme le rappelle Mordecai Richler dans un récit rédigé en 1969, l'essentiel est désormais acquis : les Juifs est-européens du début du siècle sont devenus résolument montréalais.

> C'était en 1953. Le premier dimanche après mon retour d'Europe, où j'avais séjourné deux ans, j'allai visiter ma grand-mère qui habitait rue Jeanne-Mance.
> [...] « Les Juifs, en Europe, comment s'arrangent-ils ? » demanda-t-elle.Se faire demander ça tout de go, par une vieille dame qui vous a une verrue vissée dans la joue... L'attitude de l'intellectuel-homme-du-monde si chèrement acquise [...] tomba comme laine sur le dos d'un mouton.
> — Je ne sais pas, répondis-je, honteux, mais irrité en même temps d'être récupéré si promptement. Je n'en ai pas rencontré.
> S'appuyant sur leurs voitures brillantes, toutes neuves, baîllant sur les marches du perron, les mains dans les poches ou affairés à tenir une tranche de melon d'eau d'une main et, de l'autre, à en lancer les graines dans une soucoupe, mes oncles me reprochèrent de ne pas être allé en Israël. Mais leur curiosité au sujet de mon séjour outre-Atlantique contrastait grandement avec l'anxiété de ma grand-mère. Ce qui les intéressait, c'étaient les Folies-Bergères et la relève de la garde au palais de Buckingham. Ils étaient devenus canadiens[76].

76. Mordecai Richler, *Rue Saint-Urbain*, p. 21.

CHAPITRE 6

Apports sépharades et présences hassidiques, 1960-1995

Une fois de plus, au tournant des années 1960, la population juive du Québec s'apprête à vivre une étape décisive de son histoire. La société canadienne-française d'inspiration catholique que les immigrants est-européens avaient découverte lors de leur arrivée à Montréal traverse un changement profond qui reporte sur la langue – plutôt que sur la foi – le fondement premier de son affirmation identitaire. Jusque-là fortement repliés sur eux-mêmes et peu enclins à accueillir des personnes d'autres origines culturelles, à plus forte raison s'il s'agit d'immigrants récents, les « Québécois », comme on les appellera de plus en plus souvent, découvrent soudainement que certains des Juifs qui s'installent à Montréal ont le français comme langue maternelle. Pour la première fois, la barrière confessionnelle – quasi infranchissable – érigée depuis des décennies par l'enseignement théologique de l'Église cède le pas à des impératifs plus immédiats d'intégration culturelle et économique. Pendant que Montréal accueille des Juifs acculturés à la sphère d'influence française, le Québec en entier amorce un virage idéologique pour réclamer à Ottawa des pouvoirs nouveaux et pour moderniser ses structures scolaires et économiques désuètes.

Ce processus entraîne dans la métropole des débats d'une ampleur inédite qui touchent des enjeux comme la francisation des entreprises privées et publiques, l'intervention étatique en éducation et en santé ainsi que la montée de l'autonomie provinciale. Le mouvement de transformation est si profond que le nationalisme canadien-français s'en trouve redéfini de fond en comble et que de nouvelles perceptions émergent. Les bouleversements de la Révolution tranquille rompent le rythme d'évolution de la communauté juive ashkénaze de Montréal, qui s'était acclimatée depuis près d'un demi-siècle aux réalités d'un Canada anglophone sans vraiment prévoir d'autres options sur la scène locale. Le choc est particulièrement brutal pour les dirigeants du Congrès juif canadien (CJC) et ceux des organisations juives fédérées, qui doivent se convaincre de repenser du tout au tout leur rapport à une société québécoise qui se modifie à grande vitesse. Se profile alors une période d'incertitude et de flottement institutionnel pour les Juifs québécois de langue anglaise qui va durer au moins vingt ans.

Pendant ce temps, de nouvelles arrivées en provenance de l'étranger redessinent les contours culturels de la population juive à Montréal. Ces apports démographiques provoquent un réalignement des forces en présence à l'intérieur des structures communautaires, notamment sur le plan linguistique. Pour la première fois de l'histoire, un mouvement considérable en provenance d'Afrique du Nord se dirige vers le Canada et converge sur la plus grande ville du Québec. Un premier contingent de Juifs sépharades se présente aux portes du pays entre 1957 et 1965, venu directement du Maroc. Les départs massifs sont entre autres provoqués par la décolonisation de ce pays, jusque-là placé sous protectorat français, et par l'accession au trône en 1956 du roi Mohammed V. Un deuxième groupe de même origine arrive entre 1966 et 1970, dont la moitié sont des Marocains qui ont tenté un peu plus tôt de s'établir en France et en Israël. Au total, il s'agit d'une cohorte de près de 7 000 personnes, qui forment le plus important groupe immigrant juif à s'établir au Québec au moment de la Révolution tranquille.

Entre 1957 et 1972, 82 % des immigrants d'Afrique du Nord qui entrent au Canada proviennent du Maroc, toutes confessions religieuses confondues. Par ailleurs, au cours de la même période, plus précisément de 1958 à 1966, 86 % des Marocains qui sont admis comme résidents permanents au pays sont de confession juive. Il y a donc une fois de plus un fort effet de concentration ethnique dans les arrivées juives au pays, ce qui se traduit assez vite sur le terrain par une prise de conscience communautaire de la part des nouveaux venus. Réunis en nombre suffisant à Montréal, ces Nord-Africains de croyance mosaïque se définissent bientôt comme les héritiers de la grande tradition sépharade et délaissent peu à peu leur référent marocain de départ[1]. C'est le début d'une construction identitaire qui va rompre avec les points de repère historiques mis en place de part et d'autre de la frontière linguistique, qui plaçait les Juifs et les Canadiens français dans des camps séparés. À la fin du XXe siècle, les Sépharades forment une population de plus de 20 000 personnes et représentent près du quart de la judéité montréalaise. Qui plus est, 65 % des Juifs canadiens qui se réclament d'une origine sépharade ont élu domicile au Québec, surtout dans la métropole. Il s'agit d'une masse suffisamment significative sur le plan démographique pour imposer de nouvelles balises à l'ensemble du devenir juif dans la ville. La situation de départ est très bien décrite par Raphaël Lallouz dans l'album souvenir du cinquantième anniversaire de la communauté sépharade de Montréal :

> Nous étions un groupe d'amis qui nous rencontrions régulièrement pour les fêtes socialement ou dans d'autres organisations francophones : la loge Alliance du B'nai Brith, le Cercle juif de langue française ou le bal du samedi soir de l'Alliance française. La plupart d'entre nous n'avaient aucune expérience communautaire, mais nous étions tous conscients des besoins urgents : synagogue, éducation juive, cimetière, intégration de notre groupement au sein de la communauté juive canadienne, tout en gardant notre identité de Sépharade et de francophone[2].

Jusqu'à l'arrivée des Nord-Africains, les Juifs ashkénazes issus de l'Europe orientale avaient entièrement dominé le profil judaïque de Montréal et leur héritage culturel s'était imposé comme la norme quasi universelle du judaïsme au Québec. Ils avaient non seulement apporté

1. Jean-Claude Lasry, Joseph Lévy et Yolande Cohen (dir.), *Identités sépharades et modernité.* Voir aussi Joseph Lévy et Yolande Cohen (dir.), *Itinéraires sépharades, 1492-1992. Mutations d'une identité.*

2. Voir Raphaël Lallouz, « Le Groupement juif nord-africain », p. 84.

au pays des perceptions politiques et sociales qui faisaient partie intégrante de l'expérience juive au sein de l'Empire russe mais aussi implanté des pratiques religieuses et des modes de sociabilité qui étaient la marque d'une histoire enracinée depuis près d'un millénaire dans l'Europe médiévale d'influence germanique. Les immigrants de la grande vague migratoire du début du siècle utilisaient, au moment de leur arrivée au Québec, une langue vernaculaire dérivée de l'allemand, récitaient les prières hébraïques à la manière ashkénaze et employaient à la synagogue un rituel associé de près à leur aire culturelle. Après la destruction du judaïsme espagnol en 1492 et à l'exception de foyers diasporiques sépharades situés dans le nord-ouest de l'Europe et sur le pourtour de la Méditerranée, la tradition ashkénaze s'était imposée sur tout le continent européen. Les terres germaniques et les marches russes avaient ainsi donné naissance, au début de l'ère moderne, au plus important bloc démographique juif de la planète. Quand s'ouvre à proprement parler le volet canadien de l'histoire juive, au milieu du XIXe siècle, les Ashkénazes constituent près de 90 % du judaïsme mondial et forment le groupe prépondérant dans tous les domaines. Cela se reflète aussi à Montréal à partir de 1900, où il ne reste plus de la tradition sépharade britannique que des survivances historiques inscrites dans l'histoire de la congrégation Shearith Israel, la première du Canada.

Les deux groupes, Ashkénazes est-européens et Sépharades marocains, se distinguent très nettement par la date de leur entrée dans la société québécoise. Les communautés immigrantes atteignent un poids démographique conséquent et se constituent sur le plan institutionnel à la faveur d'une conjoncture historique souvent assez précise sur le plan chronologique. En quelques années, si l'afflux est fort et concentré sur un territoire restreint, apparaît une densité de peuplement suffisante pour provoquer une prise de conscience collective et l'émergence d'un discours identitaire. Bientôt, ce ne sont plus des individus qui semblent immigrer dans le désordre vers une nouvelle destination mais une masse dotée de caractéristiques culturelles, linguistiques et religieuses communes. Émerge ainsi assez vite, dans ces conditions, l'idée d'un peuple ou d'une collectivité en déplacement le long d'un axe spatio-temporel et qui se reconstitue en fin de course dans un espace diasporique bien défini, en l'occurrence Montréal.

Pour les Juifs ashkénazes canadiens, ce point culminant de l'immigration correspond à la décennie qui précède le déclenchement de la Première Guerre mondiale. Selon cet angle d'interprétation, c'est entre 1904 et 1914 que se fixent pour la première fois les points de repère dominants de l'expérience est-européenne à Montréal. Arrivant en grand nombre et soudainement dans un nouveau pays, les Ashkénazes mettent en œuvre, durant ces années décisives, le mode d'articulation fondamental entre leur culture d'origine et le monde nouveau qui s'ouvre devant eux, dont le Canada français. Nous l'avons vu, ils sont perçus dès le départ comme une minorité religieuse non chrétienne, subissent une discrimination doctrinale assez insistante de la part de l'Église catholique et entament un processus d'anglicisation à long terme. Repoussés à la marge à la fois par les anglo-protestants et par les franco-catholiques, les Juifs de l'Empire russe se définissent comme une tierce communauté sur un échiquier politique marqué par une binarité fondamentale, ce qui les pousse assez vite à élaborer une structure communautaire d'une grande complétude institutionnelle. Ils sont aussi encouragés en ce sens par le maintien à Montréal, sur une assez longue période, des caractéristiques propres au judaïsme ashkénaze européen, soutenus en cela par une vaste diaspora mondiale qui a le regard tourné vers l'Europe.

Le point d'ancrage historique principal de l'immigration sépharade à Montréal se situe nettement plus tard, soit après que des changements structuraux d'envergure eurent modifié en profondeur les paramètres de la société québécoise francophone. Pour les Juifs marocains, l'enracinement se produit au cours des années 1960, près d'un demi-siècle après l'arrivée en masse des Ashkénazes est-européens. Au cours de cet intervalle assez long, l'influence de l'Église catholique s'est nettement atténuée au sein des différents milieux francophones, et les méfiances doctrinales ont fait place au sein de la majorité québécoise à des inquiétudes politiques associées à la perpétuation de la langue française et à l'influence politique du Canada français au sein de la fédération canadienne. Ce revirement ouvre par ailleurs la voie à une rencontre plus positive avec de nouveaux arrivants juifs venus d'un pays colonisé par la France, à tel point que les Sépharades ne seront souvent pas perçus de prime abord par les Canadiens français comme étant de tradition judaïque. De langue maternelle française, la plupart d'entre eux ne connaîtront pas les difficultés d'adaptation qu'avaient rencontrées les yiddishophones d'origine russe au moment de leur immigration. L'Église catholique procède en outre à cette période à un aggiornamento de grande ampleur et reconnaît avoir erré au cours des siècles précédents dans le traitement imposé au peuple juif. L'Holocauste en Europe et l'approfondissement des nouvelles perspectives œcuméniques ont convaincu le Vatican qu'il n'existe pas de supériorité morale catholique face à la révélation divine. L'antériorité du judaïsme, l'origine juive des premiers chrétiens et la validité incontestable de la Première Alliance – celle d'Abraham et de Moïse – du point de vue théologique forment dorénavant autant de balises d'un climat d'ouverture inédit qui filtre jusqu'au Canada français.

À ces avancées se joint le sentiment, chez certains francophones de l'après-guerre, que la création de l'État d'Israël représente aussi d'une certaine manière la voie à suivre pour les Québécois et qu'elle contient la promesse d'un bond en avant dans le contexte de la décolonisation. C'est une opinion à laquelle René Lévesque fera l'écho à plusieurs reprises au cours des années 1960, surtout devant des auditoires juifs montréalais[3]. Voulant défendre l'aspiration des francophones à posséder une structure étatique pleinement développée, le futur premier ministre s'inspire à l'occasion des événements au Proche-Orient et des succès du sionisme dans cette région du monde. C'était certes faire abstraction des complexités de la situation israélienne et des souffrances que l'histoire récente avait imposées aux Juifs est-européens, mais déjà ces sympathies dénotaient qu'un changement de discours était survenu à partir de la Révolution tranquille.

Un autre journaliste, Jean Le Moyne, auteur de l'essai *Convergences*, avait précédé René Lévesque sur ce chemin en percevant d'un œil positif la déclaration d'indépendance de 1948 : « Même en faisant abstraction des éléments religieux de la question pour s'en tenir à des considé-

---

3. Pierre Anctil, « René Lévesque et les communautés culturelles ». Voir aussi à ce sujet le mémoire de maîtrise de Jean-François Beaudet, « René Lévesque et la communauté juive du Québec (1960-1976) ».

rations rien qu'humaines, comment s'empêcher de voir l'aventure sioniste avec sympathie ? [...] Nous qui n'avons pas oublié nos *grands dérangements*[4], que dirions-nous de celui-là ? Il mérite autre chose, n'est-ce pas ? que l'ignoble sourire qui apparaît spontanément sur tant de lèvres chrétiennes à la seule mention des fourneaux de Belsen[5]. » Même *Le Devoir*, qui avait combattu au cours des années 1930 l'immigration de Juifs allemands au Canada et souhaité limiter l'influence de la communauté juive de Montréal, opère un virage significatif au lendemain de la Seconde Guerre mondiale. Prenant la place de Georges Pelletier à la tête du journal, Gérard Filion adopte un ton beaucoup plus compatissant envers les réfugiés de l'après-guerre et tourne le dos à l'antisémitisme doctrinal.

La Révolution tranquille, qui voit l'établissement des Sephardim marocains au Québec, rompt avec le climat de repli ethnocentrique des années 1930 et 1940 dans lequel s'était déroulée la crise des réfugiés allemands. Certes, le changement ne se produit pas directement en réponse à la situation des Juifs au lendemain du second conflit mondial ni en réaction aux événements entourant la Shoah, mais il permet que s'établisse pour la première fois un climat positif en vue d'une nouvelle immigration d'origine judaïque. L'augmentation du niveau d'éducation des francophones, l'accroissement de la richesse collective et une ouverture plus grande à la diversité favorisent une intégration mieux réussie des Juifs marocains francophones. Ces avantages nouvellement acquis se doublent d'une porosité plus grande de la société autrefois définie comme canadienne-française et d'une atténuation des frontières ethno-religieuses. Des passerelles se construisent entre des mondes autrefois clos et le Québec de langue française commence à se conjuguer de différentes manières. Un foisonnement d'identités diverses apparaît

---

4. Il s'agit d'une référence à la déportation des Acadiens en 1755 et à la conquête britannique de 1760.

5. Jean Le Moyne, « Le retour d'Israël », p. 182-183 ; voir aussi Sherry Simon, « Le discours du Juif au Québec en 1948, Jean Le Moyne, Gabrielle Roy ». Le Moyne fait référence dans cette citation au camp de concentration de Bergen-Belsen en Allemagne.

à l'horizon, toutes liées à la langue française mais émergeant de profils culturels fort éloignés sur les plans géographique et religieux, dont celui des Juifs sépharades.

Pendant que se déroule cette migration nord-africaine, le Québec réclame (et obtient) du gouvernement fédéral de nouvelles responsabilités en matière de traitement des flux migratoires. Un ministère provincial de l'Immigration est créé en 1968[6]. En investissant ce champ de compétence, la classe politique québécoise confirme sa capacité à gérer un phénomène qui a échappé historiquement à son influence, et qui avait plutôt été traité comme une menace sourde à la survie de la société francophone. Il en résulte une décrispation progressive autour de cet enjeu et l'établissement d'une nouvelle dynamique dont vont tirer profit au premier chef les immigrants sépharades. Les Juifs nord-africains entrent au pays alors que les Québécois de langue française prennent justement conscience du rôle que peut jouer l'immigration internationale dans l'épanouissement futur de la langue française à Montréal. Il s'agit d'un élément crucial souligné par William F. S. Miles dans son étude sur l'épanouissement de la culture sépharade à Montréal :

> L'immigration massive en provenance du Maghreb a coïncidé avec une effervescence culturelle prononcée au Québec. La Révolution tranquille – c'est-à-dire le début d'un processus de modernisation et de sécularisation tardif, mais rapide, de la société canadienne-française au cours des années soixante, qui s'est transformée dix ans plus tard en une forme de nationalisme linguistique – a facilité l'intégration des *Sephardim* de langue française originaires d'Afrique du Nord. [...] Les nationalistes québécois ont retenu de ces nouveaux arrivants moins ce qu'ils n'étaient pas – c'est-à-dire des catholiques – que ce qu'ils étaient, c'est-à-dire des francophones[7].

---

6. Pierre Anctil, « La trajectoire interculturelle du Québec : la société distincte vue à travers le prisme de l'immigration ». Voir aussi Martin Pâquet, *Tracer les marges de la Cité. Étranger, immigrant et État au Québec, 1627-1981,* et *Vers un ministère québécois de l'Immigration, 1945-1968.*

7. William F. S. Miles, « Between Ashkenaz and Québécois: Fifty Years of Francophone Sephardim in Montréal », p. 33-34. Notre traduction.

Les Sephardim sont aussi dispensés des campagnes antisémites virulentes menées dans les publications d'Adrien Arcand au cours des années 1930 et n'entendent pas les insinuations peu charitables de certains membres du clergé catholique par rapport au judaïsme, deux courants de pensée qui ont beaucoup heurté la sensibilité des Ashkenazim au cours de leur intégration à la société québécoise. Ils ne subissent pas non plus les terribles traumatismes qui ont marqué les Juifs montréalais d'origine est-européenne au moment de l'Holocauste ou lorsque le Canada a refusé d'admettre des réfugiés en provenance d'une Europe occupée par les armées hitlériennes. Admis dans une société moins compartimentée et moins tournée vers le phénomène religieux tout court, les Juifs marocains sentent assez peu d'hostilité autour de leur présence croissante à Montréal, si ce n'est des formes de xénophobie très larges qui ne visent pas expressément les adeptes du judaïsme. Les Sépharades doivent toutefois – souvent à leur grande surprise – composer pendant un certain nombre d'années avec les ententes juridiques et administratives auxquelles les Ashkénazes est-européens en sont arrivés au début du XXe siècle avec le réseau scolaire protestant anglophone. Pendant au moins dix ans, c'est-à-dire jusqu'à l'ouverture en 1969 de l'école Maïmonide par un groupe d'activistes communautaires, tous les enfants d'origine marocaine seront dirigés vers des établissements où l'anglais et le parti pris de l'assimilation au Canada anglophone dominent. Rien dans leur parcours antérieur n'avait préparé les Sépharades à se soumettre aux préjugés anglophiles de leurs coreligionnaires ashkénazes.

Au moment où les Sephardim prennent pied dans leur société d'accueil, la francophonie québécoise subit de plus un processus de diversification interne par suite des arrivées successives en provenance d'Haïti, du Vietnam, du Cambodge, des autres pays du Maghreb et de l'Afrique subsaharienne. Comme l'anglophonie montréalaise un demi-siècle plus tôt, la population francophone entre au cours des années 1960 dans une phase de complexification ethnique et linguistique plus poussée que jamais. Dans la foulée, le Québec de langue française est amené sur le plan politique à se responsabiliser quant à l'intégration des immigrants et à s'ériger en société d'accueil. Devant ces transformations radicales résultant de l'immigration internationale, le parcours sépharade donnait finalement assez peu de prise à des considérations négatives ou racisantes.

Les Sépharades marocains qui s'installent à Montréal au cours des années 1960, malgré leur identification à la grande tradition ibérique de la fin du Moyen Âge, ont assez peu en commun avec les primo-arrivants juifs de la Nouvelle-France ou du début du Régime britannique au Canada. Établis en Afrique du Nord depuis la période romaine, les Juifs du Maghreb passent sous domination arabo-musulmane au VIIIe siècle de notre ère. Gouvernés par la dynastie berbère des Almoravides puis par celle des Almohades, ils se voient rapidement imposer par les musulmans le statut de *dhimmis*, réservé aux croyants des deux autres grandes traditions monothéistes, le judaïsme et le christianisme. Ils paient donc un impôt de capitation supplémentaire, mais obtiennent en contrepartie la protection des autorités et se voient accorder un statut de citoyen reconnu. Arabisées et soumises à l'autorité de l'islam, ces populations connaissent un destin historique tout à fait séparé de celui des Juifs de l'Europe médiévale chrétienne, où ces balises juridiques n'existent généralement pas.

Ce n'est toutefois qu'en 1492, après le décret de l'Alhambra, qu'un grand nombre de Juifs expulsés de la péninsule ibérique traversent le détroit de Gibraltar et s'établissent sur le continent africain. Ils apportent dans leur exil forcé la mémoire de l'âge d'or du judaïsme sépharade proprement dit et se joignent à des communautés juives déjà existantes, souvent disséminées dans des zones rurales et isolées sur le plan géographique. Grâce à cet apport, la judéité marocaine devient à l'aube de l'époque moderne la plus nombreuse au sein du monde arabo-musulman. L'arrivée au Maroc de populations juives d'origine hispanique entraîne d'importantes recompositions culturelles, accélérées au XIXe siècle par la montée de l'impérialisme européen. Le traité de Tanger en 1844 consacre le caractère prépondérant de l'influence française dans la région, reconfirmé en 1912 par la mise sur pied d'un protectorat. Plusieurs puissances étrangères se disputent alors le territoire marocain, dont – en plus de la France – l'Allemagne, l'Angleterre et l'Espagne, et les tensions dans cette partie du monde constituent un des préludes de la Première Guerre mondiale.

Contrairement à l'Algérie voisine, où le décret Crémieux de 1870 accorde aux Juifs la citoyenneté française sans restriction aucune, le judaïsme marocain continue de dépendre de l'administration coloniale et n'entre pas dans le giron de la République. Il est cependant fortement acculturé aux valeurs de la France par le réseau d'écoles et d'institutions mis en place dès 1862 sur le territoire du Maroc par l'Alliance israélite universelle (AIU). Fondée en 1860 pour transmettre aux populations juives présentes sur le pourtour de la Méditerranée les valeurs d'émancipation politique, de laïcité et de progrès social chères aux Juifs français, l'AIU agit en profondeur sur l'identité culturelle de ses protégés. L'organisme promeut du même coup l'apprentissage de la langue française et l'adoption des méthodes administratives européennes. À peine un demi-siècle plus tard, les Juifs marocains entament un processus rapide d'urbanisation, entrent massivement dans les classes moyennes et occupent un espace intermédiaire entre les colonisateurs et la masse arabophone musulmane. Ils suivent en ce sens la voie tracée par l'AIU pour un grand nombre de communautés juives en Afrique du Nord, en Palestine, au Liban, en Irak, en Turquie et en Grèce, toutes engagées à partir de la seconde moitié du XIXe siècle dans un processus de modernisation accélérée. À divers degrés, selon les régions et le régime politique en place, l'action de l'AIU pousse les Juifs perçus comme « orientaux » à se joindre à la sphère d'influence européenne et à se détacher de leur pays d'origine, toujours par l'entremise d'une connaissance fine de la langue française[8].

Pour les Juifs du Maroc, l'heure du départ définitif sonne en 1956 avec l'indépendance du royaume et la décolonisation. En l'espace de quelques années, mis sous pression par les événements violents entourant la naissance de l'État hébreu en 1948, 90 % des Juifs quittent le pays. Il s'agit d'un contingent de près de 300 000 personnes, dont une bonne partie doivent se résoudre à partir de manière clandestine. La masse de ces immigrants, souvent les moins nantis, se dirigent vers Israël, où ils sont admis sans autre forme de procès du fait de leur

---

8. Michel Abitbol, *Histoire de l'Alliance israélite universelle de 1860 à nos jours*; et Elias Harrus, *L'Alliance en action. Les écoles de l'Alliance israélite universelle dans l'Empire du Maroc (1862-1912)*.

origine juive avérée. Ceux qui jouissent d'appuis officiels ou de contacts diplomatiques se dirigent vers Paris, et une petite portion de ce flux aboutit à partir de la fin des années 1950 à Montréal, représentant tout au plus quelques milliers de personnes. Au Canada, ils sont souvent pris en charge et soutenus financièrement – pour ceux qui n'ont pas de passeport français – par la Jewish Immigrant Aid Society (JIAS), un organisme communautaire dont les dirigeants sont des Juifs ashkénazes yiddishophones issus de familles arrivées au pays une ou deux générations plus tôt.

La construction identitaire sépharade

L'arrivée de ces Marocains au Canada signale le début d'un processus de diversification en profondeur de la population juive de Montréal, processus qui ira s'accélérant dans les décennies subséquentes. Les écarts de nature culturelle, linguistique et religieuse entre les Maghrébins et les Ashkénazes sont tels que les deux groupes forment deux univers parallèles qui peinent au départ à entrer en contact soutenu l'un avec l'autre. Il n'y a plus une mais plusieurs communautés juives sur le territoire montréalais et chacune à sa manière évolue dans un espace de relative autonomie[9].

Ces éloignements ont aussi à voir avec le fait que les identités de départ des Ashkénazes et des Sépharades apparaissent souvent irréconciliables, un phénomène qui est encore accentué par l'espacement chronologique entre les différentes vagues migratoires. S'agissant de la communauté juive de Montréal, il s'érige ainsi au cours de l'après-guerre un édifice à étagement où les différentes composantes se côtoient seulement de façon limitée. Derniers installés, les Marocains subissent dès leur établissement des pressions particulières qui tiennent à ce qu'ils rencontrent dans l'espace montréalais une structure communautaire

---

9. Marie Berdugo-Cohen, Yolande Cohen et Joseph Lévy (dir.), *Juifs marocains à Montréal. Témoignages d'une immigration moderne.*

L'École orthodoxe pour filles Beth Yaakov, rue Fairmount, au début des années 1950.
© AJC Alex Dworkin.

Le démographe Louis Rosenberg avec le journaliste Léon Trépanier lors d'un salon du livre juif organisé par le Congrès juif canadien à Montréal en 1951.
© AJC Alex Dworkin.

Naïm Kattan au Cercle juif de langue française, en compagnie de S. D. Cohen et Abe H. J. Zaitlen du Congrès juif canadien, en 1954.
© AJC Alex Dworkin.

Le poète Irving Layton
vers 1960.
© AJC Alex Dworkin.

Le premier ministre Louis St-Laurent, l'industriel Samuel Bronfman et le maire Jean Drapeau à un événement commémorant le soulèvement du ghetto de Varsovie, en 1965. Photo de Hans H. Trevor-Deutsch.

Jean-Noël Tremblay, ministre de la Culture sous le gouvernement de Jean-Jacques Bertrand, et David Rome à une conférence sur la culture yiddish organisée par le Congrès juif canadien en mai 1969.

René Lévesque avec Charles Bronfman à la rencontre annuelle du Congrès juif canadien, à Montréal, en avril 1977.

Fête à l'école Maïmonide avec M. Chocran, Elias Malka, François Cloutier, ministre de l'Immigration, et Jean-Claude Lasry, vers 1970.

Phyllis Lambert, fondatrice du Centre canadien d'architecture, et le premier ministre canadien Brian Mulroney à l'inauguration du nouvel édifice du CCA, rue Baile, en 1989.
© CCA.

L'architecte Moshe Safdie en 2004.
© Donald Winckler.

Hôpital général juif Sir Mortimer B. Davis, à Montréal.
© MedPhoto, HGJuif.

Synagogue Shaar Hashomayim, avenue Kensington, à Westmount.
© Alexis Hamel.

Synagogue hispano-portugaise Shearith Israel, avenue Saint-Kevin, à Montréal.
Photo d'Alexis Hamel, Images Montréal.

Centre Segal des arts de la scène Segal
(autrefois Centre Saidye-Bronfman), à Montréal.

Temple Emanu-El Beth Sholom, rue Sherbrooke, à Westmount.
© Alexis Hamel.

anglophone de culture ashkénaze. De fait, le processus d'adaptation intracommunautaire leur semblera au cours des premières années nettement plus laborieux que le rapport plus général avec la société québécoise. Le même affrontement se produit d'ailleurs en Israël, où les principales institutions juives sont contrôlées par des populations d'origine germanique ou russe[10]. Même la France de l'après-guerre n'échappe pas à cette division marquée entre Juifs d'ancienne implantation et immigrants sépharades fraîchement arrivés[11].

À Montréal, les populations juives qui ont subi depuis un demi-siècle un processus assez intense de canadianisation résistent à reconnaître les aspirations spécifiques des nouveaux venus et à leur accorder un espace d'affirmation autonome. Cette opposition sourde au changement n'a rien d'original, en fait, et rappelle la manière dont les *uptowners* britannisés avaient accueilli au début du siècle les yiddishophones issus de l'Empire russe. Perçus comme menaçants par une classe bien établie de Juifs embourgeoisés, les immigrants rompent les codes et mettent à mal un équilibre parfois péniblement atteint quelques décennies plus tôt. Cela produit à l'encontre des nouveaux arrivants une hostilité latente qui ne tarde pas à se transformer en opposition active, surtout quand le refus de se conformer se manifeste sur de longues périodes.

Les Marocains qui traversent l'Atlantique ne tardent pas à adopter à Montréal une identité qui les rapproche des modèles qui ont cours dans l'espace francophone juif européen, où les Nord-Africains sont identifiés comme des Sépharades. Ils importent ainsi un vocable qui a cours depuis des siècles dans le contexte d'une scission fondamentale entre un univers juif continental de tradition germanique, marqué par la persécution chrétienne, et un monde méditerranéen, arabisé et sous influence musulmane. Le premier monde a été émancipé par l'action conjointe des Lumières et des progrès scientifiques, tandis que le deuxième, aux prises avec la colonisation européenne, semble languir dans une position d'infériorité persistante. Se définissant comme

10. Anita Shapira, *Israel: A History.*

11. Esther Benbassa, *Histoire des Juifs de France.*

Sépharades et héritiers des grandes réalisations de l'Espagne médiévale, les Marocains de Montréal comptent ainsi échapper à l'arabité qui fonde leur expérience historique récente. Ils espèrent aussi se rattacher par l'usage constant de la langue française à un idéal de civilisation auquel ils se sentent liés de manière privilégiée et qui a rayonné jusque sur les côtes de l'Afrique grâce à l'AIU. Associés à la France républicaine et au judaïsme d'Adolphe Crémieux, des frères Reinach et du capitaine Dreyfus[12], ils comptent échapper à un processus de décolonisation éprouvant qui fait d'eux des citoyens de seconde zone.

Le mouvement vers le sépharadisme identitaire est encore accéléré par la conjoncture propre au Québec de la Révolution tranquille. Le rehaussement du statut de la langue française au sein de la métropole et l'établissement de rapports permanents avec la France achèvent de convaincre les Juifs marocains qu'il est possible d'opter en terre d'Amérique pour une trajectoire culturelle qui n'est pas celle suivie par les Ashkenazim est-européens, dont la référence principale est devenue au XXe siècle surtout américaine. Des signes encourageants se manifestent aussi sur le front fédéral canadien avec l'adoption en 1969 du français et de l'anglais comme langues officielles et, en 1971, d'une perspective multiculturaliste ouverte à l'affirmation de la diversité. Les Sépharades voient ainsi émerger à Montréal un contexte radicalement nouveau où il est possible de s'affirmer ouvertement comme Juif et de bénéficier des structures communautaires en place tout en s'appuyant en partie, pour le maintien d'une identité distincte, sur une majorité francophone en cours d'ascension sociale et politique. C'est une voie nouvelle qui s'ouvre et qui n'avait jamais été tentée. Yolande Cohen évoque souvent dans ses études ce moment décisif du sépharadisme à Montréal :

> Le dépaysement est total et le sentiment d'étrangeté absolu. Commence alors une quête identitaire commune à tous les immigrants, et qui dans le contexte québécois correspond exactement avec l'affirmation du fait

12. Voir Jean-Denis Bredin, *L'Affaire*; et Pierre Birnbaum, *Les Fous de la République. Histoire politique des Juifs d'État de Gambetta à Vichy.*

> français [...]. Pour les Juifs du Maroc, ce contexte sera propice à leur réappropriation de l'identité sépharade comme élément moteur du regroupement des différentes composantes de la communauté autour d'eux. Dès lors, les différences entre Juifs originaires d'Algérie, de Tunisie, de France ou des régions du Maroc vont tendre à se fondre dans un creuset commun francophone et sépharade[13].

Les Sephardim seront ainsi les premiers Juifs avec qui les Canadiens français entreront en contact sans passer par l'intermédiaire de l'anglais et des élites anglo-britanniques. Cette rencontre tout à fait imprévue constituera un moment historique d'une importance particulière et sera l'objet d'un étonnement plusieurs fois renouvelé dans la société d'accueil. Jamais jusque-là les francophones canadiens ne s'étaient imaginé qu'il fût possible d'être à la fois de tradition judaïque et d'expression française. Plusieurs Ashkenazim est-européens s'étaient adaptés à la présence de la langue française au Québec et, au sein du leadership communautaire, on trouvait de grands esprits qui maniaient le français avec élégance et aplomb. Les organisations communautaires juives de l'après-guerre fonctionnaient toutefois entièrement en anglais à Montréal – ou dans certains cas toujours en yiddish – et on n'y trouvait pas trace de l'équilibre politique et culturel auquel étaient parvenus les Juifs français sous la IIIe République et plus récemment sous la Ve République.

Voulant maintenir et développer l'héritage de libéralisme issu de la Révolution française et des grandes réformes napoléoniennes, les Juifs marocains devenus sépharades qui s'établissent au Québec entreprennent dès les années 1960 la construction d'une structure organisationnelle qui reflète leur origine linguistique, culturelle et religieuse. Cela leur permet aussi de maintenir des liens avec le Maroc, avec lequel ils continuent d'entretenir des relations souvent empreintes de nostalgie réprimée. Ils conservent ainsi une distance avec le réseau juif en place depuis le début du XXe siècle au Canada tout en y réclamant une

13. Yolande Cohen, « Migrations juives marocaines au Canada ou comment devient-on Sépharade ? », p. 242.

place en tant que communauté minoritaire. C'est à plus petite échelle le modèle d'un État dans l'État ou celui du Québec dans la fédération canadienne. L'évolution des Sépharades marocains à Montréal se lit ainsi à travers la création d'une série d'associations communautaires au mandat sans cesse élargi et qui balisent une quête de sens dans le contexte du Québec de l'après-Révolution tranquille. Ces efforts surviennent au moment où les arrivées en provenance du Maroc sont les plus importantes au sein de la population juive de Montréal, dépassant de loin l'apport des Ashkénazes est-européens, des Juifs français ou des Israéliens. Pendant trois décennies, soit du début des années 1960 jusqu'à l'effondrement du régime soviétique, les Marocains forment le groupe le plus dynamique et le plus jeune dans la judéité québécoise, au point de remettre en question les certitudes linguistiques et culturelles acquises depuis un demi-siècle dans la métropole.

Adeptes d'un judaïsme laïque, les Sépharades vont au départ faire porter leur action surtout dans le domaine culturel et éducatif. En 1958, une organisation maghrébine juive apparaît sous le nom de Groupement juif nord-africain (GJN), animée par Raphaël Lallouz et Pinhas Ibguy. Les raisons qu'ils donnent pour bâtir un réseau institutionnel séparé sont la difficulté de s'identifier au rituel ashkénaze, le besoin d'un lieu de rencontre séparé, l'attachement à la langue française et la difficulté d'utiliser couramment l'anglais. Appuyé par la JIAS, le GJN convainc le CJC de mentionner dans son mémoire de 1962 pour la commission Parent la volonté de l'organisme fédérateur juif d'établir bientôt à Montréal une école juive privée de langue française[14]. En 1966, l'Association sépharade francophone (ASF) voit le jour et hérite du mandat du GJN, bientôt suivie en 1971 de la création d'un centre communautaire juif, section francophone, logé au YMHA de la rue Westbury, dans le quartier Snowdon. L'adoption du terme *Sépharade* vise à réunir sous un même vocable des Juifs d'origines très diverses que rapproche l'usage de la langue française. Cela inclut des citoyens français eux-mêmes issus du creuset nord-africain, des Égyptiens, des Libanais, des Turcs, des Irakiens et des Iraniens, souvent éduqués en français dans

14. Raphaël Lallouz, « Le Groupement juif nord-africain ».

leur pays d'origine ou ayant gravité autour des institutions culturelles mises en place par l'AIU. L'ASF tend aussi la main aux autres Maghrébins d'origine juive, c'est-à-dire algériens et tunisiens, tous présents en petit nombre à Montréal et qui pourraient trouver utile de s'allier à des Marocains bénéficiant au sein de la population juive locale des avantages que procure un poids démographique important. La nouvelle structure, ouverte à l'hispanité présente au Maroc, se proposait même d'attirer à elle les Juifs latino-américains ou espagnols.

Visant la définition la plus englobante possible, la Communauté sépharade du Québec (CSQ) est fondée en 1976 ; elle inclut un grand rabbinat de rite sépharade, des services de certification cachère et une *khevra kadisha**, soit des services funéraires adaptés aux coutumes judaïques d'Afrique du Nord[15]. L'organisme permet aussi – en échange d'un financement proportionnel à la présence sépharade dans la ville – l'intégration des différentes composantes organisationnelles de langue française à la grande structure juive fédérée connue à l'époque sous le nom d'Allied Jewish Community Services of Montreal (AJCS)[16]. La poussée autonomiste est animée par des personnalités comme André Amiel, Salomon Benbarak, Jack Delmar et Ralph Benattar, qui jettent les bases d'un réseau assez vaste de services communautaires et de représentation politique, incluant une publication communautaire fondée en 1969 par Joseph Benarrosh et qui prend en 1976 le nom de *Voix sépharade.*

L'avancée décisive dans la promotion d'une identité sépharade se produira toutefois en 1969 avec la création de l'école Maïmonide dans le quartier Côte-des-Neiges, première école judaïque privée entièrement de langue française au Québec. Avec cet établissement, un cap est franchi dans l'histoire juive du Québec vers la pérennisation de la langue française dans le milieu juif montréalais. Dirigée par Judah Castiel et Jean-Claude Lasry, l'institution reflète la volonté des nouveaux arrivants marocains, qui ne souhaitent pas inscrire leurs enfants dans

---

15. Marie Berdugo-Cohen, Yolande Cohen et Joseph Lévy (dir.), *Juifs marocains à Montréal.*

16. Aujourd'hui la Fédération CJA.

le réseau scolaire juif, avant tout anglophone, ou au sein de la Commission protestante du Grand Montréal, comme la loi le leur permet[17]. L'école se propose aussi de transmettre des valeurs judaïques consensuelles sans verser dans l'orthodoxie traditionnelle qui a surtout été l'apanage des Ashkenazim au Canada. Pour arriver à offrir des services de qualité en langue française, les instigateurs de l'école Maïmonide négocient une alliance stratégique avec la Commission des écoles catholiques de Montréal et avec le ministère de l'Éducation, ce qui est le signe d'un déplacement de la communauté juive vers les centres de pouvoir de la majorité francophone. Jamais pareilles alliances n'avaient été tentées dans la première moitié du XXe siècle. De fait, elles n'étaient tout simplement pas concevables dans le contexte de l'époque. Ces progrès notables seront consolidés par la fondation en 2003 de la Communauté sépharade unifiée du Québec (CSUQ) et par l'ouverture en 2009 du Centre Aleph d'études juives contemporaines, un institut francophone consacré à la pensée judaïque et dirigé par Sonia Sarah Lipsyc.

Avancées des immigrants marocains

L'émergence d'une forte présence sépharade à Montréal et la constitution d'une structure communautaire autour de ce noyau démographique nouvellement apparu sont en partie tributaires de la vitalité du fait français au sein de la société québécoise en général. S'appuyant sur la francisation de l'économie montréalaise et sur les retombées à long terme des lois linguistiques promulguées au cours des années 1970, les Juifs marocains ont pu sentir qu'ils balisaient une voie éminemment praticable dont n'avaient pu bénéficier avant eux les migrants d'origine est-européenne. Le séphardisme montréalais était ainsi le fruit aussi bien d'une volonté d'affirmation identitaire de la part d'un sous-segment francophile et francophone de la communauté juive placée en

17. Judah Castiel, « L'école Maïmonide : le plus grand des défis, la plus belle réalisation de notre communauté », p. 232-235.

situation d'exil que de la conjoncture linguistique propre à la société d'accueil. C'est la conclusion à laquelle en vient William F. S. Miles dans son étude de 2012 :

> Les défis qui se posent aux Sephardim francophones apparaissent donc multiples et concernent une diversité d'enjeux ethniques (et infra-ethniques), linguistiques, nationaux, politiques et religieux, qui tous sont liés à l'identité. Un demi-siècle plus tard, la présence des Sephardim en Amérique du Nord doit être comprise autant comme une composante de la société canadienne-française en processus de changement que comme un autre exemple d'une diaspora juive en cours de construction[18].

Cela tend à démontrer que pour les populations juives établies au Québec, la question linguistique est demeurée tout au long du XXe siècle un enjeu ouvert à la négociation et qui ne présentait pas, contrairement à la liberté de conscience religieuse et politique, de contraintes insurmontables. Si les premières vagues migratoires juives se sont détournées du fait français à Montréal, cela tenait pour une part à ce que les Canadiens français n'occupaient pas une position dominante dans la ville sur le plan socioéconomique et pour une autre à ce qu'ils ne jugèrent pas utile en tant que catholiques d'aménager aux adeptes du judaïsme une porte d'entrée au sein de leur société. À l'argument souvent repris selon lequel les immigrants juifs ashkénazes étaient fondamentalement hostiles à la langue française et cherchaient à s'en éloigner, il convient d'opposer l'idée tout aussi conséquente que les francophones québécois pratiquaient jusqu'à la Révolution tranquille une ségrégation religieuse quasi étanche.

L'énigme d'une intégration linguistique juive réussie au Québec français ne sera résolue en fait qu'à l'arrivée des Sépharades, c'est-à-dire au moment de l'abaissement définitif des barrières confessionnelles. Dans cette brèche enfin ouverte s'engouffreront de nouvelles vagues migratoires juives de dimension plus réduite, dont celles en provenance

---

18. William F. S. Miles, « Between Askenaz and Québécois », p. 31. Notre traduction.

de Russie postsoviétique, d'Israël, de France et d'Argentine. La percée juive marocaine des années 1960 préfigure aussi l'établissement de nouvelles normes d'intégration, auxquelles voudront se conformer les immigrants de confession musulmane en provenance des pays du Maghreb. Les avancées sépharades en direction de la francophonie québécoise sont d'autant plus remarquables qu'elles ont eu lieu avant que les lois linguistiques des gouvernements Bourassa et Lévesque n'obligent les immigrants allophones à inscrire leurs enfants à l'école française. Les Juifs du Maroc formeront ainsi une des premières communautés de l'après-guerre à opter librement pour une identité adossée au fait français tout en maintenant des liens institutionnels assez constants avec leurs coreligionnaires anglophones et avec un réseau communautaire majoritairement ashkénaze.

Ces imbrications multiples et complémentaires permettront aux Sephardim récemment immigrés de jouer un rôle clé au sein du judaïsme montréalais. Les Nord-Africains feront beaucoup pour faciliter l'adaptation de la population juive de langue anglaise aux changements structuraux mis en œuvre au moment de la Révolution tranquille, souvent perçus comme un facteur de déstabilisation angoissant par les Ashkenazim. Sans cesse, au cours des années 1970 et 1980, les Marocains témoigneront au sein de la vie juive canadienne qu'il est possible de rester parfaitement fidèle au judaïsme tout en adoptant le français en tant que langue de communication principale. Ils feront aussi comprendre à leurs vis-à-vis ashkénazes que l'identité judaïque n'est pas forcément menacée au Québec par le virage de la francisation et qu'il est possible d'entamer à ce sujet des négociations mutuellement avantageuses sur le long terme. L'insistance sépharade à maintenir une sphère culturelle autonome, d'une part, et l'intégration réussie des institutions d'inspiration marocaine à la grande structure communautaire juive de Montréal, d'autre part, auront pour effet de bilinguiser de l'intérieur une panoplie de services offerts jusque-là surtout en anglais. Même si le leadership organisationnel et les importantes campagnes de financement annuelles de la Fédération CJA sont restés pour une longue période une chasse gardée ashkénaze, l'apport sépharade a fortement contribué à transformer, en une génération, le visage linguistique du judaïsme québécois.

Les succès des Juifs francophones sont particulièrement éclatants du point de vue de la mobilité sociale. Les Sépharades, arrivés au Québec dans la période de l'après-guerre, tirent rapidement parti de leur niveau d'éducation supérieur et de la prospérité nord-américaine pour accéder aux classes moyennes. Dans le cadre d'une recherche basée sur plus de 450 entrevues menées en 1972 au sein de la communauté sépharade montréalaise, Jean-Claude Lasry montre que seulement 8 % de son échantillon est relégué au chômage, chiffre qui correspond exactement à la moyenne canadienne. Parmi les hommes d'origine marocaine actifs sur le marché du travail, 38 % sont propriétaires de leur entreprise ou membres d'un ordre professionnel, contre 44 % dans l'ensemble de la population immigrante canadienne. Un autre groupe de 40 % font du travail de bureau ou occupent un emploi dans la vente, soit beaucoup plus que la proportion générale de 14 % pour la masse des immigrants au pays. D'après Lasry, ces chiffres reflètent la conjoncture qui avait cours au Maghreb quelques années plus tôt : « La surreprésentation dans les emplois de cols blancs et de la vente est à la base une conséquence de la conquête française de l'Afrique du Nord : les Juifs maghrébins avaient comblé le vide apparu entre les industriels et les grands propriétaires terriens d'origine française et les simples travailleurs de tradition musulmane[19]. »

Les données recueillies en 1972 montrent aussi que les Sépharades récemment arrivés avaient profité du système québécois d'éducation supérieure pour parfaire leur formation professionnelle et accroître leur employabilité. Près du quart des Marocains étaient retournés aux études, le plus souvent en langue française. Parmi ceux qui possédaient au moment de l'immigration un diplôme d'études postsecondaires, les deux tiers avaient cherché à se perfectionner. L'étude de Lasry révèle aussi que la plupart des Juifs marocains avaient réussi à compenser en quinze ans les pertes sociales et économiques subies au moment du départ du pays d'origine. De tels avantages – et pas seulement le fait de pouvoir travailler en français – expliquent pour une bonne part, selon Lasry, l'attrait du Québec comme destination d'immigration

19. Jean-Claude Lasry, « A Francophone Diaspora in Quebec », p. 229. Notre traduction.

auprès des Sépharades, d'autant plus que près de la moitié des immigrants d'origine marocaine admis au Canada entre 1966 et 1970 avaient d'abord fait une tentative d'immigration infructueuse en France ou en Israël. Lasry conclut son étude de 1972 de la manière suivante :

> Ceux qui ont quitté la France ont déclaré l'avoir fait parce qu'ils éprouvaient des difficultés d'intégration sociale, parce qu'ils se sentaient isolés et parce qu'ils se sentaient rejetés par les Français. Le fait de pouvoir se rendre au Canada, et en particulier au Québec, semble gagner énormément en popularité auprès des Juifs nord-africains qui vivent en France. L'attrait quasi magnétique du Québec s'explique non seulement par sa culture de langue française mais aussi par ses occasions plus prononcées d'avancement professionnel, éducatif et social[20].

En 1972, les immigrants sépharades qui participent à l'étude de Jean-Claude Lasry se disent relativement satisfaits des emplois qu'ils ont obtenus à Montréal. Ceux qui ont séjourné au Canada depuis deux ans déclarent des revenus annuels de 7 600 $ tandis que ceux qui sont au pays depuis quinze ans, c'est-à-dire depuis le début de l'afflux marocain en 1957, ont des revenus annuels presque deux fois plus élevés. En bout de course, sur une période de quinze ans, les Sépharades ont accru leurs revenus de façon constante dans le contexte montréalais. À coup sûr, et bien que Lasry ne le mentionne pas expressément faute de données précises, ils se sont mieux tirés d'affaire au Québec que leurs coreligionnaires marocains partis en masse pour l'État hébreu ou même que ceux admis en France. Dans son histoire d'Israël, Anita Shapira note que les Marocains qui ont été accueillis dans ce pays au cours des années 1960 ont souvent été relégués à une position inférieure dans l'économie nationale toujours en construction :

> Les immigrants issus des pays islamiques étaient venus [en Israël] avec des familles étendues qui souvent incluaient des personnes âgées et qui ne possédaient qu'un seul gagne-pain. Plus elles sont arrivées tardivement, plus elles ont été dirigées loin du centre géographique du pays.

---

20. *Ibid.*, p. 226.

> Leur niveau d'éducation était très bas et la plupart des nouveaux venus ne possédaient pas de qualifications professionnelles adaptées à la société israélienne. [...] le plus grand nombre a dû entreprendre un long et très pénible processus d'adaptation. Les immigrants marocains en particulier ont été confrontés à des difficultés de grande ampleur[21].

Au cours de la période couverte par l'étude de Lasry, les Sépharades montréalais ont d'ailleurs dépassé les revenus moyens obtenus dans l'agglomération montréalaise, toutes origines confondues[22]. Cela représente, pour les immigrants marocains les mieux intégrés et dont le séjour au pays était le plus long, une performance très significative. L'écart s'explique en partie par le fait que près du tiers des Sépharades sont devenus propriétaires au Québec de leur propre entreprise et ont quitté des emplois subalternes. Dans ce sondage mené par entrevue dirigée, le seul élément négatif tient non pas au processus d'intégration socioéconomique au sein de la société québécoise en général mais à l'accueil reçu dans la communauté juive de la part d'organismes dirigés par des Ashkénazes anglophones. En 1972, 33 % des Sépharades marocains affirment préférer la compagnie des Canadiens français, 19 % celle de leurs compatriotes nord-africains de toutes origines et 10 % celle des Juifs nés au Canada. En tête de liste, les Juifs marocains placent leurs coreligionnaires d'origine sépharade, suivis des Israéliens, des Canadiens français et des Juifs canadiens. Ils déclarent accorder le moins leur confiance à leurs anciens colonisateurs français et aux Juifs décrits comme « Ashkénazes ». Cela tient sans doute, affirme Lasry, aux préjugés que les Juifs anglophones entretiennent à l'égard des immigrants récents venus de pays arabes et qui sont de surcroît de langue maternelle française. Pour les Juifs originaires du Maroc, les progrès en vue d'établir une relation harmonieuse entre Sephardim et Ashkenazim s'avéreront beaucoup plus lents que ceux réalisés dans le domaine strictement socioéconomique au sein de la société québécoise.

---

21. Anita Shapira, *Israel: A History*, p. 243. Notre traduction.

22. Jean-Claude Lasry, « Mobilité professionnelle chez les immigrants juifs nord-africains à Montréal ».

Progrès économiques soutenus des Juifs montréalais

Les données recueillies en 1972 par Jean-Claude Lasry auprès de Sépharades montréalais recoupent celles obtenues au cours de la même période par d'autres études statistiques concernant l'ensemble des Juifs canadiens. L'intérêt de ces recherches ne consiste pas seulement à situer les avancées d'une population juive qui est en grande partie née au pays et soumise aux conditions générales du marché du travail. Elles nous permettent aussi de mieux comprendre les stratégies d'intégration et de pleine participation mises en œuvre, depuis le début du XXe siècle, par les différentes cohortes immigrantes juives visant l'obtention à plus long terme des mêmes avantages que ceux dont bénéficient l'ensemble des citoyens. Il y a là une combinaison de facteurs dont certains tiennent à la position sociale que les premiers arrivants avaient occupée avant leur départ dans leur pays d'origine et d'autres aux aspirations qu'ils ont formulées au moment de leur arrivée au Canada. On trouve aussi dans ces données l'influence des grands référents culturels qui sont le propre du judaïsme traditionnel depuis plusieurs siècles. Selon l'hypothèse la plus plausible, les Juifs de la grande vague migratoire se seraient présentés aux frontières du Canada avec un profil tout à fait unique par rapport aux populations originaires d'autres régions d'Europe. Ils se distinguaient aussi très nettement des populations côtoyées pendant de longues périodes au sein du vaste ensemble russe : Ukrainiens, Polonais, habitants des pays baltes et Russes orthodoxes. Plusieurs caractéristiques socioéconomiques de l'immigration juive est-européenne sont aussi présentes au sein des cohortes arrivées à Montréal à partir de la fin des années 1950 et associées au sépharadisme. Cette originalité de la trajectoire juive était déjà apparente dans les données compilées par Louis Rosenberg à partir du recensement fédéral de 1931[23]. Il faut toutefois attendre les études réalisées au milieu des années 1960 par la commission Lau-

23. Louis Rosenberg, *Canada's Jews: A Social and Economic Study of the Jews in Canada.*

rendeau-Dunton, basées sur les données du recensement de 1961, pour voir apparaître des tendances lourdes sur une période d'un demi-siècle[24].

Première constatation, les populations juives canadiennes ont misé très fortement au XXe siècle sur la qualité de la formation professionnelle et sur l'éducation en général pour progresser dans l'échelle sociale. Cela vaut autant pour les immigrants eux-mêmes, qui ont eu tendance à parfaire dès l'arrivée leurs connaissances pratiques et leur connaissance des langues dominantes, que pour leurs descendants, qui ont été dirigés systématiquement vers des maisons d'enseignement de qualité et fortement encouragés à obtenir des diplômes de niveau supérieur. Nous l'avons vu, au début du siècle, une grande partie du réseau communautaire juif vise à offrir aux nouveaux venus des outils de perfectionnement et d'auto-éducation dans plusieurs langues, à commencer par l'Institut Baron de Hirsch, qui finance des classes pour immigrants adultes et pour leurs enfants. Aussitôt admise à Montréal dans le réseau scolaire public géré par les protestants, la première génération née au pays prend d'assaut l'Université McGill, à tel point que les autorités de l'institution établissent dès la fin des années 1920 des mesures administratives discriminatoires pour limiter les entrées juives, jugées trop nombreuses[25]. Pour la plupart, à cette époque, les demandes d'admission juives à McGill viennent de jeunes adultes élevés dans des milieux yiddishophones et qui forment la première cohorte à utiliser l'anglais comme langue principale de communication. Les Ashkenazim d'origine russe ont aussi l'avantage d'être polyglottes lors de leur arrivée au Canada, c'est-à-dire de maîtriser plusieurs langues juives et non juives écrites dans des alphabets différents. Ils ont aussi développé à la *yeshiva* des habiletés de raisonnement très poussées qui leur seront éminemment utiles dans un contexte de modernité avancée. Ces antécédents

---

24. Il s'agit du livre IV du rapport de la Commission royale d'enquête sur le bilinguisme et le biculturalisme, intitulé *L'Apport culturel des autres groupes ethniques.*

25. Pierre Anctil, *Le Rendez-vous manqué. Les Juifs de Montréal face au Québec de l'entre-deux-guerres.*

culturels et religieux prédisposaient les immigrants juifs est-européens à chercher à mieux s'éduquer une fois installés au pays.

Maintenu sur plusieurs décennies et intériorisé dans les principaux référents identitaires, ce parti pris en faveur d'une éducation de haut niveau contribue en 1961 à placer la population juive canadienne au tout premier rang des groupes « ethniques » du pays pour ce qui est du taux de diplomation. Cette année-là, 23,2 % des personnes d'origine juive classées comme appartenant à la « population active » possèdent un diplôme d'études universitaires et 34,3 % un certificat d'études secondaires seulement. Chez les Canadiens français, ces taux sont respectivement de 5,8 % et 21,2 %, et chez les Ukrainiens d'origine chrétienne de 7 % et 26,1 %. Les Britanniques[26], qui formaient le groupe avec le niveau d'éducation le plus élevé après les Juifs, se situaient à 11,5 % et 35,8 %, c'est-à-dire beaucoup plus bas sur l'échelle pour ce qui est de la formation supérieure. Dans l'ensemble du Canada, toutes origines confondues, le taux de diplomation atteignait 9,3 % à l'université et se situait à 29,6 % pour une formation de niveau secondaire seulement[27].

En l'espace d'un demi-siècle, les immigrants juifs est-européens et leurs descendants ont atteint un niveau d'éducation comparable à celui des autres Canadiens, puis ont dépassé de nombreux groupes spécifiques définis sur la base de leur ethnicité. Ces succès ont été réalisés la plupart du temps dans l'une des langues officielles et ne font pas état des formes d'éducation plus spécialisées rattachées à la tradition religieuse juive ou offertes dans des institutions rabbiniques. Prises séparément selon les données de 1961, les femmes juives actives sur le marché du travail possèdent, avec des taux de 15 % et 46 %, une situa-

---

26. Ce terme est employé ici dans le sens de la Loi sur les langues officielles de 1969 et de la politique de biculturalisme promue à cette époque par l'État fédéral. Dans le contexte de cette étude, le terme *Britannique* réfère aux personnes de langue maternelle anglaise et originaires du Royaume-Uni, tandis que le terme *Français* réunit les Canadiens français et les francophones originaires de France. Tous les autres anglophones et francophones sont regroupés selon leur pays ou région d'origine en Europe.

27. Gouvernement du Canada, *L'Apport culturel des autres groupes ethniques*, tableau 8, p. 109.

tion légèrement moins enviable que les hommes de même origine mais dépassent néanmoins toutes les autres populations féminines au Canada. À tout le moins, cela indique que le système d'éducation supérieure canadien a cessé d'imposer des contraintes aux personnes d'origine juive sur la base de leur ethnicité ou de leurs croyances religieuses. Les données de 1961 montrent aussi que la population d'origine juive possède et cultive un capital de compétences extrêmement important dans une société de plus en plus axée sur le savoir.

Le taux de diplomation dans des institutions d'enseignement universitaire, plus de deux fois supérieur à celui de la population en général et quatre fois plus élevé que celui du Canada français, signifie aussi que les Juifs ashkénazes viennent de clore, au début des années 1960, un long cycle d'acculturation à la société canadienne. Éduquée dans des institutions reconnues et formée à des disciplines professionnelles normées, la nouvelle génération est maintenant partie prenante de la culture dominante du pays. Cela laisse croire que les contraintes sociales et les difficultés d'adaptation associées chez les Juifs au statut d'immigrant récent sont, au lendemain de la Seconde Guerre mondiale, définitivement surmontées. Nous l'avons vu, c'est la voie qu'emprunteront aussi quelques années plus tard les Sépharades originaires du Maroc, qui comprennent très vite que les exigences de l'économie nord-américaine nécessitent une formation plus poussée.

Reste à savoir si ces avancées sont suffisantes pour mettre fin au climat de suspicion et de discrimination systémique qui a régné au cours de l'entre-deux-guerres, partout au Canada, à l'endroit des Juifs. Les Ashkenazim est-européens et les Sephardim marocains occupaient déjà dans leurs pays d'origine respectifs un statut d'intermédiaires entre les classes dominantes et la masse des travailleurs non qualifiés. Ils n'avaient toutefois jamais pu se libérer, sous des régimes autocratiques ou coloniaux, de la discrimination qui s'exerçait contre eux et qui empêchait leur progression dans l'échelle sociale. Les mesures légales d'exception, le recours à la violence et le confinement territorial avaient été le lot commun des populations de confession mosaïque en Europe et en Afrique du Nord. Au sein de la démocratie canadienne, ces contraintes n'existaient pas à la même échelle et avaient pu de toute évidence être surmontées.

Deuxième élément à considérer, les Juifs ont systématiquement immigré dans des villes de taille importante – dont Montréal – et forment en 1961 un ensemble composé de citadins dans une proportion de 98,8 %[28]. Parmi la cohorte juive arrivée au pays entre 1946 et 1961, ce taux atteint 99,4 %. C'est une proportion nettement plus élevée que la moyenne canadienne, qui se situe en 1961 à 70 %, ou que celle des Canadiens français, qui s'approche de 68 %. Au milieu du XXe siècle, le Canada est un pays encore récemment urbanisé et l'exode vers les villes a été accéléré surtout par les deux guerres mondiales. Ce n'est qu'au recensement de 1931 que la population vivant dans les villes a dépassé pour la première fois au pays celle d'implantation rurale. Au Québec, cette étape décisive a été franchie dès 1921. Les immigrants juifs de l'Empire russe provenaient au contraire surtout de milieux urbains de taille moyenne et très peu parmi eux avaient pratiqué l'agriculture. Sitôt descendus des paquebots, ils avaient convergé vers trois grandes villes canadiennes : Montréal, Toronto et Winnipeg. Culturellement adaptés depuis plusieurs siècles aux environnements urbains présentant une certaine densité, ils avaient retrouvé et recréé dans ces milieux les repères économiques et sociaux qui leur permettaient de s'adapter le plus efficacement. En 1931, 82,4 % des Juifs québécois vivaient dans des villes de plus de 30 000 habitants et 15,4 % dans des agglomérations où la population variait entre 10 000 et 30 000 habitants[29].

Parmi les populations immigrantes arrivées au Canada au XXe siècle, seuls les Juifs, et dans une moindre mesure les Italiens, se sont établis aussi massivement dès le départ dans des agglomérations urbaines d'envergure. Le niveau de richesse disponible, la complexité de la structure économique et les emplois offerts par une industrie manufacturière en plein essor ont immédiatement fait de Montréal la destination privilégiée de l'immigration juive est-européenne. Là, il était possible d'obtenir de bons salaires, de profiter d'occasions d'affaires intéressantes et de bénéficier d'un réseau communautaire juif en développement rapide. Sur tous les plans, Montréal offrait une densité d'expérience

---

28. *Ibid.*, tableau 5, p. 52.

29. Louis Rosenberg, *Canada's Jews*, tableau 17, p. 29.

juive unique au pays et ouvrait la voie à une mobilité sociale plus prononcée. On y trouvait aussi d'excellentes institutions d'éducation supérieure anglophones et francophones, un accès direct aux lignes de transport maritime internationales, un système ferroviaire étendu et un tissu urbain fortement diversifié sur le plan culturel.

Le niveau d'éducation atteint par la population juive du Canada dans l'après-guerre se traduit aussi dans les données du recensement de 1961 par un net avantage dans l'accès à certains types de compétences reconnues et à des emplois mieux rémunérés. Au début des années 1960, les Juifs en tant que groupe ethnique possèdent le plus haut pourcentage d'administrateurs et de professionnels au sein de la population active masculine canadienne, soit respectivement 39,4 % et 13,6 %[30]. C'est un chiffre près de quatre fois plus élevé que la moyenne nationale pour la première catégorie et près de deux fois plus élevé pour la deuxième. En 1961, les Canadiens français ne comptent que 7,6 % d'administrateurs au sein de leur groupe et 5,9 % de membres des professions libérales. Par contre, 31,4 % des francophones sont des ouvriers qualifiés (contre 15,6 % des Juifs), et 7,5 % gagnent leur vie comme manœuvres (contre 1,1 % du côté des Juifs). On ne trouve pratiquement pas de travailleurs de confession mosaïque chez les mineurs, les pêcheurs, les bûcherons et les agriculteurs, contre 16 % chez les francophones. C'est un profil socioéconomique qui était déjà explicite lors du recensement de 1931 et que le contexte plus prospère des années 1960 et 1970 n'a fait qu'accentuer au sein de la population d'origine juive.

Concentration géographique sur l'île de Montréal

En un demi-siècle, la minorité juive au Canada a accompli des progrès remarquables dans l'échelle professionnelle et au point de vue de la diplomation. Les avancées tiennent à ce que les principales barrières à l'admission dans les grandes universités anglophones du pays ont été

30. Gouvernement du Canada, *L'Apport culturel des autres groupes ethniques*, tableau A-25, p. 279.

levées une fois le second conflit mondial terminé[31]. Les besoins croissants en main-d'œuvre qualifiée, la croissance fulgurante des villes canadiennes et le rehaussement général du niveau de vie ont aussi milité en faveur d'une plus grande tolérance « ethnique » sur le marché du travail. Surtout, il est devenu difficilement acceptable, pour les grandes entreprises canadiennes, de maintenir ouvertement des critères discriminatoires antijuifs au lendemain des terribles persécutions hitlériennes. Ces changements de perception sont encore accentués au Québec par la promulgation en 1975 de la Charte des droits et libertés de la personne et, en 1982, par la ratification d'une nouvelle loi constitutionnelle canadienne contenant des dispositions prohibant toute forme de discrimination raciale ou motivée par des préjugés culturels. Pour la première fois au XXe siècle, il semble possible d'espérer que les Juifs éduqués au pays seront traités équitablement sur le marché du travail. Pour se convaincre des progrès réalisés en matière d'égalité, il convient maintenant de porter notre attention du côté du revenu global déclaré de la population masculine active. Même si la rémunération ne représente qu'un des aspects du traitement des minorités, on peut tout de même y déceler des indices sérieux en ce qui concerne le degré d'intégration et d'avancement social atteint par les immigrants après plusieurs décennies.

La progression juive très marquée quant au niveau d'éducation et à l'accès aux professions n'a pas tardé à se répercuter sur les revenus. En 1961, les hommes d'origine juive engagés sur le marché du travail non agricole obtiennent des revenus de 40 % supérieurs à la moyenne canadienne[32]. Dans ce palmarès, les francophones et les hommes d'origine italienne se retrouvent en dernière place, avec des revenus qui représentent respectivement 87 % et 82 % de la moyenne nationale[33]. En fin de compte, et malgré la persistance de perceptions négatives face

31. Pierre Anctil, *Le Rendez-vous manqué.*

32. Les chiffres exacts en dollars de 1961 sont de 7 426 $ pour les personnes d'origine juive contre 4 414 $ pour la moyenne canadienne.

33. Les chiffres exacts sont de 3 872 $ pour les Canadiens français et 3 621 $ pour les personnes d'origine italienne.

aux Juifs dans certains milieux influents, les avantages marqués de la concentration urbaine ont fini par soutenir la progression sociale des Juifs au pays. Il en va de même pour ce qui a trait à l'éducation supérieure et à l'utilisation de stratégies de diplomation professionnelle. À Montréal spécifiquement, s'agissant du revenu par habitant, les Juifs dépassent en 1961 les « Britanniques » par une marge de 12 %. L'écart est encore plus marqué avec les Canadiens français, qui ne touchent en moyenne que 60 % des revenus obtenus par les personnes d'origine juive[34]. Le plus grand écart se trouve toutefois dans la ville d'Ottawa, où les hommes juifs gagnent un revenu annuel moyen plus de deux fois supérieur à celui des Canadiens toutes origines confondues, preuve que la fonction publique fédérale s'ouvre dorénavant aux candidats d'origine mosaïque dotés d'une formation adéquate[35]. Cela tend à confirmer que la minorité juive anglophone a progressé plus rapidement sous le parapluie du gouvernement canadien que les Canadiens français, et ce, sans avoir recours à des pressions de nature politique liées à une menace sécessionniste. D'une part, ces chiffres montrent que l'entreprise publique fédérale semble avoir dépassé au début des années 1960 les stéréotypes antisémites les plus courants – fait qui est loin d'être avéré dans le secteur privé –, et, d'autre part, le niveau d'éducation et de compétence linguistique reste un facteur déterminant de progression sociale dans une démocratie parlementaire. C'est aussi une indication très claire que la deuxième génération née au pays s'est fortement assimilée à la culture dominante du Canada anglais. Surreprésentés à Ottawa, les Juifs demeurent toutefois presque totalement absents de la fonction publique québécoise. Des compétences professionnelles linguistiques et des critères de sélection différents entrent en ligne de compte dans cette autre sphère gouvernementale, que ni les commissions scolaires protestantes ni les écoles juives privées ne valorisent.

---

34. En chiffres précis, les revenus des Juifs à Montréal étaient de 6 996 $ en 1961. Pour les Britanniques, ils étaient de 6 216 $, et pour les francophones de 4 243 $.

35. Les chiffres sont de 9 370 $ en 1961 pour les Juifs dans la ville d'Ottawa. La même année, les Canadiens français n'obtenaient que 4 281 $ dans la capitale fédérale.

Autre signe de la tendance générale à la concentration : en 1961, 84 % des individus qui se déclarent juifs au Canada résident au Québec et en Ontario, les deux provinces les plus performantes sur le plan économique. Cette année-là, la population juive canadienne dépasse pour la première fois la barre des 250 000 personnes. Jusqu'en 1971, l'agglomération métropolitaine de Montréal demeurera, avec 109 500 résidents juifs, la ville offrant la plus grande densité judaïque au pays, suivie de Toronto avec 103 700. Après cette date, toutefois, la capitale ontarienne prend nettement les devants grâce à un développement économique supérieur sur tous les plans et attire la plupart des nouveaux immigrants juifs admis au Canada. Les avantages comparatifs de la nouvelle métropole canadienne convainquent aussi un nombre important de Montréalais d'origine juive d'abandonner leur ville au profit de Toronto.

À partir des années 1970, les profils démographiques respectifs de la population juive du Québec et de l'Ontario se modifient de fond en comble[36]. La population juive du Québec atteint son zénith en 1971, soit 110 900 individus, après quoi un lent déclin s'installe, qui dure toujours. En 2001, selon le recensement canadien, il n'y avait plus que 93 000 Juifs environ dans la région montréalaise[37]. Par contre, la grande agglomération torontoise accueillait au tournant du millénaire tout près de 50 % de la population juive du pays, soit environ 180 000 personnes, rehaussant d'autant le taux de densité juive en Ontario. C'est une tendance à laquelle ont participé toutes les cohortes immigrantes juives des cinquante dernières années, à l'exception des Sépharades, qui sont demeurés plus concentrés à Montréal que dans le reste du pays pour des raisons tenant surtout à leur profil linguistique. Ce basculement en faveur de Toronto s'est traduit par une perte d'influence à l'échelle nationale pour le judaïsme montréalais, nettement

---

36. Joseph Yam et H. Freedman, « Jewish Demographic Studies in the Context of the Census of Canada », p. 16.

37. D'une manière générale, les chiffres récents du recensement canadien concernant l'identité religieuse sont sujets à caution. Dans le cas des Juifs, l'écart semble plus prononcé que par le passé entre le « judaïsme » défini comme tradition religieuse et le « judaïsme » de nature culturelle.

perceptible après la mort de Samuel Bronfman en 1971[38]. En contrepartie, le recentrement en faveur de la capitale ontarienne a contribué à faire apparaître, comme nous le verrons bientôt, une identité juive québécoise qui n'a pas d'équivalent dans le reste du pays, ni ailleurs dans le monde.

Dans le dernier quart du XXe siècle, les populations juives du Québec non seulement se trouvent entièrement concentrées sur l'île de Montréal mais occupent aussi des espaces très spécifiques, localisés à l'ouest de la ville centre[39]. Dans une étude basée sur les données du recensement de 1971, Mario Polèse découvre à l'époque que parmi les 24 principales populations immigrantes ou ethniques présentes à Montréal, les Juifs formaient (avec un coefficient de ségrégation de 0,81) le groupe le plus concentré, par rapport à une moyenne de 0,50 pour les anglophones et les francophones. Fondés non pas sur la discrimination raciale mais sur la densité territoriale des populations identifiées dans l'espace montréalais, ces chiffres indiquent une volonté de la part des personnes d'origine juive de se démarquer visiblement de leurs concitoyens et d'occuper des quartiers où ils sont majoritaires[40]. Ces comportements sont d'autant plus significatifs qu'ils se produisent à une période où les résidents juifs de Montréal sont en grande majorité nés au pays et ont cessé de se comporter comme des immigrants récents. Dans un modèle classique d'intégration socioéconomique, les nouveaux venus ont tendance à se regrouper d'abord entre eux, puis à la génération suivante ils se dispersent dans la ville à mesure que leur situation matérielle s'améliore. C'est le cas en 1971 des populations d'origine allemande, néerlandaise, polonaise et ukrainienne, qui sont

38. Harold Troper, *The Defining Decade: Identity, Politics, and the Canadian Jewish Community of the 1960s.*

39. Avant la création de la nouvelle ville de Montréal en 2002 par le gouvernement de Lucien Bouchard.

40. Le démographe Jacques Légaré avait fait la même constatation dix ans plus tôt en analysant les données du recensement de 1961. Voir son analyse dans « La population juive de Montréal est-elle victime d'une ségrégation qu'elle se serait elle-même imposée ? ».

d'installation plus ancienne. Les Juifs, quant à eux, forment la population non seulement la plus fortunée dans la ville mais aussi la plus concentrée, ce qui rompt avec le processus établi. Le succès économique des populations juives au cours des années 1960 et 1970 leur permet, contrairement aux personnes d'origine italienne, par exemple, de bifurquer en forte majorité vers l'ouest de l'île une fois atteinte la « frontière » de la rue Jean-Talon et de s'implanter dans des quartiers où le niveau socioéconomique est supérieur à la moyenne. Ceci amène Mario Polèse à conclure son étude en affirmant :

> Dans l'ensemble, ce sont les groupes à faible statut social (les Italiens, les Grecs, etc.) qui montrent [en 1971] la plus forte tendance à se concentrer, voire à former des ghettos. C'est une tendance générale que l'on remarque dans la plupart des villes nord-américaines. Par contre, le groupe ethnique qui manifeste l'instinct grégaire le plus marqué, les Juifs, est également le groupe le plus riche[41].

Les importantes avancées économiques juives observées dans cette étude de 1971, jumelées aux taux élevés de concentration urbaine à Montréal, mettent aussi en lumière certaines stratégies communautaires qui sont propres aux populations juives québécoises et s'atténuent avec le temps au sein d'autres groupes d'origine immigrante. Malgré un degré d'intégration remarquable aux grands paramètres de la démocratie québécoise et une connaissance exemplaire des langues officielles, les populations juives de Montréal ont maintenu à la fin du XXe siècle une forte identité et un sens aigu de la vie collective. Les chiffres recueillis par Polèse montrent en fait que les Juifs se sont tenus à l'écart à la fois du groupe anglo-protestant et du groupe canadien-français pour se concentrer sur des comportements valorisant la perpétuation d'un espace judaïque dans la ville[42]. En 1978, les résultats d'un sondage mené

---

41. Mario Polèse, Charles Hamel et Antoine Bailly, *La Géographie résidentielle des immigrants et des groupes ethniques. Montréal, 1971*, p. 34.

42. Pierre Drouilly arrive aux mêmes conclusions dans *L'Espace social de Montréal, 1951-1991*. Son analyse est basée sur les données de recensement de 1991.

par Morton Weinfeld et William W. Eaton auprès de 657 répondants juifs déclarés arrivent au même résultat par d'autres méthodes et révèlent l'existence d'un réseau communautaire dense servant de point d'appui à une sous-économie et à une sous-culture entrepreneuriale :

> Les résultats révèlent que la communauté juive vit une situation de ségrégation marquée vis-à-vis des populations anglophones et francophones du Québec. 25 % [des personnes interviewées] déclarent que les origines de la majorité de leurs clients ou de leurs partenaires en affaires sont juives ; un autre 70 % indique que « l'origine ethnique de la majorité des dirigeants de la compagnie ou de l'institution où ils travaillent est juive » (ce qui inclut les Juifs qui sont des travailleurs autonomes)[43].

Weinfeld a aussi découvert que parmi les personnes interrogées, 87 % fréquentent seulement ou surtout des Juifs dans la sphère sociale et que 53 % d'entre elles vivent dans un quartier où tous leurs voisins ou la plupart d'entre eux sont d'origine juive. Le même phénomène est visible dans le monde des affaires, où 35 % des Juifs sondés affirment rencontrer seulement ou surtout des individus de leur confession dans le cadre de leurs relations commerciales, et 39 % de temps à autre. Cet univers est composé d'une part d'un réseau étendu d'institutions communautaires destinées exclusivement à une clientèle juive (synagogues, écoles et centres culturels spécialisés) et d'autre part de commerces et de services de base qui offrent des aliments présentés sous une étiquette cachère ou des biens qui correspondent aux goûts et aux attentes des Ashkénazes est-européens. Viennent ensuite des secteurs économiques liés à l'histoire de l'immigration juive à Montréal et où les intervenants juifs ont été nombreux : les professions libérales traditionnelles, l'industrie du vêtement, la construction immobilière et les entreprises manufacturières à moyenne échelle. À ces paramètres plus culturels, il faut ajouter la propension des Juifs orthodoxes à résider près de leurs lieux de prière et à ne pas utiliser leur voiture le jour du shabbat. Les per-

43. Morton Weinfeld et William W. Eaton, *A Survey of the Jewish Community of Montreal*, p. 56.

sonnes pieuses tendent aussi à fréquenter des lieux publics ou commerciaux qui reflètent leurs valeurs de modestie vestimentaire, offrent de la marchandise perçue comme étant culturellement juive et respectent le calendrier judaïque. Loin de s'atténuer à la fin du XXe siècle, ces caractéristiques de la vie juive montréalaise tendront plutôt à s'intensifier, malgré que l'appartenance aux classes moyennes soit devenue une norme quasi universelle pour ces populations. Cela tient d'une part à ce que la pratique religieuse est en hausse au sein du judaïsme canadien, renforçant d'autant les comportements communautaires exclusifs, et d'autre part à l'absence à Montréal d'un modèle d'intégration unique qui transcenderait toutes les différences religieuses et linguistiques. C'est le constat auquel Weinfeld arrive dans son ouvrage de 2001 très justement intitulé *Like Everyone Else... But Different* :

> On se trouve probablement ici en présence d'un mécanisme de référence social. Les médecins d'origine juive, par exemple, sont sans doute plus enclins à référer leurs patients à d'autres docteurs juifs, c'est-à-dire à des gens qu'ils connaissent. Malgré diverses tentatives de rationalisation subjective, le fait demeure que les Juifs qui sont en affaires ou qui appartiennent aux professions, en particulier à Toronto et Montréal, maintiennent des relations disproportionnellement élevées – et dans certains cas différentes – avec d'autres Juifs[44].

Regroupés dans les plus grandes villes du pays, les Juifs ont aussi tendance à Montréal à occuper un espace très restreint. Au recensement de 1986, la communauté juive est toujours, dans la région métropolitaine de recensement (RMR) de Montréal, la plus concentrée parmi les populations nées à l'extérieur du pays et identifiées selon leur ethnie. Sur ce territoire très vaste, 90,1 % des personnes immigrantes d'origine juive vivent à l'intérieur des frontières de la Communauté urbaine de Montréal (CUM), suivies de près par les Italiens (87,6 %) et les Ukrainiens (85,6 %). S'agissant des quartiers de l'ancienne ville de Montréal, 81,8 % des Juifs montréalais immigrés au Canada vivent en 1986 dans

44. Morton Weinfeld, *Like Everyone Else... But Different: The Paradoxical Success of Canadian Jews*, p. 102. Notre traduction.

le quartier Notre-Dame-de-Grâce / Côte-des-Neiges. C'est une densité qui dépasse celle de toutes les autres communautés désignées, dont les Arméniens dans Ahuntsic (55,7 %), les Grecs dans Villeray / Saint-Michel (54,5 %) et les Vietnamiens dans Notre-Dame-de-Grâce / Côte-des-Neiges (40,9 %). Souvent immigrés plus tôt au XXe siècle et en moins grand nombre depuis la Seconde Guerre mondiale, les Juifs ont résisté à la tentation de se disperser en banlieue ou de s'étaler au-delà de certaines zones bien précises. En 1986, sur l'île de Montréal à proprement parler, près de 80 % des immigrants juifs résident dans un quadrilatère assez petit, délimité au nord par l'autoroute 40, à l'ouest par l'autoroute 13, au sud par la frontière de la municipalité de Westmount et par l'autoroute Ville-Marie et à l'est par le boulevard Saint-Laurent[45]. Seules les personnes immigrantes d'origine chinoise, arménienne et italienne parviennent à des taux de densité à peu près comparables, quoique dans des secteurs en général moins fortunés de la ville. Dans deux municipalités indépendantes, Côte-Saint-Luc et Hampstead, situées à l'ouest de l'autoroute Décarie et au nord de Notre-Dame-de-Grâce, les résidents d'origine juive forment en 1986 la majorité absolue de la population. Sur ces territoires assez petits, on trouve une densité exceptionnelle d'institutions religieuses, culturelles et scolaires du réseau juif. En fait, ces deux localités comptent en 1986 parmi les villes les plus densément juives (70 %) en Amérique du Nord, à l'exception de certaines enclaves hassidiques dans la grande banlieue new-yorkaise, pratiquement juives à 100 %.

Premières arrivées hassidiques

Historiquement, les Juifs de Montréal avaient pu conjuguer sans trop de mal le respect de la pratique religieuse et des préceptes de base du judaïsme avec les exigences d'une vie sociale et professionnelle trépi-

---

45. Voir Gouvernement du Québec, *Localisation des populations immigrées et ethnoculturelles au Québec.*

dante. Il était ainsi possible de se situer à l'intérieur de la sphère judaïque sans pour autant se soustraire aux obligations et aux avantages les plus courants de la démocratie québécoise et du libéralisme économique nord-américain. Pour la plupart, les Juifs étaient parvenus à cet équilibre de manière discrète aux yeux de leurs concitoyens et sans arborer de manière ostentatoire les signes distinctifs extérieurs d'une identité religieuse particulière. Dans l'ensemble et sur le long terme, tant les Ashkénazes que les Sépharades se sont conformés à ce modèle à mesure qu'ils s'enracinaient au Québec et franchissaient certaines étapes importantes de leur intégration.

Ce positionnement de compromis honorable ne pouvait toutefois satisfaire les adeptes de l'orthodoxie, qui ressentaient le besoin d'embrasser d'un même élan l'ensemble des lois et des préceptes juifs. Pour la plupart de ces pratiquants, cela signifiait s'associer sur une base quotidienne à une communauté fortement marquée par la tradition religieuse et rejetant tout compromis durable avec la modernité. Au début du XXe siècle, quand s'était mise en branle la grande migration est-européenne vers le Canada, la masse des nouveaux venus s'était détournée du judaïsme sous son incarnation stricte. La plupart des travailleurs d'origine juive n'avaient pas hésité par exemple à se rendre à l'usine ou à commercer le jour du shabbat. Il en allait de même des règles les plus élémentaires de la judéité, comme le respect de la cacherout, la célébration des fêtes religieuses solennelles et la récitation des prières à la maison ou à la synagogue. Dans ses mémoires rédigés au milieu des années 1940, le journaliste Israël Medresh rappelle que les trois premières décennies du siècle ont constitué à ce titre une période fruste et que dans ce contexte les visées idéologiques des syndicalistes et des modernistes ont dominé le milieu communautaire à tout point de vue :

> Les immigrants d'alors ne possédaient qu'un bagage limité en matière de judaïsme. Le pourcentage de Juifs véritablement traditionnels était certes plus élevé qu'aujourd'hui, mais les Juifs religieux n'avaient pas une grande influence au sein de la communauté. Peu de gens s'intéressaient à une éducation juive. La plupart entretenaient d'ailleurs l'idée qu'inculquer une culture traditionnelle juive à leurs enfants nés au Canada n'était qu'une perte de temps. [...]

> Les immigrants religieux eux-mêmes étaient venus au Canada avec cette idée qu'il n'y avait pas, en ce pays, de terrain fertile ni même d'avenir pour le judaïsme traditionnel. En fait, ces gens ne se souciaient que de deux choses : qu'il ne se consomme au foyer que de la viande cachère et que leurs fils sachent réciter le *kaddish** le moment venu. Pour le reste, ils durent baisser les bras[46].

Lorsque se présente en 1922 l'occasion de fonder à Montréal une organisation communautaire chargée notamment de la certification de la viande cachère, connue sous le nom de Va'ad Ha'ir[47], de sérieuses difficultés se manifestent au sujet de la crédibilité de ses dirigeants éventuels et des méthodes de certification employées lors de l'abattage rituel. Non seulement il existe des interprétations religieuses divergentes au sein du courant orthodoxe[48], mais il est en fin de compte nécessaire d'asseoir l'autorité du nouveau conseil en y associant toutes les institutions juives de la ville, dont celles qui possèdent une vocation surtout fraternelle, éducative ou syndicale. Dans ce contexte, les promoteurs du Va'ad Ha'ir doivent même consentir à ce qu'une partie de la taxe perçue sur la viande cachère soit utilisée pour soutenir des écoles séculières et des organismes servant la population juive en général[49]. C'est dire à quel point la pratique de l'orthodoxie ne fait pas l'unanimité au sein de la communauté.

Malgré ce désintérêt généralisé pour la préservation des formes est-européennes d'orthodoxie religieuse, de grandes figures du judaïsme ashkénaze traditionnel s'installent à Montréal et y font carrière dans le rabbinat, à telle enseigne qu'un réseau complet d'institutions judaïques

---

46. Israël Medresh, *Le Montréal juif d'autrefois*, p. 57.

47. Cet organisme est aussi connu sous le nom de Conseil de la communauté juive de Montréal / Jewish Community Council of Montreal.

48. Voir à ce sujet Ira Robinson, « The Kosher Meat War and the Jewish Community Council of Montreal, 1922-1925 » ; et Hirsch Wolofsky, *Mayn lebens rayze. Un demi-siècle de vie yiddish à Montréal et ailleurs dans le monde*, p. 177-181.

49. Voir Stephen Lapidus, « Orthodoxy in Transition: The Vaad Ha'ir of Montreal in the Twentieth Century ».

prend forme dans la ville dès le début du XXe siècle. Les premières avancées en ce sens se font sous l'autorité du mouvement rabbinique dominant, qui valorise l'étude systématique des textes saints – surtout le Talmud – dans un esprit de vénération pieuse. Il faut toutefois attendre la période de l'entre-deux-guerres pour qu'une présence hassidique commence à se manifester à Montréal et pour que des leaders religieux importants se réclament de cette tradition apparue en Pologne et en Ukraine au milieu du XVIIIe siècle[50]. Parmi les personnalités les plus marquantes des années 1920 et 1930 reliées à ce courant, il convient de mentionner le rabbin Yudl Rosenberg, arrivé au Canada en 1913 et installé à Montréal en 1918. Talmudiste et cabaliste reconnu, Rosenberg exerce une influence notable dans le milieu judaïque montréalais, notamment au sein du Va'ad Ha'ir, et rédige de nombreux ouvrages en hébreu et en yiddish sur l'interprétation de la loi de Moïse[51]. Parce qu'il incarne le judaïsme de tradition polonaise, il se trouve souvent en opposition dans la structure communautaire avec le principal représentant de la tendance lituanienne à Montréal, le rabbin Zvi-Hirsch Cohen, chef spirituel reconnu de la tendance religieuse majoritaire et du Va'ad Harabonim[52]. Rosenberg et Cohen préfigurent en quelque sorte, dès les années 1920, les divergences d'interprétation fondamentales qui sépareront les différents courants orthodoxes présents dans la ville après la guerre.

C'est dans les années 1940 et 1950 qu'un nombre relativement élevé de Juifs hassidiques immigrent à Montréal et que des lieux de prière, des académies talmudiques et des organisations communautaires apparaissent pour soutenir cette forme de piété particulière. Entre les adeptes de la tradition rabbinique classique et le hassidisme, il n'existe pas vraiment de différences fondamentales de doctrine en ce qui touche l'appli-

---

50. Steven Lapidus, « Forgotten Hasidim: Rabbis and Rebbes in Prewar Canada ». Pour une histoire du hassidisme, voir Julien Bauer, *Les Juifs hassidiques.*

51. Ira Robinson, « Kabbalist and Communal Leader: Rabbi Yudl Rosenberg and the Canadian Jewish Community ». Le rabbin Rosenberg est le grand-père maternel de l'écrivain Mordecai Richler.

52. Il s'agit de l'instance représentative du rabbinat orthodoxe.

cation de la loi de Moïse. Les premiers toutefois insistent sur l'aspect légaliste du judaïsme et s'adossent au corpus très vaste des commentaires et des interprétations tirées du texte biblique au fil de l'histoire, principalement le Talmud. Les Hassidim* représentent plutôt un courant mystique d'abandon à la simplicité du message divin et d'adhésion personnelle intense à la croyance religieuse, toujours sous la direction d'un maître à penser ou d'un érudit appelé *rebbe*. La proximité physique avec le guide spirituel désigné et l'abandon à ses enseignements constituent un avantage décisif dans la réalisation de soi en tant que Juif. Pour cette raison, les Hassidim ont tendance à vivre au sein de communautés aux frontières identitaires bien délimitées et de taille relativement réduite. Ils sont aussi très attachés à la personnalité du fondateur de leur courant spirituel et sont souvent portés à sacraliser le moindre de ses gestes ou de ses comportements.

Les attitudes contrastées des Hassidim et des tenants de l'orthodoxie rabbinique – appelés Misnagdim* dans ce contexte précis, ou « opposants » – ont donné naissance à Montréal à des différenciations internes considérables au sein du grand mouvement orthodoxe, qui se sont manifestées sur de longues périodes et ont entraîné des ruptures institutionnelles très perceptibles. Bien qu'ils se reconnaissent tous comme héritiers d'un judaïsme strictement défini et pratiqué de manière exigeante, Hassidim et Misnagdim diffèrent suffisamment dans leur sensibilité religieuse pour suivre des chemins séparés sur le plan organisationnel[53]. Chaque groupe a aussi tendance à occuper des quartiers distincts dans l'espace urbain montréalais et à se fier seulement à ses propres autorités rabbiniques pour ce qui est de la certification des produits cachers ou de l'accomplissement des rituels religieux les plus courants. Les Hassidim sont aussi divisés en de nombreuses sous-communautés, qui sont le reflet des origines est-européennes particulières des différents fondateurs de ce mouvement spirituel. Très

53. Voir à ce sujet Julien Bauer, « Les communautés hassidiques de Montréal ». Voir aussi Simon Doubnow, *Histoire du hassidisme. Une étude fondée sur des sources directes, des documents imprimés et des manuscrits*; et Jean Baumgarten, *La Naissance du hassidisme. Mystique, rituel et société (XVIIIe–XIXe siècle).*

sensibles à certaines traditions culturelles régionales ou fidèles à un dialecte yiddish en particulier, les Juifs hassidiques représentent en réalité un faisceau identitaire complexe. Les différentes populations hassidiques se définissent souvent indépendamment les unes des autres et n'entretiennent pas nécessairement des relations très suivies. Lorsque ces populations se multiplient, il se manifeste à la fois un effet de morcellement interne prononcé, dû à la présence de différents courants autonomes, et un renforcement du taux d'orthodoxie au sein de la population juive en général. Peu enclins à accepter des compromis ou des adaptations relativement à la pratique du judaïsme, les Hassidim exercent un effet d'entraînement notable sur tous les Juifs, entre autres en densifiant le milieu institutionnel où il est possible d'observer toutes les lois juives. Les Pieux n'hésitent pas non plus à témoigner publiquement de leurs croyances et sont pour cette raison porteurs de signes extérieurs très identifiables qui délimitent des espaces associés au système de valeurs judaïques traditionnelles, dont des commerces, des lieux de culte et une vie urbaine à fort quotient hassidique[54].

Malgré qu'ils représentent historiquement un faible pourcentage de la population juive montréalaise – jamais plus de 10 % –, les Hassidim projettent néanmoins une image assez imposante de cohésion communautaire, de fidélité à la pratique orthodoxe et d'originalité vestimentaire, qui attire le regard des passants et suscite parfois le commentaire. L'émergence d'une forte présence hassidique à partir des années 1960 et 1970 constitue donc aussi un des moments forts de l'histoire juive à Montréal. Ces avancées sont perçues par une partie non négligeable de la population d'origine juive comme le signal d'une revalorisation de l'orthodoxie religieuse. L'intensification de la pratique de la part des Pieux relance l'engagement religieux de ceux qui désirent conserver un lien tangible et vivant avec le judaïsme comme fondement premier de l'identité juive, mais pas nécessairement en modelant tous leurs comportements sociaux sur la tradition judaïque.

54. Pierre Anctil, « Judaïsme hassidique et laïcité dans l'espace public à Outremont ».

Les conditions propices à l'émergence à Montréal d'une population hassidique sont liées de très près au déclenchement de la Seconde Guerre mondiale. Il se trouvait déjà un certain nombre de pratiquants ultra-orthodoxes parmi un contingent de plusieurs centaines de Juifs allemands et est-européens envoyés au Canada par le gouvernement britannique au cours de l'été 1940 et considérés comme « *enemy aliens*[55] ». Quelques mois plus tard, Montréal accueille un petit groupe de Juifs hassidiques qui ont fui les avancées de la Wehrmacht en Pologne et parmi lesquels se trouve un jeune rabbin du nom de Pinchas Hirschprung[56]. La destruction des grands foyers de vie orthodoxe juive partout en Europe de l'Est et l'hécatombe subie par les tenants de la piété traditionnelle aux mains des forces hitlériennes suscitent en effet pour la première fois au sein de ces populations le sentiment que l'exil vers l'Amérique est inévitable. Grâce à des permis d'immigration obtenus du gouvernement canadien par les dirigeants communautaires juifs, Hirschprung arrive à Montréal à la fin de l'année 1941 *via* la côte pacifique du Canada. Accompagné de quelques autres Juifs ultra-orthodoxes, il avait traversé l'URSS par le chemin de fer transsibérien et transité par le Japon quelques mois avant l'attaque sur Pearl Harbor.

Érudit de premier ordre et talmudiste reconnu, Hirschprung devient pendant près d'un demi-siècle le dépositaire principal des savoirs et des pratiques grâce auxquels vont s'ériger à Montréal les premières institutions orthodoxes à la manière hassidique. Associé de près au très charismatique *rebbe* des Loubavitch, Menachem Mendel Schneersohn, un résident de New York, Hirschprung contribue à la fondation au milieu des années 1940 à Montréal de la *yeshiva* Tomchei Tmimim, aussi connue sous le nom de Rabbinical College of Canada. D'autres institutions de stricte obédience orthodoxe sont créées sous sa direction, dont une école pour jeunes filles appelée Beys Yaakov, ouverte

55. Voir Pierre Anctil, « L'internement des Juifs allemands sur les plaines d'Abraham à l'été 1940 ».

56. Voir Hirsch Wolofsky, *Mayn lebens rayze*, p. 350-352. Voir aussi l'autobiographie du rabbin Pinchas Hirschprung, *The Vale of Tears*.

sur le Plateau Mont-Royal en 1953 au coin de la rue Fairmount[57]. Des *shtiblekh**, des *bote-medroshim* et des *yeshivot* d'inspiration hassidique voient aussi le jour dans le même quartier au fil des années. En 1969, Hirschprung se voit confier la fonction de grand rabbin de Montréal et devient le directeur du Va'ad Ha'ir, en plus de prendre la tête du principal tribunal religieux judaïque de la ville, le *beys-din**. Il est le premier rabbin de tradition ultra-orthodoxe à diriger certaines des plus importantes institutions religieuses de la communauté juive locale, jusque-là dominées par des tenants du courant misnagdique.

La très haute réputation d'individus comme Rosenberg et Hirschprung et l'atmosphère fortement est-européenne du milieu communautaire juif contribuent par ailleurs à attirer dans la ville des personnes de stricte observance religieuse. En 1949, une correspondance entre le Va'ad Ha'ir et la Jewish Immigrant Aid Society of Canada (JIAS) mentionne l'arrivée à Montréal de neuf adeptes du mouvement loubavitch et de leurs familles, tous décrits comme des pratiquants stricts du judaïsme. L'événement, qui survient au moment où une forte vague migratoire juive se dirige vers le Canada, est considéré comme un tournant dans le développement d'un réseau d'affiliation hassidique dans la métropole. Dans une lettre circulaire rédigée à cette occasion, M. Peters, le directeur du Va'ad Ha'ir, demande aux différents organismes communautaires de respecter l'engagement religieux ultra-orthodoxe des nouveaux venus et de les orienter vers des emplois qui rendent possible une stricte observance des lois juives :

> Parmi les quelques milliers de Juifs qui sont [...] arrivés à Montréal d'Europe, il s'en trouve un certain nombre qui sont des pratiquants orthodoxes [*shomrei shabes*]. Les Juifs de cette obédience ont beaucoup de difficulté à trouver de l'emploi, car ils ne veulent pas travailler le jour du shabbat. Nous vous demandons de faire la chose suivante : si vous êtes en mesure d'utiliser les services de ce genre de Juif prati-

57. Elle se trouve aujourd'hui dans la partie nord-ouest de l'arrondissement d'Outremont.

> quant ou si vous connaissez quelqu'un parmi vos amis qui serait disposé à le faire, faites-le-nous savoir[58].

En 1949, Montréal accueille aussi un petit groupe de Hassidim de Klausenberg, proches du rabbin Hirschprung, qui sont d'origine transylvanienne. Trois ans plus tard, des adeptes du courant Satmar, également roumains d'origine, arrivent dans la ville, ainsi qu'un petit contingent de Tosh[59] regroupés autour de Meshulim Feish Lowy, de filiation hongroise. Les Belz, dont le mouvement avait été fondé en Galicie, s'installent en 1952 sur le Plateau Mont-Royal[60]. Au cours des années suivantes, d'autres communautés hassidiques font leur apparition, dont les Skvers, les Bobov, les Munkacs, les Vishnitz et les adeptes du rabbin Nachman de Bratslav[61]. À part les Tosh, qui s'installent en 1963 dans une zone rurale de la municipalité de Boisbriand[62], dans les Basses-Laurentides, et les Loubavitch, qui optent pour le quartier de Snowdon / Côte-des-Neiges, la majorité des Pieux se concentrent dès le départ dans le corridor du boulevard Saint-Laurent. Cet axe nord-sud a canalisé

58. « *Tsvishn di etlekhe toyzent yidn vos zenen* [...] *ongekumen kayn Montreal fun Eyrope, gefunen zikh a tsol yidn velkhe zenen shomrei shabes. Di dozike yidn kumt on shver tsu krigen arbet, derfar vayl ze viln nit arbetn um shabes. Betn mir aykh tsu ton dos folgende : Oyb ir darft un kent nutsn di arbet fun aza shtayger yidn a shomrey shabes, oder oyb ir vayst fun ayre fraynt vos vil oysnutsn di arbet fun aza yid – lozt undz zofort visn.* » Lettre de M. Peters, administrateur du Va'ad Ha'ir, aux organismes communautaires juifs, 10 août 1949, Service des archives juives canadiennes Alex Dworkin [anciennement les archives du Congrès juif canadien], Montréal. Notre traduction.

59. On trouve aussi l'appellation « Tash » pour désigner ce groupe.

60. Jacques Gutwirth, « Hassidim et judaïcité à Montréal ». Voir aussi, du même auteur, *Vie juive traditionnelle. Ethnologie d'une communauté hassidique* et *La Renaissance du hassidisme. De 1945 à nos jours.*

61. Julien Bauer, « Les communautés hassidiques de Montréal », p. 219.

62. William Shaffir, « Separation from the Mainstream in Canada: the Hassidic Community of Tash », p. 19-35. Voir aussi, du même auteur, *Life in a Religious Community: The Lubavitcher Chassidim in Montreal.* Voir aussi Simon-Pierre Lacasse, « L'orthodoxie juive à la rencontre de la modernité : le groupe des Tasher face au Québec de la Révolution tranquille (1951-1967) ».

l'ensemble de l'immigration juive dans la première moitié du XXe siècle et offre pour cette raison des perspectives favorables au maintien de l'orthodoxie stricte. Les Hassidim s'appuient sur le petit commerce et les métiers industriels pour compléter leur intégration socioéconomique à la ville, surtout dans le secteur alimentaire et dans le domaine de la confection. Sur ce plan, ils ne se distinguent pas vraiment des autres couches de la population juive arrivées un demi-siècle plus tôt, qui avaient fondé des entreprises de taille modeste en grand nombre dans ce secteur.

Puisque l'établissement des premiers noyaux hassidiques sur le Plateau Mont-Royal correspond aussi au départ généralisé des immigrants d'avant-guerre vers l'ouest de la ville, les Pieux demeurent bientôt les seuls Juifs à occuper ce quartier central constellé d'institutions appartenant à la sphère judaïque. Cette conjoncture aura pour conséquence d'augmenter encore plus leur visibilité en tant que pratiquants orthodoxes, notamment aux yeux de la population non juive de langue française. Il s'agit de plus d'un environnement urbain qui correspond particulièrement bien à leurs besoins sur le plan du logement et des activités économiques. Les Hassidim doivent en effet composer avec des familles de grande taille. Ils sont aussi à la recherche d'un milieu favorable à la création de petites entreprises et au maillage avec des installations industrielles plus anciennes.

Quand l'anthropologue Jacques Gutwirth effectue en 1971 une recherche sur les Juifs hassidiques de Montréal, il calcule qu'ils sont au nombre de 2 000 dans la ville et que leur population est en pleine croissance[63]. Dix ans plus tard, William Shaffir évalue la présence hassidique à 3 000 personnes[64]. À partir de ce moment, l'effectif des Pieux est suffisant pour que chaque sous-communauté tente de développer pour elle-même une forme plus ou moins avancée de complétude institutionnelle : maisons d'enseignement pour garçons et filles, académies

63. Jacques Gutwirth, « Hassidim et judaïcité à Montréal ». Gutwirth estime qu'au cours de cette période, chaque foyer au sein de ces communautés compte de cinq à six personnes.

64. William Shaffir, « Chassidic Communities in Montreal », p. 278.

talmudiques pour jeunes hommes et lieux de prière, sans oublier une panoplie de commerces à caractère religieux prononcé. Ces remarques valent aussi pour les rapports sociaux, fortement colorés par la pratique religieuse et qui sont en général limités au groupe d'appartenance, notamment pour ce qui est des mariages, des cérémonies sociales importantes et des célébrations religieuses. Les regroupements les plus nombreux font l'acquisition d'édifices considérables, se lancent dans des projets de construction et gèrent des centres communautaires d'une certaine ampleur. Les Belz, les Vishnitz, les Satmar et les Skver, en particulier, s'installent dans la partie nord de l'avenue du Parc, entre les rues Saint-Viateur et Van Horne, et y concentrent leurs activités et lieux de prière.

Les frontières entre les différents segments de la collectivité hassidique ne sont toutefois pas si étanches qu'il paraît au premier regard, et des collaborations naissent à la marge ou dans des circonstances exceptionnelles. Cela est particulièrement vrai lorsque des ensembles plus petits dépendent des réseaux institutionnels mieux établis au sein de la grande constellation hassidique montréalaise. Les Pieux trouvent aussi souvent de l'emploi en tant que fonctionnaires religieux dans des établissements qui sont rattachés à la mouvance juive dominante. Ils remplissent entre autres les fonctions de *mohelim**, de *shokhtim**, de *mashgikhim**, de *soferim**, et sont engagés comme enseignants spécialisés dans des maisons d'éducation d'orientation plus laïque. On les trouve aussi en grand nombre dans les organisations communautaires qui gèrent les aspects strictement judaïques de la vie juive à Montréal, domaine pour lequel ils possèdent des compétences indéniables. C'est le cas notamment au sein du Va'ad Ha'ir, du Va'ad Harabonim et des écoles confessionnelles privées ainsi que dans les tribunaux religieux.

Réalités hassidiques contemporaines

Les Juifs hassidiques se distinguent avant tout par l'importance qu'ils accordent à la vie religieuse traditionnelle et par leur souci d'honorer les préceptes fondamentaux du judaïsme jusque dans leurs moindres détails[65]. Ils se signalent aussi par le maintien de certains traits culturels typiquement est-européens, dont l'usage quotidien de la langue yiddish et certaines habitudes vestimentaires. Ces croyances et comportements ont toutefois des incidences très sérieuses sur les modalités d'adaptation des milieux hassidiques à leur environnement social immédiat et colorent leurs relations avec la population juive majoritaire. Il serait faux toutefois de croire que les adeptes du hassidisme se distinguent radicalement de leurs coreligionnaires et qu'ils forment un corps étranger au sein de la judéité montréalaise. Sur plusieurs plans, Juifs séculiers et Juifs pieux partagent des opinions assez similaires quant à leur statut de minoritaires au sein de la société québécoise et quant à leur volonté de préserver une trajectoire historique distincte. Il existe aussi, au-delà des différences plus culturelles, un sentiment de partage d'un destin commun lié à une tradition religieuse issue d'Abraham, d'Isaac et de Jacob.

Une première étude détaillée des communautés hassidiques et ultra-orthodoxes de Montréal[66], basée sur le recensement fédéral de 1991 et sur un questionnaire administré au milieu des années 1990 auprès de 400 ménages, a permis de mieux départager les éléments fondateurs de l'identité sociale et culturelle des Juifs hassidiques. Au moment où l'étude est publiée par la Coalition d'organisations hassidiques d'Outremont (COHO)[67], les grandes tendances socioéconomiques des populations hassidiques et ultra-orthodoxes de la région de Montréal existent depuis au moins une vingtaine d'années. La décision de rendre publiques ces données témoigne toutefois de la part des com-

---

65. Pour une description de la vie familiale hassidique de l'intérieur, voir Malka Zipora, *Lekhaim ! Chroniques de la vie hassidique à Montréal.*

66. Cette étude distingue clairement Juifs hassidiques au sens strict du terme, c'est-à-dire appartenant à une communauté dirigée par un *rebbe* hassidique reconnu, et pratiquants ultra-orthodoxes de tradition rabbinique. Il existe, du point de vue du judaïsme, des ruptures importantes entre les deux groupes qui restent souvent indétectées de la part d'organismes gouvernementaux chargés d'offrir des services publics à ces populations.

67. Cet organisme est aussi connu sous l'appellation yiddish de « Feraynikte haredishe organizatsyes fun Outremont ».

munautés concernées d'une volonté d'affirmation politique et d'un désir d'obtenir pour la première fois un soutien gouvernemental pour aider certaines de leurs institutions. Cette démarche signale aussi le début d'une politique d'ouverture et de dialogue avec la société majoritaire, rendue nécessaire par la croissance démographique très forte des populations hassidiques et par leur concentration territoriale dans un secteur précis du Plateau Mont-Royal et de l'arrondissement d'Outremont.

Après un examen statistique détaillé des secteurs de recensement, les auteurs de l'étude, Charles Shahar, Morton Weinfeld et Randal F. Schnoor, en viennent à la conclusion que la région de Montréal comptait en 1991 environ 6 250 Juifs hassidiques et ultra-orthodoxes – ou *haredim*[68] –, surtout concentrés dans la partie nord du secteur Côte-des-Neiges, dans la municipalité d'Outremont[69] et dans le quartier montréalais adjacent du Mile End[70]. Première constatation, ces populations se démarquent nettement sur le plan démographique du reste des Juifs montréalais. Au sein de ces communautés, seulement 40 % des individus sont nés au Canada et plus de 50 % déclarent avoir le yiddish pour langue maternelle. De tels chiffres témoignent en fait d'un flux migratoire constant en provenance des États-Unis et plus lointainement de l'Europe de l'Est et d'Israël, pour lequel il n'existe pas d'équivalent au cours des trente dernières années dans les autres segments du judaïsme montréalais. Par contraste, à la même époque, la grande majorité des Juifs canadiens sont nés au pays, et seuls 2,1 % d'entre eux utilisent couramment le yiddish à la maison[71]. Une bonne partie de cet

68. Le terme *haredi* est utilisé en hébreu moderne pour distinguer les pratiquants en partie sécularisés de ceux qui sont fortement attachés à une application intégrale de la loi de Moïse. Il est d'origine biblique et désigne ceux qui « tremblent de crainte devant Dieu ».

69. Outremont est devenu un arrondissement de Montréal en 2002.

70. Charles Shahar, Morton Weinfeld et Randal F. Schnoor, *Sondage sur les communautés hassidiques et ultraorthodoxes dans le quartier Outremont et les régions environnantes.*

71. Leo Davids, « Hebrew and Yiddish in Canada: A Linguistic Transition Completed ».

écart s'explique par le fait qu'il existe un échange constant de futurs conjoints entre les communautés hassidiques à travers le monde et qu'en règle générale les femmes font alliance avec des hommes venus de l'extérieur de la communauté. Ce comportement traditionnel induit un mouvement migratoire permanent qui est une des caractéristiques sociales marquantes du monde hassidique.

Parce qu'ils sont inscrits pendant une longue période dans des académies talmudiques, les jeunes hommes de tradition hassidique tardent aussi à entrer sur le marché du travail et sont souvent pénalisés par un manque de compétences professionnelles reconnues. Cela se traduit en 1991 par un taux d'emploi à temps plein de 62 % chez les chefs de famille et un taux de diplomation universitaire de seulement 9 %. Au même moment, 90 % des *haredim* interviewés aux fins de l'enquête déclarent ne pas connaître suffisamment le français pour l'utiliser couramment, ce qui contribue à les isoler davantage des principales sources d'emploi. En 1991, plus de 41 % des ménages hassidiques et ultra-orthodoxes vivent sous le seuil de pauvreté, un phénomène encore accentué par la taille plus grande des familles. Pour l'ensemble de la population juive de Montréal, la proportion de démunis s'établit à 17 %, soit un chiffre nettement plus bas. De telles données sont toutefois sujettes à caution, préviennent les auteurs de l'étude, car il y a souvent une sous-évaluation systématique des revenus chez les répondants de tradition hassidique. Cela tient entre autres à ce que les ressources communautaires et familiales très étendues des Pieux leur permettent parfois d'obtenir des services importants sans devoir faire des déboursés conséquents. Il reste néanmoins qu'un écart significatif sur le plan économique sépare les Pieux des autres couches du judaïsme montréalais, ce qui se reflète sur la qualité des logements occupés et sur leur niveau de vie matériel.

Il n'est pas étonnant dans ces circonstances que l'étude de Shahar, Weinfeld et Schnoor souligne qu'un grand nombre de familles hassidiques et ultra-orthodoxes de Montréal et d'Outremont subissent des pressions financières considérables. De fait, les difficultés économiques arrivent au premier rang des préoccupations chez les chefs de famille, bien avant la discrimination sociale ou l'antisémitisme. Plus de 44 % des répondants s'inquiètent de leur niveau de revenu et 16 % du risque de chômage, contre seulement 9,8 % qui ont des difficultés de logement, 6 % des problèmes de conciliation de vie professionnelle et familiale ainsi que 4 % qui se déclarent insatisfaits du type d'emploi qu'ils détiennent. Interrogés au sujet de la meilleure manière d'améliorer leur employabilité, un peu plus de la moitié des répondants envisagent de s'inscrire à une formation en informatique, 23,9 % prévoient améliorer leur connaissance du français et 10 % souhaitent accroître leurs compétences administratives. Fait important à noter, seulement 16 % des personnes jointes déclarent avoir vécu une expérience antisémite notable au cours des deux dernières années et 17,8 % à un moment plus éloigné de leur vie. Il ne semble pas à la lumière de cette étude que l'hostilité du milieu environnant soit un facteur décisif de l'épanouissement des populations hassidiques montréalaises.

Le véritable défi de ces communautés tient plutôt à ce qu'elles connaissent un taux de croissance démographique de près de 5 % par année, phénomène qui a des retombées importantes sur le maintien d'infrastructures sociales et éducatives de qualité. Rien n'indique que la croissance de ces populations s'apprête à ralentir, comme ce fut le cas au lendemain de la Seconde Guerre mondiale pour les couches plus socialement intégrées du judaïsme montréalais. Concernant l'indice de fécondité et la taille des foyers, les communautés *haredim* de Montréal dépassent toujours nettement à la fin du XXe siècle la tendance canadienne en général et se situent très au-dessus de la moyenne juive au pays. Cela se mesure entre autres par le fait que 50,4 % de cette population avait moins de 15 ans selon l'étude de 1991 et que près de la majorité des ménages comptaient cinq personnes ou plus.

Dans une nouvelle étude très détaillée commandée par le COHO et publiée en 2005, Charles Shahar calcule que les Hassidim et autres pratiquants ultra-orthodoxes de l'arrondissement d'Outremont et de l'avenue du Parc, de la partie nord-est du quartier Côte-des Neiges et du quartier Snowdon, auxquels il faut ajouter les communautés de Boisbriand, comptent 10 174 personnes en 1996 et 12 723 personnes en 2000[72]. Tous ces gens ne répondent pas nécessairement à la définition

72. Charles Shahar, *Les Hassidim et les ultra-orthodoxes du Grand Montréal. Éva-*

étroite du hassidisme que nous avons donnée plus haut, mais tous sont des pratiquants stricts du judaïsme traditionnel. Au sein de cet ensemble, la taille moyenne des foyers atteint 5,6 personnes, contre 1,5 pour l'ensemble des Juifs montréalais, et l'indice de fécondité se situe à 6,2 enfants par femme, contre près de deux pour l'ensemble des Juives canadiennes. Il s'agit aussi de communautés dont les balises identitaires, sociales et territoriales sont définies depuis plusieurs décennies de manière très explicite dans la métropole québécoise et qui valorisent en toute chose un conservatisme prononcé. De toute évidence, cela signale ce segment comme le plus dynamique sur le plan démographique et le plus cohérent au sein de la judéité montréalaise de la fin du XXe siècle. Tout semble indiquer que les *haredim* offrent un potentiel de mobilisation communautaire et de développement interne qui rivalise avec celui mis en œuvre à d'autres périodes historiques par des immigrants venus d'horizons politiques très différents, notamment les tenants des idéologies laïques et révolutionnaires.

Les adhérents des approches hassidiques et ultra-orthodoxes se situent aussi à une conjoncture unique dans le monde juif montréalais, en ce qu'ils sont restés indifférents aux débats politiques qui ont traversé la société canadienne et québécoise depuis un demi-siècle. Ils se distinguent ainsi nettement de certains Juifs de langue maternelle anglaise qui ont subi avec réticence les transformations rapides amenées par la Révolution tranquille. C'est la conclusion à laquelle en arrivait paradoxalement Jacques Gutwirth dans son étude de 1973. Éloignés par leur piété des considérations plus prosaïques de la vie séculière, les Hassidim n'hésiteraient pas à effectuer rapidement des ajustements dans leurs rapports avec la société québécoise – notamment sur le plan linguistique – si cela pouvait garantir le maintien intégral de leur réseau institutionnel et religieux. Un tel positionnement ne manquerait pas, pensait alors l'auteur, d'avoir un effet d'entraînement notable sur d'autres couches de la population juive montréalaise, elles aussi conviées à un rendez-vous décisif avec le fait français :

---

luation des besoins et projections de la population des communautés hassidiques et ultra-orthodoxes du Grand Montréal.

> Certes, maintenant, devant une situation nouvelle, la judaïcité montréalaise se doit de reconsidérer son destin : il n'est pas sûr, loin de là, que les comportements socioculturels fondés sur la culture anglophone et le sionisme de principe soient les meilleurs pour assurer l'avenir des Juifs au Québec. [...]
> Leur place [celle des Juifs en général] dans une société québécoise où la majorité francophone assumerait la part qui lui revient paraît viable, mais à notre avis elle passe, pour commencer, par une reconversion culturelle déchirante. Et les Hassidim, par leur étrangeté relative envers la culture et la société anglophones, sont peut-être paradoxalement les mieux placés pour une mutation de cet ordre[73]...

Renversements de perspective

Pendant que la population juive de Montréal concentre ses énergies, au cours des années 1950 et 1960, à accueillir de nouveaux apports démo graphiques et voit son identité linguistique, culturelle et religieuse se transformer de l'intérieur, la conjoncture politique se modifie soudainement du tout au tout à l'échelle québécoise. Jusque-là, les Juifs avaient perçu le Canada français à travers la lunette déformante des protestants anglophones et s'étaient essentiellement maintenus à distance du réseau institutionnel d'inspiration catholique, où ils n'étaient de toute manière pas les bienvenus. Au cours des premières décennies du XXe siècle, un *modus vivendi* tolérable était peu à peu apparu qui avait permis aux Juifs est-européens de s'angliciser et de progresser dans l'échelle sociale sans avoir à abandonner leurs origines judaïques. La distance qui s'était creusée avec la majorité de langue française tenait d'une part à la vision pancanadienne des élites juives de Montréal et d'autre part au fait qu'il semblait peu rentable à long terme de s'arrimer au destin politique d'un groupe fortement minoritaire à l'échelle continentale. Le poète montréalais George Ellenbogen, qui a fréquenté l'école secondaire Baron

---

73. Jacques Gutwirth, « Hassidim et judaïcité à Montréal », p. 325.

Byng au cours des années 1940, décrit de la manière suivante ses rapports avec le Canada français à cette époque :

> Nous savions peu de choses à propos des francophones catholiques ; ils ne faisaient pas partie de notre univers. Ce que nous pensions à propos de leurs écoles était basé essentiellement sur notre ignorance et sur des rumeurs vagues. Jamais nous n'aurions imaginé qu'ils avaient sept têtes et dix-huit rangées de dents, comme les créatures médiévales, mais je me doutais qu'ils ne menaient pas la même vie que nous. Ce qu'ils faisaient au juste pendant leurs cours à l'école, je ne l'ai jamais su. C'était comme si un gouffre séparait nos communautés qu'il était impossible de franchir[74].

Or, sans préavis, le leadership communautaire se trouve soudainement, au début des années 1960, dans la nécessité de procéder à une réorientation fondamentale de ses perceptions et de ses choix stratégiques. Propulsés par les changements structurels apportés au système d'éducation public et mus par un nationalisme plus progressiste, les Canadiens français du Québec entreprennent de promouvoir un État provincial qui se porterait garant de la pérennité de la langue française. L'heure du rendez-vous avec une majorité québécoise nouvellement constituée sonne pour la première fois dans l'histoire des Juifs montréalais. Ce brusque virage, un demi-siècle après la fin de la grande migration est-européenne, prend de court des communautés juives depuis longtemps habituées à concevoir la société montréalaise comme une série de compartiments isolés.

La présence nouvelle des Sephardim, l'amélioration du niveau de vie des francophones majoritaires et la montée du projet indépendantiste sont autant de facteurs qui produisent à Montréal une réalité politique et sociologique plus imprévisible. Il n'est plus possible désormais pour le leadership juif établi d'éluder les aspirations de ses concitoyens de langue française. Surtout, il est devenu urgent pour les élites poli-

---

74. George Ellenbogen, *A Stone in My Shoe: In Search of Neighbourhood*, p. 66. Notre traduction.

tiques ashkénazes d'entretenir des rapports beaucoup plus suivis avec les institutions qui représentent la mouvance francophone. Le renversement de perspective a lieu au tournant des années 1970, quand les dirigeants communautaires prennent conscience de l'insistance politique des Québécois à créer à Montréal une société où le français serait la langue commune de tous les citoyens. En réalité, comme c'est souvent le cas pour les minorités possédant un niveau d'éducation supérieur à la moyenne, la nouvelle génération juive a déjà commencé à franchir le cap de la francisation sans coups d'éclat. De fait, les lois linguistiques des gouvernements unioniste de Jean-Jacques Bertrand et libéral de Robert Bourassa n'entament pas le progrès économique et social des Juifs montréalais. En 1971, 77 % de la population d'origine juive utilise l'anglais à la maison, mais 44 % de ceux qui sont canadiens de naissance se déclarent bilingues[75]. Il s'agit d'un taux presque égal à celui des italophones, qui vivent pour la plupart à l'est de la rue Saint-Denis et qui côtoient de beaucoup plus près la majorité francophone. Qui plus est, dans le cas des Juifs, ces progrès ont été obtenus sans mesures coercitives et sans que des efforts particuliers aient été faits pour promouvoir le français au sein de la structure organisationnelle érigée au début du XXe siècle. Une partie de la francisation se produit en effet dans ce cas comme par osmose, entre autres parce que la tradition est-européenne dont sont issus la plupart des Juifs montréalais valorise la polyglossie et l'apprentissage des langues coterritoriales. La présence nouvellement acquise des Sépharades au sein du réseau juif montréalais y est aussi pour quelque chose.

La montée du Parti québécois et la promotion d'un programme électoral souverainiste assorti d'une promesse de renforcer le fait français modifient cependant la donne d'une manière très sensible. Dans les faits, le leadership communautaire juif assiste impuissant à une intensification des revendications politiques des francophones, dont il n'existe pas d'exemple dans le passé et qui soulève des questions d'une importance décisive pour une minorité culturelle et religieuse vulné-

75. Harold M. Waller et Morton Weinfeld, « The Jews of Québec and "Le Fait Français" ».

rable. Il y a plus encore. Le contrat social tacite auquel les Juifs de Montréal croyaient adhérer depuis près d'un demi-siècle, autant par leurs comportements linguistiques que par leur attitude politique, est soudainement remis en question, sans que l'on sache très bien ce qui va le remplacer. Plusieurs membres de la communauté sont pris d'un vertige, d'une inquiétude viscérale, devant le retournement d'opinion qui culmine en novembre 1976 avec l'élection du gouvernement de René Lévesque. Ils redoutent moins ce qui se déroule sous leurs yeux, concrètement, que les conséquences à plus long terme d'un mouvement dont ils ne comprennent pas toujours la logique. Plusieurs électeurs au sein de la minorité juive craignent que le Québec ne s'engage dans un cheminement politique radical sur le plan des politiques linguistiques et qui pourrait déboucher sur des situations imprévisibles. C'est le sentiment qu'expriment Harold M. Waller et Morton Weinfeld en 1981 dans un texte publié dans l'ouvrage intitulé *The Canadian Jewish Mosaic* :

> « La question juive » est d'une importance vitale aujourd'hui pour les 115 000 Juifs qui vivent au Québec. L'interrogation fondamentale est de savoir comment la communauté juive devrait répondre, collectivement et individuellement, au *fait français.* Quelle est la meilleure façon de réagir à la nouvelle réalité québécoise, à l'affirmation des Québécois qui a été accélérée de manière décisive par l'élection du Parti québécois à la tête de la province et par sa réélection en 1981 ? [...] Les Juifs de Montréal doivent maintenant faire face à des enjeux décisifs sur le plan individuel et communautaire au sein d'une société qui s'est modifiée radicalement au cours des vingt dernières années[76].

Le dilemme est particulièrement aigu du côté des populations juives qui se sont acclimatées au début du XXe siècle à une société canadienne et québécoise maintenant en voie de transformation profonde. La désorientation paraît plus complète du côté ashkénaze, un groupe que les politiques de francisation prônées par les nationalistes québécois même modérés semblent frapper de plein fouet. Tous comprennent en effet

76. *Ibid.*, p. 415. Notre traduction.

que les changements en cours produiront bientôt une nouvelle génération juive à Montréal qui n'aura plus les mêmes réflexes culturels et linguistiques que la précédente. Malgré ces réticences et les déclarations parfois fracassantes de certaines personnes, tel Mordecai Richler, des signes clairs s'étaient manifestés dès la tenue de la commission Gendron[77] indiquant que les dirigeants du CJC étaient sensibles aux arguments de la majorité de langue française. Cette empathie tenait aux similitudes perçues entre le sort réservé aux Juifs est-européens sur le Vieux Continent et l'« oppression » subie par les Canadiens français sous le Régime britannique, voire à Montréal jusqu'à récemment. Tout dépendait, comme Naïm Kattan l'avait affirmé plusieurs années auparavant, de la manière dont on voulait situer les protagonistes. Certains leaders de la communauté juive organisée avaient saisi assez tôt le fait que le nationalisme québécois possédait un caractère réparateur et qu'il était celui d'une minorité en quête de redressement. C'est le message que le CJC porte à la commission Gendron à la fin des années 1960 : « Nous déclarons sans hésitation, ni équivoque, que toutes les aspirations du peuple français de la province de Québec visant à maintenir son intégrité linguistique et culturelle trouvent compréhension dans le cœur et l'esprit du peuple juif. Nous savons, en effet, ce que cela signifie que préserver les institutions, les héritages culturels, les coutumes et la langue[78]. » La difficulté ne venait pas tant de l'orientation prise par le nationalisme québécois en vue de réaliser les changements que désirait ardemment la majorité de la population de langue française que des moyens concrets auxquels le Parti québécois pourrait avoir recours pour parachever la transition et atteindre ses objectifs politiques. Emporté par un climat d'effervescence générale, un éventuel gouvernement péquiste aurait-il la sagesse de ne pas s'abandonner à des

77. Il s'agit de la Commission d'enquête sur la situation de la langue française et des droits linguistiques au Québec, qui a siégé de 1968 à 1973.

78. « Mémoire soumis par le Congrès juif canadien, région du Québec, à la Commission d'enquête sur la situation de la langue française ainsi que sur les droits linguistiques au Québec », août 1969, p. 6. Service des archives juives canadiennes Alex Dworkin, Montréal.

moyens excessifs contraires aux droits fondamentaux et susceptibles d'affecter plus durement les minorités ? L'idée est reprise dès le début des années 1970 dans le *Bulletin* du Cercle juif de langue française (CJLF), qui compte pourtant parmi les porte-parole juifs les plus favorables à la francisation :

> On n'impose pas une culture par la force, mais elle s'impose par elle-même du fait de sa valeur. La langue française possède cette valeur, cette richesse, cette beauté et cette vitalité qui feront qu'avec le temps et surtout avec patience, elle deviendra la langue primordiale du Québec. [...]. C'est en aimant une langue qu'on l'apprend et qu'on la connaît mieux, et non en se la voyant imposer. [...] En matière de législation et surtout en matière linguistique, ce n'est pas par la précipitation, l'impatience et le coup de poing sur la table que l'on peut obtenir des résultats justes, équitables et respectables[79].

Cette crainte fait surface en janvier 1977 lors d'une rencontre, tenue tout de suite après la victoire électorale péquiste, entre le premier ministre René Lévesque et les dirigeants du CJC[80]. Elle réapparaît aussi quelques mois plus tard lors de la présentation de cet organisme devant la commission parlementaire chargée d'étudier le projet de Charte de la langue française déposé par le gouvernement péquiste. Les dirigeants du CJC s'opposent en effet avec la dernière énergie à toute approche visant à réglementer l'usage d'une langue ou à limiter les droits linguistiques d'une catégorie de citoyens. Les craintes juives ne viennent pas tant de la menace que pourrait représenter à cette époque l'antisémitisme au sein de la société québécoise[81], ni de l'incapacité présumée des écoles privées

---

79. « L'injustice et la discrimination débutent là où l'égalité des citoyens prend fin », *Le Bulletin du Cercle juif*, janvier-février 1972, p. 2. L'extrait est cité dans le mémoire de maîtrise de Jean-François Beaudet, « René Lévesque et la communauté juive du Québec », p. 139. Voir aussi Pierre Anctil, « Le Congrès juif canadien face au Québec issu de la Révolution tranquille, 1969-1990 ».

80. Jean-François Beaudet, « René Lévesque. La haine du préjugé racial et de l'antisémitisme ».

81. Dans leur texte de 1981 (« The Jews of Quebec and "Le Fait Français" »),

judaïques à entreprendre une transition réussie vers une société majoritairement francophone, que des risques politiques que comporte une application autoritaire et inéquitable de la législation gouvernementale. C'est le sentiment que le CJC avait transmis au premier ministre Lévesque quelques semaines après la victoire électorale du PQ, et ce, en des termes très clairs : « Quelles que soient les injustices du passé, dont la communauté juive a aussi été victime si souvent au cours de son histoire, ces torts ne peuvent pas être corrigés par des mesures discriminatoires ou coercitives. Les problèmes linguistiques et culturels du Québec doivent plutôt être résolus par une coopération soutenue et par une sympathie active de tous les citoyens, peu importe leurs origines[82]. »

De toute évidence, il existe toujours à cette époque au sein de l'élite politique juive un sentiment d'aliénation et d'isolement profond face à la société francophone, malgré la promulgation en 1975 d'une charte québécoise des droits et libertés contenant des mesures visant à protéger les minorités. Ce fossé a encore été accentué par la défaite du gouvernement Bourassa en 1976 et par l'arrivée au pouvoir d'un parti politique ne comptant que très peu de membres issus des minorités anglophones présentes à Montréal. La situation a été résumée par Waller et Weinfeld d'une façon claire : « Lorsque les Juifs de Montréal contemplent le futur, ils éprouvent un sentiment ambigu fait à la fois d'appréhension et du désir de s'adapter à la nouvelle situation[83]. » L'éventualité de l'indépendance politique pour le Québec soulève une réprobation presque universelle au sein de la population d'origine juive, essentiellement parce que les dirigeants de la communauté ont l'impression de ne pas être au

---

Waller et Weinfeld jugent que la société québécoise ne produit pas plus de discrimination systématique à l'endroit des Juifs, ni le courant indépendantiste en tant que tel.

82. « Brief Submitted by the Canadian Jewish Congress, Eastern Region and B'nai Brith – District 22, to the Honourable René Lévesque, Premier of the Province of Québec, on the Various Concerns of the Jewish Community, 1977 », Canadian Jewish Congress, janvier 1977, p. 3. Service des archives juives canadiennes Alex Dworkin, Montréal. Notre traduction.

83. Harold M. Waller et Morton Weinfeld, « The Jews of Quebec and "Le Fait Français" », p. 436.

nombre des bénéficiaires présumés de ces mesures, ni comme Juifs ni comme anglophones. En soi, le passage ordonné vers une société plus francophone ne soulève pas la même difficulté puisque le défi s'applique à tous les citoyens, quelles que soient leurs opinions ou leurs croyances religieuses. Simplement, les élites juives en général, et ashkénazes en particulier, peinent à se percevoir ou à se sentir québécoises à part entière. Pour la plupart des Juifs de Montréal, il s'agit d'une expérience totalement nouvelle, à laquelle ils n'ont jamais été conviés sur le plan historique.

Tout de même, des signes immanquables se manifestent depuis quelques années à Montréal qui indiquent un renversement de perspective même au sein de la minorité juive. En 1968-1969, l'Université de Montréal, institution autrefois canonique, offre un premier programme d'études juives en langue française et dit souhaiter « apporter par ces cours une contribution à l'approfondissement d'une tradition et d'une culture situées aux sources de notre civilisation[84] ». L'initiative est placée sous la direction du rabbin David Feuerwerker, un éminent spécialiste de l'histoire des Juifs de France[85] et ancien membre de la Résistance française au cours de la Seconde Guerre mondiale. Feuerwerker était aussi devenu en 1966, à son arrivée à Montréal, chef spirituel de la communauté de langue française et membre du Haut Tribunal rabbinique. Offert par le Service d'éducation permanente de l'Université de Montréal, ce programme propose une formation en humanités juives, incluant la sociologie des Juifs dans le monde moderne, l'histoire contemporaine des Juifs et l'éthique du judaïsme. Au cours des années suivantes, le programme se diversifiera et obtiendra un statut plus assuré. Il est désormais possible pour les francophones d'obtenir une formation assez poussée dans le domaine judaïque sans avoir à passer par des milieux de langue anglaise.

---

84. « Programme d'études juives 1968-69 », Service d'éducation permanente, Université de Montréal, Fonds Feuerwerker, Service des archives juives canadiennes Alex Dworkin, Montréal.

85. Voir son ouvrage intitulé *L'Émancipation des Juifs en France, de l'Ancien Régime à la fin du Second Empire.*

Au même moment, Victor Goldbloom devient en 1970 ministre responsable de l'Environnement dans le premier gouvernement libéral de Robert Bourassa, ce qui fait de lui le premier député d'origine juive à siéger au Conseil exécutif du Québec. Apôtre du dialogue interreligieux et adepte de la francisation, Goldbloom prend la direction en 1980 du Conseil canadien des chrétiens et des Juifs[86]. D'autres membres de la communauté juive montréalaise s'illustrent au cours de ces années et surmontent des obstacles encore infranchissables quelques décennies plus tôt. Le juriste Alan B. Gold est nommé en 1970 juge en chef de la Cour du Québec puis, en 1983, juge en chef de la Cour supérieure du Québec. Professeur de droit à l'Université de Montréal, Herbert Marx se lance en politique en 1979 et est nommé ministre de la Justice du Québec en 1985.

Ces progrès notables n'empêchent toutefois pas la population juive de diminuer au Québec à partir des années 1970. Attirés par les conditions économiques florissantes à Toronto et ailleurs au Canada, des milliers de Montréalais d'origine juive se déplacent vers l'ouest. Ils font partie d'un mouvement général surtout composé d'anglophones qui voient d'un œil défavorable l'évolution politique du Québec et préfèrent le quitter plutôt que de s'adapter aux nouvelles circonstances. Leur départ et le désir de retenir à Montréal la jeune génération comptent parmi les facteurs qui poussent les organisations communautaires juives à lancer un ambitieux programme de francisation interne et d'ajustement à la nouvelle donne. Plusieurs appels se font entendre visant une utilisation accrue du français dans la structure institutionnelle de l'AJCS et parmi la population juive en général. En 1975, les responsables de la région du Québec au sein du CJC publient une déclaration de principes qui fait valoir que « la majorité en la province de Québec est composée de Canadiens d'expression française, qui sont déterminés à vivre, travailler et poursuivre leurs intérêts dans la langue française. Nous reconnaissons que le français est la langue prioritaire

86. Voir l'autobiographie de Victor Goldbloom intitulée *Les Ponts du dialogue*, p. 325.

au Québec[87] ». Les promoteurs de cette position, Joseph Nuss et Frank Schlesinger, proposent du même coup de « développer de nouvelles perspectives pour notre communauté juive au sein de la société québécoise[88] », dont en priorité une participation accrue à la vie politique du Québec. Ils suggèrent aussi d'entreprendre une campagne de relations publiques au sujet de cet engagement et de continuer à promouvoir l'ajustement du réseau institutionnel juif à l'évolution politique des francophones.

Cette volonté d'adaptation bien appuyée de la part de certains milieux associatifs juifs s'explique aussi par l'engagement accru de l'État du Québec dans des domaines qui avaient relevé jusque-là de l'initiative privée ou communautaire. Les dirigeants du réseau institutionnel juif se rendent compte au début des années 1970 que des sommes considérables provenant du trésor public québécois financent des écoles ou des hôpitaux prioritairement destinés à la population juive de Montréal. Le ministère de l'Éducation du Québec, par exemple, rembourse aux maisons d'enseignement juives une partie importante du coût des programmes scolaires séculiers, aux niveaux primaire et secondaire, en échange d'une francisation accrue. En 1980-1981, cela représentera jusqu'à 50 % du budget de ces institutions, avec cependant l'obligation d'offrir aux élèves quatorze heures de français par semaine. Compte tenu du fait que près de la moitié des jeunes juifs de Montréal fréquentent des écoles privées soutenues par l'AJCS, il s'agit d'un apport financier dont le réseau communautaire ne peut pas se priver. L'offre est d'autant plus difficile à repousser qu'aucun autre gouvernement en Amérique du Nord n'appuie l'éducation juive privée à cette hauteur[89]. Comme le notent Waller et Weinfeld en 1981, « la plupart des Juifs

---

87. « Allied Jewish Community Services, proposition d'une nouvelle structure concernant l'approche de la communauté juive au sujet de notre adaptation au milieu québécois français », Montréal, 10 mars 1976, p. 2. Service des archives juives canadiennes Alex Dworkin, Montréal.

88. *Ibid.*, p. 3.

89. Le budget de l'Ontario, par exemple, ne contient à la même époque aucune somme destinée à soutenir l'éducation juive privée.

tenaient *à la fois* aux subventions provinciales et aux programmes d'enseignement judaïques[90] ».

Le même phénomène se produit quand l'Assemblée nationale adopte en 1971 la loi 65 sur la réorganisation des services de santé et des services sociaux. Cette mesure, qui s'applique à toutes les entités existantes, permet à l'Hôpital général juif de Montréal de devenir un établissement d'intérêt public et de bénéficier d'un soutien financier de base, au même titre que ses vis-à-vis de fondation catholique ou protestante. C'est une première dans un domaine où la discrimination contre les praticiens d'origine juive était assez fréquente[91]. Apparu plusieurs décennies avant la Révolution tranquille et doté de compétences de très haut niveau, le réseau scolaire, médical et social développé par la population juive entre pour la première fois dans l'orbite de l'État québécois. Créé à l'origine pour mettre la population juive à l'abri de l'antisémitisme doctrinal des Églises et pour assurer la pérennité du judaïsme, il est maintenant considéré par le gouvernement comme un rouage essentiel dans l'offre de services pour l'ensemble des citoyens. Sur ce plan, il s'agit d'un basculement très significatif par rapport à la période d'avant-guerre.

Après 1976 se dégage peu à peu un consensus qui va former l'assise fondamentale du rapport de la population juive au Québec contemporain. Cette prise de position sera réaffirmée systématiquement lors de rencontres privées que le CJC et d'autres organismes auront avec les représentants de la société civile québécoise ou avec les principaux dirigeants politiques du Québec. On en trouve très nettement les traces dans le discours hautement attendu que René Lévesque prononce en avril 1977, à Montréal, devant l'assemblée plénière du CJC[92]. Il apparaît aussi, au-delà de la joute partisane, lors de la campagne référendaire de 1980 et pendant les délibérations de la commission Bélanger-Cam-

90. Waller et Weinfeld, « The Jews of Québec and "Le Fait Français" », p. 429. Les italiques apparaissent dans la version originale anglaise du texte.

91. Voir Ira Robinson, « "Maîtres chez eux". La grève des internes de 1934 revisitée ».

92. Voir Pierre Anctil, « René Lévesque et les communautés culturelles ».

peau formée en 1990 pour étudier l'avenir politique et constitutionnel du Québec. Essentiellement, les dirigeants du réseau communautaire juif se déclarent prêts à accompagner et à soutenir la majorité francophone dans son cheminement politique, ce qui inclut la francisation et, s'il le faut, la redéfinition du régime politique fédéral, tant que cette démarche sera respectueuse des droits individuels fondamentaux prévus dans la Charte québécoise des droits et libertés de 1975. Le message est transmis très directement en janvier 1977 par les instances du CJC au nouveau premier ministre souverainiste du Québec : « Nous vous suggérons qu'au moment d'adopter des mesures légitimes de promotion et de préservation de la langue française au Québec, le gouvernement se garde d'adopter des politiques, des lois ou des règlements qui catégorisent la population selon la race, la couleur, la croyance, l'origine ethnique ou la langue maternelle ou qui utiliseraient l'une de ces caractéristiques pour avantager un groupe de citoyens aux dépens de tous les autres[93]. » Cette exhortation, tirée presque mot à mot de la Charte des droits et libertés de la personne, vient à une heure où nul ne sait très bien au sein de la population juive de Montréal quelle forme exacte prendra le programme de gouvernement du Parti québécois.

Waller et Weinfeld défendent le même point de vue au lendemain du référendum de 1980 en affirmant que, pour s'épanouir, la minorité juive du Québec souhaite appartenir à une société où la liberté de religion sera protégée, le pluralisme culturel soutenu et les droits fondamentaux respectés[94]. Une fois ces grands principes de gouvernance reconnus et appliqués, les Juifs se soumettront aux décisions et aux orientations prises par la majorité dans le cadre du processus démocratique en place. C'est encore ce message que le CJC livrera dix ans plus tard à la commission Bélanger-Campeau : « Les détails spécifiques des futurs arrangements constitutionnels devraient être précisés lors de

---

93. « Brief Submitted by the Canadian Jewish Congress, Eastern Region and B'nai B'rith – district 22, 1977 », p. 3. Service des archives juives canadiennes Alex Dworkin, Montréal. Notre traduction.

94. Harold M. Waller et Morton Weinfeld, « The Jews of Québec and "Le Fait Français" », p. 437.

négociations engageant le Québec et le reste du Canada. Nous voulons souligner ici notre intention de respecter le processus démocratique, quel que soit le résultat final obtenu[95]. » C'est là le signe que la structure communautaire juive de Montréal et ses élites dirigeantes sont en voie de se réconcilier avec le processus politique en cours au sein de la société québécoise. Dans la sphère plus spécifiquement juive, cette affirmation laisse entrevoir que les nouvelles générations seront appelées à acquérir une sensibilité culturelle et linguistique très différente de celle qui a eu cours durant la première moitié du XXe siècle. Le virage laisse aussi présager à court terme l'émergence d'une identité juive nettement plus enracinée dans la vie montréalaise et adossée aux référents québécois les plus courants.

---

95. « Brief Presented to the Parliamentary Commission Looking into the Political and Constitutional Future of Québec by the Canadian Jewish Congress (Québec Region), in Collaboration with Allied Jewish Community Services of Montreal and the Communauté sépharade du Québec », 2 novembre 1990. Service des archives juives canadiennes Alex Dworkin, Montréal. Notre traduction.

CHAPITRE 7

Parcours contemporains

Propulsées par un parcours tout à fait remarquable et par une forte volonté d'affirmation culturelle, les populations juives du Québec abordent le tournant du XXIe siècle avec une capacité d'adaptation renouvelée à leur société d'appartenance. Quand se clôt le millénaire, il y a près de quatre siècles qu'une présence juive se manifeste à un titre ou à un autre en Amérique française. Par-delà les difficultés liées aux différents cycles d'immigration et aux premières années d'ajustement, il s'agit d'un enracinement historique qui constitue en soi un patrimoine d'une grande richesse. Sur ce socle solidement ancré dans le terroir québécois reposent un ensemble d'institutions communautaires et de droits démocratiques reconnus qui forment le fondement de l'identité juive contemporaine au sein de notre société. À ces assises pérennes du judaïsme québécois apparues au début du Régime britannique se sont greffées les grandes migrations est-européennes, qui ont eu lieu dans des circonstances souvent tragiques et dans un contexte de tensions antisémites parfois délétère. Attirés par les succès de leurs prédécesseurs, d'autres arrivants juifs issus de l'Afrique du Nord, du Moyen-Orient et de la Russie soviétique ont à leur tour jeté après la Seconde Guerre mondiale les bases de leur établissement au Québec. Toutes ces couches historiques de provenances très diverses ont complété à la fin du siècle dernier un processus de pleine participation à la société québécoise et interagissent aussi fortement entre elles. En 2001, 66 % de la population juive de Montréal est née au Canada, mais la majorité des personnes ayant déclaré des origines étrangères sont au pays depuis plusieurs décennies déjà. Seulement 6,3 % des Juifs montréalais recensés à cette date sont des immigrants arrivés depuis moins de dix ans[1]. Plusieurs autres indices soulignent l'existence d'un mouvement d'intégration à long terme, dont un taux de pauvreté inférieur à la moyenne montréalaise, soit 18,4 % contre 22,2 %, un âge médian supérieur et le fait que près des trois quarts des Juifs au Québec ont l'anglais ou le français comme langue maternelle[2]. Ces données sont en fort contraste avec le profil sociodémographique de la plupart des populations immigrantes arrivées plus récemment dans l'espace montréalais et dont certaines vivent toujours un processus intense d'adaptation à leur société d'accueil.

D'autres éléments nous permettent d'apprécier le chemin historique parcouru par les populations juives québécoises, dont une complétude institutionnelle d'un niveau inégalé parmi les minorités religieuses ou culturelles présentes dans la région de Montréal, une mobilité socioéconomique ascendante très forte et l'existence d'un réseau scolaire privé compétitif qui soutient de diverses manières la perpétuation de l'identité juive. Ces avancées, qui n'étaient encore présentes que sous une forme embryonnaire au moment de la grande migration ashkénaze ou lors de l'établissement des Sépharades marocains, se sont affirmées au point de devenir un élément clé du devenir juif au Québec. Elles se sont notamment traduites par un usage plus répandu de la langue française au sein du réseau communautaire juif et dans les programmes d'enseignement offerts dans les écoles à vocation juive. À la fin du XXe siècle, ces progrès indéniables ont eu tendance à atténuer le degré d'insécurité politique dont souffraient les couches les moins francisées de la population juive et les moins au fait de l'évolution politique de la société québécoise dans son ensemble.

Dans ce contexte, paradoxalement, les deux référendums de 1980 et 1995 sur la souveraineté-association ont semblé moins inquiéter le leadership communautaire que les poussées nationalistes apparues plus

---

1. Charles Shahar, Morton Weinfeld et Adam Blander, « Analyse démographique et socioculturelle de la communauté juive montréalaise », tableau 8, p. 195.
2. *Ibid.*, tableau 12, p. 198, tableau 5, p. 194, et tableau 9, p. 196.

tôt au moment de la Révolution tranquille[3]. Cette confiance accrue s'explique en partie par le fait que la mouvance souverainiste québécoise et ses principaux porte-parole sont restés relativement neutres dans leur discours pour ce qui touche la minorité juive[4]. Malgré des progrès notables dans certaines sphères, il reste qu'un déficit subsiste toujours au chapitre de la fréquence des contacts entre Juifs et majorité francophone, qui se traduit parfois par la persistance dans l'imaginaire collectif canadien-français de stéréotypes d'un autre âge. Un tel phénomène, souvent difficile à interpréter à première vue, a pu apparaître par moments à certains observateurs d'origine juive comme une manifestation d'hostilité latente. Or, ces décalages sont probablement dus avant tout à une forme d'ignorance mutuelle et à une absence de contacts soutenus. À défaut d'entrer en rapport les uns avec les autres dans un contexte de vivre-ensemble, Juifs et Québécois d'origine canadienne-française s'imaginent appartenir à des mondes dont les intérêts ne convergent pas.

Un sondage réalisé à ce sujet en 2008 par la maison Léger Marketing et dévoilé à l'occasion des audiences de la commission Bouchard-Taylor cerne très bien la difficulté d'en venir à une compréhension juste de ce fossé dans les perceptions[5]. Interrogés à propos de leurs rapports avec la minorité juive, Québécois francophones et Canadiens anglophones en arrivent à des réponses assez contrastées qui trahissent une rupture significative dans l'appréhension de l'altérité. Sur presque tous les plans, les francophones majoritaires au Québec entretiennent envers les Juifs

---

3. Victor Goldbloom, « Le judaïsme québécois. Une communauté vigoureuse, bien enracinée et assez sereine », *Le Devoir*, 8 avril 1982.

4. Pierre Anctil, « René Lévesque et les communautés culturelles ». Voir aussi à ce sujet le mémoire de maîtrise de Jean-François Beaudet, « René Lévesque et la communauté juive du Québec, 1960-1976 : la fragilité d'un dialogue ».

5. Voir l'étude au complet de Magali Girard rendue publique en mars 2008 sous le titre suivant : « Résumé des résultats de sondages portant sur la perception des Québécois relativement aux accommodements raisonnables, à l'immigration, aux communautés culturelles et à l'identité canadienne-française présenté à la Commission de consultation sur les pratiques d'accommodement reliées aux différences culturelles », mars 2008, ministère du Conseil exécutif [www.mce.gouv.qc.ca/publications/CCPARDC/rapport-6-girard-magali.pdf].

une attitude plus négative que leurs concitoyens anglophones des autres provinces. Ils jugent les personnes d'origine juive moins susceptibles de « participer pleinement » à la vie commune (34 % contre 72 %), plus enclines à « imposer leurs coutumes et leurs traditions » (41 % contre 11 %) et moins aptes à « apporter une contribution importante à notre société » (41 % contre 74 %). Les données de 2008 révèlent aussi que seulement 28 % des individus qui appartenaient au groupe francophone, avaient eu, au cours du mois précédent le sondage, un contact significatif avec une personne d'origine juive, alors que c'était le cas chez 47 % des individus résidant à l'extérieur du Québec[6]. L'écart de perception tend toutefois à s'atténuer lorsqu'il s'avère que les sondés francophones ont entretenu des rapports plus suivis avec leurs compatriotes de tradition juive. La minorité religieuse cesse ainsi d'être vue comme une communauté à part qui ne peut pas se réconcilier avec les aspirations de la majorité, voire qui risque de s'y opposer, à plus forte raison si une barrière linguistique se dresse entre les deux collectivités. C'est le legs d'une absence de perspectives communes clairement formulées entre Québécois de différentes appartenances religieuses, que plusieurs événements et tendances historiques ont réaffirmé au cours du XXe siècle, à commencer par l'exclusion des étudiants d'origine juive des écoles publiques francophones de confession catholique. Peu informés du parcours à long terme de la population juive au sein de l'agglomération montréalaise et pas très au fait des fondements multiples de l'identité religieuse juive, plusieurs francophones continuent d'éprouver de la difficulté à s'approprier les multiples contributions de ce groupe à la société québécoise dans son ensemble.

Cette compréhension encore relativement superficielle de la part de la majorité francophone se manifeste alors que quatre tendances nouvelles émergent en ce début de siècle au sein de la population juive québécoise. Ces transformations, il est important de le souligner, sont nées d'une volonté marquée d'adaptation au nouveau contexte mont-

6. Des données plus précises au sujet des Juifs montréalais se trouvent dans un article de Laura-Julie Perreault publié dans *La Presse* du 24 février 2008 sous le titre « Entre ignorance et préjugés. Antisémitisme ? Non ! Méconnaissance ? Oui ! ».

réalais de la part de la minorité juive. Première tendance à noter, un processus de francisation est en cours qui atteint toutes les couches de la population juive, particulièrement les jeunes générations nées après la promulgation de la Charte de la langue française. L'ouverture envers le français est aujourd'hui surtout visible dans la sphère la plus élevée du réseau communautaire, mais elle touche également des groupes aussi disparates que les Hassidim du Plateau Mont-Royal, les immigrants récemment arrivés de l'ex-URSS et les anglophones de troisième génération. Pendant que la connaissance du français fait des progrès dans la vie juive organisée – c'est la deuxième tendance observable –, la population juive elle-même se diversifie fortement et surmonte après 1980 la dualité historique entre Ashkénazes européens et Sépharades nord-africains. Des avenues nouvelles surgissent à Montréal quant à l'expression de l'identité juive, reflet de la complexité culturelle croissante de la métropole sur tous les plans. Au même moment – troisième tendance –, les Juifs tissent des liens toujours plus soutenus avec des univers qui semblaient plus difficilement accessibles un demi-siècle auparavant. Dans toutes les professions, dans les milieux artistiques les plus divers, voire dans des domaines autrefois plus homogènes sur le plan culturel, tels les médias francophones, la militance politique souverainiste ou les lettres québécoises, on découvre des présences juives tenaces bien articulées aux intérêts de la majorité linguistique. Par contre, et c'est la quatrième tendance, les populations juives de la métropole restent très concentrées géographiquement et poursuivent leur déplacement vers l'ouest de l'île, là où les Québécois de langue maternelle française restent minoritaires[7]. En 2001, 21 % des Juifs résident à Côte-Saint-Luc (où ils sont majoritaires), 14 % dans les municipalités du West Island et 8 % à Saint-Laurent (autrefois une ville, aujourd'hui un arrondissement de Montréal). Les arrondissements de Côte-des-Neiges et de Snowdon (aujourd'hui fusionnés) conservent aussi à cette date d'importants noyaux de population juive[8]. Ce

7. Pierre Drouilly, *L'Espace social de Montréal, 1951-1991*.

8. Charles Shahar, Morton Weinfeld et Adam Blander, « Analyse démographique et socioculturelle de la communauté juive montréalaise ».

mouvement de densification correspond de fait à la volonté de larges pans de la communauté juive de maintenir un micro-espace social fortement imprégné de judéité, où il soit possible de préserver des comportements qui reflètent les préceptes fondamentaux de la loi mosaïque.

L'identité juive contemporaine à Montréal

Après plus d'un siècle de présence visible et soutenue dans la métropole et au terme d'un long parcours d'adaptation au fait français, l'identité juive au Québec repose aujourd'hui sur trois piliers principaux qui représentent autant de formes divergentes, mais complémentaires, de la judéité. Point de repère le plus ancien et le plus cohérent sur le plan doctrinal, l'orthodoxie religieuse fait l'unanimité dans les milieux qui estiment que la mission divine du peuple juif – telle que définie dans les textes saints – sert de fondement à son existence. Pour prétendre à un héritage juif, il faut donc se pénétrer de la tradition religieuse judaïque, de ses rituels et des considérations éthiques qu'elle impose au croyant. Cela signifie faire la pause lors du shabbat, observer les fêtes religieuses et respecter les commandements halachiques. Certes, les interprétations et les nuances sont nombreuses quant aux obligations des Juifs pratiquants, mais elles n'en forment pas moins un code de loi strictement défini qui exige une maîtrise des fondements éthiques exprimés dans la Bible, le Talmud et les commentaires rabbiniques. Une éducation juive religieuse dès le plus jeune âge offre donc sous cet angle la meilleure garantie d'une adhésion à long terme à la tradition judaïque. Sous cet angle, l'appartenance à la tradition religieuse du judaïsme passe avant tout par un abandon à la volonté de Dieu ou, du moins, elle s'exprime à travers une fidélité de tous les instants à ses commandements, au déroulement annuel du calendrier religieux et à l'étude des textes fondamentaux. C'est l'approche que favorise Julien Bauer, professeur de sciences politiques à l'Université du Québec à Montréal, lorsqu'il est interviewé en 2004 par Julie Châteauvert et Francis Dupuis-Déri pour leur livre *Identités mosaïques* :

> Pour ma part, je considère qu'une identité juive qui n'a pas de fondements religieux n'a pas de chances raisonnables de subsister. [...] Les tentatives pour fonder une identité juive sur des bases purement laïques ne fonctionnent pas pour la bonne raison que si l'on évacue toutes les références religieuses, il est dès lors impossible de trouver une réponse satisfaisante à la question : qu'est-ce que l'identité juive ? À la limite, j'admets que l'on puisse avoir une identité juive laïque lorsque l'on vit en Israël, car les Juifs y sont majoritaires. Au contraire, dans les sociétés de la diaspora où les Juifs sont en minorité, seule la religion permet au Juif de se distinguer des autres[9].

La position de Bauer est loin de faire l'unanimité. Le motif dominant de l'identité juive chez les migrants est-européens du début du XXe siècle est plutôt associé aux luttes contre l'injustice sociale ou contre la répression antisémite du régime tsariste. En ce sens, pour plusieurs militants de la gauche radicale et surtout pour les activistes syndicaux de l'industrie du vêtement, être juif, c'est avant tout s'élever avec énergie contre l'arbitraire politique ou contre l'exploitation économique émanant du capitalisme sauvage. Soucieuse d'égalité de traitement pour tous et de progrès social universel, une certaine avant-garde juive de l'époque se sent responsable autant de l'autoémancipation de son peuple que de l'avancement de toutes les couches opprimées de la société. Cela a fini par produire dans certains milieux juifs de gauche une association très étroite entre la lutte politique révolutionnaire et l'identité juive, perception encore renforcée par le fait que les Juifs étaient souvent surreprésentés dans les mouvements ouvriers radicaux et y occupaient une place de premier plan. Pour ces raisons, les activistes juifs ont longtemps perçu la tradition religieuse dont ils étaient issus comme un facteur de conservatisme et de résistance au changement social ou comme une occasion de repli ethnique à l'intérieur des seuls paramètres de la communauté d'appartenance immédiate. Élevé à Montréal au sein d'une famille d'allégeance communiste, cinéaste et

---

9. Julie Châteauvert et Francis Dupuis-Déri, *Identités mosaïques. Entretiens sur l'identité culturelle des Québécois juifs*, p. 143-144.

gestionnaire culturel, Harry Gulkin illustre très bien le cheminement des Juifs qui ont tourné le dos à la religion au profit d'une approche discursive résolument laïque et moderniste, mais sans refuser pour autant la conscience de leurs origines. Dans cette approche, la sensibilité historique juive et une intériorisation exacerbée des souffrances endurées à ce titre soutiennent un projet de résistance entièrement voué à changer la société. Selon Gulkin,

> [la] majorité des immigrants d'Europe de l'Est de tendance communiste n'étaient pas croyants et nous vivions presque radicalement coupés des croyants, même si nous respections certaines traditions à caractère religieux. Par exemple, les enfants faisaient leur bar-mitsvah et les mariages étaient célébrés par des rabbins. Mon père, pour sa part, éprouvait une haine virulente pour la religion. Pour lui, les capitalistes et les rabbins incarnaient les deux pires manifestations de l'humanité. [...] C'est parce que les Juifs ont dû lutter si fort et si longtemps contre la discrimination et pour leur émancipation qu'ils sont devenus si militants. Pour ma part, je crois bien avoir acquis certaines de mes convictions politiques presque par osmose[10].

L'orthodoxie religieuse est aussi battue en brèche au sein de la population juive de Montréal qui prend le parti d'une forte intégration à la société québécoise francophone, ce qui signifie souvent – en apparence, du moins – un abandon progressif des pratiques culturelles et linguistiques d'origine. Établis pendant plusieurs décennies dans le quartier du Plateau Mont-Royal et le long du boulevard Saint-Laurent, les immigrants de langue yiddish se sont sentis très tôt placés à la confluence de plusieurs courants d'expression, si bien que pour plusieurs d'entre eux la polysémie et le pluralisme culturel sont devenus des modes d'expression privilégiés de la judéité. Dans un souci de pleine participation à la québécitude, certains Juifs ont ainsi suivi un cheminement d'hybridation où la marge est valorisée et l'expérimentation transculturelle mise en avant. Sous ce rapport, l'héritage juif devient, selon le point de vue

10. *Ibid.*, p. 39-40.

de Sherry Simon, professeure au département d'études françaises de l'Université Concordia, « une prise de conscience aiguë de l'histoire et du passage entre les cultures[11] ». Car nul plus que les Juifs n'a connu sur le continent européen l'exil et les déplacements forcés, d'où cette capacité, dont ont hérité leurs descendants montréalais, de parcourir de vastes espaces et d'embrasser d'un seul grand regard des perspectives culturelles parfois radicalement opposées. Non seulement il existe plusieurs expériences identitaires juives, mais chacune d'entre elles s'accompagne d'une démarche d'ouverture et de rencontre avec l'autre. Sous ce rapport, la tradition juive, fuyant les lieux fixes et les positions retranchées, devient un carrefour de dialogue interculturel et incarne une confluence de courants parfois antithétiques. C'est le parti pris que Sherry Simon exprime dans *Identités mosaïques* :

> Pourquoi l'unité avant tout ? Un fort courant de la pensée juive contemporaine trouve plutôt à la base de l'identité juive la qualité opposée : la dispersion, la fragmentation, la multiplicité. Chez Franz Kafka, Walter Benjamin, Jacques Derida et Régine Robin, il y a une valorisation de « l'entre-deux », de l'identité en porte-à-faux avec elle-même. Ce qui m'intéresse dans la tradition juive, c'est moins la pensée théologique que les pratiques de lecture et d'écriture, le souci de la justice sociale et la quête sans cesse renouvelée d'un idéal impossible à atteindre. [...]
> L'hybridité renvoie au fait que les cultures sont toujours en mouvement, que les affiliations et les alliances changent, que la façon de s'identifier au passé se modifie également. Cela ne veut pas dire pour autant que les appartenances collectives n'existent plus. Elles continuent d'exister, mais sous un mode non exclusif. Et elles s'exposent au risque de la dispersion et de la dilution[12].

Pendant que la réflexion identitaire de certains Juifs montréalais s'articule autour d'un axe où figurent à une extrémité la pratique religieuse orthodoxe et à l'autre une laïcité prononcée, d'autres couches de

11. *Ibid.*, p. 31.
12. *Ibid.*, p. 22-23.

cette même population s'organisent le long d'un continuum historique conçu sur des bases tout à fait différentes. Surtout pour les personnes d'origine ashkénaze, le point de référence fondamental, au moment de la grande migration vers le Québec, demeure les pogroms et les persécutions antisémites de l'Empire russe. Ces exactions culminent quelques décennies plus tard avec la destruction du judaïsme européen par le régime nazi. La langue yiddish, la culture est-européenne, le souvenir des familles et des localités décimées habitent la mémoire des Juifs montréalais et soulèvent un enjeu de commémoration à grande échelle au sein du réseau institutionnel. Depuis l'arrivée massive de survivants de ces massacres génocidaires, au cours des années 1940 et 1950, une partie importante de la base communautaire juive se mobilise régulièrement pour rappeler à tous l'obligation de perpétuer la mémoire des nombreuses victimes et la nécessité de réfléchir aux conséquences de ces actes odieux. Il est donc apparu dans le contexte montréalais des lieux précis où la Shoah occupe une place centrale, soit comme composante du rituel religieux judaïque, soit en tant que pierre d'assise de l'expérience historique juive contemporaine. Ainsi, depuis 1976, le Centre commémoratif de l'Holocauste, récemment renommé Musée de l'Holocauste Montréal (MHM), sert d'espace de sensibilisation et de soutien pour mieux faire connaître la Shoah à l'ensemble de la population québécoise, notamment auprès des groupes d'âge scolaire de toutes confessions. Le MHM se mobilise aussi pour susciter auprès de tous les citoyens une attitude de refus face à la discrimination sous toutes ses formes et pour commémorer d'autres événements tragiques qui se sont produits dans des contextes culturels semblables au cours du XXe siècle.

Ces questionnements liés à la centralité de l'Holocauste dans le destin juif contemporain forment une toile de fond qui réapparaît périodiquement dans le calendrier communautaire à l'occasion de commémorations historiques ou du rappel de persécutions antérieures. Ils refont aussi surface dans les diverses manifestations artistiques et culturelles qui ponctuent la vie juive à Montréal, au point de soulever parfois des émotions considérables. Il arrive même qu'ils colorent les perceptions politiques quant à la place des minorités et des adeptes du judaïsme en particulier dans les débats politiques au Québec.

Au-delà des terribles événements de la Shoah, les Juifs ressentent une attirance très forte envers le projet sioniste, au point où cet enjeu forme aujourd'hui l'un des rares éléments identitaires à réunir de vastes pans de la mouvance communautaire juive. La centralité de l'État d'Israël pour le judaïsme contemporain et la nécessité de sa défense sur le plan pragmatique et idéologique ne cessent d'être réaffirmées dans le réseau institutionnel, y compris par des personnes qui n'ont aucune intention de faire *aliyah* ou de prendre la nationalité israélienne. Dans une enquête menée en 1997 auprès de la population juive de Montréal, 74 % des répondants affirment s'être rendus en Israël au moins une fois et 20 % plus de quatre fois, ce qui est à l'époque le pourcentage le plus élevé de toutes les communautés juives d'Amérique du Nord. Les deux tiers des individus interrogés se disent tout à fait d'accord avec l'affirmation selon laquelle « le fait de se soucier d'Israël représente une dimension fondamentale de l'identité juive[13] ». Ces positions se traduisent par des contributions financières substantielles en faveur d'Israël visant des projets de développement socioéconomique dans ce pays, notamment lors des campagnes menées à Montréal par l'Appel juif unifié. Elles recoupent aussi tous les segments de la population juive, autant les plus pratiquants sur le plan religieux que ceux qui tiennent à une définition laïque de la judéité. Julien Bauer n'hésite pas à le rappeler dans son entrevue de 2004 :

> L'actualité israélienne prend souvent les gens d'ici aux tripes et Israël est devenu un élément central de l'identité juive, un élément peut-être même encore plus marquant chez les Juifs non croyants. Comme je le disais au début de notre entretien, on considère comme important d'envoyer les jeunes passer trois semaines en Israël pour qu'ils prennent conscience du fait que des Juifs vivent dans un pays juif. Tous les jeunes qui vont en Israël rapportent d'ailleurs une canette de Coca Cola au lettrage hébreu. C'est le symbole qu'on peut être juif et faire partie du monde contemporain ; c'est le symbole de la fin de la marginalité juive[14].

---

13. Charles Shahar, Morton Weinfeld et Adam Blander, « Analyse démographique et socioculturelle de la communauté juive montréalaise », p. 214.

14. Julie Châteauvert et Francis Dupuis-Déri, *Identités mosaïques*, p. 158.

L'orthodoxie, la mémoire de la Shoah et l'adhésion politique à Israël représentent trois facettes du judaïsme montréalais qui trouvent à s'exprimer de manière différente selon les individus et les circonstances. Ces éléments affleurent dans l'engagement des Juifs envers leur société d'appartenance. Ils viennent aussi à l'occasion colorer leur attitude devant des enjeux comme la lutte contre la pauvreté, la réaffirmation des droits fondamentaux et la défense des libertés individuelles. Certains membres de la communauté juive tiennent à signaler ouvertement leur adhésion à la judéité par des signes extérieurs ou par des choix politiques conséquents, tandis que d'autres se contentent d'y faire référence de manière oblique. Nous avons déjà cité l'apport considérable de certaines familles juives au développement de l'économie québécoise, dont les Steinberg, propriétaires d'épiceries à grande surface et d'importants centres commerciaux plus tard acquis en partie par la Caisse de dépôt et placement du Québec. La distillerie Seagram qui appartient à la famille Bronfman et, à une échelle plus modeste, les quincailleries Pascal sont aussi des entreprises industrielles et commerciales qui relèvent de la même approche d'engagement social, tout comme les investissements immobiliers gérés par Marcel Adams partout au Québec[15].

Des destins plus individuels ont aussi laissé des traces significatives dans plusieurs domaines d'activité et porté sur le devant de la scène des contributions juives de premier ordre que nous allons maintenant tenter de mettre en valeur. Certains de ces apports sont porteurs de sens à l'intérieur de l'histoire juive montréalaise et se définissent directement avec la judéité, tandis que d'autres relèvent d'une quête d'universalité. Tous ces parcours ont toutefois en commun d'avoir été marqués par une conscience aiguë du statut de minoritaire et par une filiation issue de la tradition judaïque incarnée par les figures bibliques d'Abraham, d'Isaac et de Jacob. Au-delà de ces paramètres fondateurs, comme nous le verrons bientôt, l'imaginaire juif présente un grand chatoiement de nuances qui forment dans le firmament québécois une constellation identitaire sans cesse changeante.

---

15. À ce sujet, voir Guy Mercier, Frédérik Leclerc et Francis Roy, « Marcel Adams à Québec. Les destins croisés d'un homme et d'une ville ».

Il reste qu'à travers ces multiples appartenances, les Juifs de Montréal souhaitent avant toute chose être considérés par leurs compatriotes d'autres origines comme des citoyens égaux en droits et libres d'évoluer selon leurs multiples talents au sein de la société québécoise. Sous cet angle, il n'y a pas de volonté dans la métropole de faire apparaître ou de positionner un destin collectif juif qui serait l'apanage des seuls Juifs et qui ne ferait référence qu'à eux. Certes, il existe dans la ville une structure communautaire complexe soutenue par les tenants du judaïsme et qui répond surtout aux besoins identitaires propres à la judéité. Il ne faut pas y lire toutefois un désir de recevoir un traitement différent de la part de l'État ou des municipalités. Dans la diaspora et en particulier dans les pays où les libertés fondamentales sont garanties par la loi, les personnes d'origine juive ne tiennent pas nécessairement à être identifiées comme telles ni à devenir une exception à la règle générale. Bien sûr, il peut convenir à certains Juifs de pratiquer le judaïsme ou d'incarner des valeurs juives dans leur vie familiale et privée – parfois de manière assez ouverte –, mais cela ne doit pas être vu comme devant faire obstacle à l'obtention d'une égalité de traitement dans toutes les sphères de la vie collective. Autrement dit, les communautés juives du Québec ne forment pas un ensemble qui agirait d'une seule voix et avec la conscience de représenter un groupe dont les intérêts divergent notablement de ceux de la majorité francophone. Cela est particulièrement vrai lorsque les citoyens sont appelés à exercer leur droit de vote ou quand vient le moment d'exprimer des orientations politiques à grande portée, comme lors d'un référendum ou d'une consultation populaire. En fait, aux yeux de la vaste majorité des Juifs de Montréal, la préservation et l'affirmation de l'identité juive, d'une part, et une pleine participation à la démocratie québécoise, d'autre part, forment deux volets d'une seule et même démarche ; l'un et l'autre se complètent.

C'est un élément de complexité qui a été porté sur le devant de la scène en 1995 lorsque le premier ministre Jacques Parizeau a émis des commentaires jugés déplacés le soir de sa défaite référendaire[16]. Perçues

16. Le soir du 30 octobre 1995, prenant acte du rejet de son option politique, le

dans cette optique, les communautés dites ethniques avaient fait porter quasi unanimement leur choix du côté de l'option fédéraliste et devaient être tenues responsables du résultat négatif obtenu. Ces propos laissaient entendre que les personnes issues du judaïsme, entre autres, exerçaient leur jugement seulement en fonction de leurs origines culturelles ou religieuses et ne se prévalaient pas de leurs droits démocratiques de la même façon que leurs compatriotes, c'est-à-dire sur des bases avant tout individuelles. Il n'y avait qu'un pas à franchir pour conclure, comme l'ont fait plusieurs organisations de défense des droits de la personne, que le chef péquiste cherchait à attribuer la responsabilité de son échec aux électeurs qui n'appartenaient pas traditionnellement au Canada français.

Dans le même ordre d'idées, si les personnes dont nous esquissons la biographie ci-après se sont à plusieurs reprises réclamées de la tradition juive, cela ne signifie pas nécessairement qu'elles aient pris position en toutes circonstances à partir d'un filtre qui serait celui du judaïsme ou qu'elles se soient toujours présentées ouvertement comme des adeptes de la judéité. Des dizaines de milliers d'individus de tradition juive contribuent à chaque moment de leur existence à l'enrichissement collectif du Québec, à la vigueur de sa démocratie et à la propagation de connaissances scientifiques dont bénéficient tous les citoyens. Cela ne signifie pas à tout coup et en toute occasion qu'ils se définissent d'abord comme des tenants du judaïsme. Comme tous les autres Québécois, ils font des choix professionnels et posent des gestes de nature éthique avant tout en fonction de ce que leur dicte leur conscience ou la situation économique environnante. Architectes, promoteurs immobiliers, universitaires ou artistes, ils témoignent d'une sensibilité particulière venue d'un certain contexte historique. Ce sont des citoyens à part entière constamment sol-

---

chef du camp du Oui a déclaré que le résultat avait été influencé de manière négative par « l'argent et des votes ethniques ». Plusieurs commentateurs ont interprété cette saillie entre autres comme une attaque contre la campagne menée par le Congrès juif canadien, le Congrès national des Italo-Canadiens du Québec et la Communauté hellénique du Grand Montréal en faveur du Non.

licités par une société québécoise à ériger et à rendre meilleure sur le plan de la justice sociale, société à laquelle ils apportent tout leur concours[17].

Les libertés fondamentales

Peu de gens ont autant modifié les paramètres de notre société que les militants engagés dans la défense des libertés fondamentales. Ces luttes, menées de longue haleine et dans des conditions souvent éprouvantes sur le plan affectif, ont transformé l'idée que les citoyens se font aujourd'hui de leurs droits et de leur société. Figure emblématique des nombreux combats qui ont marqué le XXe siècle sur ce plan, Léa Roback occupe une place à part dans l'imaginaire collectif pour avoir été pendant plusieurs décennies une militante infatigable des causes féministe, ouvrière et antiraciste. Née en 1903 à Montréal au sein d'une famille d'immigrants polonais, Roback grandit à Beauport, près de Québec, où ses parents tiennent un modeste magasin général. C'est d'ailleurs dans ce milieu familial yiddishophone que la jeune femme absorbe les valeurs de justice sociale et d'engagement politique qui vont caractériser son action tout au long de sa vie. Inspirée à la fois par les enseignements éthiques du judaïsme traditionnel et par ses contacts avec de simples travailleurs, Roback développe une attitude à l'opposé de la soumission et de la fatalité résignée. Déménagée à Montréal vers 1918 avec les siens, elle élargit ses perspectives dans la grande ville et se familiarise avec les mouvements sociaux de masse. Encore toute jeune, elle acquiert une expérience comme ouvrière à la teinturerie British American Dyeworks, puis plus tard comme caissière dans un théâtre bien connu, le Her Majesty's, situé dans la rue Guy près de la rue Sainte-Catherine. Ces

---

17. Le lecteur est invité à ce propos à consulter le site web lancé en 2017 par la Fédération CJA à l'occasion de son centième anniversaire, intitulé *Juifs d'ici* et qui contient une centaine de biographies de Québécois d'origine juive ayant contribué à un titre ou à un autre à l'avancement de leur société. En ligne : www.juifsdici.ca.

premiers pas orientent sa pensée et forment dans son esprit une vision critique des rapports inégalitaires qui marquent la société.

L'heure de la militance active n'a toutefois pas encore sonné pour Roback, qui part au milieu des années 1920 étudier la littérature française à Grenoble, période suivie d'un séjour de plusieurs années dans le milieu universitaire berlinois. En Allemagne, les affrontements violents entre communistes et militants d'extrême droite, l'affaiblissement politique de la république de Weimar et la montée de Hitler laissent une marque indélébile sur sa vision du monde. Projetée dans une lutte politique qui atteindra son paroxysme avec l'arrivée au pouvoir des nazis, Roback prend fait et cause pour le marxisme-léninisme au milieu de la tourmente qui secoue l'Europe centrale. Certains de ses biographes prétendent même qu'elle a séjourné brièvement en URSS avant de revenir à Montréal au début des années 1930. Devenue membre du Parti communiste, elle se lance dans la bataille syndicale et entre en 1936 au service de l'International Ladies Garment Workers Union (ILGWU) comme militante professionnelle, ce qui la place au cœur de la grève de 1937 menée à Montréal par plus de 5 000 jeunes ouvrières de la confection, dont beaucoup sont des Canadiennes françaises connues sous le nom de midinettes. Elle participe aussi en 1935 à la première campagne électorale de Fred Rose, un électricien et militant communiste bien connu, lui aussi immigrant polonais d'origine juive, qui deviendra en 1943 – grâce entre autres aux efforts de Roback – le premier (et dernier) député fédéral canadien d'allégeance communiste.

Au cours de ces années d'avant-guerre, Roback prête son concours à l'ouverture d'une librairie d'inspiration marxiste-léniniste sur la rue de Bleury, le Modern Book Shop, et se lie d'amitié avec les militantes féministes Madeleine Parent et Rose Pesotta. Ce sont des années au cours desquelles les idées progressistes circulent dans la rue et au sortir des lieux de travail grâce à des tracts imprimés sur des presses clandestines. Le déclenchement du deuxième conflit mondial et l'accélération de la production industrielle offrent une occasion inespérée aux activistes de gauche de faire progresser la cause de la classe ouvrière à Montréal. Vers 1941, Roback entre à l'usine RCA Victor pour soutenir la création d'un premier syndicat au sein de l'entreprise. Située à Saint-Henri, l'usine emploie des centaines de travailleurs qui remplissent des tâches indispensables à l'effort de guerre, ce qui leur donne un grand pouvoir de négociation. Roback reste à la RCA Victor jusqu'en 1951, puis elle entreprend un travail de sensibilisation en rapport avec la santé des femmes, l'accès à un logement décent et le droit à l'avortement.

La mort de Staline et la révélation des abus commis sous sa direction, y compris contre l'intelligentsia juive de Russie, convainquent Léa Roback de quitter le Parti communiste en 1958. La rupture avec le mouvement marxiste-léniniste n'éteint toutefois pas en elle le désir de militer pour des causes humanistes et elle entre en 1961 dans la section québécoise d'un collectif canadien appelé La Voix des femmes. Animé par Thérèse Casgrain, Simonne Monet-Chartand et Madeleine Parent, cet organisme lutte contre la prolifération nucléaire et pour la paix dans le monde. Roback poursuit son œuvre d'éducation et de militance pendant encore plusieurs décennies. Après avoir réclamé le suffrage féminin à l'échelon provincial – accordé en 1940 par le gouvernement Godbout –, elle s'opposera successivement à la guerre du Vietnam, au bellicisme de la guerre froide et à l'apartheid en Afrique du Sud. S'étant rapprochée des milieux communautaires, elle réclame un meilleur niveau d'éducation pour les femmes, l'équité salariale et la légalisation de la contraception. Roback dénonce aussi sur de nombreuses tribunes le racisme, la discrimination dont sont victimes les femmes autochtones et l'intolérance sous toutes ses formes[18]. Elle continue de prendre la parole en de multiples occasions jusqu'à un âge très avancé, notamment dans le film tourné par Sophie Bissonnette au début des années 1990 : *Des lumières dans la grande noirceur*. En 1993, quelques années avant sa mort, elle préside à la création d'une fondation qui porte son nom et dont la mission est d'offrir à de jeunes femmes issues de milieux modestes des bourses d'études supérieures. En 2004, un centre de recherche qui porte également son nom et qui se consacre aux inégalités sociales dans le domaine de la santé est créé à Montréal,

18. À ce sujet, voir Christian Samson, « Léa Roback, une militante inclassable », p. 115-117. Voir aussi Hélène Pedneault, « Entrevue avec Léa Roback : à propos d'une batailleuse », p. 50 ; Allen Gottheil, « Léa Roback » ; et Nicole Lacelle, *Entretiens avec Madeleine Parent et Léa Roback*.

un témoignage de plus de la contribution exceptionnelle de cette militante à l'avancement des droits fondamentaux au Québec.

Malgré l'obtention du droit de vote aux scrutins provinciaux, en 1940, la légalisation de la contraception en 1969 et l'accès à des emplois bien rémunérés, la militance féministe n'a toutefois pas réussi à lever l'ensemble des contraintes qui pèsent sur les femmes, dont la répression de l'avortement. Cette lutte est menée pour la première fois au Canada par un médecin immigré au pays en 1950 et diplômé en 1953 de l'Université de Montréal, Henry Morgentaler. Né à Lodz, en Pologne, dans une famille d'obédience bundiste, Morgentaler a grandi au sein d'une société où sévit un fort antisémitisme avant même l'invasion allemande de 1939. Le père du jeune Henry, Joseph Morgentaler, est un militant syndical dans l'industrie de la confection à Lodz et un élu municipal aux intenses convictions socialistes. Plusieurs fois au cours des années 1930, il est arrêté pour avoir défendu les ouvriers face aux patrons, laissant parfois sa femme aux prises avec des difficultés économiques sérieuses. Le père est aussi pris à partie dans des rixes pour ses convictions affichées et parce qu'il est d'origine juive, ce qui ne manque pas de marquer son fils. Interviewé en 1988 par le syndicaliste Allen Gottheil, Morgentaler explique avoir grandi dans une atmosphère de résistance à l'autorité arbitraire de l'État polonais et d'affirmation des droits des travailleurs, toujours dans un contexte envenimé par une discrimination ouverte contre les minorités religieuses et en particulier contre les Juifs :

> Mes parents avaient effectué avec le judaïsme religieux une rupture assez forte, car ils voyaient la religion comme un facteur de résignation, d'acceptation du *statu quo* [...]. En refusant cela, ils croyaient plutôt qu'il faut agir dans le présent pour bâtir une société meilleure, plus juste, où tout le monde est égal et jouit d'une dignité personnelle, collective et nationale. Ils visaient cela non seulement pour les Juifs, mais pour tout le monde, et j'ai été formé dans ce mouvement d'action, d'énergie nouvelle et d'éclosion de créativité. Mes parents manifestaient une ouverture vers le monde et le modernisme. [...]
>
> Ils voyaient justement un certain lien entre le judaïsme et leurs propres idées socialistes, particulièrement par le biais des grands prophètes

de l'Ancien Testament qui prêchent la justice, dénoncent l'oppression et présagent un monde nouveau[19].

L'occupation allemande de la Pologne signale en 1939 la fin d'une vie relativement normale pour la famille Morgentaler et, contrairement à son père, à sa mère et à sa sœur, Henry survit au ghetto de Lodz puis aux camps de concentration d'Auschwitz et de Dachau. Après avoir épousé l'écrivaine de langue yiddish Chava Rosenfarb en Belgique et avoir immigré à Montréal à la suggestion du libraire anarchiste Hirsch Hershman, Morgentaler ouvre une clinique médicale au milieu des années 1950 dans l'est de Montréal. S'ouvre alors une période sans histoire dans sa vie au milieu d'une population surtout francophone, jusqu'à ce que surgisse au sein de la société canadienne le débat au sujet de la légalisation de la contraception et de l'avortement. En 1967, le médecin se prononce en faveur de l'avortement devant un comité de la Chambre des communes. Il effectue clandestinement sa première interruption de grossesse l'année suivante en utilisant la méthode par succion. Morgentaler est accusé en 1970 d'avortement illégal et admet lui-même en public pratiquer ce type d'opération médicale dans sa clinique. Il est arrêté en 1973 et passe quelques jours en prison après que le ministre de la Justice dans le gouvernement Bourassa, Jérôme Choquette, eut décidé de déposer des chefs d'accusation contre lui. Le médecin est acquitté quelques mois plus tard mais condamné à dix-huit mois d'incarcération à la suite d'un nouveau jugement rendu par la Cour d'appel du Québec. Il entre en prison en mars 1975 pour n'en ressortir qu'en janvier 1976, à la suite d'une vaste campagne de presse. À l'automne 1976, Morgentaler est exonéré une troisième fois pour avoir pratiqué un avortement illégal. C'est la fin d'une saga judiciaire que le gouvernement péquiste de René Lévesque choisira de ne pas prolonger. Lors de l'entrevue de 1988, il admettra ceci :

> En ce qui concerne les autorités québécoises pendant les années soixante-dix, je ne suis pas certain que ce soit parce que je suis juif qu'elles m'aient

19. Allen Gottheil, *Les Juifs progressistes au Québec*, p. 22-23.

> persécuté. Elles m'ont talonné parce que je n'ai pas lâché et que je ne me suis pas écroulé. Elles n'ont pas su m'écraser, même si c'était leur désir le plus cher. Mais c'est possible qu'elles se soient un peu plus acharnées du fait que je suis juif. Dans nos sociétés modernes, les autorités prennent bien soin de ne pas paraître antisémites. Elles le sont peut-être, mais elles ne veulent surtout pas que ça paraisse[20].

L'affaire n'en reste pas là, car Henry Morgentaler décide quelques années plus tard, avec l'ouverture de cliniques privées à Toronto, Winnipeg, Saskatoon et Calgary, de défier la réglementation antiavortement des autres provinces canadiennes. Le geste vaut au médecin de nouvelles accusations devant les tribunaux et des attaques publiques très acérées soulignant son expérience personnelle de la persécution nazie. De fil en aiguille, le débat judiciaire se rend jusqu'à la Cour suprême du Canada, qui invalide en 1988 l'article du Code criminel portant sur l'avortement parce qu'il constitue une atteinte injustifiée à l'intégrité physique et émotionnelle des femmes. Le jugement se base entre autres sur les droits énoncés dans la Charte canadienne des droits et libertés de 1982, en particulier sur l'article 7, qui protège « le droit à la vie, à la liberté et à la sécurité de la personne ». Quelques années plus tard, en 1993, Morgentaler gagne une autre cause contre la réglementation qui interdit l'avortement dans certaines provinces, mais c'est au prix d'une série d'attaques violentes contre ses cliniques et d'un déluge de propos abusifs de la part de ses détracteurs. Cela faisait suite à une tentative en 1990, de la part du gouvernement fédéral d'allégeance conservatrice, de recriminaliser l'avortement lorsque la santé de la patiente n'est pas menacée par la grossesse. Une intense controverse entoure d'ailleurs jusqu'à la fin l'activisme de Morgentaler et sa lutte contre les décisions arbitraires de l'État, souvent marquée par son expérience de l'Holocauste plusieurs décennies auparavant, comme le révèle cette entrevue accordée au *Globe and Mail* en 2003 : « Je savais que je ne pourrais pas sauver la vie de ma mère. Mais je pourrais peut-être épargner la vie d'autres mères. C'était pour moi une pensée insconsciente, qui se trans-

---

20. *Ibid.*, p. 40.

forma presque en commandement. Si j'aide les femmes à avoir des bébés au moment où elles peuvent leur prodiguer de l'amour et de l'affection, ils ne deviendront pas plus tard des violeurs ou des meurtriers. Ils ne construiront pas de camps de concentration[21]. »

C'est dans cette lignée que se situe l'activisme de Nancy Neamtan, présidente-directrice générale de 1996 à 2015 du Chantier de l'économie sociale, un organisme panquébécois qui soutient un réseau de coopératives et d'entreprises à but non lucratif axées sur le développement social. Cofondatrice en 1989 du Regroupement pour la relance économique et sociale du sud-ouest de Montréal (RESO), Nancy Neamtan a aussi œuvré à partir de 1997 au sein du Réseau d'investissement social du Québec (RISQ), un organisme qui gère un fonds de capital de risque conçu pour offrir un financement adapté aux entreprises d'économie sociale. Partie d'une mouvance progressiste très ancrée, cette approche favorise une intervention qui dépasse la seule rentabilité à court terme pour s'intéresser en particulier aux retombées du développement économique dans les différents milieux de base de la société québécoise. Le Chantier de l'économie sociale agit ainsi dans un cadre qui soutient la citoyenneté active, la prise en charge collective et l'approfondissement de la vie démocratique[22].

Figure de proue depuis plusieurs années de l'intervention axée sur les valeurs sociales, Nancy Neamtan a grandi à Montréal dans le quartier Notre-Dame-de-Grâce au sein d'une famille anglophone attachée à la pratique du judaïsme libéral. Éduquée dans le réseau scolaire protestant et au Temple Emanu-El, elle a déménagé dans le quartier Saint-Henri alors qu'elle étudiait encore à l'Université McGill. C'est là qu'elle entre en contact en 1969 avec la Maison des chômeurs puis se joint au Parti communiste ouvrier (PCO), de tendance maoïste. De 1975 à 1982, Nancy Neamtan fait d'ailleurs partie des dirigeants de cette organisation politique qui atteint alors son apogée et publie l'hebdomadaire *La Forge*.

---

21. Sandra Martin, « Abortion Rights Crusader Henry Morgentaler, Revered and Hated, Dead at 90 », *The Globe and Mail*, 29 mai 2013. Notre traduction.

22. À ce sujet, voir le site du Chantier de l'économie sociale : www.chantier.qc.ca/?module=document&uid=871.

La militante sociale n'hésitera pas en 1988, après avoir cité Albert Einstein, Emma Goldman et Karl Marx, à attribuer son engagement de tous les instants à l'influence qu'a eue sur elle le judaïsme de tradition libérale et à la conscience d'appartenir à une minorité vulnérable. Pour elle, cette sensibilité s'enracine dans l'éducation reçue à la synagogue tôt dans son existence :

> C'est là que j'ai découvert le mysticisme juif, qui surgissait, entre autres, de la Torah, du Talmud et de la Kabbale. [...] Ces écrits nous incitaient à imaginer, à être philosophes et à nous poser mille et une questions. À la colonie [de vacances], la discussion, les débats et la connaissance elle-même étaient grandement valorisés. Rien n'était jamais tranché à coups de couteau et les réponses n'étaient pas préconçues ; toutes les nuances, de même que les ambiguïtés, étaient tolérées. Par exemple, les discussions sur la sexualité n'étaient pas mises au rancart. Les rabbins nous permettaient à souhait de poser des questions et de douter de leurs réponses. D'ailleurs, on nous enseignait que le doute est justement un signe d'intelligence et de sagesse[23].

Il y a plusieurs manières de soutenir les libertés fondamentales, dont la défense des minorités et des groupes de personnes ciblées du fait de leur statut social ou de leur situation juridique. C'est l'angle que choisit Jean-Claude Bernheim lorsque la Ligue des droits et libertés crée en 1972 un comité spécial chargé de soutenir les individus condamnés à purger une peine dans des établissements carcéraux au Canada. En 1976, il devient le président de l'Office des droits des détenus (ODD) et se consacre à plein temps à mieux faire connaître les conditions à la fois concrètes et juridiques imposées aux individus emprisonnés pendant de longues périodes. Son arrivée coïncide avec des événements troublants qui propulsent Jean-Claude Bernheim au cœur de l'actualité médiatique, dont des grèves du travail aux pénitenciers d'Archambault et de Saint-Vincent-de-Paul, la mort d'un détenu au Centre Parthenais et plus tard, en 1982, des allégations de torture par des gardiens de pri-

23. Allen Gottheil, *Les Juifs progressistes au Québec*, p. 275.

son. Les interventions très éloquentes et les dénonciations de Jean-Claude Bernheim lui valent d'être responsable pendant de nombreuses années du secrétariat chargé des questions carcérales à la Fédération internationale des ligues des droits de l'homme.

En 1980, Bernheim publie en collaboration avec Lucie Laurin un ouvrage qui critique sévèrement les pratiques du système judiciaire au Québec, intitulé *Les Complices*[24], suivi en 1987 d'une étude sur les suicides en prison[25]. Depuis, il a poursuivi son engagement en faveur des détenus en enseignant la criminologie dans plusieurs universités de langue française au Canada, dont récemment l'Université Laval. Il s'est aussi présenté comme candidat aux élections générales de 2007 et 2014 sous les couleurs de Québec solidaire. Né en Suisse en 1945 et arrivé au Québec en 1951, Jean-Claude Bernheim est issu par son père d'une famille roumaine qui a été décimée par l'Holocauste. Sa mère, d'origine juive alsacienne, le convertit au catholicisme pour lui permettre d'entrer au Québec à l'école de langue française, et il grandit sans exprimer d'attachement particulier à ses racines mosaïques. Plus tard, à l'âge adulte, celles-ci se transforment en un ensemble de valeurs qui inspirent son combat contre l'arbitraire du pouvoir et les failles du système politique canadien :

> Le judaïsme qu'elle [sa mère] m'a transmis, c'est donc une culture et un esprit, dans le sens d'un amour des livres et d'un mode de vie familial, de même que sa dimension la plus importante, un respect d'autrui. Nous nous parlions régulièrement de cet héritage culturel et, en répondant très rationnellement à toutes mes questions, elle m'a donné une identité juive, sans repousser ni dénigrer les autres, et sans vouloir non plus clamer son appartenance sur tous les toits. [...]
> Par ailleurs, ma formation est bel et bien juive, et c'est là que j'ai appris à respecter les autres et leurs droits : voilà au moins un lien entre mon travail à l'Office [des droits des détenus] et le fait d'être juif... Les

24. Jean-Claude Bernheim et Lucie Laurin, *Les Complices. Police, coroners et morts suspectes.*

25. Jean-Claude Bernheim, *Les Suicides en prison.*

> remarques racistes et les préjugés qui subsistent dans la société m'ont aussi sensibilisé à toute la question des droits[26].

Cette expérience tardive de la judéité trouve une autre incarnation chez un éminent avocat montréalais connu pour sa contribution importante à la jurisprudence en matière de droits fondamentaux et de libéralisme politique, deux domaines qui ont donné naissance au Québec à de nombreuses contestations judiciaires touchant la langue, la liberté d'expression et la liberté de religion. Né en Pologne en 1948 dans une famille juive qui immigre au pays en 1957, Julius Grey s'est rangé du côté de ceux qui croient qu'il est impératif de protéger le citoyen contre les abus de pouvoir émanant des autorités publiques et des gouvernements, notamment par le recours aux protections contenues dans la Charte canadienne des droits et libertés de 1982. Il y a donc dans son approche un parti pris de type républicain qui lui fait opter pour la défense des choix individuels en ce qui concerne les questions linguistiques, le port des signes religieux et la liberté de conscience, par exemple. Julius Grey, de son propre aveu, se méfie des groupes repliés sur eux-mêmes pour des raisons sectaires ou des mouvements nationalistes radicaux qui cherchent à limiter l'expression de la diversité culturelle. Du même coup, il rejette aussi l'idéologie du multiculturalisme, qu'il juge trop peu empressée à favoriser l'intégration des immigrants et des porteurs de différence. C'est une prise de position qui est très près de celle tenue historiquement par la tendance dominante au sein de la population juive de Montréal, y compris le plus souvent au sein du leadership communautaire.

Il s'agit donc, pour Julius Grey, de maintenir un équilibre souvent précaire entre la préservation des libertés fondamentales et la nécessité de favoriser la pleine participation de tous à l'ensemble des institutions démocratiques. Cette approche vaut même, dans l'esprit de Grey, pour les communautés portées à se soustraire pour des raisons religieuses à tout contact soutenu avec la majorité. C'est ce positionnement qui l'a poussé à défendre le droit d'un garçon d'origine sikhe de porter un

---

26. Allen Gottheil, *Les Juifs progressistes au Québec*, p. 321 et 325.

kirpan à son école publique francophone, cause qu'il a gagnée en 2006 devant la Cour suprême. Julius Grey a aussi soutenu avec succès des personnes juives qui réclamaient le droit d'installer un *érouv** à Outremont ou de construire une *soucca** sur le balcon d'une résidence sise dans un complexe immobilier du quartier montréalais Côte-des-Neiges. Comme il l'explique lui-même dans une série d'entretiens accordés à la politologue Geneviève Nootens, sa sensibilité à l'égard des minorités tient moins à ses origines juives, dont il n'a pris véritablement conscience qu'une fois arrivé à Montréal, qu'à son sentiment d'avoir vécu, en tant qu'immigrant polonais unilingue, une situation éprouvante dans le milieu scolaire anglophone :

> Toute la famille de mon père était ici, au Québec. Ç'a été ma première rencontre avec la religion juive, et ça n'a pas été agréable – ce qu'on peut manger et ce qu'on ne peut pas manger, par exemple, ça m'a frappé comme étant bizarre. Je me sentais étranger à cela. [...] L'école où je suis allé était une école protestante où il y avait beaucoup d'immigrants, parce que tous les non catholiques étaient placés dans les écoles protestantes. [...] La grande majorité des élèves étaient des enfants d'immigrants, alors que j'étais moi-même immigrant. Ils parlaient anglais. Moi, je ne parlais que le polonais, même si mes parents parlaient français. J'ai vécu l'expérience absolument cauchemardesque de me retrouver dans une classe où je ne savais pas ce qui se passait[27].

Engagements politiques, juridiques et scientifiques

Ces considérations complexes portant sur l'identité juive, sur la marginalisation et sur la conscience de devoir servir concrètement le progrès de la société poussent de nombreux Juifs de toutes origines à participer directement à la vie politique québécoise. Le phénomène se manifeste très tôt au cours au XIXe siècle avec l'élection (sans suite) d'Ezekiel Hart

27. Geneviève Nootens, *Julius Grey. Entretiens*, p. 43-45.

dans la circonscription de Trois-Rivières, puis il se poursuit au siècle suivant avec S.-W. Jacobs et Peter Bercovitch, qui connaissent de longues carrières aux Parlements d'Ottawa et de Québec. À part Louis Fitch, qui siège brièvement à Québec à la fin des années 1930 comme député de l'Union nationale de Maurice Duplessis, il s'agit pour le plus grand nombre d'un engagement soutenu auprès du Parti libéral fédéral ou provincial.

Les Juifs ne restent toutefois pas insensibles à l'appel de l'option souverainiste et le Parti québécois recrute très tôt des candidats d'origine juive, à commencer par Paul Unterberg lors des élections de 1970 dans la circonscription de D'Arcy-McGee[28]. Cela n'est pas sans causer une certaine surprise dans les milieux juifs attachés au fédéralisme et particulièrement auprès des personnes arrivées au pays après l'Holocauste. Issu d'une famille autrichienne ayant fui son pays au moment de l'Anschluss, arrivé très jeune à Montréal au début de la Seconde Guerre mondiale, Paul Unterberg a lui-même décrit les conditions dans lesquelles il a quitté l'Ancien Monde : « C'était déjà la guerre et nous avons passé une année à parcourir l'Europe en essayant d'obtenir le visa d'immigration pour le Canada. Les Allemands étaient à nos trousses et à deux reprises un délai d'un jour aurait eu comme résultat que toute la famille finisse dans un camp d'extermination[29]. » Membre du Barreau québécois à partir de 1960, il explique dans *Le Québec aux Québécois*, publié en 1971, les raisons qui l'ont poussé à se déclarer souverainiste : « Le territoire du Québec est habité par deux genres de personnes. Les Québécois et les visiteurs. Un Québécois, ça se reconnaît assez facilement. C'est une personne qui se sent à l'aise en français et qui se sent chez elle au Québec[30]. » Ce pamphlet constitue par ailleurs une défense passionnée et très personnelle de la cause indépendantiste. Paul Unter-

28. Créée en 1965, la circonscription électorale provinciale de D'Arcy-McGee regroupe principalement les municipalités de Côte-Saint-Luc et de Hampstead. C'est sur ce territoire que se trouve au tournant du XXIe siècle la masse de la population juive résidant sur l'île de Montréal.

29. Paul Unterberg, *Le Québec aux Québécois*, p. 21.

30. *Ibid.*, p. 13.

berg se présente à nouveau aux élections en 1976 – année où le parti prend le pouvoir sous la direction de René Lévesque – et il obtient 27 % des voix exprimées dans la circonscription de Saint-Laurent. Son fils Jérôme sera plus tard conseiller municipal à Outremont, de 1987 à 1995, puis maire de cette municipalité de 1995 à 2001, soit jusqu'au moment de sa fusion avec la ville de Montréal.

Au début des années 1980, Henry Milner prend la relève et devient militant indépendantiste après avoir soutenu le camp du Oui lors du référendum sur la souveraineté-association de 1980. Professeur de sciences politiques au Collège Vanier et membre de l'exécutif du PQ, il explique son choix par son adhésion au socialisme et par son désir de voir se réaliser un rapprochement culturel entre francophones et anglophones qui mènerait à une société plus égalitaire. Il s'explique d'ailleurs clairement à ce sujet dans un texte qui paraît dans *Les Cahiers du socialisme* à la veille de la consultation référendaire : « C'est seulement dans les petits États que le nationalisme est tout naturellement canalisé vers des causes humaines plutôt qu'antihumaines. C'est ce qui rend le projet québécois si exaltant. [...] Pour des socialistes démocratiques [*sic*] et libertaires, toute attitude autre qu'un appui ouvert et actif à l'indépendance du Québec est incompréhensible[31]. » Henry Milner se présente d'ailleurs comme candidat péquiste aux élections générales de 1981 et obtient 20 % des voix dans la circonscription de Westmount.

Il reviendra toutefois à David Levine de devenir brièvement, de janvier à juin 2002, le premier et seul ministre d'origine juive dans un gouvernement du PQ, celui dirigé par Bernard Landry. Après avoir été candidat malheureux du parti en 1979 dans la circonscription de D'Arcy-McGee, lors d'une élection partielle, David Levine poursuit une carrière d'administrateur dans le domaine de la santé au Québec et en Ontario. En janvier 2002, il est à nouveau recruté par le PQ et nommé ministre délégué à la Santé sans toutefois avoir été élu député à l'Assem-

31. Henry Milner, « Il est temps que la gauche québécoise prononce un "oui" retentissant ». Voir aussi, du même auteur, *The Decolonisation of Quebec: An Analysis of Left-Wing Nationalism.*

blée nationale[32]. L'affaire fait grand bruit, car elle introduit l'idée qu'un anglophone puisse être séduit par les idées avancées par le parti souverainiste de Bernard Landry. Quelques mois plus tard, David Levine ne réussit toutefois pas à se faire élire à l'élection partielle dans la circonscription de Berthier, où il n'obtient que 28 % des voix. Cet échec le force à démissionner de son poste en juin 2002. Dans son autobiographie publiée en 2015, il raconte pourquoi il en est venu à appuyer cette option politique au moment de son entrée dans la fonction publique québécoise, c'est-à-dire à la veille de l'élection du PQ en 1976 :

> Cette période de changements sociaux représentait une occasion unique de mettre en pratique les valeurs démocratiques auxquelles je croyais. Tout semblait possible, et c'était exaltant. L'assurance automobile sans égard à la faute, le zonage agricole, la gestion du territoire et des forêts n'étaient que quelques-uns des dossiers intéressants à l'ordre du jour. [...]
> Ce qui me captivait le plus était de voir Jacques Parizeau, Lise Payette, Jean Garon, Yves Bérubé, Rodrigue Tremblay et d'autres débattre et discuter de différents dossiers. C'était un groupe de personnes extrêmement intelligentes, toutes fortement mobilisées en faveur de la croissance et de l'essor du Québec, animées par la conviction que le Québec pouvait devenir une nation dotée du plein contrôle de tous les moyens nécessaires à son propre développement[33].

Candidat du PQ dans la circonscription électorale d'Outremont en 1994, Salomon Cohen s'est expliqué longuement au sujet de son engagement politique dans une entrevue accordée en 2004 à Julie Châteauvert et Francis Dupuis-Déri. Né au Maroc et arrivé au Québec en 1971 après un séjour de plusieurs années en Israël, Salomon Cohen établit un lien fondamental et nécessaire entre le nationalisme québécois et le sionisme. Si les Juifs de Montréal soutiennent en très grand nombre l'État d'Israël et se montrent sensibles aux aspirations poli-

---

32. À ce moment, François Legault est le ministre en titre de la Santé dans le gouvernement Landry.

33. David Levine, *Santé et Politique. Un point de vue de l'intérieur*, p. 40.

tiques de la population juive au Proche-Orient, ne devraient-ils pas, pense Salomon Cohen, faire preuve d'ouverture envers le mouvement indépendantiste québécois, qui s'érige sur des bases assez semblables ? Entre les deux projets, il y aurait des éléments de similitude suffisants pour faire naître une sympathie mutuelle et une complicité entre souverainistes et sionistes, susceptible de dépasser le clivage linguistique présent à Montréal. Juifs et Québécois ne forment-ils pas deux peuples vulnérables et opprimés au cours de l'histoire, qu'une sensibilité commune devrait réunir ? Salomon Cohen se croit aussi influencé par un autre facteur dans cette problématique complexe, celui des rapports en Israël entre Ashkénazes et Sépharades. Pour lui, le clivage politique à Montréal entre anglophones et francophones fait penser aux difficiles relations entre Juifs de différentes origines au sein de la société israélienne. Devant ce phénomène, Salomon Cohen, qui n'en est pas moins un sioniste convaincu, a senti l'obligation de prendre parti pour le combat en faveur du groupe qui lui paraissait le plus défavorisé au Québec, d'où son engagement auprès du PQ et envers le mouvement indépendantiste :

> Je ne connaissais ni le Québec ni le Canada lorsque j'y suis arrivé en 1971. J'ai tout de suite établi un parallèle entre le mépris qu'affichaient les Ashkénazes à l'égard des Sépharades en Israël et le mépris des Anglo-Canadiens à l'égard des Franco-Québécois. [...] Si je suis souverainiste, c'est peut-être aussi parce que mon « âme juive » n'accepte pas l'injustice. Je ne suis pas croyant, mais je suis le dépositaire de valeurs qui m'ont été inculquées, telle la justice[34].

Cela n'empêche pas la personnalité politique québécoise d'origine juive la plus marquante de la fin du XXe siècle d'appartenir au courant libéral fédéraliste et d'être de tradition ashkénaze. Pédiatre de profession et de langue maternelle anglaise, le Dr Victor Goldbloom représente sans doute le mieux le parcours de la population juive de Montréal

---

34. Julie Châteauvert et Francis Dupuis-Déri, *Identités mosaïques*, p. 100. L'argument est repris par Richard Marceau dans *Juif, une histoire québécoise.*

à l'époque où elle traverse les années de la Révolution tranquille et s'apprête à vivre un important rééquilibrage linguistique. Pendant toute sa carrière, il insiste, malgré des moments très difficiles – et contrairement à d'autres anglophones de même origine –, pour prendre sans cesse le parti du dialogue et de la négociation avec ses concitoyens de langue française. N'abandonnant jamais l'espoir d'une réconciliation entre les tenants d'options politiques différentes, Goldbloom a rattaché à ses origines juives son désir impérieux de trouver réponse aux sentiments ambivalents qui marquaient au Québec les rapports entre citoyens de langue et de foi différentes :

> Mes grands-parents, tous les quatre, sont venus au Canada de l'Europe de l'Est il y a un peu plus de cent ans. Montréal était leur port d'entrée, mais mes grands-parents paternels ont vécu la majeure partie de leur vie à Vancouver. Ils fuyaient les persécutions, et ils cherchaient un avenir prometteur dans un pays accueillant et équitable. Ils m'ont légué leur gratitude profonde et leur amour et leur engagement envers le Canada[35].

Le parcours du Dr Goldbloom est exceptionnel à plus d'un titre. Il est élu pour la première fois à l'Assemblée nationale en 1966, année où Jean Lesage perd le pouvoir au profit de l'Union nationale de Daniel Johnson. Député de la circonscription de D'Arcy-McGee, il est réélu en 1970 et devient ministre sans portefeuille dans le premier gouvernement Bourassa. De février à novembre 1973, il est ministre des Affaires municipales puis, jusqu'en novembre 1976, ministre des Affaires municipales et de l'Environnement, poste qui inclut la responsabilité de mener à bien le chantier olympique montréalais. Bien qu'il soit personnellement hostile à toute législation linguistique au niveau provincial, l'adoption par son gouvernement, en 1974, de la Loi sur la langue officielle lui vaut de vives protestations de la part de sa propre communauté et de la part des milieux anglophones en général.

---

35. Victor Goldbloom, *Les Ponts du dialogue*, p. 174. Ce passage est tiré d'un discours donné au club Rotary d'Edmonton le 30 janvier 1992, alors que le Dr Goldbloom défendait la loi fédérale sur les langues officielles devant un auditoire composé d'unilingues anglophones.

Relégué à un rôle plus secondaire par la défaite électorale de son parti en 1976 et par l'arrivée de Claude Ryan à la tête de sa formation politique, Victor Goldbloom démissionne de son siège en 1979. Il se lance dans une nouvelle carrière comme directeur général puis président, de 1979 à 1987, du Conseil canadien des chrétiens et des Juifs (CCCJ), un organisme voué au dialogue entre les adeptes de différentes traditions religieuses. De 1982 à 1990, il occupe même le poste de président de cet organisme au niveau international. C'est l'occasion pour lui de s'intéresser à des questions telles que les suites à donner à l'encyclique *Nostra Ætate* de 1965, la reconnaissance de l'État d'Israël par le Vatican et la conservation des sites où le génocide nazi a eu lieu. En 1991, il devient commissaire aux langues officielles et soutient les avancées du bilinguisme au sein de la fonction publique fédérale, en plus d'encourager l'établissement de rapports plus soutenus au Canada entre francophones et anglophones. Victor Goldbloom termine sa carrière en acceptant en 2007 la présidence du Congrès juif canadien (CJC), région du Québec, c'est-à-dire au moment où se tient la commission Bouchard-Taylor, qu'il a d'ailleurs sévèrement critiquée pour son laxisme face aux témoignages xénophobes et antisémites de certains participants[36]. Goldbloom se trouve aussi aux premières loges quand le CJC, devenu le Congrès juif québécois, met en cause à plusieurs reprises les politiques de laïcité défendues par le PQ de Pauline Marois. Adam Atlas, le successeur en 2009 de Goldbloom à la tête du CJC, n'hésitait pas en 2010 à reprendre les mêmes propos :

> Avec sa croisade en faveur de la laïcité, le Parti québécois entraîne le Québec sur la piste dangereuse de l'intolérance envers la communauté juive, pense le Congrès juif québécois. [...] « Nous nous sentons stigmatisés et c'est très troublant pour nous », a soutenu M. Atlas, dont l'organisme regroupe 96 000 membres. [...] Le Parti québécois, selon lui, compte « quelques interlocuteurs » qui veulent imposer au Québec une vision de la laïcité qui suscite une vive inquiétude dans la communauté

36. Stéphane Baillargeon, « La commission Bourchard-Taylor : entre critique et malaise », *Le Devoir*, 29 septembre 2007.

juive. Nombre de Québécois de confession juive se sentent ainsi « ostracisés » et « ciblés » comme étant « les seuls » qui ne se comportent « pas comme les autres » dans la société civile. « Personne n'a le monopole de l'identité québécoise. Je ne crois pas que pour être Québécois, nous devons être moins juif, ou moins chrétien, ou moins quoi que ce soit. La société se dit ouverte et tolérante, mais les gestes que l'on voit maintenant vont à l'encontre de ces principes », a soutenu M. Atlas[37].

Décédé en 2016, Goldbloom a ouvert la voie dans la circonscription provinciale de D'Arcy-McGee à d'autres élus d'origine juive, dont Herbert Marx de 1979 à 1989, éminent professeur de droit constitutionnel de l'Université de Montréal qui sera ministre de la Justice dans le gouvernement Bourassa de 1985 à 1988, bientôt suivi par Lawrence Bergman de 1994 à 2014 puis par David Birnbaum, ex-directeur général du CJC, région du Québec. Le départ d'Herbert Marx de la scène politique a été provoqué par une crise qui a durement ébranlé le monopole du Parti libéral au sein de la population juive du Québec et qui a amené en 1989 la création du Parti Égalité, une formation exclusivement vouée à la défense des droits des anglophones. Voulant répondre au jugement Ford de la Cour suprême du Canada, qui avait invalidé les clauses de la Charte de la langue française interdisant l'affichage en anglais au Québec, le premier ministre Robert Bourassa avait invoqué en 1988 la clause dérogatoire de la Charte canadienne des droits et libertés (article 33). Ce geste, qui se voulait temporaire, avait indisposé un grand nombre de fédéralistes de langue anglaise et suscité une levée de boucliers qui a mené en 1989 à l'élection de Robert Libman dans la circonscription de D'Arcy-McGee.

Chef du Parti Égalité et porte-parole officieux des Juifs anglophones mécontents, Robert Libman a occupé le devant de la scène jusqu'à sa défaite électorale de 1994 à la suite de graves dissensions au sein de son propre parti. En plus de proposer une vision plus radicale et plus revendicatrice du discours politique fédéraliste, Libman a aussi suscité pen-

37. Martin Ouellet, « Laïcité : le Congrès juif critique les prises de position du PQ », *Le Devoir*, 13 mars 2010.

dant quelques années un durcissement de l'opinion juive en général face au mouvement indépendantiste et face aux politiques jugées trop gauchistes du PQ. La réaction de 1989 n'était pas sans rappeler l'attitude des anglophones après la promulgation en 1974 d'une première loi linguistique contraignante pour les anglophones par le gouvernement Bourassa, ce qui avait produit aux élections de 1976 un glissement significatif du vote dans D'Arcy-McGee en faveur de l'Union nationale. De telles poussées de fièvre antilibérale ont en général été de durée très limitée et motivées par des réactions hautement émotionnelles. La même règle vaut pour la circonscription fédérale de Mont-Royal, représentée par Sheila Finestone de 1984 à 1999 et par Irwin Cotler de 1999 à 2015, deux personnalités fortement associées au Parti libéral. Ce dernier a d'ailleurs été de 2003 à 2006 ministre de la Justice dans le gouvernement de Paul Martin, procureur général du Canada et l'un des principaux promoteurs des droits fondamentaux sur la colline parlementaire à Ottawa. Irwin Cotler a aussi défendu au cours de sa carrière, en tant qu'avocat, des dissidents politiques en Russie soviétique, en Afrique du Sud, en Égypte et en Israël.

Ces contributions plus politiques se doublent d'une importante présence juive dans le domaine juridique. Parmi les membres les plus éminents de la magistrature québécoise, il convient de mentionner le juge Alan B. Gold, né à Montréal en 1917, à l'époque de la grande vague migratoire est-européenne, et admis au Barreau du Québec en 1942. Reconnu pour son intégrité morale, son activisme social et ses talents de médiateur, il devient en 1970 juge en chef de la Cour provinciale. En 1983, il est nommé juge en chef de la Cour supérieure du Québec, poste qu'il conserve jusqu'en 1992. Au cours de sa carrière, il a été tour à tour professeur à l'Université McGill, fondateur du Bureau d'aide juridique et vice-président de la Commission des relations de travail. Le juge Gold a été appelé entre autres à négocier en 1990 avec les communautés autochtones impliquées la fin de la crise d'Oka. Il a aussi participé à de nombreuses médiations réussies dans des conflits de travail dans les secteurs public et parapublic.

Des succès éclatants sont aussi à signaler dans le domaine scientifique, dont ceux des Drs Samuel O. Freedman et Phil Gold, tous deux spécialistes de l'immunologie clinique à l'Université McGill et coresponsables au cours des années 1960 d'importantes découvertes relativement au dépistage du cancer de l'intestin. Plus récemment, le Dr Mark A. Wainberg a été un des premiers Canadiens à s'intéresser, dès la fin des années 1980, à l'étude du virus du sida. On lui doit entre autres la découverte de l'un des premiers médicaments anti-VIH et une contribution de premier plan au traitement et à l'éradication de la maladie. Il convient aussi de signaler la contribution exceptionnelle de Henry Mintzberg au management stratégique et aux sciences de la gestion. Professeur à l'Université McGill, il a écrit abondamment sur les cadres dirigeants, sur l'efficacité managériale, sur la structure des organisations et sur la planification, dont en 2004 un ouvrage qui a fait date, intitulé *Managers, not MBAs.*

L'architecture et l'aménagement urbain

Au-delà des questions touchant aux droits fondamentaux et à l'engagement politique, juridique ou scientifique, de nombreux talents se sont manifestés au sein des communautés juives du Québec dans le domaine de l'art et de la création littéraire. Peu de gens ont autant contribué sur ce plan à l'avancement de la scène muséale et à la conservation du bâti montréalais que la mécène Phyllis Lambert, dont la réputation dépasse de beaucoup les frontières du pays. Née à Montréal en 1927, elle est la fille de Samuel Bronfman et de Saidye Rosner, dont elle hérite le sens de la responsabilité sociale et de l'engagement collectif. Son intérêt pour le patrimoine architectural prend forme lorsque l'entreprise de son père, la compagnie Seagram, conçoit au milieu des années 1950 le projet d'ériger un édifice pour son siège social à New York. Plutôt que de s'inspirer d'un design sans caractère, Phyllis Lambert suggère de confier les travaux à l'un des pionniers de l'architecture moderniste, Ludwig Mies van der Rohe, qui érigera sur Park Avenue un édifice de trente-huit étages empruntant à l'esthétique fonctionnaliste[38]. Cela vaut d'ailleurs

---

38. Phyllis Lambert, *Building Seagram.*

à Phyllis Lambert d'étudier sous la direction du maître pendant de nombreuses années à l'Illinois Institute of Technology, où elle termine des études supérieures en architecture en 1963.

Quelques années plus tard, en 1967, elle dessine dans l'esprit de Mies les plans du Centre Saidye Bronfman, qui servira pendant de nombreuses années de salle de concert et de lieu d'exposition pour le réseau communautaire juif de Montréal. De retour à Montréal en 1971, Phyllis Lambert fonde quatre ans plus tard l'organisme Héritage Montréal dans le but de promouvoir et de protéger le patrimoine architectural, historique, naturel et culturel de la région montréalaise. La décision de prendre part aux débats entourant le paysage urbain de sa ville natale survient à la suite d'un événement particulièrement traumatisant, c'est-à-dire la démolition en 1973, sur la rue Sherbrooke, de la villa du magnat du chemin de fer William Van Horne[39]. Érigée en 1870, cette demeure, considérée comme un joyau de l'architecture montréalaise au cœur du Golden Square Mile, part en poussière sans que les autorités municipales interviennent. En 1979, alors que d'autres atteintes au patrimoine urbain s'annoncent, elle fonde le Centre canadien d'architecture (CCA), qui a pour mission d'éduquer le public à l'importance de cet art, de soutenir la recherche de haut niveau et d'élaborer des pratiques innovatrices en design[40].

Désireuse de contrer des projets à grande échelle néfastes pour la conservation de la tradition architecturale montréalaise, Phyllis Lambert s'oppose au cours des années 1970 à la transformation du quartier Milton Park, situé à l'est de l'Université McGill, qui comporte de nombreuses résidences victoriennes en pierre grise de Montréal. Grâce à son engagement au sein de la Société d'amélioration de Milton Park, une coopérative d'habitation est fondée en 1987 qui prend en charge le parc

39. Ironie du sort, la maison Van Horne est démolie par une personnalité bien connue dans les milieux juifs montréalais, le promoteur immobilier David Azrieli, qui construit sur l'emplacement un immeuble de bureaux assez quelconque, aujourd'hui l'hôtel Sofitel. Voir Martin Drouin, « Maison Van Horne (1870-1973) : une destruction fondatrice ».

40. Yann Fortier, « Phyllis Lambert : un héritage pour Montréal ».

immobilier existant et en assure la rénovation. D'autres interventions suivent, dont une opposition ferme à l'érection d'une tour au Complexe Montréal Trust, qui aurait obstrué la vue sur le mont Royal depuis l'avenue McGill College. La contribution phare de Phyllis Lambert au patrimoine de sa ville prend corps en 1989 avec la construction du nouvel édifice du CCA, situé dans l'ancien secteur de Shaughnessy Village, une zone dégradée sur le plan urbain et qui se trouve revitalisée entre autres par un jardin de sculptures conçu par Melvin Charney le long du boulevard René-Lévesque.

L'édifice du CCA, dessiné par Peter Rose, abrite entre autres des salles d'exposition, des bibliothèques et des archives constituées au départ de la collection personnelle de la mécène ; la construction a été financée par des actions que celle-ci détenait dans la compagnie Seagram. Le projet reçoit en 1992 la médaille du Gouverneur général en architecture. Phyllis Lambert préside d'ailleurs elle-même aux destinées du CCA jusqu'en 1999, ce qui ne l'empêche pas de participer à d'autres initiatives, dont la fondation en 1997 du Fonds d'investissement de Montréal, destiné à revaloriser des quartiers modestes de Montréal et à promouvoir l'accès à la propriété privée. Elle préside en 2000 le jury du concours d'architecture pour l'édifice de la Bibliothèque nationale du Québec et participe à la mise en place en 2005 de la Table de concertation du centre-ville ouest sous l'aile du CCA. Preuve que peu de circonstances réussissent à la ralentir, Phyllis Lambert vient tout juste de contribuer à la fondation en 2015 de l'Institut de politiques alternatives de Montréal, une initiative citoyenne visant une meilleure planification urbaine, un développement économique durable et le renforcement de la démocratie locale.

Complice de Phyllis Lambert dans l'aménagement du CCA, Melvin Charney a grandi sur le Plateau Mont-Royal au sein d'une famille dont les parents étaient nés en Europe de l'Est. Hyman, son père, était artisan menuisier et décorateur, tandis que sa mère Fanny travaillait comme ouvrière dans l'industrie du vêtement. Melvin Charney étudie l'architecture à l'Université McGill et à l'Université Yale puis revient ouvrir un bureau d'architecte en 1964, en plus d'enseigner à l'Université de Montréal. Après un certain nombre d'années, il s'intéresse à la création d'art public et s'engage dans la conception de projets de grandes dimensions.

On lui doit par exemple l'érection en 1976 de Corridart, une installation monumentale de près de huit kilomètres de long sur la rue Sherbrooke, destinée à sensibiliser le public à la protection du patrimoine immobilier de Montréal. Mettant en scène plus de 60 artistes, cette œuvre se veut un musée à ciel ouvert à l'occasion de l'ouverture des Jeux olympiques, en juillet de la même année. L'administration Drapeau prend toutefois ombrage de l'attitude critique exprimée par les créateurs de Corridart et démantèle l'installation au bout de quelques jours seulement[41]. Ce geste sera considéré par Melvin Charney et ses collaborateurs comme le cas de censure artistique le plus flagrant de l'histoire canadienne.

Au cours des dix années suivantes, Charney conçoit dans plusieurs villes canadiennes, américaines et européennes des installations permanentes qui constituent une critique de l'environnement souvent décontextualisé des milieux urbains contemporains[42]. À Montréal, ce sera le jardin de sculptures du CCA et, en 1992, la construction à la place Émilie-Gamelin d'une sculpture-fontaine en trois parties intitulée *Gratte-ciel, cascades d'eau, rues, ruisseaux… une construction.* Au même moment, Melvin Charney produit des œuvres graphiques qui soulignent le caractère très oppressant de l'expérience urbaine au XXe siècle, phénomène qui culmine dans son esprit avec l'apparition du nazisme et du fascisme en Europe au cours des années 1930. Bruce Russell n'hésite d'ailleurs pas à affirmer ceci dans sa biographie de l'artiste :

> Dès le début des années 1980, la critique de l'aliénation urbaine propre au travail de Melvin Charney s'intensifie alors qu'il commence à explorer le « modernisme » du totalitarisme. Il entreprend alors une série d'œuvres représentant les chemins de fer, les camps de la mort et les fours crématoires du Troisième Reich, l'infrastructure de l'Holocauste. Dans ces dessins et installations, l'industrialisation du génocide devient une métaphore extrême pour l'aliénation de la société moderne[43].

41. René Goyette, « Censure, je me souviens ».

42. À ce sujet, voir Pierre Landry, *Melvin Charney*; et Melvin Charney, *On Architecture: Melvin Charney, A Critical Anthology.*

43. James Viloria et Bruce Russell, « Melvin Charney ».

Ces contributions exceptionnelles à la qualité du vécu urbain s'enrichissent en 1953 avec l'arrivée à Montréal de Moshe Safdie. Né en 1938 à Haïfa dans une famille d'origine juive syrienne, Moshe Safdie obtient en 1961 un diplôme d'architecture de l'Université McGill et, en 1964, il fonde sa propre firme pour concrétiser les principes de constructions novateurs décrits dans son mémoire de maîtrise. L'occasion lui est donnée, au moment de l'Exposition universelle de 1967, de mettre en application ses idées. Il réalise alors la construction d'un complexe immobilier composé d'habitations modulaires en béton précontraint situé dans la Cité du Havre, c'est-à-dire en plein cœur du port de Montréal. Connu sous le nom d'Habitat 67, ce projet lance sa carrière internationale et, en 1970, il ouvre un bureau d'architecte à Jérusalem. Il compte d'ailleurs parmi les concepteurs en 1974 de la nouvelle esplanade du mur des Lamentations, aménagée après la guerre des Six Jours pour dégager l'accès au principal lieu saint du judaïsme. En plus de concevoir en 1989 l'aménagement de la nouvelle ville de Modi'in, située à environ quarante kilomètres à l'est de Tel-Aviv, Moshe Safdie dessine les plans du nouveau musée de l'Holocauste érigé en 2005 au mémorial de Yad Vashem, juste à l'extérieur de Jérusalem. Il a aussi conçu au cours des dernières années six édifices publics importants dans son pays d'adoption, dont en 1988 le Musée de la civilisation à Québec et le Musée des beaux-arts du Canada à Ottawa, deux réalisations éclatantes qui ont contribué à sensibiliser le public à l'importance du design et de l'art architectural. Le pavillon Jean-Noël Desmarais du Musée des beaux-arts de Montréal, construit en 1991, et le Vancouver Library Square, achevé en 1995, font aussi partie de ses contributions de premier plan au Canada[44]. Moshe Safdie a reçu de nombreux hommages, dont en 2010-2011 une exposition consacrée à sa carrière au Musée des beaux-arts du Canada, où il a été déclaré « citoyen du monde ». Ses nombreuses réalisations architecturales ont aussi fait l'objet en 2004 d'un documentaire de Donald Winkler intitulé *Moshe Safdie: The Power of Architecture.*

---

44. À propos de l'œuvre de Safdie, voir le livre édité par Diana Murphy, *Moshe Safdie*, et l'ouvrage signé par Moshe Safdie lui-même, *Safdie*.

La création artistique et la philanthropie

Parmi les artistes visuels d'origine juive qui ont marqué le milieu montréalais, il convient de mentionner Ghitta Caiserman-Roth, fille de H.-M. Caiserman et de Sarah Wittal. Née en 1923, elle a entrepris sa carrière en reflétant dans un style très expressionniste les préoccupations sociales d'une époque marquée par l'industrialisation et l'effort de guerre. En 1947, elle fonde avec Alfred Pinsky la Montreal Artists School puis donne graduellement une forme intimiste et abstraite à ses œuvres, dont une série portant sur les masques et une autre plus tardive ayant comme thème des clowns habillés de couleurs brillantes. On trouve aussi dans sa production récente des tableaux montrant des intérieurs dénués de présence humaine et de nombreuses natures mortes. Elle a reçu en 2000 le Prix du Gouverneur général en arts visuels.

Née elle aussi en 1923 de parents d'origine roumaine, Betty Goodwin, née Roodish, laisse une œuvre complexe faite de collages, de formes sculptées et d'assemblages, utilisant parfois les techniques de l'impression, du dessin, de l'eau-forte et de la gravure. Elle a produit dans les années 1970 une série de pièces murales intitulées *Tarpaulin,* faites de bâches et de tissus grossiers suspendus puis retravaillés au pinceau ou recousus. Betty Goodwin a peint et dessiné plus récemment dans la série *Swimmers* des tableaux illustrant des corps détachés de toute forme de pesanteur, thématique qui s'est poursuivie par des agrandissements photographiques de formes humaines et d'objets incongrus dans la série *Memory of the Body*[45]. Elle a obtenu en 2003 le Prix du Gouverneur général en arts visuels.

Contrairement aux deux artistes qui précèdent, qui ont été formées au sein de l'école picturale juive de Montréal[46], Marion Wagschal est arrivée à Montréal en 1951 depuis l'île de Trinité. Issue d'une famille allemande ayant dû fuir les persécutions nazies, Wagschal se distingue

---

45. Josée Bélisle (dir.), *Betty Goodwin. Parcours de l'œuvre à travers la collection du Musée d'art contemporain de Montréal.*

46. Voir à ce sujet l'ouvrage d'Esther Trépanier intitulé *Peintres juifs de Montréal. Témoins de leur époque, 1930-1948.*

par son approche réaliste et figurative à une époque où la peinture favorise plutôt l'abstraction. Professeure pendant plus de trente ans à l'Université Concordia, elle laisse une œuvre empreinte d'une imagerie allégorique et provocante qui décrit le parcours de sa vie d'abord antillaise puis de plus en plus montréalaise[47].

Plusieurs de ces créateurs, à différentes époques, ont été soutenus financièrement par des personnalités très attachées à l'expression artistique. De nombreux entrepreneurs et hommes d'affaires d'origine juive se sont en effet montrés fidèles au précepte judaïque de la *tsedaka*, soit l'obligation de partager sa richesse et d'en faire bénéficier l'ensemble de la société. Cette injonction morale – qui a le sens de justice réparatrice – a été suivie par l'ensemble des familles les plus nanties, dont au premier chef les Bronfman, les Steinberg, les Cummings et les Pollack, qui ont mis sur pied des fondations destinées à soutenir de multiples causes ayant trait à l'éducation, aux arts, à l'amélioration des conditions sociales ou à la santé. Ces préoccupations se sont manifestées par exemple quand Max Stern, le propriétaire de la Dominion Gallery sur la rue Sherbrooke, a fait don à sa mort en 1987 d'une grande partie de sa collection – plus d'une centaine d'œuvres – à des institutions montréalaises, dont le Musée des beaux-arts, le Musée d'art contemporain et l'Université Concordia. C'était l'aboutissement d'une carrière entièrement consacrée à l'art et à la peinture. Stern était l'héritier de la galerie fondée à Düsseldorf par son père, Julius, et avait grandi en Allemagne dans une atmosphère de haute culture européenne. Chassé de son pays par le régime nazi en 1937 et spolié de tous ses biens, Stern avait momentanément trouvé refuge à Londres pour être bientôt transféré au Canada en 1940 comme *enemy alien*. Libéré en 1943, il est devenu pendant des décennies l'un des principaux promoteurs à Montréal des nouveaux courants canadiens en arts visuels, notamment grâce au soutien qu'il a apporté à des créateurs comme Emily Carr, Paul-Émile Borduas, Jean-Paul Riopelle et Jean-Philippe Dallaire[48].

---

47. Ray Cronin *et al.*, *Marion Wagschal.*

48. Voir à ce sujet l'ouvrage dirigé par Édith-Anne Pageot : *Max Stern. Marchand et mécène à Montréal.*

Ces efforts ont été prolongés par l'engagement de Michal et Renata Hornstein auprès du Musée des beaux-arts de Montréal, auquel ils ont légué en 2012 leur collection exceptionnelle de tableaux de maîtres européens. Ce mécénat a été reconnu dernièrement par la décision du musée de donner à son nouveau pavillon destiné à l'art international le nom de pavillon Hornstein. Propriétaire de la société immobilière Federal Construction et de nombreux centres commerciaux, Hornstein était né à Cracovie et avait immigré à Montréal en 1951 après avoir survécu – tout comme son épouse – aux exactions nazies en Pologne. Il était aussi un bienfaiteur notoire de l'Institut de cardiologie de Montréal et de plusieurs universités québécoises.

Il en va de même de la fondation créée en 1989 par David Azrieli dans le but de soutenir divers programmes artistiques et scientifiques liés à l'enseignement de l'architecture. Cet organisme est particulièrement renommé pour ses activités mettant en valeur des témoignages inédits rédigés par des survivants de la Shoah et visant à mieux faire connaître les circonstances dans lesquelles se sont déroulées les persécutions juives en Europe pendant la Seconde Guerre mondiale. Lui-même survivant de l'occupation allemande en Pologne, arrivé à Montréal en 1954 et promoteur immobilier de première importance autant au Québec qu'en Israël, Azrieli incarne un idéal de philanthropie universelle très répandu au sein de la population juive de Montréal.

Plus récemment, la mécène Phoebe Greenberg a attiré l'attention avec l'inauguration en 2013 du Centre Phi dans le Vieux-Montréal et la création quelques années plus tôt d'une fondation pour l'art contemporain portant le nom de DHC/ART. Formée à Paris dans le domaine du théâtre, Greenberg a conçu le Centre Phi – autrefois un entrepôt de cristal – comme un lieu consacré au cinéma, aux spectacles d'art et aux courants artistiques les plus actuels.

Parmi les fondations les plus prestigieuses et les plus importantes du Montréal juif, on trouve celle mise sur pied en 1987 par Charles Bronfman – autrefois propriétaire du club de baseball des Expos[49] – et qui porte aujourd'hui le nom de son fils et de sa belle-fille : Stephen et

49. Voir Jonah Keri, *L'Extraordinaire Saga de Nos Amours, 1969-2004.*

Claudine. Née de l'entreprise de distillation Seagram acquise au début du XXe siècle par Samuel Bronfman, cette fondation est rattachée à la société d'investissement Claridge, dont le siège social est à Montréal. Active dans les domaines de l'immobilier, de l'agro-alimentaire, de la technologie, du divertissement et des sources d'énergie renouvelable, Claridge sert aujourd'hui de point d'appui à la Fondation Stephen et Claudine Bronfman. Ces activités caritatives tournées vers l'ensemble des milieux communautaires québécois trouvent aussi un pendant plus spécifiquement juif dans le soutien que la fondation apporte à la perpétuation de l'identité juive montréalaise par l'entremise des organismes de toute nature réunis sous le parapluie de la Fédération CJA. La famille Bronfman s'intéresse tout particulièrement à l'approfondissement de l'éducation juive dans la métropole, au développement chez les jeunes adultes de liens plus soutenus avec la société israélienne et à la diffusion de la culture juive auprès des jeunes générations. Ces efforts ont commencé à porter fruit avec l'ouverture récente, sur le boulevard Saint-Laurent, du Musée du Montréal juif (MMJ), qui offre des visites guidées dans les quartiers d'ancienne implantation juive sur le Plateau Mont-Royal. Le MMJ anime aussi un site web contenant les biographies de nombreuses personnalités historiques montréalaises et des réflexions sur l'originalité du devenir juif au XXIe siècle.

Contributions littéraires

Peu de créateurs montréalais ont atteint le degré de notoriété internationale obtenu par Leonard Cohen après qu'il se fut lancé sur la scène musicale à la fin des années 1960. Petit-fils de Lyon Cohen, propriétaire d'importantes industries de confection et premier président du CJC en 1919, le poète a grandi au sein du milieu ashkénaze anglophone nanti de Westmount. Il s'inscrit à l'Université McGill en 1951, où il fait ses premiers pas dans le monde littéraire grâce à sa rencontre entre autres avec Louis Dudek et Irving Layton, qui deviendra plus tard son principal mentor. Influencé surtout par William Butler Yeats, Walt Whitman, Federico García Lorca et Henry Miller, Leonard Cohen publie son premier recueil de poésie en 1956, intitulé *Let Us Compare Mythologies.* Après un bref séjour infructueux à l'Université Columbia de New York, il revient dans sa ville natale en 1957 et publie en 1961 *Spice Box of Earth.* Cette œuvre est bientôt suivie de deux autres opuscules poétiques, *Flowers for Hitler,* paru en 1964, et *Parasites of Heaven,* en 1966. Cohen doit toutefois sa notoriété littéraire sulfureuse à deux romans en partie autobiographiques, *The Favorite Game* (1963) et *Beautiful Losers* (1966). Dans son œuvre littéraire et dans ses habitudes de vie, Leonard Cohen prend le contre-pied des tendances dominantes au sein de sa communauté d'appartenance. Il quitte le milieu fortuné auquel il appartient pour retrouver sur le Plateau Mont-Royal et dans les boîtes de nuit de la rue Sainte-Catherine une atmosphère de créativité exaltante. Son écriture n'en comporte pas moins la trace de ses origines, tandis que sa poésie réverbère, tel un écho lancinant, des images issues du judaïsme traditionnel, des rituels pratiqués lors de certaines fêtes et un lointain folklore est-européen[50]. L'exil, l'errance et les souffrances de la persécution s'y fraient un chemin, tout comme des bribes de l'éducation religieuse que Leonard Cohen a reçue au cours de son enfance. Il n'hésite d'ailleurs pas à faire référence dans sa poésie à Hitler et au nazisme, tout comme son illustre prédécesseur A. M. Klein[51], et parcourt les territoires douloureux de la désorientation, de la dépossession culturelle et de la grande uniformité nord-américaine.

Sa vie prend un tournant en 1966 quand il décide de retourner aux États-Unis pour lancer sa carrière musicale et écrire des chansons dans une veine plus populaire. Entre ces deux étapes de la vie de Leonard Cohen existe une forte continuité qui n'est pas nécessairement apparente au premier abord et qui s'exprime surtout dans son lyrisme mélancolique et dans le rythme parfois alangui de ses mélodies. Les paroles de plusieurs de ses plus grands succès comportent des références à peine déguisées au judaïsme, souvent sous la forme d'une allusion ou

---

50. Voir l'article d'Emmanuel Kattan, « "Quelque chose nous oublie parfaitement" : réflexion sur la figure de l'étranger dans la poésie de Leonard Cohen (1956-1968) ».

51. A. M. Klein, *The Hitleriad.*

d'une référence oblique, parfois à une prière ou à un psaume[52]. Leonard Cohen arrive à New York alors que la vague folk déferle sur l'Amérique, portée par Bob Dylan, Joan Baez et Judy Collins. L'opposition à la guerre du Vietnam, l'activisme politique en faveur des plus démunis et une critique virulente du matérialisme ambiant remettent en valeur l'héritage musical de la génération précédente, celle des Woody Guthrie, Hank Williams et Pete Seeger. Leonard Cohen trouve dans ce milieu un contexte très propice à son écriture intimiste et à des mélodies d'une grande simplicité.

Après avoir composé des chansons pour d'autres artistes, comme *Suzanne*, interprétée par Judy Collins en 1966, il lance un premier album solo en 1967, *Songs of Leonard Cohen.* Suivent bientôt *Songs from a Room* (1969), *Songs of Love and Hate* (1971) et *Best of Leonard Cohen* (1976), qui se signalent tous par leur facture musicale si particulière. L'artiste connaît un très grand succès au cours des années 1970 et 1980 comme interprète sur scène et devient une figure dominante de son époque. En 1977, il lance l'album *Death of a Ladies' Man,* qui sera aussi le titre d'un recueil de poésie publié en 1978. Puis il enregistre en 1988 *I'm Your Man.* Fidèle au courant inauguré par Bob Dylan, Leonard Cohen écrit pendant trois décennies des chansons d'une grande sobriété de moyens, dont les textes ont une forte puissance d'évocation. Malgré une carrière influencée par le bouddhisme, la *pop scene* américaine, le *protest movement* et de nombreux revirements de style, il n'a de cesse d'évoquer le *yikhes* légué par ses ancêtres et dont on découvre les traces dans la trame de son œuvre :

> La « judéité » de Cohen puise dans une filiation de renom, celle des *kohanim,* les grands prêtres qui officiaient dans le Temple de Jérusalem ; elle se nourrit des textes fondateurs du judaïsme, tout en s'articulant à une subjectivité masculine en proie aux tourments, au désespoir et aux grands déchirements de l'ère contemporaine. Certains événements de l'histoire juive récente se reflètent en effet dans ses écrits, dont l'immigration des masses juives en Amérique au début du XXe siècle, la Seconde Guerre mondiale et la Shoah, la création de l'État d'Israël et la guerre du Kippour.

52. Chantal Ringuet, « Leonard Cohen : habiter le langage, poétiser l'exil ».

À cela s'ajoutent un certain don de voyance et une intuition des catastrophes qui font, depuis longtemps, la signature de Leonard Cohen[53].

Les lettres québécoises se sont aussi enrichies de la contribution exceptionnelle d'un écrivain né en 1931 au cœur du Montréal juif et dont le talent dépassera de beaucoup les frontières de sa communauté d'origine. Héritier d'une longue lignée de littérateurs de langue yiddish domiciliés depuis les années 1920 sur le Plateau Mont-Royal, Mordecai Richler grandit au sein d'une famille de tradition orthodoxe issue de la grande vague migratoire est-européenne. Son père, Moses Isaac, tient un commerce de métaux recyclés et son grand-père maternel est nul autre que le rabbin Yudel Rosenberg, un des premiers tenants de la tradition hassidique à Montréal et lui-même écrivain reconnu. Mordecai Richler fréquente l'école Baron Byng sur la rue Saint-Urbain puis l'Université Sir George Williams dans l'ouest de la ville, mais sans obtenir de diplôme. Il s'exile à Paris à l'âge de dix-neuf ans puis s'installe à Londres pour une longue période. Son départ, comme il s'en expliquera à plusieurs reprises par la suite, est motivé par sa désillusion face au milieu culturel canadien, par son désintérêt envers son pays d'origine et par le désir de se tailler une place à l'échelle internationale. Malgré qu'ils contiennent des dénonciations parfois acerbes, presque tous ses premiers romans ont pour théâtre le Montréal de son enfance et suivent une veine fortement autobiographique. Richler publie *Son of a Smaller Hero* en 1955, *The Apprenticeship of Duddy Kravitz* en 1959 et *St. Urbain's Horseman* en 1971, trois œuvres où des protagonistes peu attachants se heurtent aux limites que leur impose leur milieu social d'appartenance. On y trouve entre autres des descriptions peu flatteuses de la judéité montréalaise et un certain sentiment d'aliénation qui campe bien le climat d'après-guerre à Montréal, époque où il existait encore des barrières bien visibles dans les quartiers immigrants entre populations d'origines différentes. En 1969, Mordecai Richler fait paraître *The Street,* recueil de nouvelles où il présente une galerie de personnages juifs fortement typés et brosse un portrait social intimiste des quelques rues qui s'étendent de part et d'autre du

53. Chantal Ringuet, « D'une révolution à l'autre, une œuvre signée Leonard Cohen », p. 2-3.

boulevard Saint-Laurent. On y voit aussi apparaître en demi-teintes l'univers canadien-français que le romancier a côtoyé de loin et qu'il traite sur un ton ironique et peu flatteur, préfigurant ainsi ses écrits polémiques des années 1980 et 1990 au sujet du fait français.

L'auteur revient dans son pays natal en 1972 et s'installe dans les Cantons-de-l'Est, d'où il va assister avec une aigreur croissante à la montée du mouvement nationaliste québécois. Après avoir publié surtout à l'étranger et à propos de sujets éloignés des thèmes principaux de la littérature québécoise, il fait irruption sur la scène médiatique de langue française au moyen de dénonciations retentissantes des lois linguistiques québécoises, notamment dans *The Atlantic Monthly* en 1977 et en 1983[54] ainsi que dans le *New Yorker* en 1994[55]. Son ouvrage hautement polémique *Oh Canada ! Oh Quebec ! Lament for a Divided Country*, paru en 1992, soulève une vague d'indignation et suscite des commentaires peu amènes de la part de certaines personnalités politiques québécoises. Plusieurs de ses lecteurs francophones ne se reconnaissent pas dans la veine intentionnellement irrévérencieuse de l'auteur et dans son penchant prononcé pour l'ironie, le sarcasme et la dérision comme mécanisme d'écriture. Brutal et insolent dans ses textes de critique sociale, dont il existe une longue liste et qui souvent n'ont rien à voir avec le Québec francophone, Mordecai Richler n'en reste pas moins un romancier de très grand talent et une des plus voix littéraires les plus remarquables du Montréal contemporain. Beaucoup de ses critiques n'ont d'ailleurs pas pris la peine de noter que ses héros juifs anglophones sont souvent fascinés par des personnages féminins de langue française, comme Yvette dans *The Apprenticeship of Duddy Kravitz*, par qui le jeune ambitieux au centre du roman se sent très attiré. Les démêlés de l'auteur avec le mouvement souverainiste ont néanmoins laissé un héritage d'amertume et de récrimination mutuelle qui occupe encore une grande place dans l'image que les Québécois se font de l'auteur et qui peine à se dissiper.

---

54. Mordecai Richler, « Oh Canada. Lament for a Divided Country », et « Language Problems ».

55. Mordecai Richler, « O Quebec », p. 50.

En 1989, Mordecai Richler publie un roman sous forme de fresque historique, *Salomon Gursky Was Here,* qui pourrait sans doute être considéré comme sa plus grande œuvre et qui se présente comme un vaste panorama historique de la présence juive en Amérique boréale. Le récit s'ouvre sur des références détaillées à la fameuse expédition scientifique britannique de 1845 dans les mers arctiques canadiennes. À bord des vaisseaux du capitaine John Franklin se trouve en effet un jeune marin d'origine juive qui va survivre grâce à son ingéniosité au désastre annoncé et qui préfigure dans sa réaction face à l'adversité la vitalité inextinguible de la communauté juive montréalaise du siècle suivant. On découvre entre autres dans *Gursky* un personnage d'une ambition démesurée, Bernard Gursky, projection à peine déguisée de Samuel Bronfman, grimpant à une vitesse étourdissante vers le sommet de la société canadienne. Y figurent aussi une panoplie de personnages juifs tout juste détachés de la Russie impériale et porteurs d'une haute culture européenne, souvent exprimée à travers le filtre décapant de la langue yiddish. Parmi eux se trouve un brillant poète, L. B. Berger, qui représente la figure par ailleurs bien réelle du grand écrivain montréalais A. M. Klein .

> Jours heureux, jours bénis avant que Bernard Gursky ne convoque le père de Moses – L. B. Berger, célèbre poète et nouvelliste montréalais – d'une main puissante et d'un bras tendu. Les Berger n'avaient pas encore été transplantés dans Outremont, avec ses rues bordées d'arbres, et habitaient toujours dans leur appartement sans eau chaude de la rue Jeanne-Mance. Un appartement qu'ébranlaient jour et nuit les allées et venues imprévisibles de Juifs russes cinglés et loquaces. Des poètes, des essayistes, des dramaturges, des journalistes, des acteurs et des actrices yiddish. Des artistes, tous autant qu'ils étaient. Échoués sur les rives d'un pays froid qui leur rendait bien leur indifférence. Sauf, évidemment, L. B., soutenu par des ambitions plus grandes et dont les poèmes avaient été publiés en anglais dans des revues littéraires confidentielles de Montréal et de Toronto et aussi, une fois, dans *Poetry Chicago*[56].

56. Mordecai Richler, *Solomon Gursky,* p. 25.

Mordecai Richler publie une dernière œuvre en 1997, *Barney's Version*, qui est en réalité une autobiographie dont le protagoniste suit une trajectoire en tout point semblable à celle que l'auteur a connue au cours de sa carrière et dans sa vie conjugale. Le rôle a d'ailleurs été repris au grand écran en 2010, par Paul Giamatti. Décédé en 2001, Mordecai Richler continue d'attirer l'attention et de soulever la controverse. Il a récemment fait l'objet de deux études importantes, dont une de Charles Foran[57], dont le propos principal a été repris dans un documentaire dirigé par Francine Pelletier et lancé en 2010, *Le Cosaque de la rue Saint-Urbain*. Malgré ses frasques légendaires et son ton fielleux, Mordecai Richler est aujourd'hui perçu un peu différemment par le public francophone, qui découvre sans doute une œuvre immense et un talent littéraire peu commun. En 2015, l'auteur a été fait citoyen d'honneur à titre posthume par la Ville de Montréal et une bibliothèque publique a été renommée la même année dans le quartier Mile End pour perpétuer sa mémoire. Signe des temps, ses principaux romans sont aujourd'hui repris par les Éditions du Boréal dans de nouvelles traductions plus fidèles au contexte québécois que ne l'étaient celles réalisées en France il y a plus de vingt ans. L'homme et son œuvre n'ont certainement pas fini de surprendre et d'ébranler les certitudes[58].

Nul portrait de la littérature montréalaise d'inspiration juive ne saurait être complet sans une mention d'Irving Layton, né en Roumanie en 1912 et arrivé au Canada en 1913 sous le nom d'Israel Lazarovitch. De langue maternelle yiddish, Layton apprend l'anglais dans son pays d'adoption et grandit dans le milieu immigrant du Plateau Mont-Royal. Son père, Moishe, un homme d'une grande piété, décède en 1925, et c'est sa mère, Keine, qui éduque le jeune Layton aux dures réalités de la vie. Élève à l'école secondaire Baron Byng – comme toute une généra-

57. Charles Foran, *Mordecai: The Life and Times*; et Reinhold Kramer, *Mordecai Richler: Leaving St. Urbain.*

58. Longtemps considéré comme un écrivain qui se situait par ses thèmes et son anglophilie à l'extérieur de la littérature québécoise, Mordecai Richler a vu son œuvre entrer pour la première fois dans le canon grâce à l'étude de Michel Biron, François Dumont et Élisabeth Nardout-Lafarge, *Histoire de la littérature québécoise.*

tion de jeunes Juifs nés à Montréal –, Irving Layton devient socialiste à la manière de Norman Bethune et obtient un diplôme de l'Université McGill en 1939. Il donne des cours d'anglais aux immigrants à la Bibliothèque publique juive de Montréal, s'enrôle dans l'armée canadienne en 1942 puis retourne à la fin des années 1940 enseigner à l'école secondaire Herzliah. Ses idées radicales lui causent des ennuis, mais pas dans le milieu littéraire de langue anglaise, où il contribue à partir de 1943, avec John Sutherland, à des périodiques littéraires avant-gardistes comme *First Statement* et *Northern Review*. Il ne faut guère faire d'efforts pour convaincre Irving Layton que la poésie doit refléter la réalité sociale immédiate ou que l'identité canadienne doit prévaloir sur les modèles importés de Grande-Bretagne une génération auparavant. Son écriture poétique est crue, flamboyante et modelée par l'observation attentive du milieu qui est le sien. En 1945, il fait paraître son premier recueil sous le titre *Here and Now* et il entre au cours des années 1950 dans une période d'une grande créativité, publiant jusqu'à deux recueils par année. Il obtient en 1959 le Prix du Gouverneur général pour *A Red Carpet for the Sun* et poursuit son enseignement aux universités Sir George Williams et York. Ce personnage haut en couleur et souvent controversé produit une poésie qui lui vaut une réputation internationale et de nombreuses invitations à la télévision de langue anglaise au Canada. Conférencier recherché, il a signé une cinquantaine de recueils de poésie en plus d'avoir été le mentor du jeune Leonard Cohen au début de sa carrière littéraire à l'Université McGill[59].

La littérature québécoise d'inspiration juive s'ouvre pour la première fois à la langue française au lendemain de la Seconde Guerre mondiale. Cela se produit discrètement quand arrive dans la ville un jeune immigrant irakien formé dans les écoles de l'Alliance israélite française. Naïm Kattan débarque à Montréal en 1954 après un bref séjour à Paris. L'un des seuls Juifs francophones dans la métropole à cette époque, il est, comme nous l'avons vu, engagé par le CJC pour

59. Voir Michel Albert, *Layton, l'essentiel. Anthologie portative*; et Irving Layton, *A Wild Peculiar Joy: The Selected Poems*. Voir aussi le documentaire réalisé pour l'ONF en 1986 par Don Winkler : *Poet: Irving Layton Observed*.

animer le Cercle juif de langue française (CJLF). Au cours des années 1960, il rédige le *Bulletin* du Cercle et collabore régulièrement au *Devoir* comme chroniqueur littéraire. Très au fait des deux volets linguistiques de la vie culturelle canadienne, il est nommé en 1967 responsable des lettres et de l'édition au Conseil des arts du Canada. Il ne tarde pas à produire une œuvre inspirée en partie de ses origines mésopotamiennes, dont en 1970 *Le Réel et le Théâtral* et en 1975 *Adieu Babylone.* On lui doit une trentaine de romans et d'essais qui s'intéressent à l'immigration, aux rapports entre l'Orient et l'Occident, et qui tentent de réconcilier l'exil et la quête du pays. Il a d'ailleurs publié en 2001 *L'Écrivain migrant,* essai dans lequel, selon Chantal Ringuet, « il examine les conditions et les fonctions de l'écriture en exil, tout en proposant ses propres réflexions sur la politique, la tragédie humaine et les espoirs du XXe siècle[60] ». Au début de 2017, il a publié en collaboration avec son fils Emmanuel des « entretiens » qui résument l'ensemble de sa carrière et de sa vie[61]. Naïm Kattan a reçu le prix Athanase-David en 2004 pour l'ensemble de son œuvre. Cet écrivain se distingue d'ailleurs parmi tous les autres créateurs de sa génération par une quête de sens infatigable menée en langue française depuis la lointaine Arabie, qui ressemble à s'y méprendre à celle de l'ensemble de la société québécoise découvrant pour la première fois – mais cette fois à l'inverse – la diversité culturelle présente à Montréal. En entrevue au *Devoir,* Naïm Kattan confiait en 2008 à Michel Lapierre :

> Les cultures sont autonomes et c'est par leur différence qu'elles communiquent et se rejoignent sans concurrence et sans négation. Maintenant, poursuit Lapierre, le Juif arabophone, selon ses propres mots, « vit en français, un français du Québec ». Sa conclusion a quelque chose de bouleversant : « Celui qui change de culture ne peut en ignorer aucune. » Il y a un demi-siècle, Kattan se désolait de trouver à Montréal « les Canadiens français, les Canadiens anglais, les Juifs, les Italiens » dans des zones

60. Chantal Ringuet, « L'apport des créateurs juifs à la vie culturelle et littéraire montréalaise », p. 124.

61. Emmanuel Kattan, *Naïm Kattan. Entretiens.*

séparées, comme celles qu'habitaient à Bagdad « les chiites, les sunnites, les Juifs, les chrétiens, les Kurdes, les Sabéens »... Aujourd'hui, il remplace la consternation par l'espérance. Faire sienne une langue d'emprunt, le français, lui a permis de comprendre que l'extrême diversité du monde n'a rien d'archaïque ni de statique[62].

Dans une veine complètement différente, Régine Robin, née Rivka Ajzersztejn à Paris en 1939 dans une famille d'origine polonaise, approfondit en 1983 avec *La Québécoite* un nouveau courant de littérature immigrante en langue française. Cette œuvre, rédigée d'un point de vue extérieur à la société québécoise, exprime le désarroi et l'inadéquation d'une jeune Européenne qui, malgré sa parfaite connaissance du français, n'arrive pas à se situer dans la trame culturelle montréalaise. Arrivée au Québec en 1977 pour enseigner la sociologie à l'Université du Québec à Montréal, Régine Robin est historienne, romancière et spécialiste des questions identitaires. Elle s'intéresse particulièrement à la mémoire culturelle, à la sociologie de la littérature et à l'analyse des discours idéologiques. Son ouvrage *Le Réalisme socialiste, une esthétique impossible* remporte en 1987 le Prix du Gouverneur général. Il est suivi en 1999 de *L'Immense Fatigue des pierres*, un dialogue fictif entre mère et fille, à la limite de deux continents, qui plonge dans les affres de la Shoah. En 2001, Régine Robin publie *Berlin chantiers*, une flânerie à la manière de Walter Benjamin dans la nouvelle capitale allemande, où se superposent en couches successives de douloureuses mémoires. L'essai a reçu en 2001 le Grand Prix du livre de Montréal. Plus récemment, Emmanuel Kattan, le fils de Naïm, a publié plusieurs récits, dont un en 2012 sous le titre *Les Lignes de désir* et un autre en 2013 intitulé *Le Portrait de la reine*. Il a aussi soutenu en 2002 une thèse de doctorat à l'École des hautes études en sciences sociales de Paris sur le devoir de mémoire dans l'histoire contemporaine.

Médecin psychiatre d'origine alsacienne, Marc-Alain Wolf a fait paraître en 2006 un roman sur l'identité juive à Montréal appelé

62. Michel Lapierre, « Le tapis volant québécois de Naïm Kattan », *Le Devoir*, 14 juin 2008.

Kippour. Il a récidivé en 2014 avec un recueil de nouvelles intitulé *Histoires de famille, histoires de guerre,* qui relate la manière dont la Seconde Guerre mondiale a été vécue par les siens. Il a aussi publié un essai en 2004 : *Quand Dieu parlait aux hommes. Lecture psychologique.*

Plusieurs écrivains contemporains sont dignes de mention du côté anglophone. C'est le cas de David Solway, né à Montréal en 1941 et poète reconnu, notamment grâce à la publication en 1987 de *Modern Marriage* et en 2007 de *Reaching for Clear: The Poetry of Rhys Savarin.* En 2003, il est devenu le premier écrivain anglophone à recevoir le Grand Prix du livre de Montréal pour le recueil poétique intitulé *Franklin's Passage,* qui lui aussi évoque la grande expédition britannique de 1845 dans l'Arctique. David Solway a également publié des essais sur l'éducation, dont *Education Lost* (1989) et *Lying About the Wolf: Essays in Culture and Education* (1997). Il s'est intéressé en 2003 à la critique littéraire dans *Director's Cut* et plus récemment à la situation au Moyen-Orient et à l'après-11-Septembre dans le monde en général dans *The Big Lie: On Terror, Antisemitism and Identity,* publié en 2007, et dans *Hear ! O Israel,* paru en 2009.

Plus jeune et lui aussi montréalais de naissance, Robert Majzels a grandi dans une famille marquée par les souffrances de la Shoah. Romancier, poète, traducteur et dramaturge, cet auteur aime brouiller les frontières entre les genres littéraires et s'intéresse particulièrement à la théorie critique de la littérature. Il a gagné le Prix du Gouverneur général pour sa traduction en 2000 d'une œuvre de la romancière acadienne France Daigle intitulée *Pas pire.* Il a ensuite entrepris de donner une voix au Canada anglais à Nicole Brossard, notamment en traduisant avec Erin Mouré le recueil *Cahier de rose et de civilisation.* Robert Majzels a écrit quatre romans depuis 1992, dont le justement célèbre *Apikoros Sleuth* (2004), qui présente une intrigue policière sous la forme d'un raisonnement talmudique. Il a aussi signé en 2005 une pièce de théâtre intitulée *This Night the Kapo,* qui met en scène deux frères s'interrogeant des années plus tard sur le passage de leur père dans un camp de concentration nazi.

David Homel, quant à lui, est né à Chicago et n'est arrivé à Montréal qu'en 1980. Il a remporté le Prix du Gouverneur général en 1995 pour sa traduction de l'œuvre de Dany Laferrière *Cette grenade dans la main du jeune nègre est-elle une arme ou un fruit ?* et en 2001 pour celle du roman de Martine Desjardins intitulé *Le Cercle de Clara.* Depuis 1988, il a fait paraître six romans, tous traduits en français, dont *The Speaking Cure* en 2003 et *Midway* en 2010.

Notons aussi les nombreuses contributions à la littérature jeunesse de Monique Polak, dont *What World is Left* en 2008, à propos du camp de Theresienstadt où sa mère avait été envoyée, et celle de Joel Yanofsky au sujet de Mordecai Richler, parue en 2003 sous le titre *Mordecai and Me: An Appreciation of a Kind.*

Parmi les talents de langue anglaise, il convient aussi de mentionner Elaine Kalman Naves, dont l'œuvre critique s'intéresse à la littérature immigrante de Montréal en général et à l'histoire de sa propre famille d'origine hongroise pendant la Shoah, entre autres dans une autobiographie parue en 2003 sous le titre *Shoshanna's Story: A Mother, a Daughter and the Shadows of History.* Récemment, Naves a publié un récit portant sur les déboires de la célèbre famille Notman : *Portrait of a Scandal: The Abortion Trial of Robert Notman,* et un roman, *The Book of Faith.*

Ces œuvres inaugurent à Montréal, selon le jugement critique de Chantal Ringuet, un nouveau cycle d'écriture anglophone issue de la judéité mais qui cette fois, contrairement aux précédents, retiennent l'attention du public de langue française :

> Longtemps ignorée par l'institution littéraire francophone, la littérature anglo-montréalaise s'inscrit, depuis les années 1970, à la fois dans le vaste ensemble de la littérature canadienne-anglaise et dans celui de la littérature québécoise. C'est dans le sillage des études portant sur l'écriture migrante au Québec, l'hybridité culturelle et la judéité que les critiques francophones se sont intéressés, à partir des années 1980, aux auteurs anglophones[63].

63. Chantal Ringuet, « L'apport des créateurs juifs », p. 122.

Les arts de la scène

La musique et le théâtre se sont enrichis depuis longtemps d'importantes contributions juives, dont celles d'Alexander Brott, né à Montréal en 1915 et tour à tour violoniste de concert, chef d'orchestre et compositeur. L'un des plus éminents musiciens québécois, Alexander Brott a été le fondateur en 1945, après être devenu professeur à cette université, de l'Orchestre de chambre McGill. Il a ensuite poursuivi sa carrière musicale à l'Orchestre symphonique de Montréal, qu'il a dirigé pendant plusieurs années. Ses fils Denis Brott et Boris Brott se sont aussi illustrés dans le domaine de la musique. Le premier est violoncelliste émérite, notamment avec le Quatuor à cordes Oxford, l'Orchestre de chambre McGill et plus récemment l'Orchestre symphonique de Québec, tandis que son frère est directeur artistique et chef de l'Orchestre de chambre McGill. Né à Moscou et arrivé au Québec en 1977, Yuli Turovsky fut avant sa mort en 2013 un violoncelliste, un professeur de musique et un chef d'orchestre de premier plan. Il a fondé en 1983 l'orchestre de chambre connu sous le nom de I Musici de Montréal. Invitée en 1959 par Alexander Brott à rejoindre les musiciens de l'Orchestre de chambre McGill, Yaëla Hertz Berkson est demeurée pendant près de quarante ans le violon solo de cette formation artistique. Elle a aussi joué pendant de nombreuses années à l'Orchestre symphonique de Montréal et au sein du Trio Hertz, un ensemble musical qu'elle avait contribué à fonder. Née à Tel-Aviv en 1930, elle a fait partie du corps enseignant de l'Université McGill, du Conservatoire de musique de Québec, de l'École de musique Vincent-d'Indy et de l'Orchestre national des jeunes du Canada.

Ces apports est-européens de très haut niveau sont aussi perceptibles en filigrane dans la carrière d'une jeune Moscovite arrivée à Montréal en 1933 à l'âge de dix ans, Kim Yaroshevskaya, qui incarnera des décennies plus tard pour les enfants le personnage de Fanfreluche à la télévision française de Radio-Canada. On retrouve aussi cette sensibilité juive russe dans la carrière artistique de Ludmilla Chiriaeff, immigrée au Québec en 1952 et fondatrice en 1957 des Grands Ballets canadiens, institution à l'origine de l'École supérieure de ballet du Québec.

À ces apports exceptionnels, il faut ajouter celui de Dora Wasserman. Née en URSS en 1919 et diplômée en 1939 du Théâtre juif de Moscou, mieux connu sous le nom de GOSET, elle étudie dans son pays avec les plus grands acteurs de la scène yiddish, dont le très réputé Shlomo Mikhoels. Réfugiée au Kazakhstan pendant le second conflit mondial, elle émigre à Montréal en 1950 et réunit presque aussitôt autour d'elle une troupe composée d'acteurs de langue yiddish. En 1967, elle fonde une troupe de théâtre yiddish permanente au Centre Saidye Bronfman, qui deviendra plus tard le Centre Segal pour les arts de la scène.

Au cours de sa carrière, Dora Wasserman monte et met en scène des dizaines de pièces de théâtre et de comédies musicales, entre autres grâce à la complicité du compositeur Eli Rubinstein et du romancier Isaac Bashevis. Elle produit notamment en 1992 une version yiddish de l'œuvre de Michel Tremblay, *Les Belles-Sœurs (Di shvegerins)*, qui connaît un immense succès dans tous les milieux montréalais. Grâce à elle, la métropole québécoise peut s'enorgueillir de posséder l'une des plus anciennes troupes de théâtre yiddish toujours en activité dans le monde.

La traduction

Il est important de souligner par ailleurs que certains des plus grands traducteurs de la littérature québécoise contemporaine ont des origines juives et ont exercé leurs talents dans le contexte de la grande tradition polyglossique est-européenne. C'est le cas de Sheila Fischman, née en 1937 à Moose Jaw (Saskatchewan) et qui a fait des études en anthropologie à l'université de Toronto en plus d'y apprendre la langue française. Déménagée à North Hatley, au Québec, en 1969, elle fait l'expérience pour la première fois d'un espace d'interface réel entre francophones et anglophones puis fait la connaissance de Roch Carrier après avoir traduit une de ses nouvelles. Cette rencontre la convainc de s'attaquer à *La Guerre, yes sir !*, un roman à l'imagerie surréaliste qui décrit les relations difficiles entre les deux peuples fondateurs du Canada au moment de la crise de la conscription de 1942. La traduction est publiée à Toronto en 1970 par la maison Anansi et devient une des premières œuvres littéraires québécoises à franchir la barrière de la langue. Sheila Fischman lance en 1969, à l'Université de Sherbrooke, une revue consacrée à la traduction : *Ellipse.* Elle fonde ensuite en 1972 l'Association des traducteurs littéraires du Canada, un regroupement qui donne une grande impulsion à ce domaine d'activité au moment où se lève une nouvelle génération d'écrivains québécois marquée par le nationalisme et l'utilisation du joual. Sheila Fischman donne ainsi une voix, au Canada anglais, à des écrivains québécois de premier ordre comme Michel Tremblay, Jacques Poulin, Anne Hébert, Marie-Claire Blais et Hubert Aquin. En plus de quarante ans de carrière, elle signe plus de 150 traductions et permet à près de 80 romanciers québécois de se faire connaître dans le reste du pays. Ces réalisations éclatantes et son sens extraordinaire du mot juste lui valent le Prix du Gouverneur général en traduction (1988) et de nombreux autres honneurs[64]. Plus récemment, Sheila Fischman a traduit des étoiles montantes du roman québécois, dont Dominique Fortier, Kim Thuy, Éric Dupont et Marie-Hélène Poitras.

D'autres excellents traducteurs littéraires ont suivi la voie tracée par Sheila Fischman, notamment Donald Winkler, qui a gagné le Prix du Gouverneur général en 2010 pour la traduction d'un ouvrage de Georges Leroux au sujet de Glenn Gould, et aussi en 2013 pour celle d'un recueil de poésie de Pierre Nepveu intitulé *Les Verbes majeurs.* Né à Winnipeg en 1940, Donald Winkler a fait preuve au cours des dernières années d'une énergie prodigieuse en s'attaquant à des auteurs aussi différents que Daniel Poliquin, Jean-Claude Germain, Roch Carrier, Jacques Rancourt et Joséphine Bacon. Au départ cinéaste, il avait travaillé de 1967 à 1995 comme réalisateur et scénariste à l'ONF dans le domaine du film portant sur l'art et la culture. Il a entre autres produit une série sur des personnages littéraires canadiens, dont F. R. Scott, Irving Layton et P. K. Page, puis des œuvres cinématographiques à propos d'Emily Carr et de Guido Molinari.

64. Au sujet de Sheila Fischman, voir Sherry Simon (dir.), *In Translation: Honouring Sheila Fischman.*

Phyllis Aronoff exerce aussi depuis plusieurs années ses talents dans le domaine littéraire et on lui doit une traduction de *La Québécoite* de Régine Robin parue en 1998. Elle a aussi signé, en collaboration avec Howard Scott, la version anglaise de plusieurs œuvres de Madeleine Gagnon, dont *Depuis toujours* en 2015, *Le Vent majeur* en 2012 et *Je m'appelle Bosnia* en 2010, tous parus chez Talon Books à Vancouver. Scott s'est aussi distingué par des traductions de son cru, dont celle de l'œuvre de Louky Bersianik, *L'Euguélionne*, qui lui a valu le Prix du Gouverneur général en 1997. Il a cotraduit dernièrement les romans d'Élisabeth Vonarburg, de Stéphane Bourguignon et de Madeleine Vachon. Lazer Lederhendler a été cinq fois en lice pour le Prix du Gouverneur général en plus d'avoir remporté cette distinction en 2008 pour sa traduction du best-seller de Nicolas Dickner, *Nikolsky*. Il s'est récemment attaqué à *L'Immaculée Conception* de Gaétan Soucy, à *Malabourg* de Perrine Leblanc, à *Pourquoi Bologne* d'Alain Farah et à *La Maison des temps rompus* de Pascale Quiviger. Lederhendler est revenu sur le devant de la scène en 2016 en remportant de nouveau le Prix du Gouverneur général, cette fois pour une traduction de l'œuvre de Catherine Leroux, *Le Mur mitoyen*.

Les présences juives au Québec, parfois éclatantes, parfois discrètes, s'articulent autour d'un certain nombre de marqueurs historiques récurrents qui se perpétuent sur de longues périodes. Que l'on songe par exemple à la conscience douloureuse de la minorisation, à l'expérience de l'exil et du déplacement et à la présence fortement ressentie au sein de ces populations de la diversité culturelle. Ce positionnement souvent issu de l'Europe de l'Est, quoique aussi présent en Afrique du Nord et dans d'autres régions du monde dont sont issues les communautés juives de la métropole, continue d'exercer dans le contexte québécois un effet transformatoire prononcé et de susciter des questionnements inédits. Au sein d'un Canada et d'un Québec imaginés et conçus au départ dans un contexte de binarité franco-anglaise, les Juifs – tout comme d'autres populations immigrantes – ont introduit une sensibilité d'une nature très différente, plus ouverte sur le monde et plus en prise avec les grands défis de la modernité. En ce sens, les Juifs ont été le moteur d'un dépassement et d'une survalorisation au sein de notre société des enjeux liés à l'expression des cultures et de la diversité sous toutes ses formes. Cet héritage à nul autre pareil, né d'un parcours migratoire en cascade et d'une résistance acharnée à la marginalisation, se perpétue aujourd'hui de multiples manières dans le Québec contemporain et n'a pas fini d'exercer une influence déterminante. C'est que la montréalité tout entière bascule, à l'appel d'un pluralisme sans cesse croissant, dans un nouvel état de société à inventer et à baliser. Au sein de ce monde nouveau, des voix juives vont continuer de se faire entendre qui témoigneront, comme par le passé, de l'importance d'un dialogue soutenu entre les cultures et d'une opiniâtre tolérance mutuelle.

Conclusion

Les populations juives du Québec présentent aujourd'hui un positionnement unique qui est le résultat d'un cheminement historique à nul autre pareil. Tirant parti de la société dans laquelle ils se sont insérés, les différents courants qui ont émergé au cours du XXe siècle à Montréal se sont modelés à la fois sur des valeurs judaïques traditionnelles et sur les ancrages socioéconomiques et culturels qu'offrait la société d'accueil québécoise. Dans cette constellation d'influences diverses et de parcours croisés qui ont produit le judaïsme montréalais, le Canada français a joué un rôle qui est allé croissant avec le temps, notamment dans le contexte de la Révolution tranquille, de la modernisation de la fonction publique québécoise et de l'émergence d'un nouveau nationalisme francophone. La transformation de l'État québécois en principal pourvoyeur de fonds destinés à l'éducation et aux services sociaux, la francisation de l'espace public et la prévalence du débat constitutionnel ont suscité l'apparition d'un nouvel espace de rencontre entre la majorité de langue française et les Juifs du Québec, espace qui n'existait pas jusqu'à tout dernièrement. De fait, les changements enclenchés au cours des cinquante dernières années ont été si profonds, et les réalignements si marqués, qu'un nouveau modèle d'appropriation de l'identité juive québécoise est graduellement apparu qui n'a pas son équivalent ailleurs sur le continent. À la surprise des principaux intéressés, le fait juif a pris à Montréal une signification inédite qui défie les conventions et les idées reçues de part et d'autre de la frontière communautaire.

Cette originalité se mesure par l'appui très important accordé par le gouvernement québécois à la structure institutionnelle juive montréalaise, sous la forme de subventions destinées aux hôpitaux, aux écoles privées et aux diverses agences communautaires, dont celles destinées à soutenir les personnes âgées ou démunies. Aucune autre population juive en Amérique du Nord ne bénéficie d'une telle contribution financière de la part des autorités publiques, et ce, pour un panier de services aussi diversifié. Qui plus est, ces fonds sont gérés en grande partie de manière autonome par des dirigeants bénévoles engagés dans le réseau juif, suivant des balises administratives imposées par le gouvernement québécois. Il s'agit d'une situation qui n'est pas sans rappeler le statut de société distincte que les Québécois ont négocié sur le plan politique et budgétaire avec les autorités fédérales, incluant un droit de retrait des programmes avec compensation financière équivalente. En plus de cette contribution publique au fonctionnement d'institutions juives aussi considérées comme étant destinées à servir l'ensemble des citoyens du Québec, une campagne annuelle de levée de fonds auprès de sources juives privées met plus de 35 millions de dollars à la disposition de l'ensemble de la structure communautaire juive montréalaise. La combinaison de ces deux formes de financement est un des fondements du mode d'insertion inédit de l'identité juive au sein de la société québécoise et agit comme un élément décisif dans son orientation à plus long terme. Il s'agit d'un équilibre qui est parfaitement reflété dans la manière dont se définit à son sommet le réseau institutionnel juif, par le truchement de son organisme principal : « La Fédération CJA est le chef de file de la promotion d'une communauté juive montréalaise dynamique et bienveillante, une communauté ouverte à la diversité qui favorise l'épanouissement et le renforcement de la vie, de l'éducation et des valeurs juives[1]. »

Le modèle développé par les services communautaires juifs de Montréal vient en partie de l'antériorité historique de son réseau institutionnel par rapport à la mise en place, au cours des années 1960

1. Cette citation est tirée du site web de la Fédération CJA : www.federationcja.org/fr/qui-sommes-nous/en-bref.

et 1970, d'une structure étatique proprement québécoise. Quand s'engage enfin ce processus de modernisation et de gestion responsable publique au sein de la population francophone majoritaire, il y a déjà au moins deux générations que les communautés juives appliquent ces principes d'universalisme et de citoyenneté partagée, notamment par la voie d'organismes philanthropiques, éducatifs et mobilisateurs très efficaces. Basée sur une identité judaïque définie de manière ouverte et inclusive, cette constellation d'institutions diverses, plus tard regroupées sous le parapluie d'un organisme fédérateur, a été perçue dès le départ comme un facteur fondamental de la perpétuation à Montréal d'un judaïsme agissant. Sous ce rapport, une importance particulière a été accordée à l'éducation de la jeunesse dans le cadre de valeurs judaïques reconnues, sans laquelle il n'est pas possible de maintenir une présence juive significative à long terme dans un contexte minoritaire. C'est la confluence de ces deux modes de gestion collective, l'un situé directement dans le giron de la judéité et l'autre empruntant aux réalités de la majorité démographique, qui a produit le modèle si particulier que l'on retrouve appliqué aujourd'hui dans la métropole québécoise relativement à la sphère d'affirmation juive. À plus long terme, la préservation des espaces sous responsabilité juive autonome, avec l'appui des fonds publics de responsabilité provinciale, a nettement rapproché les populations juives du fait français et des sensibilités propres aux Québécois francophones, en même temps qu'elle a puissamment contribué à l'épanouissement de l'expression communautaire juive sous toutes ses formes.

La complétude institutionnelle juive – appuyée sous certains aspects par l'État du Québec – constitue aujourd'hui un des éléments marquants de la diversité culturelle et religieuse montréalaise, dont elle représente une des formes les plus achevées. Elle sert même de modèle à d'autres populations immigrantes plus récentes qui constituent aussi à Montréal des minorités religieuses non chrétiennes désireuses de conserver dans le cadre de la démocratie participative leurs traditions et leurs croyances. En même temps, le réseau communautaire judaïque est aussi à la disposition de l'ensemble des citoyens québécois par les services étendus qu'il offre et par la manière dont il contribue à l'amélioration de la qualité de vie en général. La convergence de plus en plus prononcée de ces deux axes d'engagement, judaïque et québécois, a donné naissance en grande partie au mouvement de densification institutionnel juif auquel nous assistons, qui suscite l'émergence d'une québécitude à coloration juive.

Les dirigeants communautaires des grands réseaux institutionnels juifs montréalais sont d'ailleurs les seuls en Amérique du Nord qui composent et négocient avec des instances gouvernementales qui ne soient pas essentiellement de langue anglaise. Il s'agit d'une tendance qui s'est accentuée au cours des quarante dernières années, au point où elle ne soulève plus aucun étonnement ni résistance au sein des jeunes générations. Le mouvement de québécisation progressif que l'on note au sein des structures de gouvernance juives trouve d'ailleurs un écho dans les compétences linguistiques des populations de même origine à Montréal. En 2011, 80 % des Juifs âgés entre 15 et 24 ans se déclaraient bilingues au sens de la Loi sur les langues officielles du Canada. Chez les jeunes âgés de 25 à 35 ans, ce chiffre atteignait les 82 %. Le phénomène de francisation est même très nettement perceptible au sein des cohortes plus âgées, où une majorité d'individus affirment bien connaître à la fois le français et l'anglais. C'est un renversement complet de situation en l'espace de deux générations. Après avoir rapidement abandonné le yiddish au profit de l'anglais, la masse juive d'origine est-européenne semble maintenant compléter un mouvement semblable au profit d'une situation de bilinguisme officiel très avancé.

Les compétences linguistiques des Juifs montréalais, les contacts plus soutenus qu'ils entretiennent avec la société québécoise francophone, la diversité interne très marquée de leurs appartenances judaïques et l'ancienneté du réseau institutionnel auquel ils se rattachent contribuent à définir un profil identitaire qui n'a pas d'équivalent ailleurs au Canada. Il en va de même du degré de densité résidentielle juive, qui est élevé à Montréal par comparaison avec d'autres villes du pays, un phénomène qui produit une proximité sociale et une facilité d'accès à la culture juive autour de pôles reconnus. Les personnes qui désirent entretenir un sens développé de leur identité et de leurs origines ou qui souhaitent participer à un ensemble de contextes porteurs de signifiants judaïques n'éprouvent aucune difficulté dans la métropole québécoise à s'associer à des milieux ou à des activités qui soutiennent cette démarche à plus long terme. Cela se mesure à plusieurs indices, dont le fait que Montréal possédait en 2011 le plus haut taux de pratiquants associés à l'orthodoxie religieuse (24 %) ou à la pratique traditionnelle du judaïsme (25 %), de même qu'un des taux d'exogamie les plus bas (15 %) sur le continent. La population juive du Québec est aussi une de celles qui, au Canada et en Amérique du Nord, adhèrent avec le plus de fidélité aux rituels judaïques, ce qui est le signe d'une appropriation vivante et fortement incarnée de la judéité. Toujours en 2011, 87 % des Juifs montréalais participaient à la cérémonie pascale du *seder**, 76 % allumaient les chandelles de Hanoukkah et une proportion semblable jeûnait pendant la fête du Yom Kippour*. L'éducation juive religieuse reçoit d'ailleurs une attention particulière à Montréal, au point où 82 % des personnes d'origine juive affirmaient avoir reçu une formation judaïque soutenue. Encore plus significatif, en 2011, 65 % des jeunes de 6 à 18 ans étaient inscrits dans le réseau des écoles juives privées à plein temps, ce qui constitue le plus haut pourcentage au Canada et sur le continent.

Toutes ces données, tirées d'une étude réalisée en 2011 par Charles Shahar pour la Fédération CJA auprès d'un échantillon de plus de 2 000 personnes, permettent à l'auteur de conclure que « les Juifs qui résident à Montréal tirent avantage d'une vie juive de très haute qualité. [...] Ils vivent dans une communauté vibrante possédant une grande variété de services, en plus d'avoir accès à une vie culturelle et religieuse dynamique[2] ». Plusieurs facteurs peuvent expliquer cette vitalité du judaïsme montréalais à l'échelle nord-américaine et dans l'ensemble de la diaspora juive. Il s'agit notamment d'une population qui a pu profiter de longues séquences de prospérité au XXe siècle et d'une mobilité socioéconomique exceptionnelle à plus d'un titre. Les Juifs de Montréal

2. Charles Shahar, *Jewish Life in Montreal: A Survey of the Attitudes, Beliefs & Behaviours of Montreal's Jewish Community*, p. 51. Voir aussi Charles Shahar, Morton Weinfeld et Adam Blander, « Analyse démographique et socioculturelle de la communauté juive montréalaise », p. 5 ; et Pierre Anctil, « A Community in Transition: The Jews of Montréal ». D'autres données démographiques sont disponibles sur le site de la Fédération CJA : www.federationcja.org/fr/la+vie+juive+a+montreal/donnees-demographiques.

ont aussi pu bénéficier du climat de libéralisme politique et d'ouverture face à la diversité qui est apparu dans le contexte canadien à partir des années 1960, notamment grâce à l'adoption en 1975 d'une charte québécoise des droits et libertés et en 1982 d'une charte équivalente au niveau fédéral. Il convient aussi de souligner que les Juifs de Montréal ont été nettement avantagés sur le plan de la complétude institutionnelle par le soutien financier provincial auquel le vaste réseau d'organisations judaïques a pu avoir accès depuis un demi-siècle.

Malgré une perte d'influence au profit de la communauté juive de Toronto, une baisse démographique notable – il y a maintenant environ 90 000 personnes d'origine juive à Montréal – et un passage difficile au moment de la montée du nationalisme linguistique francophone au cours des années 1960 et 1970, les Juifs de la métropole québécoise possèdent des atouts dont ne peuvent se prévaloir des populations juives canadiennes et américaines plus nombreuses. Le modèle québécois de soutien public à la vie juive institutionnelle, la dualité structurelle de l'histoire montréalaise et une rencontre aujourd'hui plus réussie avec le Canada français sont autant d'éléments qui fondent l'originalité du judaïsme montréalais et contribuent à en assurer la pérennité. Il s'agit pour l'essentiel d'une réorientation relativement récente dans l'histoire juive du pays, et qui n'a pas encore porté tous ses fruits.

Glossaire

aliyah (faire *aliyah*) : émigrer en Palestine juive (avant 1948) ou dans l'État d'Israël pour s'y établir définitivement.

beys-din : tribunal religieux chargé de juger les questions relevant de la loi de Moïse.

beys-medresh (plur. *bote-medroshim*) : maison d'étude et de prière traditionnelle.

cala (ou *kala*) : terme hébraïque désignant la mariée.

érouv : espace défini par des repères physiques (des édifices, une clôture ou un fil suspendu au-dessus du sol) qui permet à une communauté orthodoxe de se soustraire à certaines règles contraignantes relatives à l'observance du shabbat et des fêtes juives.

gabay : personne chargée de l'entretien d'une synagogue.

Gémara : commentaires sur le Pentateuque (les livres de Moïse) datant du IVe siècle de notre ère et qui forment le corps de doctrine le plus volumineux du Talmud.

halakha (adj. halachique) : corps de doctrine légale du judaïsme tel que compilé dans le Talmud et comportant d'autres commentaires rabbiniques ultérieurs.

haskala : mouvement de renouvellement de la pensée juive européenne lancé à la fin du XVIIIe siècle à la faveur de la montée du rationalisme scientifique.

Hassidim (nom pluriel ; sing. Husid ; adj. hassidique) : tenants de l'enseignement du Baal Shem Tov, le rabbi Yisroel Ben Eliezer, et ses continuateurs. Il s'agit d'un mouvement apparu en Europe de l'Est à la fin du XVIIIe siècle qui met l'accent sur le mysticisme et la présence du divin au quotidien.

hazan : chantre dans une synagogue.

kaddish : la prière honorant les personnes décédées.

khamets : toute forme de levure interdite pendant la semaine de la Pâque juive.

khevra kadisha : société de pompes funèbres juive ou société du dernier devoir.

landsman (plur. *landslayt*) : dans la tradition est-européenne, personnes issues d'un même patelin ou d'une même région.

landsmanshaft (plur. *landsmanshaften*) : association réunissant des personnes qui se considèrent comme originaires de la même localité ou de la même région.

mashgiakh (plur. *mashgikhim*) : personne versée dans les lois de la cacherout (les lois diététiques du judaïsme) et qui voit à leur application pratique.

matsa : pain azyme utilisé lors de la semaine de la Pâque juive.

minyan : quorum de dix hommes, le minimum requis pour la prière en public.

Mishnah (adj. mishna'ique) : la source la plus ancienne recensant les opinions et les conclusions des rabbins, rédigée vers les IIe et IIIe siècles de notre ère et plus tard incorporée au Talmud.

Misnagdim (nom pluriel ; sing. Misnaged ; adj. misnagdique) : adeptes de la tradition rabbinique opposés au courant plus récent du hassidisme.

mitsva (plur. *mitsvot*) : toute action ou tout geste méritoire sur le plan religieux.

mohel (plur. *mohelim*) : fonctionnaire religieux chargé de la circoncision des nouveau-nés.

parna : administrateur ou président d'une congrégation religieuse.

Pesakh : fête qui célèbre l'exode des Juifs hors d'Égypte, aussi connue sous le nom de Pâque juive.

pilpul : méthode de casuistique propre à la tradition talmudique.

Rosh Hashana : Nouvel An juif, célébré au début de l'automne.

rosh yeshiva : chef spirituel d'une académie talmudique traditionnelle.

seder : rituel propre à la Pâque juive (Pesakh) qui vise à faire revivre en petit groupe le récit biblique de la fuite d'Égypte et de la libération de l'esclavage.

sefer torah (plur. *sifre torah*) : rouleau utilisé lors des services à la synagogue. Il contient les cinq premiers livres de la Bible, ou Pentateuque, rédigés à la main par un scribe.

Shoah : nom hébraïque donné à la destruction du judaïsme européen pendant la Seconde Guerre mondiale, ou Holocauste.

shoykhet (plur. *shokhtim*) : abatteur rituel.

shtetl (plur. *shtetlekh*) : petite bourgade juive d'Europe de l'Est avant la période de l'émancipation, où la grande majorité des habitants avaient un mode de vie traditionnel.

shtibl (forme diminutive de *shtoub* ; plur. *shtiblekh*) : lieu de prière de dimensions réduites réservé aux adeptes d'un maître hassidique.

shul : nom donné dans la tradition est-européenne à une synagogue ou à un lieu de prière permanent.

sofer (plur. *soferim*) : scribe expert en calligraphie hébraïque auquel on confie la reproduction à la main de documents sacrés.

soucca : lieu de résidence et de prière temporaire construit sommairement au début de l'automne pour la fête de Souccot.

Talmud : document fondateur du judaïsme, compilation des discussions rabbiniques au sujet de la loi juive rédigée à Jérusalem et à Babylone entre les IIe et Ve siècles. Le Talmud contient aussi une tradition orale faite d'éléments éthiques, scientifiques et légendaires.

Tanach (adj. tanach'ique) : version hébraïque de la Bible, composée de vingt-quatre livres.

Torah : les cinq premiers livres de la Bible hébraïque, aussi appelés livres de Moïse, qui contiennent le corps de doctrine fondamental du judaïsme.

tsdaka : terme hébraïque désignant l'obligation de partager ses biens avec des personnes dans le besoin.

yeshiva (plur. *yeshivot*) : académie talmudique dans la tradition est-européenne.

Yom Kippour : jour de mortification et de pénitence marqué par un jeûne complet d'une journée. C'est la fête la plus solennelle du calendrier judaïque.

Zohar (ou Livre de la Splendeur) : partie maîtresse de la Kabbale.

Bibliographie

Abécassis, Armand. *La Pensée juive*, Paris, Le Livre de poche, 1978-1996, 4 vol.

Abella, Irving. *A Coat of Many Colours: Two Centuries of Jewish Life in Canada*, Toronto, Lester and Orpen Dennys, 1990.

Abella, Irving, et Harold Troper. *None Is Too Many: Canada and the Jews of Europe, 1933-1948*, Toronto, University of Toronto Press, 2012 [1983].

Abitbol, Michel. *Histoire de l'Alliance israélite universelle de 1860 à nos jours*, Paris, Armand Colin, 2010.

Adams, Robert. *The Life and Work of Alexander Bercovitch, Artist*, Montréal, Marlowe, 1988.

Albert, Michel. *Layton, l'essentiel. Anthologie portative*, Montréal, Triptyque, 2001.

Anctil, Pierre. « A. M. Klein : du poète et de ses rapports avec le Québec français », *Revue d'études canadiennes / Journal of Canadian Studies*, vol. 19, été 1984, p. 114-131.

—. *Le Rendez-vous manqué. Les Juifs de Montréal face au Québec de l'entre-deux-guerres*, Québec, Institut québécois de recherche sur la culture, 1988.

—. « La trajectoire interculturelle du Québec : la société distincte vue à travers le prisme de l'immigration », dans André Lapierre, Patricia Smart et Pierre Savard (dir.), *Langues, cultures et valeurs au Canada à l'aube du* XXIe *siècle / Language, Culture and Values in Canada at the Dawn of the 21st Century*, Ottawa, Conseil international d'études canadiennes et Carleton University Press, 1996, p. 133-154.

—. « Un shtetl dans la ville : la zone de résidence juive à Montréal avant 1945 », dans *Tur Malka. Flâneries sur les cimes de l'histoire juive montréalaise*, Sillery, Septentrion, 1997, p. 55-74.

—. *Saint-Laurent. La* Main *de Montréal*, Sillery, Septentrion et Musée Pointe-à-Callière, 2002.

—. « René Lévesque et les communautés culturelles », dans Alexandre Stefanescu (dir.), *René Lévesque, mythes et réalités,* Montréal, VLB éditeur, 2008, p. 163-183.

—. « *Fais ce que dois* ». *60 éditoriaux pour comprendre* Le Devoir *sous Henri Bourassa, 1910-1932,* Sillery, Septentrion, 2010.

—. « A Community in Transition: the Jews of Montréal », *Contemporary Jewry,* numéro spécial intitulé *The Jews of Canada,* vol. 31, nº 3, 2011, p. 225-245.

—. « H.-M. Caiserman et l'école littéraire de Montréal. Vers une exploration en yiddish du Canada français », *Revue d'histoire de l'Amérique française,* vol. 66, nº 1, été 2012, p. 66-83.

—. « Judaïsme hassidique et laïcité dans l'espace public à Outremont », dans Francine Saillant et Michaël La Chance (dir.), *Récits collectifs et nouvelles écritures visuelles,* Québec, Presses de l'Université Laval, 2012, p. 75-87.

—. *Jacob-Isaac Segal (1896-1954). Un poète yiddish de Montréal et son milieu,* Québec, Presses de l'Université Laval, 2012.

—. « *Soyons nos maîtres* ». *60 éditoriaux pour comprendre* Le Devoir *sous Georges Pelletier, 1932-1947,* Sillery, Septentrion, 2013.

—. « "Nit ahin un nit aher": Yiddish Scholarship in Canada », *Canadian Jewish Studies / Études juives canadiennes,* numéro spécial intitulé *Oyfn Veg: Essays in Honour of Gerald Tulchinsky / Mélanges en l'honneur de Gerald Tulchinsky,* vol. 21, 2013, p. 69-90.

—. « *À chacun ses Juifs* ». *60 éditoriaux pour comprendre la position du* Devoir *à l'égard des Juifs, 1910-1947,* Sillery, Septentrion, 2014.

—. « "Créée par le peuple et pour le peuple" : réflexions sur les origines historiques de la Bibliothèque publique juive de Montréal », *Canadian Jewish Studies / Études juives canadiennes,* vol. 22, 2014, p. 32-53.

—. « Le Congrès juif canadien face au Québec issu de la Révolution tranquille, 1969-1990 », dans Stéphane Savard et Jérôme Boivin (dir.), *De la représentation à la manifestation. Groupes de pression et enjeux politiques au Québec, XIXe et XXe siècles,* Québec, Septentrion, 2014, p. 314-340.

—. « 1907 : un quotidien yiddish à Montréal, le *Keneder Odler* », dans Denis Saint-Jacques et Marie-José des Rivières (dir.), *De la Belle Époque à la Crise. Chroniques de la vie culturelle à Montréal,* Montréal, Nota bene, 2015, p. 53-69.

—. « 1912, une troupe de théâtre yiddish permanente à Montréal », dans Denis Saint-Jacques et Marie-José des Rivières (dir.), *De la Belle Époque à la Crise. Chroniques de la vie culturelle à Montréal,* Montréal, Nota bene, 2015, p. 133-147.

—. « Une présence juive en Nouvelle-France ? », dans Pierre Anctil et Simon Jacobs (dir.), *Les Juifs de Québec. Quatre cents ans d'histoire,* p. 9-18.

—. « Maurice Pollack, homme d'affaires et philanthrope », dans Pierre Anctil et Simon Jacobs (dir.), *Les Juifs de Québec. Quatre cents ans d'histoire,* p. 119-137.

—. « Bâtir une synagogue à la haute ville (1932-1952) », dans Pierre Anctil et Simon Jacobs (dir.), *Les Juifs de Québec. Quatre cents ans d'histoire*, p. 139-162.

—. « L'internement des Juifs allemands sur les plaines d'Abraham à l'été 1940 », dans Pierre Anctil et Simon Jacobs (dir.), *Les Juifs de Québec. Quatre cents ans d'histoire*, p. 165-179.

—. « Uneven Perceptions: Kristallnacht in the Yiddish and French-Language Press of Montreal », dans Colin McCullough et Nathan Wilson (dir.), *Violence, Memory and History: Western Perceptions of Kristallnacht*, New York, Routledge, 2015, p. 90-107.

—. « *Le Devoir* et les Juifs. Complexités d'une relation sans cesse changeante (1910-1963) », *Globe, revue internationale d'études québécoises*, numéro spécial intitulé *Nouveaux regards sur le phénomène de l'antisémitisme dans l'histoire du Québec*, vol. 18, 2015, p. 169-201.

—. « Judaïsme et éducation : l'expérience québécoise dans une perspective comparative », dans Sivane Hirsch, Marie McAndrew, Geneviève Audet et Julia Ipgrave (dir.), *Judaïsme et Éducation. Enjeux et défis pédagogiques*, p. 221-236.

—. « Deux poids, deux mesures : les responsabilités respectives du Canada de langue anglaise et de langue française dans la crise des réfugiés allemands », *Études juives canadiennes / Canadian Jewish Studies*, numéro spécial intitulé *Au-delà de* None Is Too Many / None Is Too Many *and Beyond*, vol. 24, 2016, p. 16-37.

Anctil, Pierre, et Simon Jacobs (dir.). *Les Juifs de Québec. Quatre cents ans d'histoire*, Québec, Presses de l'Université du Québec, 2015.

Anctil, Pierre, et Ira Robinson (dir.). *Les Communautés juives de Montréal. Histoire et enjeux contemporains*, Sillery, Septentrion, 2011.

Asher, Abraham. « Interpreting 1905 », dans Stefani Hoffman et Ezra Mendelsohn (dir.), *The Revolution of 1905 and Russia's Jews*, p. 15-30.

Bauer, Julien. *Les Juifs hassidiques*, Paris, Presses universitaires de France, coll. « Que sais-je ? », n° 2830, 1994.

—. *Les Juifs ashkénazes*, Paris, Presses universitaires de France, coll. « Que sais-je ? », n° 3623, 2001.

—. « Les communautés hassidiques de Montréal », dans Pierre Anctil et Ira Robinson (dir.), *Les Communautés juives de Montréal. Histoire et enjeux contemporains*, p. 216-233.

Baumgarten, Jean. *Le Yiddish*, Paris, Presses universitaires de France, coll. « Que sais-je ? », n° 2552, 1990.

—. *Le Yiddish. Histoire d'une langue errante*, Paris, Albin Michel, coll. « Présence du judaïsme », n° 26, 2002.

—. *La Naissance du hassidisme. Mystique, rituel et société (XVIIIe-XIXe siècle)*, Paris, Albin Michel, 2006.

Beaudet, Jean-François. « René Lévesque et la communauté juive du Québec,

1960-1976 », mémoire de maîtrise (histoire), Université du Québec à Montréal, 2014.

Bélisle, Josée (dir.). *Betty Goodwin. Parcours de l'œuvre à travers la collection du Musée d'art contemporain de Montréal*, Montréal, Musée d'art contemporain de Montréal, 2009.

Belkin, Simon. *Through Narrow Gates: A Review of Jewish Immigration, Colonization and Immigration Aid Work in Canada (1840-1940)*, Montréal, Canadian Jewish Congress et Jewish Colonization Association, 1966.

—. *Le Mouvement ouvrier juif au Canada, 1904-1920*, traduction de Pierre Anctil, Sillery, Septentrion, 1999 [1956].

Benbassa, Esther. *Histoire des Juifs de France*, Paris, Seuil, coll. « Points », 2000.

Ben-Sasson, H. H. *A History of the Jewish People*, Cambridge (Massachusetts), Harvard University Press, 1976.

Berdugo-Cohen, Marie, Yolande Cohen et Joseph Lévy (dir.). *Juifs marocains à Montréal. Témoignages d'une immigration moderne*, Montréal, VLB éditeur, 1987.

Bernheim, Jean-Claude, et Lucie Laurin. *Les Complices. Police, coroners et morts suspectes*, Montréal, Québec Amérique, 1987.

Bernheim, Jean-Claude. *Les Suicides en prison*, Montréal, Méridien, 1980.

Bernstein, Y. E. *The Jews in Canada (in North America): An Eastern European View of the Montreal Jewish Community in 1884*, traduction d'Ira Robinson, Montréal, Hungry I Books, 2004.

Bialystok, Franklin. *Delayed Impact: The Holocaust and the Canadian Jewish Community*, Montréal et Kingston, McGill-Queen's University Press, 2000.

Bilsky, Anna. *A Common Thread: A History of the Jews of Ottawa*, Renfrew (Ontario), General Store Publishing House, 2009.

Birnbaum, Pierre. *Les Fous de la République. Histoire politique des Juifs d'État, de Gambetta à Vichy*, Paris, Fayard, 1992.

—. *Les Deux Maisons. Essai sur la citoyenneté des Juifs (en France et aux États-Unis)*, Paris, Gallimard, coll. « NRF essais », 2012.

Biron, Michel, François Dumont et Élisabeth Nardout-Lafarge. *Histoire de la littérature québécoise*, Montréal, Boréal, 2010.

Bonville, Jean de. *Jean-Baptiste Gagnepetit. Les travailleurs montréalais à la fin du XIXe siècle*, Montréal, L'Aurore, 1975.

—. « Helbronner, Jules », dans *Dictionnaire biographique du Canada*, vol. 15, Université Laval / University of Toronto, 2003- [www.biographi.ca/fr/bio/helbronner_jules_15F.html].

Bosher, J. F., et J.-C. Dubé. « Bigot, François (mort en 1778) », dans *Dictionnaire biographique du Canada*, vol. 4, Université Laval / University of Toronto, 2003- [www.biographi.ca/fr/bio/bigot_francois_1778_4F.html].

Bredin, Jean-Denis. *L'Affaire*, Paris, Fayard, 1993.

Breton, Raymond. « Institutional Completeness of Ethnic Communities and the Personal Relations of Immigrants », *American Journal of Sociology*, vol. 70, nº 2, septembre 1964, p. 193-202.

Caiserman, H.-M. *Two Canadian Personalities: Lyon Cohen, A. J. Freiman*, Montréal, publié à compte d'auteur, 1948.

Caplan, Usher. *Like One That Dreamed: A Portrait of A. M. Klein*, Toronto, McGraw-Hill Ryerson, 1982.

Castiel, Judah. « L'école Maïmonide : le plus grand des défis, la plus belle réalisation de notre communauté », dans David Bensoussan (dir.), *50 ans ensemble. Le livre sépharade 1959-2009*, Montréal, Communauté sépharade unifiée du Québec, 2009, p. 232-235.

Charney, Melvin. *On Architecture: Melvin Charney, a Critical Anthology*, Montréal et Kingston, McGill-Queen's University Press, 2013.

Châteauvert, Julie, et Francis Dupuis-Déri. *Identités mosaïques. Entretiens sur l'identité culturelle des Québécois juifs*, Montréal, Boréal, 2004.

Coenen Snyder, Saskia. *Building a Public Judaism: Synagogues and Jewish Identity in Nineteenth-Century Europe*, Cambridge (Massachusetts), Harvard University Press, 2013.

Cohen, Yolande. « Migrations juives marocaines au Canada ou comment devient-on Sépharade ? », dans Pierre Anctil et Ira Robinson (dir.), *Les Communautés juives de Montréal. Histoire et enjeux contemporains*, p. 234-251.

Cleveland, William L., et Martin Bunton. *A History of the Modern Middle East*, Boulder (Colorado), Westview Press, 2013.

Comartin, Justin. « Humanitarian Ambitions, International Barriers: Canadian Governmental Response to the Plight of the Jewish Refugees (1933-1945) », mémoire de maîtrise (histoire), Université d'Ottawa, 2013.

Connelly, John. *From Brother to Enemy: The Revolution in Catholic Teaching on the Jews, 1933-1965*, Cambridge (Massachusetts), Harvard University Press, 2012.

Corcos, Arlette. *Montréal, les Juifs et l'école*, Sillery, Septentrion, 1997.

Crestohl, Leon D. *The Jewish School Problem in the Province of Québec, from its Origins to the Present Day*, Montréal, s. é., 1926. Publié simultanément en version yiddish sous le titre *Di geshikhte fun di Yidishn shul problem in Kvibek*.

Cronin, Ray, *et al. Marion Wagschal*, Montréal, Battat Contemporary, 2015.

Croteau, Jean-Philippe. « Les relations entre Juifs de langue française et les Canadiens français selon le *Bulletin du Cercle juif*, 1954-1968 », mémoire de maîtrise (histoire), Université de Montréal, 2000.

—. « Le financement des écoles publiques à Montréal entre 1869 et 1973 : deux poids, deux mesures », thèse de doctorat (histoire), Université du Québec à Montréal, 2006.

—. « La communauté juive et l'éducation à Montréal : l'aménagement d'un nouvel espace scolaire (1874-1973) », dans Pierre Anctil et Ira Robinson (dir.), *Les Communautés juives de Montréal. Histoire et enjeux contemporains,* p. 64-91.

—. *Les Commissions scolaires montréalaises et torontoises et les immigrants (1875-1960),* Québec, Presses de l'Université Laval, 2016.

Dansereau, Bernard. « Le mouvement ouvrier montréalais, 1918-1929 : structure et conjoncture », thèse de doctorat (histoire), Université de Montréal, 2000.

—. « La présence communiste au Québec (1929-1939) ou la présence de "l'homme au couteau entre les dents" », *Bulletin d'histoire politique,* vol. 9, n° 2, hiver 2001, p. 22-29.

—. « La contribution juive à la sphère économique et syndicale jusqu'à la Deuxième Guerre mondiale », dans Pierre Anctil et Ira Robinson (dir.), *Les Communautés juives de Montréal. Histoire et enjeux contemporains,* p. 141-164.

Davids, Leo. « Hebrew and Yiddish in Canada: A Linguistic Transition Completed », *Canadian Jewish Studies / Études juives canadiennes,* vol. 18-19, 2010-2011, p. 39-76.

Davies, Alan. *Antisemitism in Canada: History and Interpretation,* Waterloo (Ontario), Wilfrid Laurier University Press, 1992.

—. « Clarence Edwin Silcox (1888-1961): Brave and Resolute Champion of the City of God », *Touchstone,* vol. 27, n° 2, mai 2009, p. 50-57.

Davies, Alan, et Marilyn Nefsky. *How Silent Were the Churches? Canadian Protestantism and the Jewish Plight during the Nazi Era,* Waterloo (Ontario), Wilfrid Laurier University Press, 1997.

Dickinson, John A., et Brian Young. *Brève histoire socioéconomique du Québec,* nouvelle édition mise à jour, Sillery, Septentrion, 1995.

Dobzyncki, Charles. *Anthologie de la poésie yiddish. Le miroir d'un peuple,* Paris, Gallimard, 2000.

Donin, Hayim Halevy. *To Be a Jew: A Guide to Jewish Observance in Contemporary Life,* New York, Basic Books, 1991.

Dowty, Alan. *Israel/Palestine,* Cambridge, Polity, 2012.

Drouilly, Pierre. *L'Espace social de Montréal, 1951-1991,* Sillery, Septentrion, 1996.

Drouin, Martin. « Maison Van Horne (1870-1973) : une destruction fondatrice », *Encyclopédie du patrimoine culturel de l'Amérique francophone* [www.ameriquefrancaise.org/fr/article-257/maison_van_horne_(1870-1973)%C2%A0:_une_destruction_fondatrice.html#.VwWr-_NzaM8].

Dubé, Sandra. « "Personne n'est antisémite, mais tout le monde est opposé à l'immigration". Discours des responsables politiques canadiens et québécois sur l'immigration, 1938-1945 », rapport de recherche pour une maîtrise en histoire, Université du Québec à Montréal, 2015.

Dubnow, Simon. *Veltgeschichte des Jüdischen Volkes,* Berlin, 1925-1929, traduit en

anglais sous le titre *History of the Jews* par Moshe Spiegel, South Brunswick (New Jersey), T. Yoseloff, 1967-1973, 5 vol.
—. *Histoire du hassidisme. Une étude fondée sur des sources directes, des documents imprimés et des manuscrits*, traduction de Maayane Mlynarski-Dalsace, Paris, Éditions du Cerf, 2014 [1930 en langue russe].
Dumas, Alexandre. « L'Église catholique québécoise face à l'antisémitisme des années trente », *Globe*, numéro spécial intitulé *Nouveaux regards sur le phénomène de l'antisémitisme dans l'histoire du Québec*, vol. 18, n° 1, 2015, p. 65-85.
Ehrenfreund, Jacques. *Mémoire juive et nationalité allemande. Les juifs berlinois à la Belle Époque*, Paris, Presses universitaires de France, coll. « Perspectives germaniques », 2000.
Ellenbogen, George. *A Stone in My Shoe: In Search of Neighbourhood*, Montréal, Véhicule Press, 2013.
Elon, Amos. *The Pity of It All: A Portrait of Jews in Germany, 1743-1933*, Toronto, Penguin Books, 2004.
Emongo, Lomomba, et Bob W. White (dir.). *L'Interculturel au Québec. Rencontres historiques et enjeux politiques*, Montréal, Presses de l'Université de Montréal, 2014.
Epstein, Isidore. *Le Judaïsme. Origines et histoire*, Paris, Payot, coll. « Petite bibliothèque », 1962.
Ertel, Rachel. *Royaumes juifs. Trésors de la littérature yiddish*, Paris, Robert Laffont, 2008-2009, 2 vol.
—. *Le Shtetl. La bourgade juive de Pologne, de la tradition à la modernité*, Paris, Payot et Rivages, 2011 [1982].
Feiner, Shmuel, et Anthony Berris. *Moses Mendelssohn: Sage of Modernity*, New Haven (Connecticut), Yale University Press, 2010.
Feuerwerker, David. *L'Émancipation des Juifs en France, de l'Ancien Régime à la fin du Second Empire*, Paris, Albin Michel, 1976.
Figler, Bernard. *Biography of Sam Jacobs*, Montréal, chez l'auteur, 1970.
Fishman, David E. *The Rise of Modern Yiddish Culture*, Pittsburgh (Pennsylvanie), University of Pittsburgh Press, 2005.
Foran, Charles. *Mordecai: The Life and Times*, Toronto, Vintage Canada, 2011.
Fortier, Yann. « Phyllis Lambert : un héritage pour Montréal », *Forces*, n° 184, hiver 2015-2016.
Frager, Ruth A., et Carmela Patrias. *Discounted Labour: Women Workers in Canada, 1870-1939*, Toronto, University of Toronto Press, 2005.
Francis, R. Douglas, Richard Jones et Donald B. Smith. *Destinies: Canadian History since Confederation*, 6e édition, Toronto, Nelson Education, 2008.
—. *Origins: Canadian History to Confederation*, 6e édition, Toronto, Nelson Education, 2009.

Frankel, Jonathan. *Prophecy and Politics: Socialism, Nationalism and the Russian Jews, 1862-1917,* Cambridge, Cambridge University Press, 1981.

Fraser, David. *"Honorary Protestants": The Jewish School Question in Montreal, 1867-1997,* Toronto, Osgoode Society for Canadian Legal History et University of Toronto Press, 2015.

—. « The Blood Libel in North America: Jews, Law and Citizenship in the Early 20th Century », *Law and Literature,* vol. 28, nº 1, 2016, p. 33-85.

Frenette, Yves. « Les éditoriaux de *La Presse,* 1934-1936 : une défense de la démocratie libérale », *Revue d'histoire de l'Amérique française,* vol. 33, nº 3, décembre 1969, p. 451-462.

Fromkin, David. *A Peace to End All Peace: The Fall of the Ottoman Empire and the Creation of the Modern Middle East,* New York, Holt Paperbacks, 2009.

Fuks, Haim-Leib. *Cent ans de littérature yiddish et hébraïque au Canada,* traduction de Pierre Anctil, Sillery, Septentrion, 2005 [1980].

Gagnon, Gemma. « La syndicalisation des femmes dans l'industrie montréalaise du vêtement, 1936-1937 », mémoire de maîtrise (histoire), Université du Québec à Montréal, 1990.

Giberovitch, Myra. *Recovering from Genocidal Trauma: An Information and Practice Guide for Working with Holocaust Survivors,* Toronto, University of Toronto Press, 2014.

Gitelman, Zvi Y. *A Century of Ambivalence: The Jews of Russia and the Soviet Union, 1881 to the Present,* Bloomington, Indiana University Press, 2001.

Goldbloom, Victor. *Les Ponts du dialogue,* Montréal, Éditions du Marais, 2015.

Gottheil, Allen. *Les Juifs progressistes au Québec,* Montréal, Par ailleurs…, 1988.

Gouvernement du Canada. *L'Apport culturel des autres groupes ethniques,* Ottawa, Commission royale d'enquête sur le bilinguisme et le biculturalisme, vol. 4, 1969.

Gouvernement du Québec. *Rapport de la Commission spéciale d'éducation,* Québec, Ls.-A. Proulx, Imprimeur de Sa Majesté le Roi, 1925.

—. *Localisation des populations immigrées et ethnoculturelles au Québec,* Québec, Publications du Québec, 1992.

Goyette, René. « Censure je me souviens », *Zone art,* 29 juin 2011 [www.zone-art.ca/censure-je-me-souviens].

Graetz, Heinrich. *Geschichte der Juden von der ältesten Zeiten bis auf die Gegenwart,* Leipzig, 1853-1875, 11 vol. Connu en français sous le titre *Histoire des Juifs,* Paris, A. Lévy, 1882-1897, 5 vol.

Greenbaum, Leo, et Marek Web. *The Story of the Jewish Labor Bund, 1897-1997: A Centennial Exhibition,* New York, Yivo Institute for Jewish Research, 1998.

Groffier, Ethel. *Le Statut juridique des minorités dans l'Ancien Régime,* Québec, Presses de l'Université Laval, 2009.

Gutwirth, Jacques. *Vie juive traditionnelle. Ethnologie d'une communauté hassidique*, Paris, Éditions de Minuit, 1970.

—. « Hassidim et judaïcité à Montréal », *Recherches sociographiques*, vol. 14, nº 3, 1973, p. 291-325.

—. *La Renaissance du hassidisme. De 1945 à nos jours*, Paris, Odile Jacob, 2004.

Hadekel, Peter, et Ann Gibbon. *Steinberg, le démantèlement d'un empire familial*, Montréal, Libre expression, 1990.

Harris, R. Cole, et Geoffrey J. Mathews (dir.). *Atlas historique du Canada*, Montréal, Presses de l'Université de Montréal, 1987-1993, 3 vol.

Harrus, Elias. *L'Alliance en action. Les écoles de l'Alliance israélite universelle dans l'Empire du Maroc (1862-1912)*, Paris, Nadir, 2001.

Hart, Arthur Daniel. *The Jew in Canada: A Complete Record of Canadian Jewry from the Days of the French Regime to the Present Time*, Montréal, Jewish Publications, 1926.

Hayoun, Maurice-Ruben. *La Science du judaïsme. Die Wissenschaft des Judentums*, Paris, Presses universitaires de France, coll. « Que sais-je ? », nº 3031, 1995.

Hébert, Marc. « La presse de Québec et les Juifs, 1925-1939 : le cas du *Soleil* et du *Quebec Chronicle Telegraph* », mémoire de maîtrise (histoire), Université Laval, 1994.

Heller, Celia S. *On the Edge of Destruction: Jews of Poland between the Two World Wars*, Detroit, Wayne State University Press, 1994.

Hermon-Belot, Rita. *L'Émancipation des juifs en France*, Paris, Presses universitaires de France, coll. « Que sais-je ? », nº 3514, 1999.

Hershman, Hirsch. « À l'occasion des vingt-cinq ans du mouvement ouvrier juif à Montréal », traduction de Pierre Anctil, *Bulletin du Regroupement des chercheurs en histoire des travailleurs du Québec*, vol. 26, nº 1, printemps 2000, p. 42-60.

Hilberg, Raoul. *La Destruction des Juifs d'Europe*, édition définitive et mise à jour, traduction de Marie-France de Paloméra, André Charpentier et Pierre-Emmanuel Dauzat, Paris, Gallimard, coll. « Folio histoire », nº 142-144, 2006, 3 vol.

Hirsch, Sivane, *et al.* (dir.). *Judaïsme et Éducation. Enjeux et défis pédagogiques*, Québec, Presses de l'Université Laval, 2016.

Hirschprung, Pinchas. *The Vale of Tears*, traduction de Vivian Felsen, Montréal, Fondation Azrieli, collection des mémoires de survivants de l'Holocauste, 2016 [1944].

Hoffman, Stefani, et Ezra Mendelsohn (dir.). *The Revolution of 1905 and Russia's Jews*, Philadelphie, University of Pennsylvania Press, 2008.

Hundert, Gershon David (dir.). *The Yivo Encyclopaedia of Jews in Eastern Europe*, New Haven (Connecticut), Yale University Press, 2008, 2 vol. Aussi disponible en ligne : www.yivo.org/The-YIVO-Encyclopedia-of-Jews-in-Eastern-Europe.

Joseph, Anne. *Heritage of a Patriarch: Canada's First Jewish Settlers and the Continuing Story of these Families in Canada,* Sillery, Septentrion, 1995.

Kage, Joseph. *With Faith and Thanksgiving: The Story of Two Hundred Years of Jewish Immigration and Immigrant Aid Effort in Canada (1760-1960),* Montréal, The Eagle Publishing Co., 1962.

Kattan, Emmanuel. « "Quelque chose nous oublie parfaitement" : réflexions sur la figure de l'étranger dans la poésie de Leonard Cohen (1956-1968) », dans Chantal Ringuet (dir.), *Les Révolutions de Leonard Cohen,* Québec, Presses de l'Université du Québec, 2016, p. 103-115.

—. *Naïm Kattan. Entretiens,* Montréal, Boréal, coll. « Trajectoires », 2017.

Kattan, Naïm (dir.). *Les Juifs et la communauté française,* Montréal, Éditions du Jour, coll. « Cahiers du Cercle juif de langue française », 1965.

—. *Juifs et Canadiens,* Montréal, Éditions du Jour, coll. « Cahiers du Cercle juif de langue française », 1967.

—. « Jews and French Canadians », dans Philip Leblanc et Arnold Edinborough (dir.), *One Church, Two Nations?,* Don Mills (Ontario), Longmans Canada, 1968, p. 104-115.

Keegan, John. *La Deuxième Guerre mondiale,* traduction de Marie-Alyx Revellat, Paris, Perrin, coll. « Tempus », 2010.

Kelly, Ninette, et Michael Trebilcock. *The Making of the Mosaic: A History of Canadian Immigration Policy,* Toronto, University of Toronto Press, 1998.

Keri, Jonah. *L'Extraordinaire Saga de Nos Amours, 1969-2004,* Montréal, Éditions au Carré, 2016.

Kershaw, Ian. *Lord Londonderry, the Nazis and the Road to War,* Londres, Allan Lane, 2004.

—. *Hitler, the Germans and the Final Solution,* New Haven (Connecticut), Yale University Press, 2009.

—. *Hitler, 1889-1945,* Paris, Flammarion, coll. « Grandes biographies », 2014.

Klein, A. M. *The Hitleriad,* New York, New Directions, 1944.

—. *The Rocking Chair and Other Poems,* Toronto, Ryerson Press, 1948.

—. *The Second Scroll,* Toronto, McClelland & Stewart, coll. « New Canadian Library », 2009 [1951]. Cet ouvrage a été traduit en français par Charlotte et Robert Melançon sous le titre *Le Second Rouleau,* Montréal, Boréal, 1990.

Klein, L. Ruth (dir.). *Nazi Germany, Canadian Responses: Confronting Anti-Semitism in the Shadow of the War,* Montréal et Kingston, McGill-Queen's University Press, 2012.

Knowles, Valerie. *Strangers at Our Gates: Canadian Immigration and Immigration Policy, 1540-2007,* Toronto, Dundurn, 2007.

Kobrin, Rebecca. « The 1905 Revolution Abroad: Mass Migration, Russian Jewish Liberalism, and American Jewry, 1903-1914 », dans Stefani Hoffman et Ezra Mendelsohn (dir.), *The Revolution of 1905 and Russia's Jews,* p. 227-244.

Koch, Eric. *Deemed Suspect: A Wartime Blunder*, Toronto, Methuen, 1980.

Kramer, Reinhold. *Mordecai Richler: Leaving St. Urbain*, Montréal et Kingston, McGill-Queen's University Press, 2008.

Lacasse, Simon-Pierre. « L'orthodoxie juive à la rencontre de la modernité : le groupe des Tasher face au Québec de la Révolution tranquille (1951-1967) », mémoire de maîtrise (histoire) Université d'Ottawa, 2016.

Lacelle, Nicole. *Entretiens avec Madeleine Parent et Léa Roback*, Montréal, Éditions du remue-ménage, 1988.

Lallouz, Raphaël. « Le Groupement juif nord-africain », dans David Bensoussan (dir.), *50 ans ensemble. Le livre sépharade 1959-2009*, Montréal, Communauté sépharade unifiée du Québec, 2009.

Lambert, Phyllis. *Building Seagram*, New Haven (Connecticut), Yale University Press, 2013.

Landry, Pierre. *Melvin Charney*, Montréal, Musée d'art contemporain de Montréal, 2002.

Lapidus, Steven. « Forgotten Hasidim: Rabbis and Rebbes in Prewar Canada », *Canadian Jewish Studies / Études juives au Canada*, vol. 12, 2004, p. 1-30.

—. « The Jewish Community Council of Montreal: A National Kehillah or a Local Sectarian Organization? », *Canadian Jewish Studies / Études juives canadiennes*, vol. 16-17, 2008-2009, p. 27-52.

—. « Orthodoxy in Transition: the Vaad Ha'ir of Montreal in the Twentieth Century », thèse de doctorat (études religieuses), Université Concordia (Montréal), 2011.

Larrue, Jean-Marc. *Le Monument inattendu. Le Monument-National 1893-1993*, Montréal, Hurtubise HMH, coll. « Cahiers du Québec », n° 106, 1993.

Lasry, Jean-Claude, Joseph Lévy et Yolande Cohen (dir.). *Identités sépharades et modernité*, Québec, Presses de l'Université Laval, 2007.

Lasry, Jean-Claude. « Mobilité professionnelle chez les immigrants juifs nord-africains à Montréal », *International Review of Applied Psychology*, vol. 29, 1980, p. 17-30.

—. « A Francophone Diaspora in Quebec », dans Morton Weinfeld, William Shaffir et Irwin Cotler, *The Canadian Jewish Mosaic*, Toronto, John Wiley & Sons, 1981, p. 221-240.

Laurendeau, André. *La Crise de la conscription, 1942*, Montréal, Éditions du Jour, 1962.

Layton, Irving. *A Wild Peculiar Joy: The Selected Poems*, Toronto, McClelland & Stewart, 2004.

Le Moyne, Jean. « Le retour d'Israël », dans *Convergences*, Montréal, Éditions HMH, collection « Convergences », 1961, p. 182-183.

Leff, Laurel. *Buried by the* Times*: The Holocaust and America's Most Important Newspaper*, Cambridge, Cambridge University Press, 2006.

Légaré, Jacques. « La population juive de Montréal est-elle victime d'une ségrégation qu'elle se serait elle-même imposée ? », *Recherches sociographiques,* vol. 6, nº 3, septembre-décembre 1965, p. 311-326.

Leroux, Éric. « Des moyens de faire face : les syndicats internationaux et la crise des années trente », *Bulletin d'histoire politique,* vol. 9, nº 2, 2001, p. 73-83.

Levine, David. *Santé et Politique. Un point de vue de l'intérieur,* Montréal, Boréal, 2015.

Levy, David. *Stalin's Man in Canada: Fred Rose and Soviet Espionage,* New York, Enigma Books, 2011.

Lévy, Joseph, et Yolande Cohen (dir.). *Itinéraires sépharades, 1492-1992. Mutations d'une identité,* Paris, J. Granger, 1992.

Leyton, Miriam Judith. « The Struggle for a Working-Class Consciousness: Jewish Garment Workers in Montreal, 1880-1920 », mémoire de maîtrise (sociologie et anthropologie), Carleton University (Ottawa), 1987.

Linteau, Paul-André. « La montée du cosmopolitisme montréalais », *Questions de culture,* nº 2, 1982, p. 23-54.

—. *Histoire de Montréal depuis la Confédération,* Montréal, Boréal, 2000.

—. *Une histoire de Montréal,* Montréal, Boréal, 2017.

Marceau, Richard. *Juif, une histoire québécoise,* Montréal, Du Marais, 2011.

Marcus, Jacob Rader. *Early American Jewry,* vol. 1 : *The Jews of New York, New England, and Canada, 1649-1794,* Philadelphie, The Jewish Publication Society of America, 1951.

—. *The Colonial American Jew, 1492-1776,* Detroit, Wayne State University Press, 1970, 3 vol.

Margolis, Rebecca. *Jewish Roots, Canadian Soil: Yiddish Culture in Montreal, 1905-1945,* Montréal et Kingston, McGill-Queen's University Press, 2011.

—. « A Review of the Yiddish Media: Responses to the Jewish Immigrant Community », dans L. Ruth Klein (dir.), *Nazi Germany, Canadian Responses: Confronting Anti-Semitism in the Shadow of the War,* Montréal et Kingston, McGill-Queen's University Press, 2012, p. 114-143.

Marrus, Michael. *Mr. Sam: The Life and Times of Samuel Bronfman,* Toronto, Penguin, 1992.

Medresh, Israël. *Le Montréal juif d'autrefois,* traduction de Pierre Anctil, Sillery, Septentrion, 1997 [1947].

—. *Le Montréal juif entre les deux guerres,* traduction de Pierre Anctil, Sillery, Septentrion, 2001 [1964].

—. « Di yidishe arbeter bavegung in Kanade », *Der Keneder Odler* [Montréal], numéro spécial du 25e anniversaire, 8 juillet 1932, p. 79-80. Publié sous le titre « Le mouvement ouvrier juif canadien », traduction de Pierre Anctil, *Canadian Jewish Studies / Études juives canadiennes,* vol. 9, 2001, p. 170-189.

Menkis, Richard. « Patriarchs and Patricians: The Gradis Family of Eighteenth-Century Bordeaux », dans *From East to West: Jews in a Changing Europe, 1750-1870,* Oxford, Basil Blackwell, 1990, p. 11-45.

—. « Antisemitism and Anti-Judaism in Pre-Confederation Canada », dans Alan Davis, *Antisemitism in Canada: History and Interpretation,* Waterloo (Ontario), Wilfrid Laurier University Press, 1992, p. 11-29.

Menkis, Richard, et Harold Troper. *More Than Just Games: Canada and the 1936 Olympics,* Toronto, University of Toronto Press, 2015.

Mercier, Guy, Frédérik Leclerc et Francis Roy. « Marcel Adams à Québec. Les destins croisés d'un homme et d'une ville », dans Pierre Anctil et Simon Jacobs (dir.), *Les Juifs de Québec. Quatre cents ans d'histoire,* p. 195-216.

Miles, William F. S. « Between Ashkenaz and Québécois: Fifty Years of Francophone Sephardim in Montréal », *Diaspora,* vol. 16, n°s 1-2, 2007, p. 29-66.

Milner, Henry. *The Decolonisation of Quebec: An Analysis of Left-Wing Nationalism,* Toronto, McClelland & Stewart, 1973.

—. *Politics in the New Québec,* Toronto, McClelland & Stewart, 1978.

—. « Il est temps que la gauche québécoise prononce un "oui" retentissant », *Les Cahiers du socialisme,* n° 5, printemps 1980, p. 50-59.

Murphy, Diana. *Moshe Safdie,* Mulgrave (Australie), The Images Publishing Group, 2009, 2 vol.

Nadeau, Jean-François. *Adrien Arcand, führer canadien,* Montréal, Lux, 2010.

Nathans, Benjamin. *Beyond the Pale: The Jewish Encounter with Late Imperial Russia,* Berkeley, University of California Press, 2004.

Nootens, Geneviève. *Julius Grey. Entretiens,* Montréal, Boréal, coll. « Trajectoires », 2014.

Normand, Sylvio. « Plamondon, Jacques-Édouard », dans *Dictionnaire biographique du Canada,* vol. 15, Université Laval / University of Toronto, 2003 [www.biographi.ca/fr/bio/plamondon_jacques_edouard_15F.html].

Novak, Hershl. *La Première École yiddish de Montréal, 1911-1914,* traduction de Pierre Anctil, Sillery, Septentrion, 2009 [1957].

Olazabal, Ignace. « Entre les rues Coloniale et Saint-Urbain : les Juifs ashkénazes dans les années 1930 », *Bulletin d'histoire politique,* vol. 9, n° 2, hiver 2001, p. 84-96.

—. *Khaverim. Les Juifs ashkénazes de Montréal au début du XXe siècle, entre le* shtetl *et l'identité citoyenne,* Montréal, Nota bene, 2006.

Pageot, Édith-Anne (dir.). *Max Stern, marchand et mécène à Montréal,* Montréal, Musée des beaux-arts de Montréal et Galerie Leonard et Bina Ellen, 2004.

Pâquet, Martin. *Vers un ministère québécois de l'Immigration, 1945-1968,* Ottawa, Société historique du Canada, 1997.

—. *Tracer les marges de la Cité. Étranger, immigrant et État au Québec, 1627-1981,* Montréal, Boréal, 2005.

Pedneault, Hélène. « Entrevue avec Léa Roback : à propos d'une batailleuse », *La Vie en rose*, nº 10, mars 1983, p. 50-52.

Pelletier, Georges. *L'Immigration canadienne : les enquêtes du* Devoir, Montréal, Le Devoir, 1913.

Podmore, Julie A. « St. Lawrence Blvd. as "Third City": Place, Gender and Difference Along Montreal's "Main" », thèse de doctorat (géographie), Université McGill, 1999.

Polèse, Mario, Charles Hamel et Antoine Bailly. *La Géographie résidentielle des immigrants et des groupes ethniques. Montréal, 1971*, Montréal, Institut national de la recherche scientifique, 1978.

Polland, Annie, et Daniel Soyer. *Metropolis: New York Jews in the Age of Immigration 1840-1920*, New York, NYU Press, 2013.

Polonsky, Antony. *The Jews of Poland and Russia: A Short History*, Oxford, The Littman Library of Jewish Civilization, 2013, 3 vol.

Popham, Elizabeth (dir.). *A. M. Klein: The Letters*, Toronto, University of Toronto Press, 2011.

Premier rapport annuel de la Bibliothèque publique juive et de l'Université populaire, ouverte à Montréal le 1er mai 1914 [Ershter yerlikher barikht fun der Yidisher Folks Biblyotek un Folks Universitet, erefnt Montreal, 1en may 1914], traduction de Pierre Anctil, Montréal, 1915. Le texte est disponible sur le site du Réseau canadien du patrimoine juif à l'adresse suivante : www.cjhn.ca/wpp-images/JPLA/DOCS/1000JPL/1000_001_2.pdf.

Price, Julius. « Proceedings Relating to the Expulsion of Ezekiel Hart from the House of Assembly of Lower Canada », *Publications of the American Jewish Historical Society*, nº 23, 1915, p. 43-53.

Ravitch, Melekh. *Kontinenten un okeanen, lider, baladn un poemes* [Continents et océans, poèmes, ballades et textes poétiques], Varsovie, Literarishe Bleter, 1937.

—. *Mayn Leksikon* [Mon dictionnaire biographique], Montréal, publié par un comité de souscripteurs, 1945-1982, 4 vol.

—. *Dos amolike Yidishe Varshe biz der shvel fun dritn khurbn, 1414-1939* [La Varsovie d'autrefois jusqu'au début du troisième holocauste, 1414-1939], Montréal, Farband fun Varshever Yidn in Montreal [Association des Juifs de Varsovie à Montréal], 1966.

Reed, Patrick. « A Foothold in the Whirlpool: Canada's Iberian Refugee Movement », mémoire de maîtrise (histoire), Université Concordia, 1996.

Richer, Geneviève. « Intervenir en faveur de la justice sociale et des droits de la minorité juive : la carrière politique de Peter Bercovitch à l'Assemblée législative du Québec, 1916-1938 », mémoire de maîtrise (histoire), Université d'Ottawa, 2007.

—. « Le défenseur des Juifs au Québec : la lutte de Peter Bercovitch pour le respect et la reconnaissance de la minorité juive durant l'entre-deux-guerres », *Bulletin d'histoire politique,* vol. 17, nº 2, hiver 2009, p. 209-224.

Richler, Mordecai. « Oh Canada. Lament for a Divided Country », *The Atlantic,* vol. 240, nº 6, décembre 1977, p. 41-55.

—. « Language Problems », *The Atlantic,* vol. 251, nº 6, juin 1983, p. 10-18.

—. « O Quebec », *The New Yorker,* vol. 70, nº 15, 30 mai 1994.

—. *Rue Saint-Urbain,* traduit de l'anglais par René Chicoine, Montréal, Bibliothèque québécoise, 2002 [1969].

—. *Solomon Gursky Was Here,* New York, Knopf, 1990 ; traduit en français par Lori Saint-Martin et Paul Gagné sous le titre *Solomon Gursky,* Montréal, Boréal, 2016.

—. *L'Apprentissage de Duddy Kravitz,* traduit de l'anglais par Lori Saint-Martin et Paul Gagné, Montréal, Boréal, 2016 [1959].

Ringuet, Chantal. « Parcours et origines de la littérature yiddish montréalaise », *Voix et Images,* nº 101, hiver 2009, p. 121-137.

—. « L'engagement littéraire et communautaire d'Ida Maze, la mère des écrivains yiddish montréalais », *Globe,* Montréal, vol. 12, nº 1, 2009, p. 149-166.

—. « L'apport des créateurs juifs à la vie culturelle et littéraire montréalaise », dans Pierre Anctil et Ira Robinson (dir.), *Les Communautés juives de Montréal. Histoire et enjeux contemporains,* p. 116-140.

—. *À la découverte du Montréal yiddish,* Montréal, Fides, 2011.

—. *Voix yiddish de Montréal,* numéro spécial de la revue *Moebius,* nº 139, novembre 2013.

—. « Leonard Cohen : habiter le langage, poétiser l'exil », dans Chantal Ringuet (dir.), *Les Révolutions de Leonard Cohen,* Québec, Presses de l'Université du Québec, 2016.

Robin, Martin. *Shades of Right: Nativist and Fascist Politics in Canada, 1920-1940,* Toronto, University of Toronto Press, 1992 ; traduit en français par Hélène Rioux et Christine Lavaill sous le titre *Le Spectre de la droite. Histoire des politiques nativistes et fascistes au Canada entre 1920 et 1940,* Montréal, Balzac-Le Griot, 1998.

Robinson, Ira. « The Kosher Meat War and the Jewish Community Council of Montreal, 1922-1925 », *Canadian Ethnic Studies / Études ethniques au Canada,* vol. 22, nº 2, 1990, p. 41-54.

—. « Kabbalist and Communal Leader: Rabbi Yudl Rosenberg and the Canadian Jewish Community », *Canadian Jewish Studies / Études juives au Canada,* vol. 1, 1993, p. 41-58.

—. *Rabbis and Their Community: Studies in Eastern European Orthodox Rabbinate in Montreal, 1896-1930,* Calgary, University of Calgary Press, 2007.

—. *A History of Antisemitism in Canada,* Waterloo (Ontario), Wilfrid Laurier University Press, 2015.

—. *Canada's Jews in Time, Space and Spirit,* Boston, Academic Studies Press, 2015.

Rome, David. *On Jules Helbronner,* Montréal, National Archives et Canadian Jewish Congress, coll. « Canadian Jewish Archives », n° 9 (nouvelle série), 1978.

Rome, David, et Pierre Anctil. *Through the Eyes of the Eagle: The Early Montreal Yiddish Press 1907-1916,* Montréal, Véhicule Press, 2001.

Rosenberg, Louis. *Canada's Jews: A Social and Economic Study of the Jews in Canada,* Montréal, Canadian Jewish Congress, 1939 ; réédité par Morton Weinfeld sous le titre *Canada's Jews: A Social and Economic Study of Jews in Canada in the 1930s,* Montréal et Kingston, McGill-Queen's University Press, 1993.

—. *A Study of the Growth and Changes in the Distribution of the Jewish Population of Montreal,* Montréal, Canadian Jewish Congress, Canadian Population Studies n° 4, 1955.

—. *Population Characteristics (Distribution by Age and Sex) of the Jewish Community of Montreal,* Montréal, Canadian Jewish Congress, Canadian Population Studies n° 5, 1955.

—. *Population Characteristics (Ethnic Pattern, Conjugal Condition, Jewish Origin and Jewish Religion, Place of Birth, Size of Family, Language and Mother Tongue, Higher Education) of the Jewish Community of Montreal,* Montréal, Canadian Jewish Congress, Canadian Population Studies n° 6, 1956.

—. *Synagogues, Jewish Schools and Other Jewish Community Facilities as Affected by the Migration of the Jewish Population in Metropolitan Montreal, 1951-1956,* Montréal, Canadian Jewish Congress, Bureau of Social and Economic Research, series A, n° 1, 1956.

—. *A Gazetteer of Jewish Communities in Canada Showing the Jewish Population in Each of the Cities, Towns and Villages in Canada in the Census Years 1851-1951,* Montréal, Canadian Jewish Congress, 1957.

—. *Jewish Children in the Protestant Schools of Greater Montreal in the Period from 1878 to 1962: A Statistical Study,* Montréal, Canadian Jewish Congress, 1962.

Rosenberg, Yudel. *The Golem and the Wondrous Deeds of the Maharal of Prague,* traduction de Curt Leviant, New Haven (Connecticut), Yale University Press, 2008 [1909].

Rosenfarb, Chava. *The Tree of Life: A Trilogy of Life in the Lodz Ghetto,* Madison, University of Wisconsin Press, 2004, 3 vol.

—. *Survivors: Seven Short Stories,* traduction de Goldie Morgentaler, Toronto, Cormoran Books, 2004.

Roskies, David. « Yiddish in Montreal: the Utopian Experiment », dans Ira Robinson, Pierre Anctil et Mervin Butovsky (dir.), *An Everyday Miracle. Yiddish Culture in Montreal,* Montréal, Véhicule Press, 1990, p. 22-38.

—. *Yiddishlands*, Detroit, Wayne State University Press, 2008.

Rosman, Moshe. *How Jewish is Jewish History?*, Oxford, The Littman Library of Jewish Civilization, 2007.

Rouillard, Jacques. « Les travailleurs juifs de la confection à Montréal (1910-80) », *Labour / Le Travail*, vol. 8-9, automne 1981 / printemps 1982, p. 253-259.

—. *Le Syndicalisme québécois. Deux siècles d'histoire*, Montréal, Boréal, 2004.

Sack, B. G. *Canadian Jews, Early in this Century*, Montréal, Canadian Jewish Congress, 1975.

Safdie, Moshe. *Safdie*, Mulgrave (Australie), The Images Publishing Group, 2014.

Saint-Pierre, Jocelyn (dir.). *Débats sur les écoles juives : débats de l'Assemblée législative, 17e législature, 3e et 4e sessions : séances du 28 mars au 4 avril et du 24 février au 4 avril 1931, 1930 et 1931*, Québec, Bibliothèque de l'Assemblée nationale, Service de la reconstitution des débats, 2001.

Sala-Molins, Louis. *Le Code noir ou le calvaire de Canaan*, Paris, Presses universitaires de France, 2012.

Samson, Christian. « L'antisémitisme au cœur de Saint-Roch : l'affaire Plamondon », dans Pierre Anctil et Simon Jacobs (dir.), *Les Juifs de Québec. Quatre cents ans d'histoire*, p. 111-114.

—. « Léa Roback, une militante inclassable », dans Pierre Anctil et Simon Jacobs (dir.), *Les Juifs de Québec. Quatre cents ans d'histoire*, p. 115-117.

Sarna, Jonathan. « "Our Distant Brethren": Alexander Harkavy on Montreal Jews 1888 », *Journal of the Canadian Jewish Historical Society*, vol. 7, nº 2, automne 1983, p. 59-72.

Schneer, Jonathan. *The Balfour Declaration: The Origins of the Arab-Israeli Conflict*, Toronto, Anchor Canada, 2012.

Shaffir, William. *Life in a Religious Community: The Lubavitcher Chassidim in Montreal*, Toronto, Holt, Rinehart and Winston of Canada, 1974.

—. « Chassidic Communities in Montreal », dans Morton Weinfeld, William Shaffir et Irwin Cotler (dir.), *The Canadian Jewish Mosaic*, Toronto, John Wiley & Sons, 1981, p. 273-286.

—. « Separation from the Mainstream in Canada: the Hassidic Community of Tash », *The Jewish Journal of Sociology*, vol. 29, 1987, p. 19-35.

Shahar, Charles. *Les Hassidim et les ultra-orthodoxes du Grand Montréal. Évaluation des besoins et projections de la population des communautés hassidiques et ultra-orthodoxes du Grand Montréal*, Montréal, Coalition d'organisations hassidiques d'Outremont, 2005.

—. *Jewish Life in Montreal: A Survey of the Attitudes, Beliefs & Behaviours of Montreal's Jewish Community*, Montréal, Federation CJA, 2011.

Shahar, Charles, Morton Weinfeld et Adam Blander. « Analyse démographique et socioculturelle de la communauté juive montréalaise », dans Pierre Anctil et

Ira Robinson (dir.), *Les Communautés juives de Montréal. Histoire et enjeux contemporains*, p. 191-215.

Shahar, Charles, Morton Weinfeld et Randal F. Schnoor. *Sondage sur les communautés hassidiques et ultraorthodoxes dans le quartier Outremont et les régions environnantes*, Outremont, Coalition d'organisations hassidiques d'Outremont,1997.

Shapira, Anita. *Israel: A History*, Waltham (Massachusetts), Brandeis University Press, 2014.

Shtern, Sholem. *Nostalgie et Tristesse. Mémoires littéraires du Montréal yiddish*, traduction de Pierre Anctil, Montréal, Éditions du Noroît, 2006 [1982].

Simon, Sherry. « Le discours du Juif au Québec en 1948, Jean Le Moyne, Gabrielle Roy », *Québec Studies*, vol. 15, 1992, p. 77-86.

—. *Translating Montreal: Episodes in the Life of a Divided City*, Montréal et Kingston, McGill-Queen's University Press, 2006 ; traduit en français par Pierrot Lambert sous le titre *Traverser Montréal. Une histoire culturelle par la traduction*, Montréal, Fides, 2008.

—. *In Translation: Honouring Sheila Fischman*, Montréal et Kingston, McGill-Queen's University Press, 2013.

Skolnik, Fred, et Michael Berenbaum. *Encyclopaedia Judaica*, Detroit, Macmillan Reference USA, 2007, 22 vol.

Smith, A. J. M. « Abraham Moses Klein », *Les Gants du ciel*, printemps 1946, p. 67-81.

Spolsky, Bernard. *The Languages of the Jews: A Sociolinguistic History*, Cambridge, Cambridge University Press, 2014.

Srebrnik, Henry Felix. *Jerusalem on the Amur: Birobidzhan and the Canadian Jewish Communist Movement, 1924-1951*, Montréal et Kingston, McGill-Queen's University Press, 2008.

Steedman, Mercedes. *Angels of the Workplace: Women and the Construction of Gender Relations in the Canadian Clothing Industry, 1890-1940*, Toronto, Oxford University Press, 1997.

Taschereau, Sylvie. « Nouveau regard sur les relations judéo-québécoises : le commerce comme terrain d'échanges », dans Pierre Anctil, Ira Robinson et Gérard Bouchard (dir.), *Juifs et Canadiens français dans la société québécoise*, Sillery, Septentrion, 2000, p. 33-49.

—. « Les sociétés de prêt juives à Montréal, 1911-1945 », *Revue d'histoire urbaine*, vol. 33, n° 2, printemps 2005, p. 3-16.

—. « Échapper à Shylock : la Montreal Hebrew Free Loan Association entre xénophobie et intégration, 1911-1913 », *Revue d'histoire de l'Amérique française*, vol. 59, n° 4, 2006, p. 451-480.

—. « Habiter, prendre pied, s'établir : les commerçants et manufacturiers juifs de Montréal, 1918-1930 », dans Serge Jaumain et Paul-André Linteau (dir.),

Vivre en ville. Bruxelles et Montréal, XIXe et XXe siècles, Bruxelles, Peter Lang, 2006, p. 237-258.

Tenenbaum, Shelly. *A Credit to Their Community: Jewish Loan Societies in the United States, 1880-1945,* Detroit, Wayne State University Press, 1993.

Théorêt, Hugues. *Les Chemises bleues. Adrien Arcand, journaliste antisémite canadien-français,* Québec, Septentrion, 2012.

—. « Influence et rayonnement international d'Adrien Arcand », *Globe,* numéro spécial intitulé *Nouveaux regards sur le phénomène de l'antisémitisme dans l'histoire du Québec,* vol. 18, nº 1, 2015, p. 19-45.

Thériault, Michèle (dir.). *Jack Beder. Lumières de la ville,* Montréal, Galerie Leonard et Bina Ellen, 2004.

Tisdel, Gaston. « Brandeau, Esther », dans *Dictionnaire biographique du Canada,* vol. 2, Université Laval / University of Toronto, 2003- [www.biographi.ca/fr/bio/brandeau_esther_2F.html].

Tougas, Colette. *Sam Borenstein,* Montréal, Musée des beaux-arts de Montréal, 2005.

Tremblay, Jonathan. « La contribution des conservateurs à la longue survie des organisations fascistes d'Adrien Arcand : un élément d'explication », *Globe,* numéro spécial intitulé *Nouveaux regards sur le phénomène de l'antisémitisme dans l'histoire du Québec,* vol. 18, nº 1, 2015, p. 47-64.

Tremblay, Michel. *La grosse femme d'à côté est enceinte,* Montréal, Leméac, 1978.

Trépanier, Esther. *Les Peintres juifs de Montréal. Témoins de leur époque, 1930-1948,* Montréal, Éditions de l'Homme, 2008.

Troper, Harold. *The Defining Decade: Identity, Politics, and the Canadian Jewish Community of the 1960s,* Toronto, University of Toronto Press, 2010.

Trudel, Marcel. *La Nouvelle-France par les textes. Les cadres de vie,* Montréal, Hurtubise HMH, coll. « Cahiers du Québec », nº 134, 2003.

Tulchinsky, Gerald. « Immigration and Charity in the Montreal Jewish Community before 1890 », *Histoire sociale / Social History,* vol. 16, nº 32, 1983, p. 359-380.

—. *Canada's Jews: A People's Journey,* Toronto, University of Toronto Press, 2007.

Unterberg, Paul. *Le Québec aux Québécois,* Montréal, Ferron éditeur, 1971.

Vaugeois, Denis. *Les Juifs et la Nouvelle-France,* Trois-Rivières, Boréal Express, 1964.

—. « Jacobs, Samuel », dans *Dictionnaire biographique du Canada,* vol. 4, Université Laval / University of Toronto, 2003- [www.biographi.ca/fr/bio/jacobs_samuel_4F.html].

—. « Hart, Aaron », dans *Dictionnaire biographique du Canada,* vol. 4, Université Laval / University of Toronto, 2003- [www.biographi.ca/fr/bio/hart_aaron_4F.html].

—. « Hart, Ezekiel », dans *Dictionnaire biographique du Canada,* vol. 7, Université

Laval / University of Toronto, 2003- [www.biographi.ca/fr/bio/hart_ezekiel_7F.html].

—. *Les Premiers Juifs d'Amérique, 1760-1860. L'extraordinaire histoire de la famille Hart*, Sillery, Septentrion, 2011.

Viloria, James, et Bruce Russell. « Melvin Charney », *L'Encyclopédie canadienne*, 23 septembre 2012 [encyclopediecanadienne.ca/fr/article/melvin-charney].

Walker, James W. St. G. *« Race », Rights and the Law in the Supreme Court of Canada: Historical Case Studies*, Waterloo (Ontario), The Osgoode Society for Legal History et Wilfrid Laurier University Press, 1997.

Waller, Harold M., et Morton Weinfeld. « The Jews of Québec and "Le Fait Français" », dans Morton Weinfeld, William Shaffir et Irwin Cotler (dir.), *The Canadian Jewish Mosaic*, Toronto, John Wiley & Sons, 1981, p. 415-439.

Weinfeld, Morton. *Like Everyone Else... But Different: The Paradoxical Success of Canadian Jews*, Toronto, McClelland & Stewart, 2001.

Weinfeld, Morton, et William W. Eaton. *A Survey of the Jewish Community of Montreal*, Montréal, Jewish Community Research Institute of Montreal, 1978.

Weisbord, Merrily. *The Strangest Dream: Canadian Communists, the Spy Trials, and the Cold War*, Toronto, Lester & Orpen Dennys, 1983 ; traduit en français par Jean Lévesque et Michèle Venet sous le titre *Le Rêve d'une génération. Les communistes canadiens, les procès d'espionnage et la guerre froide*, Montréal, VLB, 1998.

Wieviorka, Annette. *1945. La découverte*, Paris, Seuil, 2015.

Wolofsky, Hirsch. *Mayn Lebens Rayze. Un demi-siècle de vie yiddish à Montréal et ailleurs dans le monde*, traduction de Pierre Anctil, Sillery, Septentrion, 2000 [1946].

Wyman, David S. *The Abandonment of the Jews: America and the Holocaust, 1941-45*, New York, Pantheon Books, 1984.

Yam, Joseph, et H. Freedman. « Jewish Demographic Studies in the Context of the Census of Canada », *Canadian Jewish Population Studies*, vol. 3, n° 1, novembre 1973, p. 16.

Yelin, Shulamis. *Une enfance juive à Montréal*, traduction de Pierre Anctil, Montréal, Humanitas, 1983.

Yerushalmi, Yosef Haim. *Zakhor. Histoire juive et mémoire collective*, Paris, Gallimard, coll. « Tel », n° 176, 1991.

Zipora, Malka. *Lekhaim ! Chroniques de la vie hassidique à Montréal*, traduction de Pierre Anctil, Outremont, Éditions du Passage, 2006.

Liste des figures, graphiques et cartes

Index

Les figures sont référencées par un *f* qui suit le numéro de page.

B

D

E

H

I

J

K

L

M

Q

R

S

T

Z

Table des matières

Crédits et remerciements

Cet ouvrage a été publié grâce à une subvention de la Fédération des sciences humaines, dans le cadre du Prix d'auteurs pour l'édition savante, à l'aide de fonds provenant du Conseil de recherches en sciences humaines du Canada.

Les Éditions du Boréal remercient le Conseil des arts du Canada ainsi que le gouvernement du Canada pour leur soutien financier.
Canada

Les Éditions du Boréal sont inscrites au Programme d'aide aux entreprises du livre et de l'édition spécialisée de la SODEC et bénéficient du Programme de crédit d'impôt pour l'édition de livres du gouvernement du Québec.
Québec

L'auteur remercie le CELAT pour sa contribution et la préparation des tableaux et graphiques.

Couverture :
Médaillon : Affiche du Théâtre yiddish. © Archives de la Bibliothèque publique juive de Montréal
En haut : Professeurs de l'école Peretz en 1919. © Archives of the YIVO Institute for Jewish Research, New York
En bas : Jeunes femmes en grève. © Tous droits réservés

EXTRAIT DU CATALOGUE

Robert C. Allen
Brève histoire de l'économie mondiale
Pierre Anctil
Histoire des Juifs du Québec
Bernard Arcand
Abolissons l'hiver !
Le Jaguar et le Tamanoir
Margaret Atwood
Cibles mouvantes
Comptes et Légendes
Denise Baillargeon
Naître, vivre, grandir. Sainte-Justine, 1907-2007
Frédéric Bastien
La Bataille de Londres
Jacques Beauchemin
La Souveraineté en héritage
Éric Bédard
Années de ferveur 1987-1995
Les Réformistes
Recours aux sources
Survivance
Carl Bergeron
Un cynique chez les lyriques
Michel Biron
La Conscience du désert
Michel Biron, François Dumont et Élizabeth Nardout-Lafarge
Histoire de la littérature québécoise
Marie-Claire Blais
Passages américains
Jérôme Blanchet-Gravel
Le Retour du bon sauvage
Mathieu Bock-Côté
La Dénationalisation tranquille
Fin de cycle
Gérard Bouchard
L'Interculturalisme
Raison et déraison du mythe
Gérard Bouchard et Alain Roy
La culture québécoise est-elle en crise ?
Serge Bouchard
L'homme descend de l'ourse
Le Moineau domestique
Récits de Mathieu Mestokosho, chasseur innu
Jean-Fred Bourquin
Paul Buissonneau, en mouvement
Joseph Boyden
Louis Riel et Gabriel Dumont
Georges Campeau
De l'assurance-chômage à l'assurance-emploi
Claude Castonguay
Mémoires d'un révolutionnaire tranquille
Santé, l'heure des choix

Bernard Chapais
Liens de sang
Luc Chartrand, Raymond Duchesne et Yves Gingras
Histoire des sciences au Québec
Jean-François Chassay
La Littérature à l'éprouvette
Marc Chevrier
La République québécoise
Jean Chrétien
Passion politique
Adrienne Clarkson
Norman Bethune
Marie-Aimée Cliche
Fous, ivres ou méchants ?
Maltraiter ou punir ?
Gil Courtemanche
Le Camp des justes
La Seconde Révolution tranquille
Nouvelles Douces Colères
Tara Cullis et David Suzuki
La Déclaration d'interdépendance
Michèle Dagenais
Montréal et l'eau
Isabelle Daunais
Le Roman sans aventure
Isabelle Daunais et François Ricard
La Pratique du roman
Louise Dechêne
Habitants et Marchands de Montréal au XVIIe siècle
Le Partage des subsistances au Canada sous le Régime français
Le Peuple, l'État et la guerre au Canada sous le Régime français
Denys Delâge et Jean-Philippe Warren
Le Piège de la liberté
Benoît Dubreuil et Guillaume Marois
Le Remède imaginaire
André Duchesne
Le 11 Septembre et nous
La Traversée du Colbert
Renée Dupuis
Quel Canada pour les Autochtones ?
Tribus, Peuples et Nations
André Habib
La Main gauche de Jean-Pierre Léaud
David Hackett Fischer
Le Rêve de Champlain
Dominique Forget
Perdre le Nord ?
Graham Fraser
Vous m'intéressez
Sorry, I don't speak French

Alain-G. Gagnon et Raffaele Iacovino
De la nation à la multination
Robert Gagnon
Une question d'égouts
Urgel-Eugène Archambault. Une vie au service de l'instruction publique
Bertrand Gervais
Un défaut de fabrication
Yves Gingras et Yanick Villedieu
Parlons sciences
Luc-Alain Giraldeau
Dans l'œil du pigeon
Jacques Godbout
Le tour du jardin
Benoît Grenier
Brève histoire du régime seigneurial
Allan Greer
Catherine Tekakwitha et les Jésuites
Habitants et Patriotes
La Nouvelle-France et le Monde
Steven Guilbeault
Alerte ! Le Québec à l'heure des changements climatiques
Brigitte Haentjens
Un regard qui te fracasse
Chris Harman
Une histoire populaire de l'humanité
Michael Ignatieff
L'Album russe
La Révolution des droits
Terre de nos aïeux
Jean-Pierre Issenhuth
La Géométrie des ombres
Jane Jacobs
La Nature des économies
Retour à l'âge des ténèbres
Systèmes de survie
Les Villes et la Richesse des nations
Stéphane Kelly
À l'ombre du mur
Les Fins du Canada
La Petite Loterie
Thomas King
L'Indien malcommode
Mark Kingwell
Glenn Gould
Robert Lacroix et Louis Maheu
Le CHUM : une tragédie québécoise
Céline Lafontaine
Nanotechnologies et Société
Yvan Lamonde et Jonathan Livernois
Papineau, erreur sur la personne
Daniel Lanois
La Musique de l'âme
Monique LaRue
La Leçon de Jérusalem
Suzanne Laurin
L'Échiquier de Mirabel
Adèle Lauzon
Pas si tranquille
Guillaume Lavallée
Drone de guerre
Michel Lavoie
C'est ma seigneurie que je réclame
Dominique Lebel
Dans l'intimité du pouvoir
Pierre Lefebvre
Confessions d'un cassé
André Lemelin
L'Impossible Réforme
Georges Leroux
Différence et Liberté
Jean-Pierre Leroux
Le Gardien de la norme
Paul-André Linteau
Brève histoire de Montréal
Histoire de Montréal depuis la Confédération
Une histoire de Montréal
Paul-André Linteau, Yves Frenette et Françoise Le Jeune
Transposer la France
David Levine
Santé et Politique
Jean-François Lisée
Nous
Pour une gauche efficace
Sortie de secours
Jean-François Lisée et Éric Montpetit
Imaginer l'après-crise
Jonathan Livernois
Remettre à demain
Jocelyn Maclure et Charles Taylor
Laïcité et liberté de conscience
Karel Mayrand
Une voix pour la Terre
Pierre Monette
Onon:ta'
Patrick Moreau
Pourquoi nos enfants sortent-ils de l'école ignorants ?
Michel Morin
L'Usurpation de la souveraineté autochtone
Wajdi Mouawad
Le Poisson soi
Normand Mousseau
Comment se débarrasser du diabète de type 2 sans chirurgie ni médicament
Gagner la guerre du climat
Christian Nadeau
Contre Harper
Georges Leroux. Entretiens
Liberté, égalité, solidarité

Kent Nagano
Sonnez, merveilles !
Antonio Negri et Michael Hardt
Multitude
Pierre Nepveu
Gaston Miron
Geneviève Nootens
Julius Grey. Entretiens
Samantha Nutt
Guerriers de l'impossible
Marcelo Otero
Les Fous dans la cité
L'Ombre portée
Roberto Perin
Ignace de Montréal
Daniel Poliquin
René Lévesque
Le Roman colonial
André Pratte
Biographie d'un discours
L'Énigme Charest
Qui a raison ?
Le Syndrome de Pinocchio
Wilfrid Laurier
Daniel Raunet
Monique Bégin. Entretiens
John Rawls
La Justice comme équité
Paix et Démocratie
Nino Ricci
Pierre Elliott Trudeau
Noah Richler
Mon pays, c'est un roman
Yvon Rivard
Aimer, enseigner
Antoine Robitaille
Le Nouvel Homme nouveau
Régine Robin
Nous autres, les autres
François Rocher
Guy Rocher. Entretiens
Simon Roy
Ma vie rouge Kubrick
Ronald Rudin
L'Acadie entre le souvenir et l'oubli
Michel Sarra-Bournet
Louis Bernard. Entretiens
John Saul
Dialogue sur la démocratie au Canada
Le Grand Retour
Mon pays métis
Doug Saunders
Du village à la ville
Simon-Pierre Savard-Tremblay
Le Souverainisme de province
Michel Seymour
De la tolérance à la reconnaissance
Une idée de l'université
Patricia Smart
De Marie de l'Incarnation à Nelly Arcan
Les Femmes du Refus global
Paul St-Pierre Plamondon
Les Orphelins politiques
David Suzuki
Lettres à mes petits-enfants
Ma dernière conférence
Ma vie
Suzuki : le guide vert
David Suzuki et Wayne Grady
L'Arbre, une vie
David Suzuki et Holly Dressel
Enfin de bonnes nouvelles
Charles Taylor
L'Âge séculier
Les Sources du moi
Alexandre Trudeau
Un barbare en Chine nouvelle
Pierre Trudel
Ghislain Picard. Entretiens
Chris Turner
Science, on coupe !
Akos Verboczy
Rhapsodie québécoise
Jean-Philippe Warren
L'Art vivant
L'Engagement sociologique
Honoré Beaugrand
Hourra pour Santa Claus !
Une douce anarchie
Jennifer Welsh
Le Retour de l'histoire
Martin Winckler
Dr House, l'esprit du shaman
Kathleen Winter
Nord infini
Andrée Yanacopoulo
Pour les droits des femmes
Prendre acte

Ce livre a été imprimé sur du papier 100 %
postconsommation, traité sans chlore, certifié ÉcoLogo
et fabriqué dans une usine fonctionnant au biogaz.

MISE EN PAGES ET TYPOGRAPHIE :
LES ÉDITIONS DU BORÉAL

ACHEVÉ D'IMPRIMER EN OCTOBRE 2017
SUR LES PRESSES DE MARQUIS IMPRIMEUR
À MONTMAGNY (QUÉBEC).